Einaudi. Stile Libero Big

Tana French
Il cacciatore

Traduzione di Alfredo Colitto

Einaudi

Titolo originale *The Hunter*

© 2024 Tana French

© 2024 Giulio Einaudi editore s.p.a., Torino

www.einaudi.it

ISBN 978-88-06-26444-4

Il cacciatore

I.

Trey sale sulla montagna portando una sedia rotta. La porta sulla schiena, le gambe che sporgono oltre le sue spalle. Il cielo è di un azzurro cosí caldo che sembra dipinto e il sole le brucia il collo. Persino i richiami acuti di uccelli che volano troppo in alto per essere visibili vibrano di calore. La proprietaria della sedia le aveva offerto un passaggio, ma Trey non ha nessuna intenzione di permetterle di impicciarsi degli affari suoi, e comunque non ce la farebbe a sostenere una conversazione per tutto il viaggio lungo le strade piene di buche che salgono sulla montagna.

Il suo cane Banjo saltella fuori dal sentiero, annusando e frugando tra l'erica fitta, che è troppo odorosa e marroncina per luglio. Quando Banjo ci passa attraverso produce suoni scroscianti. Ogni pochi minuti, torna di corsa da lei per comunicarle, con soffi e guaiti, cos'ha trovato. Banjo è un bastardo, nero e fulvo, con la testa da beagle e il corpo di una razza piú tozza, ed è molto piú chiacchierone di Trey. Il suo nome deriva da una macchia bianca a forma di banjo che ha sul ventre. Trey avrebbe voluto un nome migliore, ma la sua mente manca di immaginazione, e tutti i nomi che trovava sembravano quelli che avrebbe usato per il suo cane un ragazzino coglione uscito da un libro di scuola. Cosí alla fine Banjo era andato bene. Cal Hooper, l'americano che vive appena fuori dal villaggio, ha un fratello di Banjo e l'ha chiamato Rip, e se un nome semplice va bene per il cane di Cal, va bene anche per quello di Trey. Inoltre, lei passa gran parte del suo tempo in casa di Cal, il che significa che anche i due cani passano molto tempo insieme, e sarebbe stupido se avessero nomi troppo dissimili.

La casa di Cal è il posto dove Trey porterà la sedia, piú tardi. Loro due riparano mobili su commissione, e a volte ne comprano alcuni vecchi e rotti, li rimettono in sesto e li vendono al mercato del sabato a Kilcarrow. Una volta avevano preso un tavolino che secondo Trey era inutile, troppo piccolo e sottile per posarci sopra qualcosa, ma Cal aveva scoperto su internet che quel tavolino aveva quasi duecento anni. E dopo averlo restaurato, l'avevano venduto per centottanta euro. La sedia che lei ha sulle spalle ora ha due traversine dello schienale e una gamba ridotti male, come se qualcuno l'avesse presa a calci con impegno. Ma quando avranno finito di sistemarla, sembrerà che non sia mai stata rotta.

Prima vuole passare a casa per pranzo, e pensa di cenare da Cal. Trey sta crescendo in fretta, quell'estate, conta i giorni soprattutto in termini di cibo, e il suo orgoglio le impedisce di scroccare a Cal due pasti nello stesso giorno. Osserva con molta attenzione i limiti che si è imposta, perché, se fosse per lei, andrebbe a vivere in casa di Cal. Lí si sente in pace. Anche casa sua, in alto sulla montagna e lontana da altre abitazioni proprio come quella di Cal, dovrebbe essere pacifica, ma non lo è. Il fratello e la sorella piú grandi sono andati via, ma Liam e Alanna hanno sei e cinque anni, e Maeve ne ha undici, e non fa altro che lamentarsi e sbattere la porta della stanza che condivide con Trey. Anche quando per caso passano qualche minuto senza combinare casini, la loro presenza si fa sempre sentire. La loro madre è una donna silenziosa, ma il suo è un silenzio senza pace. Occupa spazio, come un'armatura pesante e arrugginita che la riveste. Lena Dunne, che vive piú in basso di loro, dice che da ragazza sua madre parlava e rideva molto. Non è che Trey non le creda, ma trova inaccessibile quell'immagine.

Banjo schizza fuori dall'erica, portando orgogliosamente in bocca qualcosa la cui puzza si sente lontano un miglio. – Lascialo! – ordina Trey. Il cane le rivolge un'occhiata risentita, ma è ben addestrato; lascia l'animale morto, che cade sul sentiero con un tonfo bagnato. È stretto e scuro, forse un giovane ermellino. – Bravo cane, – dice Trey, e toglie una mano dalla sedia per accarezzargli la testa, ma Banjo non si mostra rabbonito. Invece di galoppare via di nuovo, si mette a camminare al suo fianco, muso e coda penduli, per farle capire che ha ferito i suoi sentimenti. Cal lo definisce un bambinone. Rip è un attaccabrighe che aggredirebbe anche con una zampa spezzata, mentre Banjo vuole che le persone notino la sua sofferenza.

Il pendio diventa ripido in alcuni punti, ma le gambe di Trey sono abituate alla montagna, e mantiene il passo. Le sue scarpe da ginnastica sollevano piccoli sbuffi di polvere. Alza i gomiti per far circolare l'aria sotto le ascelle, ma la brezza è troppo leggera per fare una differenza. Sotto di lei, i campi creano un mosaico di varie gradazioni di verde, con forme strane e angolari che Trey conosce come le crepe sul soffitto della sua stanza. La mietitura del fieno è iniziata: in basso si vedono le rotoimballatrici, minuscole in lontananza, andare avanti e indietro lungo le curve della roccia, lasciandosi dietro come escrementi dei cilindri gialli. Gli agnelli sono macchioline bianche che saltellano tra l'erba.

Trey esce dal sentiero, scala un muro a secco mezzo crollato, tanto che non deve aiutare Banjo a superarlo, emerge

in una distesa di erbacce alte fino alla coscia che una volta
era un campo e poi entra in una fitta macchia di abeti. I
rami frammentano la luce in una confusione di macchie,
e l'ombra le rinfresca il collo. In alto, gli uccellini ubria-
chi d'estate sfrecciano qua e là, e ciascuno cerca di fare
piú rumore degli altri. Trey manda loro un richiamo fi-
schiettante e sorride quando loro tacciono di colpo, in modo istantaneo e simultaneo, cercando di capire cosa vuole.

Esce dagli alberi nel terreno sgombro dietro casa sua.
La casa ha ricevuto da poco una mano di vernice color
burro, e un paio d'anni prima ci sono state le riparazioni
al tetto, ma nulla riesce a toglierle l'aspetto esausto. La
sua spina dorsale è incurvata e le linee delle finestre sono fuori squadra. Il cortile è solo uno spazio di erbacce e
polvere, che termina contro il fianco della montagna ed
è ingombro di tutte le cose che Liam e Alanna usano per
giocare. Trey una volta ha portato qui i suoi compagni di
scuola, per mostrare che non si vergogna di dove abita, e
poi non li ha fatti venire piú. La sua tendenza di default è
quella di tenere le cose separate. Questo è reso piú facile
dal fatto che nessuno dei suoi compagni è del posto. E lei
non frequenta quelli di Ardnakelty.

Appena entra dalla porta della cucina, nota che c'è qualcosa di diverso. L'aria è tesa e concentrata, non ci sono
rumori o movimenti. Nota un odore di fumo di sigaretta,
e prima che possa fare altro sente la risata di suo padre
provenire dal soggiorno.

Banjo emette lo sbuffo che precede un latrato. – No, –
dice subito Trey, a bassa voce. Il cane si scuote di dosso
terra e resti di erica, muove le orecchie e si dirige verso la
sua ciotola d'acqua.

Trey resta immobile per un minuto, nel raggio di sole
che entra dalla porta e illumina il linoleum consunto. Poi

va in corridoio, in punta di piedi, e si ferma davanti alla porta del soggiorno. La voce di suo padre è chiara e allegra, fa domande che ricevono risposte eccitate da Maeve e borbottii da Liam.

Pensa di andare via, ma prima vuole vederlo, essere sicura. Apre la porta.

Suo padre è seduto al centro del divano, rilassato e sorridente, e cinge con le braccia Alanna e Maeve. Anche loro sorridono, ma incerte, come se avessero appena ricevuto un grande regalo di Natale che forse non volevano. Liam è stretto contro un angolo del divano e fissa il padre a bocca aperta. Sua madre è seduta sul bordo di una poltrona, con la schiena dritta e le mani sulle cosce. Anche se lei è quella che c'è sempre stata, mentre suo padre mancava da quattro anni, è Sheila quella che sembra non sentirsi a casa sua, lí dentro.

– Dio onnipotente, – dice Johnny Reddy, con gli occhi brillanti. – Guarda chi c'è. La piccola Theresa è cresciuta. Quanti anni hai ora? Sedici? Diciassette?

– Quindici, – risponde Trey. Sa che in realtà sembra piú piccola della sua età, non piú grande.

Johnny scuote la testa, meravigliato. – Presto dovrò scacciare da casa dei giovanotti con un bastone. O sono arrivato tardi? Hai già un fidanzato? O due o tre? – Maeve fa una risatina acuta e lo guarda in faccia per vedere se ha capito bene.

– No, – risponde Trey, in tono piatto, quando capisce che lui si aspetta una risposta.

Johnny fa un sospiro di sollievo. – Allora ho il tempo di trovarmi un buon bastone –. Indica con il mento la sedia che Trey ha dimenticato di mettere giú. – Che cos'è? Mi hai portato un regalo?

– Voglio aggiustarla.

– Guadagna dei soldi con questi lavori, – interviene Sheila. Ha la voce piú chiara del solito, e macchie arrossate sugli zigomi. Trey non capisce se è contenta o seccata del ritorno di suo padre. – È cosí che ho comprato il nuovo microonde.

Johnny ride. – Hai preso da tuo padre, eh? Sempre con qualcosa da fare. Questa è la mia bambina –. Strizza l'occhio a Trey. Maeve si contorce sotto il suo braccio, per rammentargli la sua presenza.

Trey ricordava un uomo imponente, invece è magro e di corporatura media. I capelli, di un castano grigiastro come i suoi, gli ricadono sulla fronte come se fosse un adolescente. I suoi jeans e la maglietta bianca e la giacca di pelle nera sono le cose piú nuove della casa. Il soggiorno sembra ancora piú trascurato, con lui dentro.

Trey dice a sua madre: – Porto questa da Cal –. Si volta e torna in cucina.

Alle sue spalle, sente Johnny dire, in tono ridanciano: – Cal, eh? È uno dei figli di Senan Maguire?

Banjo è ancora intento a bere dalla sua ciotola, ma quando rientra Trey si alza e scuote tutta la parte posteriore del corpo, con sguardi allusivi alla ciotola del cibo. – No, – dice Trey. Mette il viso sotto il rubinetto e si lava via polvere e sudore. Si sciacqua la bocca e sputa nel lavandino. Poi mette le mani a coppa e beve a lungo.

Si volta di scatto sentendo un rumore, ma è Alanna, con il suo coniglio di pezza sotto un braccio. Con l'altro muove la porta avanti e indietro. – Papà è di nuovo a casa, – dice, in tono di domanda.

– Sí, – risponde Trey.

– Dice che devi tornare dentro.

– Devo uscire –. Trey apre il frigo, trova delle fette di prosciutto e ne infila un bel po' in un panino. Lo avvolge in carta da cucina e lo ficca nella tasca posteriore dei jeans, mentre Alanna la osserva senza smettere di dondolare la porta. Schiocca le dita per chiamare Banjo ed esce nel sole.

Cal sta stirando le camicie sul tavolo della cucina, e pensa di tagliarsi la barba. Quando se l'era fatta crescere, a Chicago, la sua idea del clima irlandese era basata sui siti web turistici: campi verdi lussureggianti e persone felici in maglioni fatti a mano. Per i primi due anni, il clima era stato piú o meno come nella pubblicità. Ma quell'estate deve essere uscita da un sito web del tutto diverso, forse uno che pubblicizzava la Spagna. Cal, che si era abituato al fatto di vedere ogni giorno poco sole, molte nuvole e diverse varietà di pioggia, trova difficile adattarsi a quel calore forte e immobile. Non quadra con il paesaggio, la cui bellezza è fondata su sottigliezza e mutevolezza, e sta facendo incazzare i contadini: ha incasinato i programmi per la fienagione e la realizzazione dell'insilato, rende irritabili le pecore e minaccia i pascoli. Tra i ragazzi del pub è diventato l'argomento principale di conversazione, soppiantando i campionati nazionali dei cani da pastore, la donna che il figlio maggiore di Itchy O'Connor si è portato da Dublino per sposarla, e le probabili tangenti versate per la costruzione del nuovo centro ricreativo del villaggio. Tra gli inconvenienti minori causati dal caldo, c'è il fatto che la barba di Cal è diventata una trappola per il calore. Ogni volta che esce di casa, la metà inferiore del viso sembra avere un suo clima tropicale personale.

Tuttavia, a lui piace la sua barba. All'inizio era collegata, anche se non proprio strettamente, al suo pensionamento anticipato, quando ne aveva avuto abbastanza di fare il poliziotto e di avere una faccia da poliziotto. Nei termini della gente di Ardnakelty, la barba alla fine non aveva fatto nessuna differenza: lo avevano sgamato ancora prima che disfacesse i bagagli. Ma ciò nonostante, per lui significa qualcosa.

Anche con quel caldo, la casa è fresca. È un piccolo cottage degli anni Trenta, senza nessuna caratteristica notevole, ma i muri sono spessi e solidi e fanno il loro lavoro. Quando l'aveva comprata sembrava sul punto di crollare, ma lui si è preso il tempo per rimetterla a nuovo, anche perché non ha molto altro da fare. La stanza in cui si trova ora, che è principalmente un soggiorno e un po' anche cucina, è al punto in cui non sembra piú un lavoro in corso, ma solo un bel posto dove stare. L'ha dipinta di bianco, con la parete est di un giallo dorato (un'idea di Trey), per intonarsi alla luce del tramonto che la colpisce. Col tempo ha comprato anche dei mobili, da aggiungere a quelli lasciati dai precedenti proprietari: adesso ha tre sedie intorno al tavolo da pranzo, una vecchia scrivania dove Trey si siede a fare i compiti, una poltrona, un divano azzurro sbiadito che avrebbe bisogno di una fodera nuova, e persino una lampada a stelo. Ha preso anche un cane. Nel suo angolo accanto al camino, Rip mastica coscienziosamente un osso finto per cani. È piccolo, con le orecchie flosce e un corpo come un gabinetto esterno. È mezzo beagle, con il muso dolce e il pelo a macchie bianche e fulve, ma Cal non ha ancora capito cosa sia l'altra metà. Sospetta che il suo altro genitore fosse un ghiottone.

Dalla finestra aperta entra il chiasso esuberante degli uccelli che, a differenza delle pecore, sono felici del caldo e dell'abbondanza di insetti che ha portato. La brezza entra in casa soffice e dolce come panna. Entra anche un calabrone e va a sbattere contro uno stipo. Cal gli lascia

un po' di tempo per riflettere, e l'insetto alla fine scopre
la finestra e vola fuori al sole.

Dalla porta di servizio arrivano un rumore e un latrato
felice. Rip si alza dal suo angolo, corre lungo il corridoio e
pianta il naso contro la porta con tanta forza da impedire
a Cal di aprirla. Questo succede tutte le volte che vengono Trey e Banjo, ma Rip, che è una creatura molto socievole, è troppo eccitato per ricordarlo.

– Indietro, – ordina Cal, spingendolo via con la punta di un piede. Il cane riesce a trattenersi, vibrando, abbastanza a lungo da lasciargli aprire la porta. Dal gradino
d'ingresso si alzano in volo due giovani corvi, e si dirigono alla quercia in fondo al giardino, ridendo cosí forte da
rovesciarsi in aria.

Rip li insegue, con l'intenzione di farli a pezzi. – Bene,
figlio di buona donna, – dice Cal, divertito. Tenta di costruire un rapporto con la sua colonia di corvi fin da quando è arrivato. Sta funzionando, ma non nel modo in cui
pensava. Aveva un'idea disneyana di corvi che gli portava-
no regalini e venivano a mangiare dalla sua mano. I corvi
sembrano pensare che lui sia un buon acquisto per la zona,
ma solo perché lascia loro gli avanzi da mangiare e perché
amano prenderlo per il culo. Quando si annoiano, gridano dentro il suo camino, gettano sassi nel fuoco o battono
contro le finestre. I latrati sono una novità.

Rip arriva quasi alla quercia, poi fa dietrofront e corre
verso il retro della casa, verso la strada. Cal sa cosa vuol
dire. Torna dentro e stacca il ferro da stiro.

Trey entra sola. I due cani giocano a rincorrersi in cortile o a infastidire i corvi, o a scavare quello che riescono
a trovare tra le siepi. Conoscono i confini della proprietà,
quattro ettari, piú che abbastanza per tenerli occupati. Non
andranno a inseguire le pecore rischiando di farsi sparare.

– Sono andata a prendere questa, – dice Trey, togliendosi la sedia dalla schiena. – Dalla donna sull'altro versante della montagna.

– Ottima idea. Vuoi mangiare qualcosa?

– No, ho già pranzato.

Anche Cal è cresciuto poverissimo, perciò comprende il rapporto spinoso che Trey ha con le offerte. – Se vuoi un dolce, i biscotti sono nel barattolo, – dice. Trey va verso l'armadietto.

Cal mette su un appendino la camicia stirata e lascia il ferro a raffreddarsi sul piano di lavoro della cucina. – Stavo pensando di tagliarmi questa, – aggiunge, tirandosi la barba. – Tu che ne pensi?

Trey si blocca con un biscotto in mano e lo fissa come se avesse detto di voler camminare nudo sulla strada principale di Ardnakelty. – No, – dice, in tono definitivo.

La sua espressione fa sorridere Cal. – No? Perché?

– Avresti una faccia da stupido.

– Grazie.

Lei fa spallucce. Cal conosce bene tutta la gamma delle sue scrollate di spalle. Quella significa che, avendo già espresso il suo parere, non lo considera piú un suo problema. S'infila in bocca il resto del biscotto e porta la sedia nella stanza piú piccola, che è diventata il loro laboratorio.

Le sue capacità di conversare sono quello che sono, perciò Cal ha imparato a interpretare i ritmi e la qualità dei suoi silenzi per capire quello che ha bisogno di sapere. Di norma, lei non avrebbe lasciato cadere l'argomento cosí in fretta, senza dargli altre descrizioni di come sarebbe stato il suo aspetto con il viso rasato. Significa che qualcosa la preoccupa.

Cal va a lasciare la camicia in camera da letto e la rag-

giunge in laboratorio. È piccolo e luminoso, dipinto con
gli avanzi della pittura usata nel resto della casa, e odora
di segatura, vernice e cera d'api. C'è roba dappertutto, ma
è ordinato. Quando Cal si era reso conto che restaurare
mobili stava diventando una cosa seria, lui e Trey avevano costruito un robusto scaffale in cui conservare scatole
di chiodi, perni, viti, stracci, matite, morsetti, cere, mordenti per legno, oli, pomelli per cassetti e tutto il resto.
Dei pannelli forati sui muri contengono file di utensili,
ciascuno con la sua forma disegnata sul legno. Cal aveva
iniziato con la cassetta degli attrezzi di suo nonno, e da
allora ha accumulato quasi ogni attrezzo da falegnameria
esistente, piú altri che ufficialmente non esistono, ma che
ha costruito lui insieme a Trey per i loro bisogni. C'è un
tavolo da lavoro, un tornio e una catasta di oggetti in legno da aggiustare. In un altro angolo c'è una ruota di carro che Trey ha trovato da qualche parte. L'hanno tenuta
perché non si sa mai.

Trey sta sistemando un telo sul pavimento, su cui mettere la sedia. È una sedia solida, fatta a mano molto tempo
prima, tanto da avere il sedile e l'assicella davanti scava-
ti dai tanti sederi e piedi che ci si sono appoggiati sopra.
Gambe e schienale sono affusolati e con decorazioni qua
e là. Si vede che ha trascorso gran parte della sua vita accanto a una cucina o a un camino, e ora è coperta da uno
strato appiccicoso di fumo, unto e lucido per legno.

– Bella sedia, – commenta Cal. – Ma prima di lavorarci
dobbiamo pulirla per bene.

– L'ho detto alla donna. Lei ha risposto «Buona idea».
L'ha fatta suo nonno.

Cal la gira per esaminare i danni. – Al telefono mi ha
detto che l'ha rovesciata il gatto.

Trey emette un *pfft* scettico. – Già, – dice Cal.

– Suo figlio Jayden viene nella mia scuola, – dice la ragazza. – È uno stronzo. Picchia i piú piccoli.

– Tutte queste parti andranno sostituite, – ribatte Cal. – Quale legno usiamo, secondo te?

Osservano la seduta, che tutti quei sederi hanno mantenuto abbastanza pulita da poter distinguere le venature. – Quercia. Bianca.

– Sí, lo penso anch'io. Vedi se ne abbiamo un pezzo abbastanza grande da mettere sul tornio. Non preoccuparti del colore, tanto dovremo usare il mordente. Cerca solo di trovare delle venature simili.

Trey si accoscia davanti all'assortimento di pezzi di legno e si mette a frugare. Cal va in cucina e mescola acqua e aceto di vino bianco in una caraffa. Poi spolvera la sedia con uno straccio, lasciando alla ragazza lo spazio per parlare, se ne ha voglia. La osserva.

È cresciuta. Due anni prima, quando era apparsa per la prima volta nel suo cortile, era una ragazzina taciturna e magrissima, con i capelli quasi rapati e un'attitudine felina verso il sistema del combatti o fuggi. Ora gli arriva alla spalla, il taglio militare è diventato un taglio corto, i suoi lineamenti stanno trovando una nuova forma piú definita, e si muove in casa sua come se vivesse lí. Riesce persino a sostenere intere conversazioni, anche se non sempre. Non ha le pose e gli artifici tipici di molti adolescenti, ma è comunque un'adolescente, e la sua mente e la sua vita si fanno piú intricate di giorno in giorno. Le cose che dice, sulla scuola, gli amici e altro, hanno strati di significati nascosti, e Cal fa fatica a capirla. In quel periodo, ogni volta che Trey si mette in mente qualcosa, il terrore dentro di lui si fa piú ampio e oscuro. A quindici anni possono succedere tante cose e provocare tanti danni. Trey sembra solida come una roccia, ma ha ricevuto troppi colpi dalla vita per non avere delle crepe da qualche parte.

Cal trova uno straccio pulito e comincia a strofinare la sedia con la mistura di acqua e aceto. La pellicola appiccicosa si toglie con facilità e lascia lunghe strisce scure sullo straccio. Fuori dalla finestra, il canto dei merli giunge dai campi e le api si godono il trifoglio che ha invaso il giardino.

Trey, con in mano due pezzi di legno da comparare, a un tratto dice: – È tornato mio padre.

Tutto dentro Cal si ferma. Tra tutti i timori che si agitavano dentro di lui, quello non c'era.

Dopo molto tempo chiede: – Quando? – È una domanda stupida, ma è l'unica che gli viene in mente.

– Stamattina, quando sono andata a prendere la sedia.

– Capisco. È tornato per restare, o solo per un po' di tempo?

Trey fa una scrollata di spalle stravagante. Non ne ha idea.

Cal vorrebbe vederla in faccia. – E come ti senti al riguardo?

– Per me può andare affanculo, – replica Trey, in tono piatto.

– Certo, è giusto. – Forse dovrebbe farle un discorsetto falso che include le parole «però è sempre tuo padre», ma si è dato la regola di non dire mai falsità a Trey, e inoltre i suoi sentimenti per Johnny Reddy coincidono con quelli della ragazza.

Lei dice: – Stanotte posso dormire qui?

La mente di Cal si blocca di nuovo. Si rimette a sfregare la sedia, con un ritmo sempre uguale. Dopo qualche secondo dice: – Sei preoccupata per qualcosa che potrebbe fare tuo padre?

Trey soffoca una risata. – No.

Sembra sincera, e Cal si rilassa un po'. – Allora qual è il problema?

– Non può semplicemente tornare come se niente fosse.

Gli volta le spalle mentre fruga tra i pezzi di legno, ma la sua spina dorsale è ingobbita dalla rabbia.

– Capisco, – risponde Cal. – Al tuo posto avrei la stessa reazione.

– Allora posso restare?

– No. Non è una buona idea.

– Perché?

– Ecco, – spiega Cal. – A tuo padre non piacerà che appena torna tu vai via di casa. E penso sia meglio non iniziare il rapporto facendolo incazzare. Sempre se resta. Vorrei che non facesse obiezioni al fatto che vieni a casa mia –. Non aggiunge altro. Lei è abbastanza grande per capire almeno alcuni dei motivi per cui è meglio che non dorma lí. – Chiamo Lena e vedo se puoi stare da lei.

Trey fa per obiettare, ma cambia idea e si limita ad alzare gli occhi al cielo. Cal scopre, sorpreso, di essere scosso, come se fosse caduto da un posto alto e avesse bisogno di sedersi. Appoggia il sedere sul tavolo da lavoro e prende il cellulare.

Pensandoci meglio, invece di chiamare Lena le manda un messaggio. «Trey può dormire da te, stanotte? Non so se lo sai ma suo padre è appena tornato a casa, e non se la sente di restare con lui».

Resta immobile a guardare un raggio di sole che si sposta lungo le spalle sottili di Trey, intenta a esaminare e scartare pezzi di legno, finché Lena risponde: «Cazzo, la capisco, sí, può dormire da me, non c'è problema».

«Grazie», risponde Cal. «La mando a casa tua dopo cena». – Ha detto che da lei sei la benvenuta, – dice a Trey, mettendosi in tasca il telefono. – Ma devi far sapere a tua madre dove sei. O chiedere a Lena di dirglielo.

Trey alza di nuovo gli occhi al cielo. – Ecco, – dice, mostrandogli una traversina di quercia. – Questa va bene?

– Sí, – risponde Cal. Torna al lavoro sulla sedia. – Va bene.

Trey fa un segno con un pennarello nero sulla traversina e la rimette nell'angolo. – Quella roba viene via bene?

– Sí. Senza problemi.

Trey trova uno straccio pulito, lo tuffa nella mistura di aceto e acqua e lo strizza forte. – E se a mio padre non piace che vengo da te?

– Credi che non gli piacerà?

Lei riflette prima di parlare. – Non glie n'è mai fregato un cazzo di dove vado.

– Bene, – dice Cal. – Probabilmente non gliene fregherà nemmeno di questo. Se invece crea problemi, vedremo cosa fare.

Trey gli lancia una rapida occhiata e Cal ripete: – Vedremo cosa fare.

Lei annuisce, decisa, e si rimette al lavoro. Il fatto che una sua promessa possa ancora rassicurarla fa venire a Cal voglia di sedersi di nuovo.

Rassicurata o no, comunque è taciturna, persino rispetto al solito. Dopo un po', Rip e Banjo hanno sete ed entrano dalla porta aperta, bevono dalle loro ciotole facendo un sacco di rumore e si presentano in laboratorio chiedendo un po' d'attenzione. Trey li accarezza entrambi, e ride quando Rip le dà una forte musata sotto il mento, facendola cadere all'indietro. Poi i cani vanno a riposare in un angolo e lei riprende lo straccio e si rimette a sfregarlo sulla sedia.

Nemmeno Cal ha molta voglia di parlare. Non aveva mai

pensato che il padre di Trey sarebbe tornato. Anche se l'ha conosciuto solo attraverso degli aneddoti, Johnny Reddy gli sembra un tipo di persona che ha già incontrato: quello che arriva in un posto nuovo, si presenta come la persona di cui sembra esserci bisogno e vede quanto è in grado di guadagnare da quella mascherata prima che si scopra che è falsa. Cal non riesce a farsi venire in mente un motivo valido per il suo ritorno, nell'unico posto dove può presentarsi solo come sé stesso.

Lena sta appendendo il bucato sulla corda. È un compito da cui ricava un piacere esagerato. La rende consapevole dell'aria che la circonda, calda e dolce di fieno tagliato, della luce generosa che la inonda, del fatto che in quel punto si sono trovate generazioni di altre donne, impegnate nello stesso compito contro il verde dei campi e il contorno distante delle montagne. Quando suo marito era morto, cinque anni prima, aveva imparato ad agguantare ogni ritaglio di felicità ovunque riuscisse a trovarlo. Un letto rifatto, un toast perfettamente imburrato alleggerivano abbastanza il peso da lasciarle riprendere fiato. Una brezza lieve gonfia le lenzuola già stese. Lena canticchia tra sé, frammenti di canzoni che ha sentito alla radio.

– Ma guarda un po', – dice una voce alle sue spalle. – Lena Dunne, a grandezza naturale e due volte piú bella.

Lena si volta e vede Johnny Reddy appoggiato al cancello posteriore, che la guarda con attenzione. Ha sempre avuto un modo di ispezionarti come se ricordasse con approvazione quanto eri brava a letto. Poiché Lena non è mai stata a letto con lui, né ci andrà in futuro, decide che non ha tempo da dedicargli.

– Johnny, – dice, squadrandolo a sua volta, – avevo sentito che eri tornato.

Johnny ride. – Dio onnipotente, le voci viaggiano ancora in fretta, qui. Questo posto non è cambiato affatto –. Le rivolge un sorriso affettuoso. – E nemmeno tu.

– Io sí, – risponde Lena, – grazie a Dio. Tu invece no.

– È la verità. A parte qualche ciocca di grigio tra i capelli, Johnny è uguale a quando gettava sassolini contro la sua finestra e accompagnava in discoteca lei e una mezza dozzina di altri, tutti ammucchiati nella Ford Cortina di suo padre, a gran velocità nella notte, provocando strilli a ogni buca. Anche il modo di starsene lí è uguale, come un ragazzo. Conferma l'idea di Lena che gli uomini che invecchiano meglio sono quelli inconcludenti.

Sorride e si passa una mano sulla testa. – Ho ancora i capelli, comunque. Questa è la cosa principale. Tu come stai?

– Benissimo. E tu?

– Mai stato meglio. È bello essere a casa.

– Fantastico, – dice Lena. – Sono contenta per te.

– Ero a Londra, – le confida Johnny.

– Lo so. Intento a costruire la tua fortuna. Ci sei riuscito?

Si aspetta una storia avvincente in cui Johnny era a un passo di distanza dal guadagnare milioni, quando era arrivato un uomo malvagio e gli aveva strappato l'occasione da sotto il naso. Questo renderebbe almeno un po' interessante la sua visita. Invece Johnny si tocca il naso in modo malizioso. – Ah, sarà un bel racconto. È in costruzione. Accesso consentito solo a persone autorizzate.

– Oh, merda, – ribatte lei. – Ho dimenticato il mio cappello delle grandi occasioni –. Torna a stendere il bucato, pensando che Johnny avrebbe almeno potuto aspettare che avesse finito di godersi il momento.

– Ti do una mano? – chiede lui.

– No, grazie. Ho finito.

– Ottimo –. Johnny apre il cancello e indica fuori

con un gesto. – Allora puoi venire a fare una passeggiata con me.

– Questa non è l'unica cosa che ho da fare, oggi.

– Il resto può aspettare. Quando è stata l'ultima volta che hai marinato il lavoro? Un tempo era una tua specialità.

Lena lo guarda. Ha ancora quel sorriso da monello capace di risvegliare il tuo lato spericolato e farti pensare che tanto la posta in gioco è bassa. Lena non ha mai giocato forte, a parte le corse a tutta velocità sulla Cortina. Si era fatta spesso due risate con Johnny, ma anche se lui era bello e il più affascinante del circondario, non gli aveva mai permesso di andare oltre una toccatina sopra il reggiseno. Johnny non aveva sostanza, non c'era nulla in lui capace di agganciarla. Ma Sheila Brady, che all'epoca era amica di Lena, aveva creduto che la posta fosse bassa e che in Johnny ci fosse della sostanza, da qualche parte, ed era rimasta incinta. Da allora la sua vita era diventata una discesa costante lungo una brutta china.

Sheila era abbastanza grande da decidere cosa voleva fare, ma lo slancio di Johnny aveva trascinato con sé anche i bambini. Lena si è affezionata a Trey Reddy più che a qualsiasi altro essere umano.

– Sai a chi piacerebbe fare una giornata di pausa? – dice. – A Sheila. Anche lei era una specialista, in questo.

– È a casa con i bambini. Theresa è andata da qualche parte. Lei è una degna figlia di suo padre, sempre pronta a cambiare aria. Gli altri sono troppo piccoli per badare a sé stessi.

– Allora va' tu a badare a loro, cosí Sheila può andare a fare una passeggiata.

Johnny ride. Non sta fingendo, non è né irritato, né si vergogna. Quella era una delle cose che le avevano impedito di lasciarsi attrarre da lui: anche se vedevi benissimo che tipo era e glielo facevi capire, non si preoccupava affatto. Se non cadevi tu nelle sue trappole, c'erano tante altre pronte a caderci.

– Sheila dev'essere già stufa della vista di questi campi. Invece a me sono mancati per anni. Vieni, godiamoceli insieme –. Scuote il cancello, invitante. – Cosí mi dirai cos'hai fatto tutto questo tempo e io ti racconto come mi è andata a Londra. Il tizio che viveva al piano di sopra era filippino, e aveva un pappagallo capace di imprecare nella sua lingua. Una cosa del genere non la trovi ad Ardnakelty. Ti insegnerò come chiamare figlio di una cavalletta chiunque ti dia fastidio.

– Ho venduto la terra su cui ti trovi ora a Ciaran Maloney, – dice Lena. – È questo che ho fatto. Se lui ti vede qui, ti dirà di andartene. Cosí potrai chiamarlo figlio di una cavalletta –. Lena prende il cesto del bucato e torna in casa.

Lo osserva dalla finestra della cucina, tenendosi fuori vista. Johnny si allontana lungo il campo, in cerca di qualcun altro a cui sorridere. Il suo accento comunque non è cambiato, deve ammetterlo. Si aspettava che sarebbe tornato parlando come Guy Ritchie, ma ha ancora un accento da ragazzo di montagna.

Qualcosa di indefinito che aveva in mente emerge in superficie, ora che la sua rabbia è svanita e ha lasciato dello spazio libero. Johnny aveva sempre amato le entrate drammatiche. Quando si presentava davanti alla sua finestra, profumava sempre di dopobarba costoso, probabilmente rubato, con i jeans stirati e i capelli a posto, e la Cortina lavata e incerata. Era l'unico maschio di sua conoscenza che non aveva mai un'unghia spezzata. Oggi, i suoi vestiti erano nuovi di pacca, scarpe comprese, e non economici, ma i capelli gli pendevano sopra le orecchie e gli ricadevano sugli occhi. Si vedeva che aveva cercato di pettinarli,

ma erano troppo lunghi per lasciarsi domare. Se Johnny
Reddy era tornato a casa senza nemmeno il tempo di andare dal barbiere, era perché i guai lo seguivano da presso.

Quando Trey e Banjo si dirigono verso casa di Lena,
sono le dieci passate e la lunga sera estiva è finita. Nella
vasta distesa buia svolazzano falene e pipistrelli, e mentre attraversa i campi, Trey sente le vacche prepararsi a
dormire. L'aria ha conservato il calore della giornata, che
sale dal terreno. Il cielo è sereno e pieno di stelle. Domani sarà un'altra giornata bollente.

Trey sta ripassando a mente le cose che ricorda di suo padre. Non aveva pensato molto a lui, da quando era andato
via, perciò ci mette un po' a trovare qualcosa. Gli piaceva
distrarre la mamma, l'afferrava mentre puliva i fornelli e
la faceva ballare in cucina. A volte, quando aveva bevuto e qualcosa era andato storto, li picchiava. Altre volte
giocava con loro come se fosse anche lui un bambino. Suo
padre e Brendan, il fratello maggiore di Trey, prendevano
i piccoli a cavalluccio sulla schiena, per giocare ai cowboy,
e inseguivano Trey e Maeve in cortile, cercando di cattu-
rarle. Gli piaceva fare promesse, ma poi non sentiva il bisogno di mantenerle; anzi, sembrava sorpreso e dispiaciuto
quando loro gliene chiedevano conto. A un certo punto,
Trey aveva smesso di giocare ai cowboy.

La casa di Lena è illuminata, tre piccoli rettangoli gialli contro i campi neri. I suoi cani, Nellie e Daisy, le fanno
sapere di aver notato la presenza di lei e Banjo. Prima che
arrivino al cancello, Lena apre la porta e li aspetta sulla soglia. Vederla scioglie un po' la tensione di Trey. Lena è alta
e forte, con curve profonde, zigomi alti e la bocca ampia,
pesanti capelli biondi e profondi occhi azzurri. Tutto in lei
ha sostanza, non c'è nulla lasciato a metà. Cal è uguale: è

l'uomo piú alto che Trey conosca e tra quelli con le spalle piú larghe, con folti capelli e una fitta barba, entrambi castani, e ha le mani come badili. Trey ha un fisico agile e fatto apposta per non farsi notare, e si piace cosí, ma la solidità di Cal e Lena le dà piacere.

– Grazie per l'ospitalità, – dice sulla soglia, allungando a Lena una busta Ziploc piena di carne. – Coniglio.

– Grazie mille –. Le teste dei cani si spostano tra Trey, Banjo e la busta. Lena allontana con gentilezza i loro nasi. – L'hai preso tu?

– Sí –. Trey la segue in casa. Cal ha un fucile da caccia e delle tane di conigli sul suo terreno. Il coniglio era stata un'idea sua: considera educato portare un dono a chi ti ospita in casa sua. Trey approva l'idea. Non le piace essere in debito, nemmeno con Lena. – Stasera stessa. Devi lasciarlo in frigo per un giorno, altrimenti la carne sarà dura. Poi puoi metterlo nel congelatore.

– Magari lo mangio domani. È un bel po' che non mangio coniglio. Com'è che lo friggete tu e Cal?

– Con aglio ed erbe aromatiche, e poi uniamo pomodori e peperoni.

– Ah, – dice Lena. – Non ho i pomodori. Dovrei andarli a prendere da Noreen, ma poi lei vorrebbe sapere cosa voglio cucinare, e come ho avuto il coniglio e cosa ci fai tu qui. Anche se non le dico nulla, indovinerebbe la verità a naso –. Noreen, la sorella di Lena, possiede il negozio del villaggio, e anche il resto del villaggio, giacché c'è.

– Probabilmente lo sa già, – dice Trey, – di mio padre.

– È possibile, ma non c'è bisogno di facilitarle il lavoro. Lasciamo che ci pensi da sola –. Mette il coniglio in frigo.

Preparano insieme il letto per Trey nella stanza degli ospiti, che è ampia e dipinta di bianco. Il letto è largo e solido, con pomelli in cima ai montanti in legno di quer-

cia. Trey suppone che abbia tra i settanta e gli ottant'anni. Lena toglie la trapunta che fa da copriletto e la piega.
- Non credo ti serva, con questo caldo, - spiega.
- Chi altri dorme qui?
- Nessuno, adesso. Sean e io a volte ospitavamo amici di Dublino nei fine settimana. Dopo la sua morte, ho passato un periodo in cui non volevo vedere nessuno. E poi non ho piú ripreso l'abitudine -. Lena getta la trapunta in un baule ai piedi del letto. - Tuo padre è passato di qui questo pomeriggio, - dice.
- Gli hai detto che sarei venuta? - chiede Trey.
- No. Ma ho mandato un messaggio a tua madre.
- Cos'ha risposto?
- «Benissimo» -. Lena prende un lenzuolo da una pila sopra una sedia e lo scuote. - Sono stati stesi per un bel po'. Dovrebbero aver preso abbastanza aria. Cosa ne pensi del ritorno a casa di tuo padre?
Trey scrolla le spalle. Afferra due angoli delle lenzuola, quando Lena glieli passa, e inizia a stenderle sul materasso.
- Mia madre avrebbe potuto dirgli di andare al diavolo, - commenta.
- Ne aveva tutto il diritto, - conviene Lena. - Ma non credo che lui gliene abbia dato la possibilità. Di sicuro si è presentato con un gran sorriso e un bacio, ed è entrato in casa prima che lei capisse cos'era successo. E quando l'ha capito, era troppo tardi.
Trey ci pensa su. Sembra probabile. - Può farlo anche domani, comunque.
- Certo. Ma forse non lo farà. Il matrimonio è una cosa strana.
- Io non mi sposerò mai, - sentenzia Trey. Ha una profonda sfiducia nel matrimonio e in qualsiasi cosa che gli somigli. Sa che Lena a volte dorme da Cal, ma ha anche

una casa propria, dove tornare ogni volta che vuole, e dove nessun altro ha diritto di entrare se lei non vuole. A Trey, questo sembra l'unico sistema che abbia un po' di senso.

Lena fa un'alzata di spalle e piega meglio un angolo. – Molti ti direbbero che da grande cambierai idea. Chi lo sa. Il matrimonio va bene per alcuni, almeno per un periodo. Ma non è per tutti.

Trey chiede, all'improvviso: – Pensi che sposerai Cal?

– No, – risponde Lena. – Sono stata felice da sposata, ma è una cosa che non rifarei. Sto bene cosí.

Trey annuisce, sollevata. È una cosa a cui ha pensato parecchio, di recente. Approva la relazione tra Cal e Lena (se uno dei due uscisse con un altro si complicherebbe tutto), ma le piace la situazione cosí com'è, dove loro hanno due case separate.

– Ho avuto delle offerte, sai? – aggiunge Lena, stendendo sul letto il lenzuolo di sopra. – Bobby Feeney si è presentato qui due anni fa, tutto agghindato, con il vestito della domenica e un mazzo di garofani, e mi ha spiegato che sarebbe stato un ottimo secondo marito.

Trey si lascia andare a una risata improvvisa che la sorprende.

– Ah, – esclama Lena, con riprovazione. – Era serissimo. Aveva pensato a tutto. Ha detto che io avrei dato una mano con le pecore, visto che ci so fare con il bestiame. Lui invece sa riparare tutto, quindi non avrei dovuto preoccuparmi di guasti elettrici o se si fosse rotta la maniglia di una porta. E visto che ormai comincio a essere troppo in là con gli anni per avere figli, non gli avrei rotto le scatole per averne. E lui a sua volta non è piú nel fiore degli anni, quindi non avrebbe voluto fare sesso troppo spesso. E quasi tutte le sere è al pub o su in montagna a cercare gli Ufo, quindi non sarebbe stato tra i piedi. La sua unica preoccupazione era che sua madre non approvasse il matrimonio, ma era sicuro che alla fine lo avrebbe benedetto, soprattutto se mi fossi dimostrata capace di preparare un buon *pudding* di riso. Sembra che la signora Feeney lo apprezzi particolarmente.

Trey non riesce a smettere di sorridere. – E cosa gli hai risposto?

– Bobby è un brav'uomo, – dice Lena. – È un gran testone, ma non è colpa sua. È cosí da quando tutti e due portavamo ancora i pannolini. Gli ho detto che aveva fatto un buon ragionamento, ma che io ormai sono troppo abituata alla mia vita, per mettermi ad affrontare cambiamenti. Poi gli ho dato un barattolo della mia marmellata di mirtilli, da portare a sua madre per metterla nel *pudding* di riso, e l'ho mandato via. Mi sa che la marmellata l'ha reso piú felice di quanto avrei potuto fare io –. Le lancia una federa. – Puoi far dormire qui anche Banjo, se vuoi.

– Ma salirà sul letto.

– Non c'è problema, basta che non lo bagni.

– Quanto posso restare? – chiede Trey.

Lena la fissa. – Torna a casa domani. Vedi di cosa si tratta, per due o tre giorni. Poi vedremo cosa fare.

Trey non discute. Sa che Lena non cambia idea facilmente. – Quindi posso tornare?

– Probabilmente, se lo vorrai. Adesso aspettiamo e vediamo.

– Darò una lucidata a questo letto, – dice Trey, indicandolo. – Ne ha bisogno.

Lena sorride. – È vero. Adesso dormi. Ti prendo una maglietta.

La maglietta profuma di bucato steso al sole e del detersivo di Lena, diverso da quello che usa sua madre. Trey resta sveglia per un po', ad ascoltare i rumori di Lena che si prepara ad andare a letto, nella stanza accanto. Le piace quel letto largo, e il fatto che non c'è Maeve a poca distanza che tira calci e parla nel sonno in modo irritato. Anche quando dorme, Maeve tende a essere scontenta di tutto.

La notte ha suoni diversi, lí. Piú in alto sulla montagna, c'è sempre un vento forte che scuote le finestre e mormora tra gli alberi, smorzando tutti gli altri rumori. In casa di Lena, Trey riesce a sentire tutto chiaramente: un rametto spezzato, una civetta in caccia, le giovani volpi che latrano in lontananza. Banjo si gira, ai piedi del letto, e lascia andare un sospiro profondo e contento.

Malgrado il letto e la pace, Trey non riesce a dormire. Le sembra di doversi tenere pronta, nel caso succeda qualcosa. È una sensazione familiare e strana allo stesso tempo. Lei è brava a notare cose all'esterno, ma non le interessa notare quello che succede all'interno, perciò ci mette un po' a riconoscere che è cosí che si sentiva quasi tutto il tempo, fino a un paio d'anni prima, quando aveva incontrato Cal e Lena. La sensazione era gradualmente scomparsa, e lei se n'era dimenticata. Fino a quel momento.

Trey ha un'idea molto chiara di ciò che le piace o non le piace, e la sua vita le piaceva molto di piú fino a stamattina. Resta immobile nel letto, ascoltando le creature che si muovono fuori e il vento notturno che scende dalla montagna.

2.

Il giorno dopo è uguale al precedente: la rugiada evapora in fretta sotto un cielo azzurro senza nuvole. Cal chiama Lena, la quale riferisce che Trey sta benissimo e mangia tutto quello che c'è in giro eccetto il cibo per cani, poi passa la mattinata nel campo dietro casa, dove ha piantato un orto. L'anno scorso le verdure sono venute su quasi da sole: tutto quello che Cal doveva fare era tenere lontani i corvi, le lumache e i conigli, e ci era riuscito con una combinazione di trappole alla birra per le lumache, rete metallica per i conigli, Rip e uno spaventapasseri per i corvi. Lo spaventapasseri aveva avuto diverse fasi. Prima, con l'aiuto di Trey, ne aveva fatto uno con una vecchia camicia e un paio di jeans. Poi Lena gli aveva regalato alcune vecchie sciarpe per dargli un po' di movimento, ma a quel punto Mart, il vicino di casa piú prossimo, aveva detto che lo spaventapasseri sembrava fare la danza dei sette veli e avrebbe distratto tutti i vecchi scapoli del circondario, con scarsi raccolti e pecore trascurate. Aveva evitato il disastro trovando una vera tonaca da prete, che aveva drappeggiato sullo spaventapasseri. Un paio di settimane dopo, Cal era tornato a casa e aveva scoperto che qualcuno (che restava ancora ignoto) aveva messo al prete dei braccioli gonfiabili e un salvagente My Little Pony, con una testa di unicorno rosa. Malgrado i cambi di costume, alla fine dell'estate i corvi avevano sgamato il gioco, e si erano messi a usare il prete come una combinazione di struttura da gioco e gabinetto. Quella primavera, quando era spuntata la prima lattuga, Cal e Trey erano diventati creativi e avevano ricostruito lo spaventapasseri usando uno zombie di plastica che Cal aveva acquistato online. È attivato dal movimento, quindi ogni volta che qualcuno si avvicina i suoi occhi si accendono di una luce rossa, i denti iniziano a battere e agita le braccia ringhiando. Finora è riuscito a spaventare i corvi. Cal si aspetta che si prenderanno un'elaborata vendetta, quando finalmente scopriranno il trucco.

Quest'anno tuttavia, con il caldo eccessivo, l'orto fa fatica. Le piante hanno bisogno di essere annaffiate costantemente e bisogna ripulire le erbacce molto piú spesso. Ed è questo che Cal sta facendo stamattina. Anche la terra è diversa dall'estate scorsa, meno ricca e soda; gli scorre tra le dita invece di restare attaccata, e ha un odore piú secco, quasi febbricitante. Cal ha imparato su internet che quel clima cambierà il sapore della sua pastinaca, mentre per i pomodori è l'ideale. Alcuni sono grandi come mele e stanno già diventando rossi.

Rip, che stava annusando piste di conigli, a un tratto lascia andare un latrato da San Bernardo. Quel cane non è mai sceso a patti con la sua taglia. Nella sua mente, è un mostro che insegue prigionieri in fuga e se li mangia vivi.

– Cos'hai trovato? – chiede Cal, voltandosi.

Si aspetta un uccellino o un topolino, ma Rip, a testa alta e vibrando in tutto il corpo, punta un uomo che si sta avvicinando attraverso il campo.

– Fermo, – gli intima Cal. Si raddrizza e aspetta, mentre l'uomo viene verso di loro. Il sole è alto e la sua ombra è una piccola macchia che si muove intorno ai piedi. Il calore rende indistinta la sua sagoma.

– Ha proprio un bel cane, – dice l'uomo, quando è abbastanza vicino.

– È bravo, – risponde Cal. Sa che quell'uomo deve avere all'incirca la sua età, vicino ai cinquanta, ma sembra piú giovane. Ha un viso nostalgico, dai lineamenti fini, che lo fa sembrare diverso da un povero montanaro irlandese. In un film, sarebbe stato il nobile trattato ingiustamente, che merita di riavere il suo titolo e di sposare la ragazza piú bella. Cal è incredibilmente felice che non somigli affatto a Trey.

– Johnny Reddy, – dice l'uomo, tendendo la mano.

Cal solleva le sue, mostrando che sono sporche di terra. – Cal Hooper, – risponde.

Johnny sorride. – Lo so. Lei è la notizia piú grande di Ardnakelty, da quando una pecora di P. J. Fallon ha partorito un agnello con due teste. Come la trattano, qui?

– Non posso lamentarmi.

– L'accogliente Irlanda, – commenta Johnny, con un sorriso da ragazzo. Cal non si fida di uomini adulti che sorridono come ragazzi. – Ho saputo che devo ringraziarla. Mia moglie dice che è stato molto gentile con la nostra Theresa.

– Non c'è bisogno di ringraziamenti. Senza il suo aiuto non avrei sistemato questo posto cosí in fretta.

– Ah, mi fa piacere saperlo. Non vorrei che mia figlia fosse un fastidio, per lei.

– No, niente affatto. Sta diventando esperta di falegnameria.

– Ho visto il tavolino che voi due avete fatto per mia moglie. Ha le gambe belle e delicate. Mi piacerebbe vedere delle gambe cosí su una ragazza –. Il suo sorriso si allarga.

– È stato tutto lavoro di Trey, – dice Cal. – Io non l'ho toccato nemmeno con un dito.

– Non so da chi abbia preso, – replica Johnny, cambiando discorso in fretta quando non riceve la risata da uomo a uomo che cercava. – Se ci provassi io, finirei in ospedale. L'ultima volta che ho lavorato il legno è stato a scuola. E l'unica cosa che ne ho ricavato sono stati tre punti in un dito –. Solleva il pollice per mostrare la cicatrice. – E uno scappellotto dal professore, perché avevo sporcato di sangue il pavimento dell'aula.

– Be', non tutti possiamo avere gli stessi talenti, – commenta Cal.

Johnny gli fa venire voglia di perquisirlo e chiedergli dov'è diretto. Ci sono tipi cosí, che non superano il test anche se stanno semplicemente andando a fare la spesa; e il compito di un buon poliziotto è quello di capire se stanno davvero facendo qualcosa di losco, o se la faranno prima o poi, piú spesso prima che poi. Cal deve ricordare a sé stesso, cosa che non faceva da tanto tempo, che le imprese losche, imminenti o meno, non sono piú un suo problema. Con un gesto dà il via libera a Rip, il quale non vede l'ora di indagare. Il cane gira intorno a Johnny, tenendosi a distanza, per decidere se è un problema da eliminare.

– E adesso Theresa crea tavolini, – dice Johnny, offrendo a Rip la mano da annusare. Scuote la testa, meravigliato. – Quando ero giovane, molti si sarebbero fatti scoppiare il cuore dalle risate, per una cosa del genere. Avrebbero detto che insegnare queste cose a una ragazza è una perdita di tempo, quando invece dovrebbe imparare a cucinare bene un arrosto.

– Sul serio? – chiede Cal, cortese. Rip, che è una creatura sensata, dopo una sola annusata a Johnny ha deciso che mordicchiarsi il sedere rappresenta un uso migliore del suo tempo.

– Oh, sí. I ragazzi non la prendono in giro per questo, giú al pub?

– Non che io sappia, – risponde Cal. – Sembrano contenti di avere qualcuno che gli aggiusta i mobili.

– Abbiamo fatto molta strada, – dice Johnny, cambiando di nuovo argomento. Cal sa cosa sta facendo: i suoi commenti mirano a farsi un'idea di che tipo d'uomo sia il suo interlocutore. Lo ha fatto anche lui, moltissime volte. Ora però non ha necessità di farlo; sta imparando molte cose su Johnny già cosí. – È un'ottima occasione per Theresa. C'è sempre bisogno di un buon falegname; con un lavoro cosí potrà andare dove vuole. È questo che faceva anche lei, prima di venire qui?

Non c'è nessuna possibilità che non sappia cosa faceva Cal prima. – No, ero un poliziotto.

Johnny inarca un sopracciglio, impressionato. – Congratulazioni. È un lavoro che richiede fegato.

– È un lavoro che serve a pagare il mutuo.

– Un poliziotto può essere molto utile, in un posto fuori mano come questo. Se hai un'emergenza, possono passare ore prima che arrivino quei testoni dalla città, e solo se hanno deciso di disturbarsi per qualcosa di meno di un omicidio. C'era un tizio che conoscevo una volta, inutile fare nomi, che aveva bevuto troppo *poteen* avariato e uscí di testa. Gridava contro la sua donna, voleva sapere cosa ne aveva fatto di sua moglie, e intanto spaccava tutto.

Cal fa la sua parte e ride con lui. È facile. Johnny sa raccontare una storia, con l'aria di un uomo che davanti a sé ha una pinta di birra e una serata in buona compagnia.

– Alla fine si nascose sotto il tavolo della cucina, agitando la saliera e gridando che se lei o qualche altro demone si fossero avvicinati, li avrebbe uccisi spruzzandoli di sale.

La moglie si chiuse a chiave nel cesso e chiamò le guardie. Erano le tre del mattino. Ma prima che loro si degnassero di mandare qualcuno era già pomeriggio. A quel punto l'uomo aveva smaltito la sbronza dormendo sul pavimento della cucina, e non faceva altro che pregare quella povera donna di perdonarlo.

– E lei lo perdonò? – chiede Cal.

– Certo, naturalmente. Lo conosceva da quando entrambi erano in fasce. Ma non perdonò mai le guardie su in città. Per questo dico che il villaggio è felice di avere qui lei.

Non c'è nessuna possibilità nemmeno che Johnny creda davvero che il villaggio sia felice di avere un poliziotto a portata di mano. Come tanti posti fuori mano, Ardnakelty è contraria alla polizia per partito preso, che ci siano o non ci siano attività in corso capaci di attrarre l'attenzione di un poliziotto. Cal è stato accolto bene, ma nonostante il suo lavoro, non grazie a esso. – Non servo molto a nessuno, riguardo a quello, – spiega. – Sono in pensione.

– Ah, be' –. Johnny fa un sorriso malandrino. – Quando sei un poliziotto, lo sei per sempre.

– Cosí dicono, – ribatte Cal. – Io però non faccio nulla di poliziesco a meno che non mi paghino. Lei vuole assumermi?

Johnny ride forte. Quando Cal non si unisce a lui, si calma e fa una faccia seria. – Per me è meglio cosí. Preferisco che Theresa impari la falegnameria, piuttosto che il lavoro di polizia. Per carità, è un ottimo lavoro e ho gran rispetto per le persone che lo fanno, ma è troppo rischioso. Be', non devo certo dirlo a lei. Non vorrei che mia figlia si trovasse in pericolo.

Cal sa che deve trattarlo bene, ma il suo piano è compromesso dall'impulso di prenderlo a calci in culo. Naturalmente non lo farà, ma anche solo immaginarlo gli dà un po' di soddisfazione. Cal è alto uno e novantatre, ha un fisico imponente, e dopo aver trascorso gli ultimi due anni a risistemare la casa e ad aiutare vari vicini, è più in forma di quando aveva vent'anni, anche se ha un po' di pancia. Johnny, al contrario, è un piccoletto magro la cui capacità di combattere dev'essere quella di convincere qualcun altro a farlo per lui. Cal pensa che, con un po' di rincorsa e l'angolatura giusta del piede, con un calcio potrebbe mandarlo ad atterrare in mezzo ai pomodori.

– Cerco di evitare che si tagli via un pollice, – dice. – Ma non ci sono garanzie.

– Ah, lo so. – Johnny china la testa, umilmente. – È solo che vorrei proteggerla. Voglio farmi perdonare per essere stato via così a lungo. Lei ha figli?

– Una figlia, – risponde Cal. – È adulta e vive negli Stati Uniti, ma viene a trovarmi ogni Natale –. Non gli piace parlare di Alyssa con quell'uomo, ma vuole fargli sapere che sua figlia non lo ha cancellato dalla sua vita. La cosa principale che vuol fargli capire, in quella conversazione, è che lui è innocuo.

– Questo è un bel posto da visitare, – dice Johnny. – Ma quasi tutti lo troverebbero un po' troppo tranquillo per viverci. Per lei non è così?

– No, – ribatte Cal. – Pace e quiete erano proprio quello che cercavo.

Sentono un grido dal campo dietro casa, e vedono Mart Lavin che viene verso di loro, appoggiandosi al suo bastone. Mart è bassino, nodoso e con qualche dente mancante, con i capelli grigi e radi. Aveva sessant'anni quando Cal è arrivato e non è invecchiato di un giorno da allora. Cal sospetta che sia uno di quegli uomini che sembrano sessantenni a quarant'anni e lo sembrano ancora a ottanta. Rip corre a scambiarsi annusate con Kojak, il cane da pastore bianco e nero di Mart.

– Santo Dio, – esclama Johnny, stringendo gli occhi.
– Quello è Mart Lavin?

– Sembra proprio di sí –. I primi tempi, Mart si ferma-
va a casa di Cal ogni volta che si annoiava, ora invece non
passa piú cosí spesso. Cal sa perché è venuto oggi, quando
invece aveva da sverminare gli agnelli. Ha visto Johnny
Reddy e ha mollato tutto.

– Avrei dovuto sapere che era ancora in giro, – dice
Johnny, compiaciuto. – Nemmeno con un carro armato
Sherman puoi uccidere quel vecchio diavolo –. Agita un
braccio e Mart ricambia il saluto.

Mart ha un nuovo cappello. Il suo preferito per l'estate, un cappello a secchio mimetico, kaki e arancione, è
scomparso nel pub qualche settimana fa. Mart sospetta di
Senan Maguire, il quale si era prodigato a dire che quel
cappello sembrava una zucca marcia, era una vergogna
per tutto il villaggio e doveva essere gettato nel fuoco.
Mart pensa che fosse tutta invidia. È convinto che Senan abbia rubato il cappello e lo usi in privato nella sua
fattoria. Al pub le discussioni sull'argomento sono ap-
passionate, e alcune volte per poco non sono sfociate in
una rissa, perciò Cal spera che il nuovo cappello spenga
un po' i bollori. È un cappello di paglia a tesa larga che
secondo lui starebbe bene con due buchi per delle orecchie d'asino.

– Dio onnipotente, – dice Mart quando li raggiunge.
– Guarda chi hanno portato le fate.

– Mart Lavin, – dice Johnny, sogghignando e tendendo
la mano. – In persona. Ti trovo in forma.

– Sto benissimo, come il pelo su una rana, – risponde
Mart, stringendogli la mano. – Anche tu stai bene, ma sei
sempre stato bello ed elegante. Facevi fare brutta figura
a tutti noialtri.

– Ma smettila. Non potevo competere con il tuo cestino pasquale.

– Questo cappello è solo un diversivo, – lo informa Mart. – Senan Maguire ha rubato l'altro. Voglio spingerlo a credere che non ci penso piú, cosí abbasserà la guardia. Non posso tenerlo d'occhio tutto il tempo. Quanto sei stato via?

– Troppo a lungo, – risponde Johnny, scuotendo la testa. – Troppo. Quattro anni, o quasi.

– Ho sentito che eri dall'altro lato del mare. Gli inglesi non ti apprezzavano abbastanza?

Johnny ride. – Oh, sí. Londra è un bel posto; la città piú bella del mondo. Vedresti piú cose lí in un pomeriggio di quante potrai vederne qui in tutta la vita. Dovresti andarci, qualche volta.

– Dovrei, certo, – conviene Mart. – Tanto le pecore possono badare a sé stesse. Ma allora come mai un cosmopolita come te ha lasciato la città piú bella del mondo per tornare nel buco del culo del nulla?

Johnny sospira. – Questo posto, amico mio, – dice, inclinando la testa all'indietro per guardare le gobbe brune delle montagne oltre i campi. – Non c'è nessun altro posto uguale. Non importa quanto sia bella la grande città; alla fine, un uomo sente dentro una forte nostalgia di casa.

– È quello che dicono le canzoni, – replica Mart. Cal sa che Mart disprezza Johnny Reddy da quasi tutta la vita, eppure adesso lo osserva con vivace apprezzamento. Il vero nemico di Mart è la noia. Come lui stesso gli ha spiegato bene, lo considera il pericolo piú grande per un contadino, molto peggio che finire sotto un trattore o in una fossa biologica. La noia rende inquieta la mente di un uomo, il quale poi tenta di curare l'inquietudine facendo cose stupide. Qualunque cosa Mart pensi di Johnny Reddy, il suo ritorno di sicuro allevierà la noia.

– C'è del vero nelle vecchie canzoni, – dice Johnny, sempre guardando lontano. – Ma non lo capisci finché non te ne vai –. E aggiunge, come un ripensamento: – Inoltre, ho lasciato sola la mia famiglia abbastanza a lungo –. A Cal quell'uomo piace sempre meno ogni minuto che passa. È anche vero che era già predisposto contro di lui, indipendentemente da come si fosse dimostrato.

– Ti dirò chi è morto mentre tu eri in giro a bighellonare, – dice Mart. – Ricordi Dumbo Gannon? Il piccoletto con le orecchie grandi?

– Naturalmente, – risponde Johnny, tornando dai grandi spazi aperti per dare all'argomento l'attenzione che merita. – Mi stai dicendo che non c'è piú?

– Ha avuto un infarto. Forte. Era seduto sul divano a fumare una sigaretta, dopo la cena della domenica. Sua moglie è uscita un attimo a togliere il bucato asciutto dalla corda e quando è rientrata lui era sempre seduto lí, ma era morto, con la Marlboro ancora accesa tra le dita. Se lei avesse tardato un altro po' con il bucato, forse si sarebbe incendiata la casa.

– Che notizia triste, – commenta Johnny. – Pace all'anima sua. Era un brav'uomo –. Il suo viso esprime l'appropriata mescolanza di gravità e simpatia. Se avesse avuto il cappello, ora lo terrebbe contro il petto.

– Dumbo una volta ti ha scacciato dalla sua terra, – dice Mart, fissando Johnny come perso nel ricordo. – Urlava come un pazzo. Qual era il motivo? Ti eri scopato sua moglie, o cosa?

– Dài, – dice Johnny, strizzandogli l'occhio. – Non darmi una brutta reputazione. Quest'uomo qui potrebbe crederti.

– E farebbe bene, se è saggio, – dice Mart, con dignità.

Entrambi guardano Cal, per la prima volta da quando è iniziato quello scambio di battute.

– È troppo saggio per credere alle tue baggianate –. Stavolta Johnny strizza l'occhio a Cal, il quale si limita a fissarlo finché non batte di nuovo le palpebre.

– Il signor Hooper mi crede sempre sulla parola, – dice Mart. – Non è vero, Sunny Jim?

– Sono un tipo fiducioso, – spiega Cal, il che disegna un ampio sorriso sulle labbra di Mart.

– Alcuni dei ragazzi vengono a casa mia domani sera, – dice Johnny, in tono casuale, rivolgendosi solo a Mart. – Ho un paio di buone bottiglie.

Mart lo guarda con gli occhi accesi. – Sarà un piacere, – risponde. – Un bel party di bentornato a casa.

– Solo una chiacchierata per sapere cosa è successo. Ho una certa idea in mente.

Mart inarca di scatto le sopracciglia. – Sul serio?

– Sí. È qualcosa che potrebbe essere un bene per questo posto.

– Ah, fantastico –. Mart sorride. – È proprio quello di cui c'è bisogno: qualche nuova idea. Stavamo tutti annegando nel fango, finché non sei arrivato tu a salvarci.

– Non esageriamo, – dice Johnny, ricambiando il sorriso. – Ma una buona idea non fa mai male. Vieni a casa mia domani e saprai tutto.

– Sai cosa dovresti fare? – dice Mart, come colpito da un pensiero improvviso.

– Cosa?

Mart punta il bastone verso le montagne. – Vedi tutta quella massa di roccia laggiú? Sono stufo marcio di dover guidare lungo quelle strade ogni volta che voglio andare dall'altro lato delle montagne. Le buche mi fanno uscire gli occhi dalle orbite, a forza di scossoni. Quello che ci serve è una ferrovia pneumatica sotterranea. A Londra ce n'era una ai tempi della regina Vittoria. Un tunnel con dentro dei binari, come la metropolitana, solo che a ciascun estremo c'è una grande ventola. Una soffia e l'altra aspira, e il vagone vola attraverso il tunnel come un pisello fuori da una cerbottana. Quaranta chilometri all'ora, ho sentito. Potremmo arrivare dall'altro lato della montagna in un batter d'occhio. Mettiti d'impegno e procuraci una ferrovia pneumatica. Se possono realizzarla gli inglesi, ovviamente possiamo farlo anche noi.

Johnny scoppia a ridere. – Mart Lavin, – dice, scuotendo la testa con affetto. – Sei sempre lo stesso.

– Quella di Londra poi non ha avuto buon esito, – lo informa Mart. – Un giorno l'hanno chiusa e basta. Hanno bloccato il tunnel senza una parola di spiegazione. Cinquanta o cent'anni dopo un esploratore l'ha riscoperto, sepolto nelle viscere della città. La carrozza era sempre lí. Dentro erano ancora seduti una dozzina di uomini e donne, con cappelli a cilindro e gonne a crinolina e orologi da taschino, tutti ridotti a mucchietti d'ossa –. Sorride a Johnny. – Ma sono sicuro che la tua funzionerebbe benissimo. Oggi abbiamo le migliori tecnologie. La tua sarebbe fantastica. Dài, comincia a pensarci.

Dopo un attimo di silenzio, Johnny ride di nuovo. – Sei tu l'uomo delle idee, non io, – dice. – Vieni a casa mia e saprai tutto. Ci vediamo domani sera –. Si volta verso Cal e aggiunge: – È stato un piacere conoscerla.

– Anche per me. Ci vediamo in giro –. Non ha nessuna intenzione di farsi invitare a bere per festeggiare il ritorno di Johnny, sotto un tetto che ha riparato lui, ma la rudezza lo infastidisce sempre.

Johnny gli rivolge un cenno del capo, si tocca la tempia in segno di saluto a Mart e torna verso la strada. Cammina come un ragazzo di città, girando intorno a tutto ciò che potrebbe sporcargli le scarpe.

– Stronzetto senza valore, – commenta Mart. – La sua parte migliore è colata lungo una gamba di sua madre. Cosa voleva da te?

– Farsi un'idea dell'uomo che passa il tempo con sua figlia, immagino, – risponde Cal. – Non lo biasimo.

Mart soffoca una risata. – Se gli interessasse qualcosa di sua figlia, non l'avrebbe abbandonata. Johnny non ha mai fatto nulla nella sua vita se non c'erano di mezzo soldi o una scopata, e tu non sei il suo tipo. Se ha trascinato il suo culo pigro fin qui, voleva qualcosa.

– Non mi ha chiesto nulla. Non ancora, almeno. Andrai a casa sua domani, a sentire la sua grande idea?

– Non vorrei un'idea di Johnny Reddy nemmeno se fosse incastonata in oro massiccio e me la consegnasse Claudia Schiffer nuda, – risponde Mart. – Sono passato di qui solo per fargli capire che farà meglio a non tentare di piantare gli artigli su di te. Se vuole scroccare, sarà meglio che ci provi con qualcun altro.

– Oh, può provarci quanto gli pare, – dice Cal. Non vuole favori da Mart. – Aveva davvero una relazione con la signora Dumbo?

– Ha fatto del suo meglio per averla. Johnny si scoperebbe anche un piatto rotto. Non lasciarlo avvicinare alla tua Lena.

Cal lascia passare il commento senza ribattere. Mart estrae la borsa del tabacco, prende una sigaretta sottile rollata a mano e l'accende. – Comunque forse ci vado, a casa sua domani sera, – dice in tono riflessivo, togliendosi una briciola di tabacco dalla lingua. – Qualunque cosa abbia in mente, ci saranno di sicuro dei coglioni che ci cadranno. E non mi dispiacerebbe avere una buona vista su tutto il panorama.

– Portati i popcorn.

– Porto una bottiglia di Jameson, ecco cosa porto. Non credo che abbia in casa nulla di decente, e se devo ascoltare le sue stronzate, mi ci vuole una buona marinatura.

– Quanto a me, credo che continuerò a ignorarlo, – dice Cal. – Cosí risparmio i soldi del liquore.

Mart ridacchia. – E dove sarebbe il divertimento, in questo?

– Noi due abbiamo idee diverse su cosa sia divertente.

Mart aspira una boccata di fumo. Il suo viso, rugoso sotto il sole, si fa di colpo serio. – Io preferisco sempre tenere d'occhio i viscidi bastardi, – spiega. – Anche se è un fastidio. Non sai mai quando potresti scoprire qualcosa che non puoi permetterti di ignorare.

Tocca un pomodoro con la punta del bastone. – I tuoi pomodori stanno venendo su benissimo, – commenta. – Se ne avrai qualcuno in piú, sai dove trovarmi –. Poi fischia per chiamare Kojak e riparte verso le sue terre. Quando incrocia il punto in cui è passato Johnny Reddy, ci sputa sopra.

Ignorare Johnny si rivela piú difficile di quanto Cal avesse creduto. Quella sera, quando Lena viene da lui, dopo aver rimandato a casa Trey, non riesce a stare tranquillo. Di solito le serate che trascorre con Lena sono lunghe e calme. Si siedono sotto il portico dietro casa, a bere bourbon, ascoltare musica e chiacchierare, oppure a giocare a carte; o magari si stendono sull'erba a guardare la distesa di stelle sopra di loro. Quando il tempo è troppo irlandese, vanno a sedersi sul divano a fare le stesse cose, mentre la pioggia tamburella tranquilla sul tetto e il fuoco profuma di torba la stanza. Cal sa che questo in pratica significa essere una vecchia scoreggia noiosa, ma non gli causa problemi. Quella è una delle molte cose in cui lui e Mart hanno opinioni diverse: vivere in modo noioso è uno dei suoi principali obiettivi. Per quasi tutta la sua vita, ci sono sempre state cose che richiedevano la sua attenzione, fino al punto che la noia era diventata una specie di sogno impossibile. Da quando è riuscito a metterci le mani sopra, ne assapora ogni secondo.

Proprio come Mart aveva notato da lontano, dalla sua terra, Johnny Reddy è una minaccia per la noia. Cal sa che non può farci nulla, visto che Johnny ha piú diritto di lui di stare ad Ardnakelty, ma vuol fare qualcosa lo stesso, e presto, prima che Johnny metta in moto qualche casino. Lena sta bevendo bourbon con ginger ale sotto il portico, sulla sedia a dondolo che Cal le ha costruito per il suo compleanno, ma lui non riesce a stare seduto. Lancia un bastoncino a Rip e Nellie, che sono sorpresi da quel distacco dalla routine ma non rifiutano l'occasione. Daisy, la mamma di Rip, che non ha un carattere socievole, ha preferito ignorare il bastoncino e dorme ai piedi di Lena. I campi sono immersi nelle tenebre, anche se in cielo c'è ancora una striscia turchese, sopra la linea degli alberi a ovest. La sera è immobile, non c'è un alito di vento che porti via il calore della giornata.

– Le hai dato da mangiare, vero? – chiede Cal per la seconda volta.

– Abbastanza da riempire la pancia di un uomo adulto, – risponde Lena. – Se ha ancora fame, Sheila di sicuro ha del cibo in casa, non credi?

– E sa che può stare da te, se ne ha bisogno.

– Lo sa. Ed è capace di trovare la strada al buio. O anche in una tempesta di neve, se dovesse arrivarne una.

– Forse stanotte dovresti tornare a casa, – dice Cal. – Nel caso che rientri e non ti trovi.

– In tal caso, sa dove venire a cercarmi –. Lena passa un paio di notti alla settimana in casa di Cal, e tutto il villag-

gio lo sa da quando la loro relazione è iniziata e forse anche da prima. All'inizio lui le aveva suggerito che venisse
a piedi, o che lui andasse a piedi da lei, per evitare che,
vedendo la sua macchina, la gente cominciasse a spettego-
lare, ma Lena si era solo fatta una risata.

Rip e Nellie sono impegnati in un feroce tiro alla fune
con il bastoncino. Rip vince e galoppa trionfante ai piedi di Cal, dove lo lascia cadere. Cal lo lancia di nuovo nel
buio e i due cani scompaiono di corsa.

– È stato molto cordiale con me, – osserva Cal. – Per
quale motivo?

– Johnny è cordiale, – replica Lena. – Ha un mucchio
di difetti, ma nessuno può dire che non sia cordiale.

– Se mia figlia Alyssa avesse frequentato un uomo di
mezza età quando aveva quindici anni, io non sarei stato
per niente cordiale con lui. Gli avrei spaccato la faccia.

– Volevi che Johnny ti spaccasse la faccia? Se vuoi gli
chiedo di farlo, ma non è il suo stile.

– Lui li picchiava. Non spesso, da quello che mi ha detto Trey, e non troppo forte. Ma li picchiava.

– E se ci provasse ora, Trey avrebbe un posto dove andare. Ma Johnny non lo farà. È in perfetta forma. L'intero villaggio parla di lui, offre da bere al pub, racconta
in giro le avventure che ha avuto a Londra e sembra felice. Quando il mondo lo tratta bene, Johnny fa il bravo
con tutti.

Questo quadra con la valutazione di Cal, perciò non si
sente rassicurato, eccetto al livello più immediato.

– Ha detto ad Angela Maguire di essere stato a un party
con Kate Winslet, – dice Lena. – Qualcuno ha rovesciato
una bevanda sul suo vestito, allora lui le ha offerto la giacca per coprire la macchia, e lei in cambio gli ha dato la sua
sciarpa. La mostra in giro a tutto il villaggio. Secondo me

Kate Winslet non toccherebbe Johnny nemmeno con un bastone, ma comunque è una bella storia.

– Ha detto a Mart che ha un'idea, – dice Cal, per la seconda volta. – Che tipo di idea può venire a un tipo come quello?

– Lo saprai dopodomani, – risponde Lena. – Mart Lavin verrà a trovarti per raccontarti tutto. Gli piace troppo essere il primo a riferire un nuovo pettegolezzo.

– Qualcosa che potrebbe essere un bene per questo posto, ha detto. Che diavolo può essere l'idea di bene per un tipo come lui? Un casinò? Un'agenzia di escort? Una monorotaia?

– Non ci penserei troppo, al posto tuo, – dice Lena. Daisy guaisce e si agita nel sonno, e Lena le accarezza la testa finché non si calma. – Qualunque cosa sia, non andrà lontano.

– Non voglio che Trey stia vicino a un tipo del genere, – dichiara Cal, rendendosi conto di essere assurdo. Negli ultimi due anni ha cominciato gradualmente a considerare la ragazza come una figlia. Non nello stesso modo di Alyssa, ovviamente, ma in un modo singolare per cui non ha termini di paragone. Vede quella relazione come i muretti a secco che delimitano i campi della zona: sono stati fatti a mano accumulando sassi, secondo i bisogni del momento, sembrano costruiti a casaccio e hanno buchi attraverso i quali puoi infilare una mano, ma in qualche modo sono solidi e sopportano il tempo e il clima. Non vede ciò che è successo in modo negativo. Non sa se avrebbe fatto qualcosa di diverso se avesse saputo in anticipo del ritorno di Johnny. Questo sottolinea solo il fatto che Trey non è sua figlia, in nessun modo che conta.

– La ragazza non è stupida, – osserva Lena. – Ha la testa sulle spalle. Qualunque cosa stia combinando Johnny, non si lascerà coinvolgere.

– È una brava ragazza, – conviene Cal. – Non si tratta di questo –. Non riesce a trovare il modo di esprimere di cosa si tratta, neppure con sé stesso. Trey è un'ottima ragazza, in procinto di trovare la sua strada nella vita. Ma le probabilità sembrano talmente contrarie che per Cal tutto ciò ha una terrificante fragilità, come fosse qualcosa di incredibile che non bisognerebbe muovere finché la colla abbia avuto il tempo di far presa. Trey è ancora troppo piccola perché qualcosa abbia fatto presa.

Lena beve il suo bourbon e lo osserva lanciare il bastoncino con tutta la sua forza. Di solito Cal possiede la calma innata di un uomo imponente o di un grosso cane, che può permettersi di restare a guardare per un po' e vedere come andranno le cose. Malgrado la situazione, a lei in parte piace vedere questo nuovo lato di Cal. Gli sembra di cominciare a conoscerlo meglio.

Sa che potrebbe calmarlo, almeno temporaneamente, portandoselo a letto. Ma ha deciso fin dall'inizio che gli umori di Cal non sono una sua responsabilità. Non che ne abbia molte, ma suo marito Sean era un uomo volubile e lei aveva commesso l'errore di credere di dover rimediare al problema. Il fatto che Cal non si aspetta mai che lei faccia questo, è una delle tante cose che le piacciono di lui. E non ha intenzione di rovinare tutto.

– Mart dice che Johnny è sempre in cerca di donne e denaro, – dice Cal. – Io potrei dargli del denaro.

– Perché se ne vada?

– Sí.

– No, invece.

– Lo so, – risponde Cal. – Ci sono troppi modi in cui Johnny Reddy potrebbe fraintendere un simile gesto, o usarlo a suo vantaggio, o entrambe le cose.

– Comunque non lo accetterebbe, – dice Lena. – Non

è il denaro che cerca, o meglio, non solo. Cerca una storia dove alla fine riceve il denaro perché è un grande eroe. O almeno un bandito affascinante.

– È a questo che serve la sua grande idea, di qualunque cosa si tratti –. Rip torna verso di lui con un capo del bastoncino tra i denti, mentre Nellie tiene l'altro capo. Cal glielo toglie di bocca, lo lancia e li osserva sparire di nuovo nel buio. L'ultima luce sta svanendo dal cielo, e cominciano a venir fuori le stelle.

Lena sta cercando di decidere se comunicargli il pensiero che ha avuto il giorno prima, guardando Johnny mentre andava via. Gli piacerebbe avere la sua opinione, non solo perché, essendo stato un detective, Cal ha un'ampia conoscenza dei guai e delle loro varie forme, ma anche per via del modo in cui considera tutto, senza fretta o tensione. Anche prima che dica una sola parola, quel modo fa subito sembrare la cosa in questione piú gestibile, suscettibile di essere tenuta ferma ed esaminata con calma.

Ma l'inquietudine di Cal stasera la frena. In fondo si tratta solo di una supposizione, basata su un taglio di capelli trascurato e vecchi ricordi. Cal le sembra fin troppo agitato e sarebbe ingiusto gettargli addosso anche questo. Lena è attenta e diffidente, ma non turbata. Di natura non è una donna pacifica, la sua calma è stata una conquista niente affatto facile, e Johnny non è abbastanza per fargliela perdere. Non crede che abbia la forza di portare con sé qualcosa di piú di alcuni debiti non pagati, ma Cal, conoscendo meno Johnny e piú i guai, potrebbe vederla in maniera diversa. Inoltre, la posta in gioco per Lena non è la stessa di Cal.

Il fatto che Cal sia cosí teso e che lei senta il bisogno di proteggerlo vanno ad aggiungersi all'elenco dei motivi per cui disprezza Johnny Reddy. Non ha ancora passato in paese il tempo sufficiente per infangarsi le scarpe o perdere il sorriso, e già sta causando problemi dove non ce n'erano, senza nemmeno volerlo.

– Vieni, – dice Cal a un tratto, voltandosi verso di lei e tendendo la mano. Lena la afferra pensando che voglia entrare in casa, ma lui la conduce giú dai gradini, sull'erba.

– Mi sa che dovrò farmi gli affari miei per un po' di tempo, – dice. – Quand'è stata l'ultima volta che abbiamo fatto una passeggiata al buio?

Lena lo prende sottobraccio e sorride. Rip e Nellie li seguono, Rip a balzi tra l'erba alta, perché è piú divertente, e camminano verso la strada che si snoda tra i campi, una macchia chiara e indistinta sotto le stelle. I fiori notturni hanno il profumo ricco e mielato di un cordiale invecchiato. Daisy apre un occhio per vedere dove vanno, poi torna a dormire.

Anche se Cal cerca di non dirlo, Trey sa che non gli piace saperla in giro sulla montagna nel buio. Quando si ferma a cena da lui, vede che tiene sempre d'occhio il cielo e le ordina di tornare a casa non appena a ovest la luce si fa piú dorata. Si preoccupa che cada in un canale di scolo e si faccia male, o che perda la strada e affondi in un tratto paludoso, o che incontri qualcuno di quelli che vivono in alto sulla montagna e hanno la reputazione di essere mezzi selvaggi. Trey non si preoccupa di nessuna di queste cose. Ha passato tutta la vita sulla montagna, il che significa che la conosce piú con il corpo che con la mente; il minimo cambiamento nella consistenza o nella pendenza del terreno sotto i piedi è abbastanza per farle capire se sta sbagliando strada. Gli uomini che vivono in alto la conoscono da quando era piccolissima, e a volte le dànno qualche moneta per portare un messaggio al negozio di Noreen, o per consegnare delle uova e una bottiglia di *poteen* a un vicino, a due o tre chilometri di distanza. Trey a volte pensa di diventare una di loro, quando sarà cresciuta.

Ha trascorso sulla montagna le ultime ore, aspettando il momento in cui suo padre sarebbe andato a letto o giú al villaggio, al pub *Seán Óg*. È brava ad aspettare. È seduta contro un muretto a secco, nell'ombra, e accarezza le orecchie di Banjo. Ha una piccola torcia elettrica, ma le piacciono l'invisibilità e la sensazione di potere che ricava dal non usarla. La notte comunque è abbastanza luminosa, il cielo è pieno di stelle e c'è la mezzaluna; Trey riesce a vedere lungo i pendii di erica e carice fino ai campi, imbiancati dalla luna e trasformati dalle ombre dei muretti e degli alberi. Nel punto in cui si trova c'è un po' di vento, ma Lena le ha prestato una felpa con cappuccio, troppo grande e con lo stesso profumo di detersivo delle lenzuola. Di tanto in tanto c'è un fruscio furtivo nella palude, o in alto, tra gli alberi, ma non se ne preoccupa. Resta immobile e aspetta che la lepre o volpe che sia si mostri, ma le creature lassú sentono l'odore di Banjo e restano lontane. In passato, prima di avere Banjo, a volte ha visto le lepri danzare.

Quando nelle fattorie in basso cominciano a spegnersi le luci, torna verso casa. Sul davanti è tutto buio, ma dal retro filtra una luce gialla: qualcuno è ancora sveglio. Mentre apre il cancello, Banjo s'irrigidisce ed emette un basso latrato sbuffante, di avvertimento. Trey si blocca, pronta a fuggire.

– Richiama il cane, – dice una voce poco lontana, in tono divertito. – Sono innocuo.

Un'ombra si stacca da un albero e viene verso di lei con passo tranquillo. – Hai visto che notte? – dice suo padre. – È bellissima.

– La mamma sa dov'ero, – dice subito Trey.

– Lo so. Mi ha detto che eri da Lena Dunne per lucidare un vecchio letto. È bello che tu le dia una mano –. Johnny fa un respiro profondo e sorride alle stelle. – Senti che aria profumata. Mio Dio, a Londra non c'è niente che regga il paragone con questo profumo.

– Sí, – dice Trey. Per lei l'aria ha l'odore di sempre. Si dirige verso la casa.

– Vieni, – la richiama suo padre, – non sprechiamo una notte come questa. Restiamo un po' qui fuori. Alanna non vuol saperne di dormire, è troppo eccitata. Lasciamo che ci pensi tua madre a calmarla –. Le fa un cenno con il capo e si sistema con le braccia appoggiate alle sbarre del cancello. A suo padre piace mettersi comodo, e riesce sempre a dare l'impressione di essere a suo agio, in qualsiasi posto.

Trey ricorda quello che le ha detto Cal: non farlo incazzare. Pensa che sia una stupidaggine, e allo stesso tempo sa che ha ragione. Si avvicina e si ferma accanto al cancello, alla distanza di un braccio da suo padre, con le mani nelle tasche della felpa.

– Mi è mancata tua madre, – dice Johnny. – È ancora una bella donna. Tu sei troppo giovane per capirlo, ma è cosí. Sono fortunato ad averla trovata. Ed è una fortuna anche che mi abbia aspettato per tutto questo tempo, e non sia fuggita con qualcuno di quelli che suonano alla porta e vendono fantasie.

Per Trey, sua madre non ha l'energia di fuggire con nessuno, e comunque nessuno suona mai alla loro porta. Aveva dimenticato l'odore di suo padre, sapone e sigarette e dopobarba speziato. Anche Banjo sente quell'odore e la guarda per capire come deve classificarlo. – Seduto, – gli dice lei.

– Non riesco ad abituarmi a vedere quanto sei cresciuta, – dice suo padre, sorridendo. – Eri una cosina che fuggiva anche dalla propria ombra, l'ultima volta che ti ho vista. E guardati ora: quasi un'adulta, che lavora dentro e fuori le case di tutta questa zona. Mi sa che conosci almeno la metà della gente di qui meglio di quanto la conosco io. Ci vai d'accordo?

– Lena è in gamba, – risponde Trey. Ha la sensazione che voglia qualcosa da lei, ma non capisce cosa.

– Ah, sí. Lena è fantastica. E sono passato a trovare il tuo amico Cal Hooper. Ho pensato che visto che vai da lui regolarmente, dovevo almeno conoscerlo un po'. Capire se è una persona a posto.

Trey s'irrigidisce, offesa. L'ha detto come se le stesse facendo un favore. Non ha il diritto di avvicinarsi a Cal. Si sente come se l'avesse schiaffeggiata.

– Sembra un brav'uomo. Per essere un poliziotto –. Johnny ride. – Gesú, mia figlia che frequenta una guardia. Da non crederci, eh?

Trey non dice nulla. Suo padre le sorride. – È un ficcanaso, di quelli che fanno sempre domande? Dov'eri la sera del quindici?

– No, – risponde Trey.

– Mi sembra che tutto il villaggio abbia paura di fare un passo falso. Se sorprende i ragazzi a bere *poteen*, che Dio ci aiuti, li trascinerà davanti alle guardie in città prima che capiscano cos'è successo.

– Cal beve *poteen*, – dice Trey. – Qualche volta –. Ha voglia di dare un pugno in faccia a suo padre e scappare via a dormire in qualche cottage abbandonato su in montagna. Un paio d'anni prima avrebbe fatto entrambe le cose. Ora si limita a starsene lí, con i pugni nelle tasche della felpa di Lena. La sua rabbia è troppo densa e confusa per trovare espressione.

Johnny ride. – Be', meno male. Non può essere troppo cattivo, se riesce a sopportare la roba di Malachy Dwyer.

Gliene porterò una bottiglia, un giorno di questi, e magari passiamo la serata a berla insieme.

Trey resta in silenzio. Se lo farà davvero, prenderà il fucile di Cal e gli farà saltare via un piede, e vediamo se poi riuscirà a scendere ancora fino a casa di Cal.

Johnny si passa una mano sulla testa. – Non mi parli? – chiede, rattristato.

– Non ho niente da dire.

Lui ride. – Sei sempre stata taciturna. Credevo fosse perché, con Brendan presente, non riuscivi ad aprire bocca.

Brendan non c'è piú da oltre due anni. Il suo nome è ancora come un pugno alla gola, per Trey.

– Se ce l'hai con me perché sono andato via, puoi dirlo. Non mi arrabbio, promesso.

Trey scrolla le spalle.

Johnny sospira. – Sono andato via perché volevo fare qualcosa di buono, per tutti voi e per tua madre. Se non vuoi crederci non ti biasimo, ma almeno rifletti un po', prima di decidere che sono stronzate. Qui non potevo fare nulla per voi. Lo vedi da sola. Tutti questi traffichini si comportano come se i Reddy fossero un po' di merda che gli è rimasta attaccata alle scarpe. Mi sbaglio?

Trey scrolla di nuovo le spalle. Non se la sente di dargli ragione, ma ce l'ha, o quasi. È vero, negli ultimi due anni tutti sono stati piú gentili con lei e la sua famiglia, ma la nota di fondo non è cambiata, e comunque lei non vorrebbe la loro gentilezza nemmeno se fosse autentica.

– Nemmeno uno di loro era disposto a darmi una possibilità. Tutti sanno che mio padre era un perdigiorno, come suo padre prima di lui, e non vogliono sapere altro. Ci sono centinaia di lavori che potrei fare qui, ma se trovavo da spalare merda a giornata potevo considerarmi fortunato. Mi presentavo per un lavoro in fabbrica che avrei potuto fare anche dormendo, e venivo rifiutato ancora prima che aprissi la bocca. E il lavoro andava a qualche testa di cazzo in grado appena di allacciarsi le scarpe, ma suo padre andava a bere con il caposquadra. E sarebbe stato inutile provare a Galway o a Dublino. Questa cazzo di nazione è troppo piccola. Qualcuno di sicuro conosceva qualcun altro la cui madre era di Ardnakelty, e mi avrebbero tolto ogni possibilità, cosí –. Schiocca le dita.

Trey conosce quel tono di voce. Di solito significava che usciva sbattendo la porta e tornava ubriaco, o non tornava affatto. Ora è piú debole, solo un'eco, ma sente una tensione nei polpacci, ed è pronta a fuggire se ce ne sarà bisogno.

– Cose del genere consumano un uomo, finché non riesce piú a vedere sé stesso. Stavo diventando amareggiato, e me la prendevo con tua madre. Non ero mai stato crudele con nessuno, ma lo ero con lei, gli ultimi due anni che ho passato qui. E non lo meritava. Se fossi rimasto, le cose potevano solo peggiorare. Londra era il posto piú vicino in cui potevo andare per avere una chance di arrivare da qualche parte.

La guarda. Il viso ha la stessa espressione tesa che lei ricorda da quelle notti, ma è solo accennata. – Sai che sto dicendo la verità, vero?

– Sí, – risponde lei, piú che altro per farlo smettere. Non gliene frega un cazzo del perché fosse andato via. Una volta scomparso, Brendan era diventato l'uomo di casa. Sentiva che era compito suo occuparsi di loro. Se suo padre fosse rimasto, forse Brendan sarebbe ancora con loro.

– Non avercela con me, se puoi evitarlo. Ho fatto del mio meglio.

– Noi siamo andati avanti benissimo.

– Lo so, – conviene Johnny. – Tua madre dice che sei

stata un grande aiuto per lei. Siamo tutti e due orgogliosi
di te –. Trey non risponde. – Dev'essere stato duro per
te, – dice suo padre, cambiando tono. Lei sente che le gira intorno, cercando un modo per entrare. – Purtroppo, il
fatto che Brendan sia andato via non ha aiutato. Voi due
siete sempre stati molto vicini.

Trey dice, con voce inespressiva: – Sí –. Brendan era sei
anni piú grande di lei. Fino all'incontro con Cal e Lena,
era l'unica persona che sembrava pensare a lei per scelta,
e non per dovere, e l'unico che riusciva a farla ridere. Sei
mesi prima che Trey conoscesse Cal, Brendan era uscito di
casa un pomeriggio e non era piú tornato. Trey non pensa
mai a quei sei mesi, ma sono incisi dentro di lei come un
marchio a fuoco su un albero.

– Tua madre è convinta che sia andato a cercare me.
L'ha detto anche a te?

– Con me di questo non ha parlato, – risponde Trey.
– Ho sentito dire che forse era arrivato fino in in Scozia –. Quella parte è vera.

– Comunque non mi ha mai trovato, – commenta suo
padre, scuotendo la testa. – Non credevo che avrebbe preso cosí male la mia partenza. Hai mai avuto sue notizie?

Il vento s'insinua inquieto tra gli alberi alle loro spalle.
– No, – risponde Trey.

– Prima o poi si metterà in contatto, – dice Johnny, in
tono fiducioso. – Non preoccuparti. È solo in giro per trovare la sua strada –. Sorride, rivolto ai pendii scuri coperti
di erica. – E a pregare per la perdita del raccolto.

Brendan è sepolto da qualche parte su quelle montagne, ma Trey non sa dove. Quando è in giro, cerca sempre un segno qualsiasi, un rettangolo di terra smossa, uno
spazio in cui i cespugli non hanno ancora avuto il tempo
di ricrescere, un brandello di stoffa portato in superficie

dalla pioggia... Ma ci sono piú montagne di quante possa
ispezionarne in tutta la vita. Ci sono persone del villaggio
che sanno dov'è, perché ce l'hanno messo loro, ma non sa
chi siano. Osserva anche le facce dei suoi compaesani, in
cerca di segni, ma non si aspetta di trovarne. La gente di
Ardnakelty è brava a tenere le cose nascoste.

Ha dato la sua parola a Cal che non farà e non dirà nulla
sull'argomento. Non avendo molto altro, Trey dà un elevato valore alla sua parola.

– Io sono tornato, hai visto? – dice Johnny, allegro.
– Tornerà anche Brendan.

– Resterai? – chiede Trey.

È una domanda semplice. Vuole sapere con cosa ha a che
fare. Ma suo padre la prende come una supplica. – Ah, tesoro, – risponde, con un dolce sorriso. – Certo che resterò.
Non vado da nessuna parte. Papà è a casa, ora.

Trey annuisce. Ne sa come prima. Capisce che suo padre crede a quello che racconta, ma è sempre stato cosí;
è uno dei suoi talenti, prendere ogni parola che esce dalla
sua bocca come vangelo. Aveva dimenticato che pasticcio
confuso è parlare con lui.

Johnny si avvicina un po', e il sorriso si allarga. – Non
ho bisogno di andare in nessun posto, – spiega, in tono
confidenziale. – Posso confidarti una cosa?

Trey fa spallucce.

– Ho un piano. E quando avrò finito, l'unico posto
dove andremo sarà una bella casa nuova con una grande
stanza per ciascuno di voi. E non dovrai piú uscire con i
buchi nei jeans.

Aspetta che lei gli chieda qual è il piano. Trey non dice
nulla, allora sistema meglio le braccia sul cancello, preparandosi a dirglielo in ogni modo. – Ho conosciuto un tizio,
– spiega, – giú a Londra. Ero in un pub irlandese, a bere

una pinta con alcuni amici e a farmi i fatti miei, quando mi si avvicina quest'uomo. Un inglese. Mi chiedo cosa ci fa in un posto come quello, un pub non proprio rispettabile, e lui è il tipo che ti aspetti di vedere con un bicchiere di brandy in un hotel di lusso. La sua giacca, le sue scarpe, costano piú del mio guadagno di un mese. Dice che ha chiesto in giro per trovare un uomo di Ardnakelty, e gli hanno indicato me.

Johnny alza gli occhi al cielo. – Naturalmente penso subito che si tratta di brutte notizie. Ardnakelty non ha mai lavorato in mio favore. Sto per dirgli di andare al diavolo (e sarebbe stato il peggior errore della mia vita), quando lui chiede se può offrirmi una pinta, e quel giorno non ero messo molto bene a soldi, cosí accetto. E a un certo punto, viene fuori che sua nonna era di Ardnakelty. Una dei Feeney. Era andata a Londra prima della guerra, a fare l'infermiera, e aveva sposato un medico importante. Raccontava al tizio un sacco di storie su questo posto, di com'era bello, di come lei correva libera tra le montagne, proprio come te –. Fa un sorriso a Trey. – E gli ha raccontato anche un'altra cosa: sai che c'è l'oro, da qualche parte ai piedi di queste montagne, vero?

– L'hanno detto a scuola, – risponde Trey. – A geografia.

Lui le punta contro un dito. – Brava, si vede che fai attenzione in classe. Andrai lontano. Il tuo professore aveva ragione. Gli uomini che vivevano qui migliaia di anni fa, sapevano dove cercarlo. Ci sono piú monili d'oro in Irlanda che in qualunque altro Paese europeo, te l'hanno detto a scuola? Bracciali larghi come la tua mano, collane piú grandi di un piatto, pezzi rotondi come monete che cucivano sui vestiti. I tuoi antenati splendevano d'oro, alle feste. Su questa montagna, intorno ai fuochi, splendevano tanto che non potevi quasi guardarli. Lo scavavano un po' alla volta, immagino, in grosse pepite, con la facilità con cui noi scaviamo la torba.

Fa il gesto di afferrare una manciata di qualcosa e sollevarla. La sua voce è salita di tono. La sua eccitazione minaccia di contagiare Trey, ma lei non si lascia andare. Non quadra con la notte immobile. Le sembra che suo padre voglia attirare l'attenzione, in modi poco affidabili.

– Solo che a un certo punto sono arrivati gli inglesi, – continua Johnny, – e hanno portato via la terra al nostro popolo, costringendolo a emigrare o a morire di fame, e un po' alla volta questa conoscenza si è persa. Ma... – Si fa ancora piú vicino, gli occhi brillanti. – Non è andata persa del tutto. Alcune famiglie l'hanno tramandata, per centinaia di anni. Questo tizio al pub, Cillian Rushborough, si chiama, il nonno di sua nonna le aveva detto dove cercare. E lei l'ha detto a Cillian.

Inclina la testa di lato, in attesa che lei chieda di saperne di piú. Sotto la luna, con gli occhi accesi e un mezzo sorriso sul viso, sembra appena un po' piú grande di Brendan.

Trey dice, per tagliare corto: – E questo Cillian l'ha detto a te e ora tu andrai a cercare l'oro –. Ecco perché è tornato. Quella consapevolezza è un sollievo. Non dovrà sopportarlo a lungo. Quando non troverà nulla, e la novità del suo ritorno si affievolirà, andrà via di nuovo.

Johnny ride. – Ah, Dio, no. Solo uno stupido darebbe una mappa del tesoro a uno sconosciuto, e Cillian non è stupido. Ma gli serviva un uomo di Ardnakelty. Le istruzioni di sua nonna per lui sono arabo: «Nel vecchio letto del fiume, che ora è asciutto, all'angolo nordovest di quel campo che i Dolan hanno comprato da Pa Lavin...» Gli serve qualcuno che sappia orientarsi in questa zona. Inoltre, se si presentasse qui da solo, nessuno gli darebbe il permesso di scavare nella sua terra. Mentre se ci sono io a bordo...

Si fa ancora piú vicino. – Ti svelerò un segreto che ho imparato: la cosa migliore che puoi avere nella vita è un po' di luce intorno a te. Un po' di opportunità; un po' di magia. Le persone non riescono a starne lontane. Una volta che ce l'hai, non importa se gli piaci, e nemmeno se ti rispettano. Si convinceranno di sí. E allora faranno tutto quello che vuoi. Sai dov'ero ieri sera?

Trey scrolla le spalle. Nei campi bui sotto di loro restano solo alcuni punti di luce gialla, e la brezza si sta facendo piú fredda.

– Ero giú al *Seán Óg*, a divertirmi con la metà degli abitanti della zona. Quattro anni fa, se fossi andato a fuoco, nessuno di loro si sarebbe preso il disturbo di pisciarmi addosso per spegnere le fiamme. Ma se ora entro nel pub con questa, – rivolta il bavero della sua giacca di pelle, – e offro da bere e racconto loro della vita a Londra, si stringono tutti intorno a me, ridono alle mie battute, mi dànno pacche sulla schiena per dimostrare che sono un ottimo ragazzo. Perché ho addosso la luce che mi hanno conferito un po' di soldi e un po' di avventura. E non è ancora nulla. Aspetta di vedere gli assi che ho nella manica.

Trey non è stata vicino a nessuno che parla tanto, da quando Brendan è scomparso. Il flusso continuo di chiacchiere e scherzi di suo fratello le faceva desiderare di stargli vicino, anche se solo per fargli un sorriso. Le chiacchiere di suo padre sono un bombardamento, che la induce a restare piú zitta che mai.

– Il signor Cillian Rushborough in persona arriverà da Londra tra qualche giorno, non appena avrà concluso alcuni affari importanti, e allora... – Johnny le tocca un braccio con il gomito. – Allora, eh? Saremo a cavallo. Avrai ve-

stiti di Giorgio Armani, o i biglietti da Vip per incontrare
Harry Styles; scegli tu. Io potrò comprare un ciondolo di
diamanti. E dove vuoi andare in vacanza?

Trey sente che suo padre desidera che si fidi di lui, che
metta in lui tutte le sue speranze. Non ricorda quando ha
capito per la prima volta che lui è troppo debole per sostenere quel peso. Pensa a Brendan, prima che uscisse di
casa per l'ultima volta: le aveva promesso una nuova bici-
cletta per il suo compleanno, ed era sincero.

– E se lui non trova l'oro? – domanda.

Johnny sorride. – Lo troverà.

Lontano, tra gli alberi, c'è un improvviso agitarsi di ali
e il grido allarmato di un uccello. Trey sente un desiderio
urgente di entrare in casa.

– Vado dentro.

Suo padre la fissa per un attimo, poi annuisce. – Va'
pure. Di' a tua madre che io arrivo tra poco –. Girando
l'angolo della casa Trey si volta e lo vede ancora appoggiato al cancello, con il viso rivolto verso la luna.

Sheila sta pulendo la cucina. Fa un cenno del capo a
Trey quando la sente entrare, ma non alza la testa. Trey
trova una fetta di pane, la imburra, l'arrotola su sé stessa
e si appoggia al frigo per mangiarla. Banjo si sfrega contro la sua gamba ed emette un forte sospiro. Vuole andare a dormire.

– Lui è qui fuori, – dice Trey. – Ha detto che arriva
tra poco.

– Dove hai preso quella felpa? – chiede sua madre.

– È di Lena.

Sheila annuisce.

– Lo lascerai restare? – chiede Trey.

Sua madre continua a pulire. – Vive qui.

Trey stacca un pezzo di pane e burro per Banjo e la osserva. Sheila è alta, slanciata e dalle ossa grandi, con folti capelli rosso-castani che cominciano a ingrigire, tirati indietro in una coda. Il suo viso è come legno vecchio, lucido in alcuni punti e grezzo in altri, e immobile. Trey cerca la bellezza di cui parlava suo padre, ma ha visto sua madre troppe volte; non sa come interpretarla secondo quei termini. – Gli hai detto che Brendan è andato via per andarlo a cercare? – vuol sapere.

Sono passati quasi due anni dall'ultima volta che hanno fatto il nome di Brendan in casa. Sheila sa quello che sa lei, grosso modo. Sente il sibilo del respiro di sua madre che esce dal naso.

– Gliel'ho detto, – risponde.

– Come mai?

Sheila spazzola via delle briciole dal tavolo e le raccoglie in mano. – Conosco bene tuo padre. Ecco come mai.

Trey aspetta.

– E gli ho detto quanto tutti voi avete sentito la sua mancanza. Piangevate ogni notte, e non volevate andare a scuola perché vi vergognavate di non avere un papà. E del fatto che io non potevo comprarvi vestiti decenti.

– A me non è mai importato un cazzo che se ne fosse andato. Né dei vestiti.

– Lo so.

In cucina c'è odore di bacon e cavolo. Sua madre si muove in modo lento e costante, come se volesse far durare il piú a lungo possibile la sua energia.

– Se a un certo punto si sentirà abbastanza in colpa, – dice, gettando le briciole nella spazzatura, – scapperà di nuovo.

Quindi anche lei vuole che se ne vada. Per Trey non è una sorpresa, ma saperlo non le dà conforto. Se Sheila

avesse abbastanza forza da smuovere Johnny, l'avrebbe
già fatto.

Un lamento assonnato arriva dal corridoio. – Mamma!

Fin da quando il loro padre se n'era andato, Alanna
dorme con la madre, ma stavolta il suo grido viene dalla
stanza di Liam. Sheila si asciuga le mani con uno straccio.
– Finisci di pulire il tavolo, – dice, ed esce.

Trey si ficca in bocca l'ultimo pezzo di pane e pulisce
il tavolo. Ascolta il mormorio di Alanna e il frusciare inquieto degli alberi. Quando sente dei passi crocchiare sulla ghiaia, fuori, schiocca le dita a Banjo e se ne va a letto.

3.

Lena cammina verso casa, in una mattina che è già caldissima e piena di insetti. A volte non prende la macchina, quando va da Cal, proprio per poter fare quella passeggiata la mattina dopo, con i vestiti sgualciti, il sole in faccia e l'odore di Cal sulla pelle. La fa sentire giovane e sconsiderata, come se camminasse con le scarpe in mano dopo aver fatto qualcosa di troppo audace ed essersi goduta ogni minuto. È passato tanto tempo, dall'ultima volta che ha trovato qualcosa di audace che voleva davvero fare, ma le piace la sensazione.

Pensa di non vedere Noreen per un po' di tempo. Va abbastanza d'accordo con la sorella, soprattutto perché si lascia scorrere addosso il suo flusso costante di consigli e suggerimenti. Ma stavolta vuole aspettare un po' prima di parlare con lei di Johnny Reddy. A Noreen non piace aspettare. Ficcare il naso è parte del suo lavoro. Lena sospetta che abbia sposato Dessie Duggan almeno in parte per trovarsi dietro il bancone del negozio, il centro di gravità dove convergono tutte le informazioni di Ardnakelty e del circondario. Quando erano piccole, il negozio era il dominio della signora Duggan, la madre di Dessie. Era una donna grossa, lenta e dalle palpebre pesanti, che odorava di Vicks VapoRub e di caramelle alla frutta. A Lena non era mai piaciuta. Era una ficcanaso, ma non condivideva i pettegolezzi: assorbiva tutto quello che sentiva e lo metteva da parte, a volte per anni, e lo tirava fuori solo quando poteva usarlo con la massima forza. Noreen, al contrario, ha una natura generosa, e trova soddisfazione non nell'accaparrarsi le informazioni, e nemmeno nell'usarle, ma nel dispensarle a piene mani, a chiunque sia disposto ad ascoltarla. A Lena va benissimo. Secondo lei, sua sorella si è guadagnata tutta la soddisfazione che riesce a ottenere, visto che si occupa di Dymphna Duggan, che ora è diventata enorme, non esce quasi piú per via della sciatica ed è una faccia dagli occhi freddi dietro la finestra del soggiorno, da dove osserva la vita del villaggio. Tutto questo comunque significa che, se c'è qualcuno che ha un'idea di che diavolo di guai Johnny Reddy si sia portato dietro da Londra, è Noreen.

Lena tende a non occuparsi degli affari degli altri. È una decisione che aveva preso lo stesso giorno in cui aveva sposato Sean Dunne. Fino a quel momento, la sua idea era liberarsi di Ardnakelty con il metodo tradizionale di tagliare la corda: intendeva andare in Scozia a studiare veterinaria e tornare solo per qualche giorno a Natale. Sean, invece, non voleva allontanarsi dalla terra di famiglia. Quando Lena aveva deciso che per lui valeva la pena restare, aveva dovuto trovare un modo diverso per fare in modo che il villaggio non l'avvolgesse nei suoi tentacoli. Da trent'anni, ormai, tiene tutti a distanza: niente opinioni sui permessi per i progetti di Oisín Maguire, niente consigli a Leanne Brady sul ragazzo losco di sua figlia, niente iscrizione al TidyTowns, non allena le ragazze della squadra di calcio femminile Gaelic. Inoltre, mai una sola parola a nessuno sulla situazione finanziaria della fattoria, o di come andava il matrimonio con Sean, o come mai non avevano figli. Farsi gli affari propri non è una cosa ben vista, ad Ardnakelty, soprattutto in una donna, e questo le ha fatto guadagnare la reputazione di essere troppo presuntuosa o semplicemente strana, a seconda

di chi ne parla. Ha scoperto presto che non gliene importa.
A volte si diverte, vedendo con quanta disperazione i suoi
conterranei cercano un modo per afferrarla.

Non le piace la sensazione che ora Johnny Reddy, tra
tutte le persone possibili, sia diventato parte degli affari
suoi. Quello che vorrebbe fare è semplicemente aspettare
che il villaggio si vada gradualmente irritando con lui, finché Johnny taglierà la corda un'altra volta, inseguito dai
creditori o da chiunque altro abbia fatto incazzare, e cosí
lei potrà toglierselo di nuovo dalla mente. Ma c'è Cal che
è inquieto, e Trey che non ha altra scelta che trovarsi in
mezzo a quel pasticcio.

I suoi cani la precedono, diretti verso casa con tutta
l'energia della giornata appena iniziata. Lena li richiama
con un fischio e prende la strada del villaggio.

Ardnakelty non è altro che due brevi file di vecchie
case squadrate e male abbinate, che ora hanno le finestre aperte per fare entrare un po' d'aria. Finestre che
sono state chiuse per decenni, quell'estate restano aperte. Chiunque possa è fuori. Tre uomini anziani, seduti
sul muretto che circonda la grotta della Vergine Maria,
la salutano con cenni del capo e tendono la mano verso i
suoi cani. Barty, che gestisce il pub *Seán Óg*, ispirato dal
tempo secco ha deciso di sistemare i muri, che da almeno cinque anni hanno bisogno di una mano di vernice;
ha fatto pressioni su un paio dei figli di Angela Maguire, i quali ora sono in posizioni precarie su delle scale a
pioli, armati di secchi di pittura di un blu violento e di
una radio che trasmette a tutto volume i Fontaines D.
C. Tre ragazze adolescenti sono appoggiate al muro del
negozio, con le facce rivolte verso il sole; parlano allo
stesso tempo, tutte gambe e capelli, come un gruppo di
puledre selvagge.

Quando Lena era piccola, il negozio era semibuio e mai molto pulito, pieno di file di cose che nessuno voleva realmente, ma che alla fine compravi perché la signora Duggan non cambiava le forniture solo per far piacere a te. Quando Noreen aveva rilevato il posto, aveva marcato il territorio dando una profonda ripulita e risistemando tutto, cosí ora lo stesso piccolo spazio contiene in qualche modo il triplo delle cose, tra cui molte di cui hai bisogno e parecchie che potresti volere. Il campanello emette uno squillo vivace e deciso quando Lena apre la porta.

Noreen è in ginocchio con il suo vestito a fiori e il sedere in alto, occupata a risistemare lo scatolame. – Hai dormito da lui, – dice, identificando con una sola occhiata i vestiti sgualciti della sorella. Il tono non è di disapprovazione. È stata lei a presentare Cal a Lena, l'ha fatto con una intenzione precisa e si attribuisce il merito della loro relazione.

– Sí, – risponde Lena. – Vuoi una mano?

– Quaggiú non c'è abbastanza spazio, ma puoi mettere in ordine i dolciumi –. Noreen indica il bancone. – Bobby Feeney è venuto a comprare la cioccolata. Madre di Dio, quel tipo è come un bambino con la paghetta da spendere: deve toccare tutto, per assicurarsi di comprare il meglio. Ha combinato un casino.

Lena si avvicina al bancone e si mette a riallineare le barrette di cioccolato e i pacchetti di caramelle. – Alla fine cos'ha preso?

– Un pacchetto di Maltesers e un leccalecca frizzante. Capisci cosa voglio dire? Sono cose da bambini. Gli adulti prendono uno Snickers, o magari un Mars.

– Vedi? Ho avuto ragione a lasciarlo perdere, allora –. Prima dell'arrivo di Cal, Noreen l'aveva pregata di considerare Bobby come un'opzione valida, se non altro perché la sua fattoria non andasse in malora, nelle mani dei suoi

cugini Galloway. – Non potevo passare il resto della vita
a guardarlo ciucciare leccalecca frizzanti.

– Ah, Bobby è innocuo, – ribatte subito Noreen. È ancora decisa ad accasare Bobby, se solo riuscirà a trovare
la donna giusta. – Adesso è solo agitato per il ritorno di
Johnny Reddy. Sai com'è fatto: ogni cambiamento lo manda in tilt –. Getta un'occhiata a Lena, voltandosi a metà.
Le due sorelle non si somigliano affatto: Noreen è bassa,
rotondetta e rapida nei movimenti, con la permanente e
penetranti occhi scuri. – Tu hai già visto Johnny?

– Sí. È passato da casa mia a fare la ruota –. Lena sistema i Maltesers davanti a tutto il resto, cosí Bobby può
prenderli senza rovinare la giornata a Noreen.

– Non credere alle stupidaggini di Johnny, eh? – dice
sua sorella, puntandole addosso una scatola di fagioli. – Tu
stai benissimo con Cal Hooper. Lui è dieci volte piú uomo
di Johnny.

– Ah, non lo so. Cal è un brav'uomo, ma non ha mai
avuto una sciarpa in regalo da Kate Winslet.

Noreen sbuffa con disprezzo. – L'hai vista, quella sciarpa? È un pezzo di chiffon che non avvolgerebbe neppure un neonato. Johnny è cosí: tutto quello che ha sembra
bello, ma è inutile. Cosa ti ha detto?

Lena scrolla le spalle. – A Londra non ha fatto fortuna
e gli mancavano i campi. È quello che è riuscito a dirmi,
prima che lo mandassi via.

Noreen soffoca una risata e sbatte una scatola di pisel-
li in cima a una pila. – I campi, come no. Un turista parla
cosí. Gli mancava qualcuno che cucinasse per lui e gli la-
vasse i vestiti.

– Non credi che Kate Winslet sia in grado di cucinare
un arrosto?

– Penso di sí, ma credo che sia abbastanza sensata da

non farlo per Johnny Reddy. No, secondo me l'hanno lasciato con il culo per terra, è questo che gli è successo. Hai notato i suoi capelli? Uno come lui diventa cosí trascurato solo se ha una povera donna al guinzaglio. Se fosse single sarebbe tutto in ghingheri e in caccia. Te lo dico io: aveva una donna, lei deve aver scoperto di che pasta è fatto e gli ha dato il benservito, e piuttosto che mettersi a lavorare, Johnny è tornato a casa.

Lena ci pensa su, mentre raddrizza le confezioni di Twix. Non ci aveva pensato. È una interpretazione plausibile e rassicurante.

– E Sheila farà meglio a non abituarsi ad averlo in casa, – aggiunge Noreen. – Se Johnny riesce a convincere l'amante a riprenderselo, di lui vedremo solo la polvere.

– L'amante non se lo riprenderà, – osserva Lena. – Johnny è uno di quei tipi «lontano dagli occhi, lontano dal cuore». Adesso fa il pavone perché è tornato, ma quando era via nessuno pensava a lui. In tutti questi quattro anni non ho sentito una sola parola su di lui. Nessuno che dicesse che suo nipote aveva incontrato Johnny in un pub, o che suo fratello lavorava con lui in un cantiere edile. Non so nemmeno cosa facesse.

Noreen accetta subito la sfida. – Ah, ho sentito qualcosa, un po' di tempo fa. Annie O'Riordan, la conosci, di quel posto lassú, dopo Gorteen? Suo cugino che sta a Londra l'aveva visto in un pub con una ragazza giovane infilata in un paio di leggings di pelle nera, che rideva come una pazza alle sue battute. Capisci cosa voglio dire? Johnny non sopravviverebbe a un weekend di pioggia, senza una donna che si occupi di lui e gli dica che è un uomo fantastico.

– Sono d'accordo, – commenta Lena. Sheila pensava che Johnny fosse fantastico, ma ora probabilmente non lo pensa piú.

– E ricordi Bernadette Madigan, quella con cui cantavo nel coro? Ora ha un piccolo negozio di antiquariato a Londra, e un giorno non vede entrare Johnny, che tenta di venderle una collana secondo lui di diamanti, raccontandole la storia triste di essere stato abbandonato dalla moglie con tre figli piccoli a cui dar da mangiare? Non l'ha riconosciuta, perché Bernadette è molto ingrassata, che Dio la benedica, ma lei l'ha riconosciuto benissimo. E gli ha detto di infilarsi nel culo i suoi diamanti falsi.

– Bernadette non andava a letto con lui, ai tempi della scuola?

– Sono affari suoi, – risponde Noreen. – Ma sí, direi di sí.

Il momento di rassicurazione per Lena è già passato. Johnny non è mai stato un delinquente, ma non si è mai capito se fosse solo un caso. Se ora ha superato quel limite, chissà fin dove può essersi spinto, e cosa può essersi portato dietro. – Quando è stato che l'ha visto? – chiede.

– Prima di Natale. Che testa di cazzo. Johnny, non Bernadette. Lei gli ha detto che anche un cieco avrebbe capito che quei diamanti erano falsi.

– Non me l'avevi mai riferito.

– Non dico tutto quello che sento, – la informa sua sorella, con dignità. – Tu credi che io sia una gran pettegola, ma so tenere la bocca chiusa, quando voglio. Non ho rivelato nulla a nessuno di Johnny perché sapevo che tu e Cal stavate facendo una gran fatica per tenere quella ragazzina sulla retta via, e non volevo rovinare tutto dando alla sua famiglia una reputazione peggiore di quella che ha già.

– Caspita che sgridata mi sono presa, – dice Lena, con un sorriso.

– Infatti. Come sta andando la ragazzina?

– Benissimo. È venuta da me a dare una lucidata al vecchio letto di Nana.

– Ah, ottimo. E cosa ne pensa del ritorno a casa di suo
padre?

– Sai com'è fatta. Ha detto che era tornato, poi ha detto
che doveva dar da mangiare al suo cane, e fine della storia.

– Quel cane è mezzo matto, – dice Noreen. – Sembra sia
stato messo insieme usando pezzi di altri cani. La tua Daisy
deve affinare i suoi gusti, in quanto ai cani maschi.

– Avrebbe dovuto consultarsi con te. L'avresti sistemata con uno stallone con un pedigree lungo quanto il
mio braccio.

– Non mi sembra che tu ti sia mai lamentata, eh?

Lena abbassa la testa, riconoscendo il punto, e Noreen si
rimette al lavoro con un'espressione vittoriosa. – Ho sentito che Trey ha dormito da te, dopo il ritorno di Johnny.

– Sei bene informata, – replica Lena, impressionata.
– Sí, è vero. Cal non vuole che vada in giro per la montagna col buio, teme che possa cadere in un tratto paludoso. Io non lo credo affatto, ma lui non si convince.

Noreen le rivolge un'occhiata attenta. – Passami quella
scatola, per favore. E Cal cosa dice?

Lena spinge la scatola sul pavimento con un piede. – Cosa dice a che proposito?

– Del ritorno di Johnny.

– L'ha visto giusto per un minuto, non ha ancora avuto
il tempo di farsi un'opinione.

Noreen riordina alcuni barattoli di marmellata sullo
scaffale con una rapidità che viene dall'esperienza. – Stai
pensando di sposarlo?

– Mio Dio, no, – risponde Lena, sistemando pacchetti
di Fruit Pastilles. – Ormai è passato il tempo per il vestito bianco.

– A parte che la seconda volta non ti sposeresti in bianco, non è questo il punto. Quello che voglio dire è che se

lo vuoi sposare, è inutile aspettare. Dàtti una mossa e metti a posto tutto.

Lena la fissa. – Sta morendo qualcuno?

– Gesú, Giuseppe e Maria, ma che c'entra? Non sta morendo nessuno!

– Allora che fretta c'è?

Noreen le dà un'occhiata pungente e torna a riordinare i barattoli. Lena aspetta.

– Non puoi fidarti di un Reddy, – risponde Noreen. – Non dico la ragazza, lei potrebbe venire fuori molto bene, ma il resto della famiglia. Non possiamo sapere cosa può fare Johnny. Se per esempio non gli piace Cal e decide di creare problemi...

– Meglio per lui se non lo fa.

– Lo so. Ma se lo facesse, Cal sarebbe piú al sicuro se fosse sposato con te. Se vivesse a casa tua. Sarebbe meno probabile che le persone credessero ai pettegolezzi.

Lena tiene il suo carattere sotto controllo da cosí tanto tempo, che l'ondata di rabbia la coglie di sorpresa. – Se Johnny si fa venire in mente qualcosa di simile, – sbotta, – sarà meglio che si guardi le spalle.

– Non sto dicendo che lo farà. Non andare a molestarlo, o...

– Certo che no. Quando è stata l'ultima volta che ho infastidito qualcuno? Ma se dovesse fare qualcosa...

Noreen si siede sui talloni, irritata. – Cristo, Helena. Non darmi il tormento. Mi preoccupo solo per voi due.

– Non penso di sposarmi per l'eventualità che Johnny Reddy sia ancora piú stronzo di quanto creda.

– Ti sto dicendo solo di rifletterci. Puoi farlo, invece di saltare su come una vipera?

– Va bene, – risponde Lena, dopo un paio di secondi. Si volta per allineare dei KitKat. – Ci penserò.

– Cristo santo, – mormora Noreen, a voce non proprio bassa, e sbatte sullo scaffale un barattolo di marmellata.

Nel negozio fa caldo, e spostando la merce si è sollevato un pulviscolo che galleggia pigramente nei raggi di sole che entrano dalle finestre. Nellie, sulla porta, lancia un guaito discreto, poi lascia perdere. Fuori, uno dei ragazzi fa un grido di sorpresa, e le ragazze scoppiano a ridere.

– Bene, – dice Lena. – Ho finito.

– Ottimo, grazie, – replica Noreen. – Ora vorresti aiutarmi con quella mensola lassú? Sei abbastanza alta da arrivarci, se sali sullo sgabello; io dovrei prendere la scala e si trova dietro tutti quei vestiti da dare via.

– Ho lasciato i cani qui fuori, – ribatte Lena. – Devo tornare a casa e dargli da bere, se non voglio che muoiano di sete –. Prima che Noreen possa offrirsi di portare loro dell'acqua, Lena allinea un'ultima scatola di Dairy Milk ed esce.

La visita di Lena non è bastata a calmare Cal. Sperava che, conoscendo Johnny e il villaggio molto meglio di lui, gli dicesse qualcosa di rassicurante sul ritorno di Johnny, qualcosa che chiarisse la situazione e relegasse il padre di Trey allo status di fastidio minore. Il fatto che a lui non venga in mente nulla non significa molto. Dopo piú di due anni ad Ardnakelty, a volte gli sembra di capire quel posto ancora meno del primo giorno. Ma se Lena non ha rassicurazioni da offrire, significa che non ce ne sono.

Decide di affrontare l'inquietudine nel solito modo, cioè lavorando. Mette sull'iPod i Dead South e regola le casse al massimo, seguendo il ritmo veloce del banjo mentre pialla le assi di pino per il nuovo mobiletto portatelevisore di Noreen. Ancora non riesce a decidere quanto chiederle. Parlare di prezzi ad Ardnakelty è un'operazione delicata, carica di implicazioni riguardanti la posizione sociale dei due contraenti, il loro grado di intimità, la grandezza dei precedenti favori reciproci. Se Cal dovesse sbagliarsi, potrebbe scoprire di aver appena proposto a Lena di sposarlo o di aver mortalmente offeso Noreen. Oggi è quasi incline a darle il mobiletto gratis.

Ha deciso di non fare domande a Trey su Johnny. Il suo primo istinto era di manipolare le conversazioni, e non si sentirebbe affatto in colpa, viste le circostanze. Ma qualcosa di profondo in lui si ribella all'idea di usare Trey come userebbe una testimone. Se lei vuole dirgli qualcosa, può dirglielo per sua libera scelta.

Trey arriva nel pomeriggio, sbattendo la porta alle sue spalle per segnalare la sua presenza. – Sono passata da Lena, – annuncia, dopo aver bevuto un bicchiere d'acqua e averlo raggiunto nel laboratorio, pulendosi la bocca con il braccio. – Ho dato la cera al letto per gli ospiti, visto che mi lascia dormire lí.

– Bene, – commenta Cal. – È un bel modo di dire grazie –. Sta cercando di insegnarle un po' di buone maniere, per temperare l'impressione che sia stata cresciuta dai lupi. Sta funzionando, entro certi limiti, anche se gli sembra che lei abbia imparato la tecnica, piú che il principio. Sospetta che per Trey le buone maniere siano un mezzo per un fine: non le piace essere in debito con nessuno, e un atto di cortesia le permette di ripagare i debiti.

– Síí, – dice Trey, riferendosi ai Dead South. – Vai cosí, cowboy!

– Sei una barbara, – ribatte Cal. – Questo è bluegrass. E loro sono canadesi.

– E allora? – Cal alza gli occhi al cielo, scuotendo la testa. Trey è di buon umore, e questo lo tranquillizza. – Comunque non sono una barbara. Ho avuto la pagella a scuo-

la. Non ho cannato nulla, a parte religione. E ho preso il
massimo in tecnologia del legno.

– Davvero? Ottimo, – commenta Cal, felice. La ragazza non è affatto stupida, ma due anni prima le importava
cosí poco della scuola che prendeva insufficienze in tutto. – Congratulazioni. L'hai portata, per farmela vedere?

È il turno di Trey di alzare gli occhi al cielo, ma tira fuori
un foglio accartocciato dalla tasca dei jeans e glielo porge.
Cal appoggia il sedere sul tavolo per leggere con la massima
attenzione, mentre Trey si mette all'opera sulla sedia, per
sottolineare che non gliene importa poi tanto. Ha preso A
anche in scienze, varie C e un paio di B. – Quindi sei paga-
na, oltre che barbara, – dice Cal. – Ottimo lavoro, ragazza.
Devi essere orgogliosa.

Trey scrolla le spalle e tiene la testa bassa, ma un sorriso le appare a un angolo della bocca.

– I tuoi genitori sono contenti?

– Mia madre è molto contenta. Mio padre ha detto che
sono il cervello della famiglia e andrò al Trinity College,
dove potrò laurearmi con tocco e toga. Sarò una ricca scien-
ziata premio Nobel, e gliela farò vedere a tutti gli invidiosi.

– Be', – dice Cal, mantenendo un tono neutro. – Vuole il meglio per te, come quasi tutti i genitori. Vuoi studiare scienze?

Trey ride. – No. Sarò falegname. E per quello non mi
serve nessuna stupida toga. Farei la figura dell'idiota.

– Va bene, sei tu a decidere. Un lavoro come questo
ti darà tutte le opzioni che vuoi. Dobbiamo festeggiare.
Vuoi che andiamo a pescare e facciamo una frittura di pesce? – Normalmente, la porterebbe a mangiare una pizza.
Trey ha trascorso i suoi primi quattordici anni senza mai
vederne una e dopo che Cal l'ha introdotta ha scoperto di
avere la passione della pizza. Se ne avesse la possibilità, la

mangerebbe tutti i giorni. Nessuna pizzeria consegna fino ad Ardnakelty, ma in occasioni speciali loro due vanno in città. Ora però, all'improvviso Cal è diffidente. Il villaggio in generale approva la loro relazione, perché è ciò che probabilmente ha impedito a Trey di trasformarsi in una giovane delinquente che avrebbe spaccato le loro finestre e rubato le loro motociclette, ma Johnny Reddy è un caso diverso. Cal non l'ha ancora inquadrato, né ha capito cosa vuole. Sente il bisogno di considerare le piccole cose, come una gita in città a mangiare una pizza, per come potrebbero essere usate contro di lui, e gli dà molto fastidio. A parte tutto il resto, Cal anche nei momenti migliori ha una bassa tolleranza per esaminare sé stesso, e non gli piace che uno stronzetto dagli occhi brillanti lo costringa a farlo.

– Pizza, – dice subito Trey.

– Non oggi. Un'altra volta.

Trey annuisce e torna a sfregare la sedia, senza insistere né fare domande, e questo irrita Cal ancora di piú. Si è sforzato molto per insegnarle a coltivare le aspettative.

– Sai una cosa? – dice. – Ce la facciamo qui, una pizza. È da un po' che volevo insegnartelo.

Lei gli lancia un'occhiata dubbiosa.

– È facilissimo, – insiste Cal. – Abbiamo anche una pietra da pizza: possiamo usare le piastrelle avanzate dal pavimento della cucina. Invitiamo Lena e facciamo festa. Va' da Noreen, compra prosciutto, peperoni e tutto quello che ci vuoi sopra, poi cominciamo a impastare.

Per un attimo pensa che lei stia per rifiutare, ma poi Trey sorride. – Non ti prendo l'ananas, – dice. – È disgustoso.

– Prenderai quello che ti dico io, – la rimbrotta Cal, incredibilmente sollevato. – Anzi, comprane due lattine, per stare sul sicuro. Ora muoviti, prima che la tua puzza di aceto sia cosí forte che Noreen non ti lasci entrare.

Trey non si risparmia sui condimenti, il che rilassa un po' la mente di Cal: una ragazzina che torna a casa con salame piccante, salsiccia e due tipi di prosciutto, oltre a peperoni, pomodori, cipolle e l'ananas per lui, non può aver trattenuto troppo le sue aspettative. Sbatte i condimenti sulla sua pizza come se non mangiasse da settimane. L'impasto sembra venuto bene, anche se non è molto elastico e le pizze hanno una forma che Cal non ha mai visto prima.

Lena è raggomitolata sul divano, contenta, e legge la pagella di Trey, mentre i quattro cani sonnecchiano tutti insieme sul pavimento accanto a lei. Lena non cucina molto. Fa il pane e la marmellata, perché le piace farli a modo suo, ma dice di aver cucinato ogni sera per tutto il tempo del suo matrimonio, e se ora vuole vivere di toast e pasti pronti ne ha tutto il diritto. Cal si diverte a cucinare per lei i suoi piatti migliori, per offrirle un po' di varietà. Non era abituato a cucinare, quando è arrivato ad Ardnakelty, ma non può dar da mangiare a Trey solo uova e pancetta.

– Meticolosa, – dice Lena. – Ecco come sei, secondo il professore di disegno tecnico. Complimenti, a te e a lui. È una bella parola e non viene usata abbastanza spesso.

– Cosa vuol dire? – chiede Trey. Dà un'occhiata alla sua pizza e aggiunge dell'altro salame piccante.

– Significa che fai le cose per bene, – spiega Lena. Trey lo trova giusto e annuisce.

– Come la vuoi la pizza? – chiede Cal a Lena.

– Peperoni e un po' di quella salsiccia. E pomodori.

– Leggi quello che ha scritto l'insegnante di scienze, – le dice Cal. – «Intelligente e inquisitiva, con la determinazione e il metodo necessari per trovare risposte alle sue domande».

– Be', noi lo sapevamo già, – osserva Lena. – Dio ci aiuti. Ottimo lavoro, ragazza. Gran bel risultato.

– La signorina O'Dowd tratta bene tutti, – risponde Trey. – Basta che non diano fuoco a nulla.

– Ci vuoi anche un po' di pizza, su quel salame? – chiede Cal.

– Non della tua, con tutto quell'ananas gocciolante.

– Ci metterò anche del peperoncino tritato, proprio sopra l'ananas. Vuoi assaggiare? – Trey finge di vomitare.

– Gesú, – dice Lena. – Il professor Campbell è ancora lí? Lo credevo morto da tempo. È sempre brillo la metà del tempo?

– Ehi, io cerco di insegnarle il rispetto per gli anziani, – protesta Cal.

– Con tutto il dovuto rispetto, – chiede Lena a Trey, – è quasi sempre brillo?

– Credo di sí. A volte si addormenta in classe. Non conosce i nostri nomi, perché sostiene che lo deprimiamo.

– A noi diceva che gli facevamo cadere i capelli, – racconta Lena.

– Ci siete riusciti, perché ora è calvo.

– Ah!, – esclama Lena. – Devo riferirlo a Alison Maguire, la prenderà come una vittoria personale. Lo odiava perché lui l'accusava di fargli venire il mal di testa con la sua voce.

– Ora ha una testa come una palla da golf, – dice Trey. – Una palla da golf depressa.

– Sii beneducata con lui, – la rimbrotta Cal, mentre trasferisce le pizze da una teglia sopra le mattonelle nel forno. – Non importa se ha la testa come una palla da golf.

Trey alza gli occhi al cielo. – Non lo vedrò per un pezzo. È *estate*.

– Ma poi ricomincia la scuola.

– Io sono molto beneducata.

– Di te devo pensare che sei beneducato? – interviene Lena, sorridendo a entrambi. Sostiene che Trey pronunci alcuni termini imparati da Cal con accento americano.

– Va bene, va bene, va bene, – replica Cal. – Almeno conosce la parola. Anche se non è molto sicura del significato.

– Vuole tagliarsi la barba! – dice Trey a Lena, indicandolo con uno scatto del pollice.

– Cosa? – dice Lena. – Sul serio?

– Ehi! – Cal cerca di colpire Trey con il guanto da forno. Lei si scansa. – Ho solo detto che ci stavo pensando. Non fare la spiona!

– Bisognava avvisarla.

– E io lo apprezzo, – interviene Lena. – Se no, un giorno sarei entrata qui e all'improvviso mi sarei trovata davanti il tuo faccione nudo.

– Non mi piace il tono di questa conversazione, – le informa Cal. – Cosa credete che nasconda, sotto la barba?

– Non lo sappiamo, – spiega Trey. – E abbiamo paura di scoprirlo.

– Fai poco la spiritosa. Quella pagella ti ha dato alla testa.

– Probabilmente sei bellissimo, sotto, – lo tranquillizza Lena. – È solo che nella vita ci sono già abbastanza rischi.

– Sono il fratello bello di Brad Pitt.

– Ma certo. E se tieni la barba, non dovrò preoccuparmi di scoprire una cosa diversa.

– Chi è Brad Pitt? – vuol sapere Trey.

– È la prova che stiamo invecchiando, – replica Lena.

– Hai presente *Deadpool 2*? – chiede Cal. – Il tizio invisibile che viene folgorato.

Trey lo fissa. – No.

– Mi piacevi di piú quando non parlavi, – le dice Cal.

– Se ti tagli la barba, – ribatte lei, mettendo in frigo ciò che resta del salame, – sarai di due colori diversi. Per via dell'abbronzatura.

Quell'estate in zona sono tutti abbronzati. La maggior parte delle persone, evolutesi con il clima poco empatico dell'Irlanda, sono di un colore rossastro che sembra provocargli un po' di dolore, ma Trey e Lena fanno eccezione. Lena è di un ricco color caramello, da bionda; Trey è color nocciola e ha strisce chiare tra i capelli. A Cal piace vederla cosí. È una creatura fatta per stare all'aria aperta. In inverno, tra le giornate corte e le lunghe ore a scuola, ha un pallore innaturale, come se dovesse andare dal medico.

– Sembrerà come se avessi una maschera da bandito, – commenta Lena. – Al *Seán Óg* ne saranno felici.

– Non hai tutti i torti, – risponde Cal. Se entrerà nel pub rasato e con due toni di colore, darà ai ragazzi mesi di materiale per pettegolezzi, e probabilmente si guadagnerà un soprannome fastidioso e irrimediabile. – Forse dovrei farlo solo per buon vicinato, per dare un po' di sapore all'estate.

Quelle parole gli fanno tornare in mente Johnny Reddy, che sta insaporendo la loro estate. Nessuno dei tre l'ha menzionato nemmeno una volta in tutta la sera.

– Affanculo quegli stronzi, – dice Trey. La nota decisa nella sua voce fa irrigidire ancora di piú le spalle a Cal. Ha tutto il diritto di dirlo, ma gli sembra che una ragazzina della sua età non dovrebbe esprimere una tale fredda determinazione. Lo fa sentire inquieto.

– Che linguaggio, per una prima della classe come te, – dice Lena. – Se mandi affanculo qualcuno, dovresti farlo meticolosamente.

A Trey sfugge un sorriso. – Allora, ti lascerai la barba?

– Per adesso, – risponde Cal. – Finché ti comporterai

bene. Appena fai l'insolente, ti toccherà vedere le verruche sul mio mento.

– Non hai verruche sul mento, – ribatte Trey, guardandolo con attenzione.

– Vuoi scoprirlo?

– No.

– Allora fa' la brava.

L'odore invitante della pizza in forno si diffonde nella stanza. Trey smette di riordinare e si siede tra i cani. Lena si alza, in punta di piedi per non disturbarli, e apparecchia la tavola. Cal dà una pulita in giro e apre la finestra per far uscire il calore del forno. Fuori, il sole è meno forte e diffonde un morbido bagliore dorato sul verde dei campi; oltre la terra di Cal, P. J. sta spostando le pecore da un terreno all'altro, tenendo aperto il cancello e agitando il bastone per indurle a passare. Trey mormora qualcosa ai cani, accarezzandogli il mento, e loro si godono il trattamento a occhi chiusi.

Suona il timer del forno e Cal riesce a estrarre le pizze e a posarle sui piatti senza scottarsi. Lena prende i piatti e li mette in tavola.

– Ho una fame, – dice Trey, sedendosi.

– Giú le mani da quella all'ananas, – intima Cal. – È solo mia.

Dal nulla, gli torna in mente la casa dei suoi nonni, nelle campagne del North Carolina, dove ha passato quasi tutta l'infanzia. Ogni sera, prima di cena, sua nonna insisteva perché si prendessero per mano e chinassero la testa, mentre lei recitava una breve preghiera di ringraziamento. Gli viene un impulso improvviso di fare la stessa cosa. Non tanto di pregare, ma solo di restare immobile per un minuto, a testa china, tenendo per mano Lena e Trey.

4.

Quando Trey arriva a casa, suo padre sta risistemando il soggiorno. Resta a guardarlo dalla soglia. Ha tolto di mezzo tutta la roba che ingombrava il tavolino, ha portato dentro le sedie della cucina e canticchia tra sé mentre le sistema, fa un passo indietro per osservare l'effetto, poi dà un'ultima aggiustatina. Fuori dalla finestra alle sue spalle, il sole splende ancora sul cortile spoglio, ma è un sole al tramonto, rilassato. Liam e Alanna lanciano a turno un forcone, cercando di farlo piantare con le punte nel terreno.

Johnny non sta fermo un attimo. Indossa una camicia blu chiaro con sottili righe bianche, di un tessuto grezzo che sembra costoso. Si è fatto tagliare i capelli, e non dalla moglie: sono scalati fino alla nuca e il suo ciuffo da ragazzo è stato acconciato da mani esperte. Sembra troppo bello per quella casa.

– Non sono bello? – chiede, passando una mano sopra la testa, quando vede che Trey lo sta guardando. – Ho fatto un giretto in città. Se devo ricevere degli ospiti, bisogna che sia nello stato giusto per accoglierli.

– Chi viene?

– Ah, alcuni dei ragazzi. Ci facciamo qualche bicchiere, due chiacchiere e due risate. E parleremo un po' anche della mia idea –. Allarga le braccia. I suoi occhi hanno la stessa scintilla eccitata di ieri sera. Sembra che abbia già bevuto un bicchiere o due, ma Trey non crede che sia cosí.

– Guarda il nostro soggiorno, ora. Una sala da re. Chi ha detto che solo una donna sa far splendere una casa, eh?

Trey voleva parlare con Cal dell'idea di suo padre. Voleva chiedergli se pensava che fosse una cagata oppure se poteva davvero funzionare. Ma Cal non le ha mai offerto un'apertura e lei non è riuscita a crearne una. Poi, dopo un po', aveva smesso di tentare. Le era venuto in mente che forse Cal voleva deliberatamente evitare di parlare di suo padre, per non farsi coinvolgere nei suoi problemi familiari. Trey non lo biasima. Si era già lasciato coinvolgere una volta, su sua insistenza, e aveva solo ottenuto un pestaggio. Sotto una certa luce, quando fa freddo, si vede ancora la cicatrice alla radice del naso. Trey non rimpiange di avergli chiesto aiuto, ma non ha il diritto di farlo di nuovo.

– Voglio venire anch'io, – dichiara.

Suo padre si volta a fissarla. – Stasera?

– Sí.

Lui sembra sul punto di liquidare la richiesta con una risata, ma poi ci ripensa e la guarda in modo diverso.

– Be', perché no? – dice. – Non sei piú una bambina; sei una ragazza grande, e potresti anche dare una mano a tuo padre. Lo faresti?

– Sí –. Trey non ha idea di cosa voglia da lei.

– E puoi tenere per te quello che sentirai? È importante. So che il signor Hooper è stato buono con te, ma quello di cui parleremo stasera sono affari di Ardnakelty, lui non c'entra. Puoi promettermi che non gli dirai nulla?

Trey lo guarda. Non le viene in mente nemmeno una sola cosa in cui suo padre potrebbe battere Cal. – Non gliel'avrei detto comunque.

– Ah, lo so. Ma questa è una faccenda seria, roba da adulti. Promettimelo.

– Va bene, – risponde Trey. – Lo prometto.

- Brava -. Johnny poggia un braccio sullo schienale di una sedia, per concentrarsi su di lei. - I ragazzi che verranno, sono Francie Gannon, Senan Maguire, Bobby Feeney, Mart Lavin, Dessie Duggan. Di lui ne farei a meno, per via di quanto è pettegola sua moglie, ma non posso evitarlo. Chi altri? - Ci pensa un attimo. - P. J. Fallon, Sonny McHugh e anche Con, se sua moglie gli allenta il guinzaglio. È un bel gruppo di reprobi, eh?

Trey scrolla le spalle.

- Hai fatto qualcosa per loro? Riparato una finestra, costruito un tavolino, qualcosa del genere?

- Per quasi tutti, ma non per Bobby.

- Non per Bobby, eh? Ha qualcosa contro di te?

- No, è solo che aggiusta da sé le sue cose -. Anche se combina dei casini. Ogni volta che Bobby aiuta un vicino, Cal e Trey vengono chiamati a riparare i danni.

- Ah, capisco, va bene, - dice Johnny, cancellando l'argomento con un gesto. - Alla fine, Bobby fa sempre quello che fa Senan. Ora, ecco cosa devi fare stasera. Quando cominciano ad arrivare, va' ad aprire. Accompagnali qui, con gentilezza e cortesia -. Fa come se accompagnasse qualcuno in soggiorno, - e chiedigli se si sono trovati bene con i lavori che hai fatto per loro. Se hanno qualche lamentela, scusati e prometti che sistemerai tutto.

- Non hanno lamentele, - replica Trey, in tono secco. Non le piace fare lavoretti per la gente del posto. Hanno sempre un'aria di sufficienza, come se si dessero pacche sulla schiena da soli per la loro bontà nel permetterle di fare qualcosa per loro. Cal insiste che deve farli lo stesso. Il modo di Trey di mandarli affanculo è quello di assicurarsi che non possano trovare nessun difetto nel suo lavoro, per quanto ci provino.

Johnny indietreggia, ridendo e alzando le mani. - Ah,

Dio, ritiro tutto, non farmi del male! Non volevo parlare male del tuo lavoro. L'ho visto di persona e so che in questo paese non si trova nulla di piú ben fatto. Anzi, diciamo in nessun posto a nord dell'Equatore. Cosí va meglio?

Trey scrolla le spalle.

– Quando saranno tutti qui, puoi andare a sederti in quell'angolo. Prendi una limonata o qualcos'altro da bere. Non dire nulla se io non ti rivolgo una domanda. Non sarà difficile, hai un talento per stare in silenzio –. Le sorride, facendo apparire le zampe di gallina agli angoli degli occhi. – Se io ti chiedo qualcosa, dammi corda e di' che sei d'accordo con me. Non preoccuparti di altro. Puoi farlo?

– Sí, – risponde Trey.

– Brava, – dice Johnny. Sembra sul punto di darle una pacca sulla spalla, ma cambia idea e le fa l'occhiolino. – Ora diamo una bella riordinata, va bene? Quelle bambole nell'angolo, portale nella stanza di Alanna o di Maeve, a seconda di chi sono. E togli quelle scarpe da ginnastica da sotto la poltrona.

Trey raccoglie vestiti di bambole, macchinine giocattolo, pacchetti vuoti di patatine, calzini, e mette via tutto. L'ombra della montagna comincia ad allungarsi verso il cortile e la casa. Liam e Alanna hanno preso un secchio d'acqua che stanno versando a terra, per ammorbidirla in modo che il forcone si pianti meglio. Sheila grida loro di rientrare in casa per fare il bagno. Loro la ignorano.

Johnny si muove nel soggiorno: sparge in giro piattini con funzione di portacenere, con eleganti scatti del polso, spolvera superfici con uno straccio da cucina, indietreggia per ammirare il risultato e torna ad avanzare per sistemare un dettaglio, fischiettando tra i denti, ma in modo un po' teso, e senza smettere mai di muoversi. Trey capisce che non è eccitato per la serata, ma nervoso perché il suo piano potrebbe non funzionare. Anzi, peggio: è spaventato.

Trey decide che troverà un modo gentile di chiedere ai Maguire se gli piacciono le nuove panchine nel patio. Vuole che suo padre abbia bisogno di lei, per il suo piano. L'altra cosa che voleva chiedere a Cal, sempre se avesse pensato che il piano non era una cagata pazzesca, era come farlo naufragare.

Gli uomini riempiono la sala finché comincia a diventare soffocante. Non è solo che sono imponenti, con le schiene ampie e le cosce grosse che fanno cigolare le sedie, ma è il calore che emanano, il fumo di pipe e sigarette, l'odore di terra e di sudore e di animali di cui sono impregnati i loro vestiti, le loro voci profonde. Trey è incuneata in un angolo accanto al divano, con le ginocchia tirate su per evitare che qualcuno inciampi nei suoi piedi. Ha lasciato Banjo in cucina, con sua madre. A lui quella riunione non sarebbe piaciuta.

Erano arrivati quando iniziava a scendere la sera estiva, con l'ombra della montagna lunga sui campi e gli ultimi raggi di sole che filtravano tra gli alberi. Erano venuti separati, come se il fatto di trovarsi lí fosse casuale. Sonny e Con McHugh avevano portato dentro un'ondata di chiasso, perché discutevano di una decisione dell'arbitro durante la partita di hurling dello scorso weekend; Francie Gannon era entrato in silenzio e si era seduto su una sedia in un angolo. Dessie Duggan aveva detto di non riuscire a capire se Trey fosse una ragazza o un ragazzo, e gli era sembrato cosí divertente che l'aveva ripetuto a Johnny, con le stesse parole e la stessa risatina. P. J. Fallon si era pulito due volte i piedi sullo zerbino e aveva chiesto come stava Banjo. Mart Lavin le aveva consegnato il suo gran cappello di paglia e le aveva raccomandato di tenerlo lontano dalle grinfie di Senan Maguire. Senan aveva colto l'opportunità per dire a Trey, ad alta voce, che lei e Cal avevano fatto un ottimo lavoro, nel riparare il casino che aveva combinato Bobby Feeney con l'infisso della loro finestra, mentre alle sue spalle Bobby si gonfiava, tutto offeso. Le loro facce hanno quell'espressione sempre un po' imbronciata che quell'estate hanno tutti i contadini, ma stasera sono piú allegri: per qualche ora potranno pensare a qualcosa di diverso dalla siccità. Le loro auto, parcheggiate senza tenere in nessun conto le rispettive posizioni, affollano il cortile.

Trey li conosce da quando era in fasce, ha notato le loro occhiate neutre quando passa per la strada o li incontra al negozio, e negli ultimi due anni li ha sentiti parlare con Cal, come se lei non ci fosse, di riparazioni da fare ai loro mobili. Ma non li aveva mai visti cosí, allegri e a loro agio dopo qualche bicchiere. Non li aveva mai visti in casa sua. Gli amici di suo padre, prima che se ne andasse, erano uomini svelti che lavoravano qua e là, nelle fattorie o nelle fabbriche di altri, o che non lavoravano affatto. Quelli invece sono uomini solidi, agricoltori padroni delle loro terre, che sanno lavorarle e che quattro anni prima non sarebbero mai saliti lassú per sedersi nel soggiorno di Johnny Reddy. Suo padre ha ragione su una cosa: il suo ritorno ha portato dei cambiamenti.

La tensione che emanava prima da lui è scomparsa; adesso è disinvolto come una brezza di primavera. Ha versato da bere agli uomini e ha sistemato i portacenere vicino ai fumatori. Ha chiesto dei loro genitori, ricordandosi nomi e tipo di malattie. Ha raccontato storie sulle meraviglie di Londra e altre che hanno fatto ridere tutti, e storie dove ha saltato dei pezzi, con strizzatine d'occhio verso gli uomini e occhiate a Trey. Ha convinto ciascuno di loro a raccontare qualcosa e si è dimostrato incantato, impressionato o empatico. La rabbia che Trey prova verso di lui ora contiene una sfumatura di disprezzo. È come una scimmia ammaestrata, che esegue trucchi e capriole e poi tende il berretto per raccogliere noccioline. Trey preferiva la propria furia quando era pura.

Anche lei ha fatto dei numeri per gli invitati, proprio come le aveva chiesto suo padre: li ha condotti in soggiorno, ha chiesto delle riparazioni, annuendo e ringraziando quando lodavano il suo lavoro. La sua rabbia verso di loro è rimasta intatta.

Johnny aspetta fino al terzo giro di bevute, quando tutti si sono rilassati ma prima che le risate diventino incontrollate, per introdurre nella conversazione Cillian Rushborough. Un po' alla volta, mentre parla, l'umore dei presenti cambia, diventando piú concentrato. La lampadina in alto non è abbastanza forte e il paralume dà alla luce una sfumatura torbida; mentre gli uomini ascoltano, immobili, la luce disegna ombre profonde e ingannevoli sui loro visi. Trey si domanda quanto bene suo padre ricordi quegli uomini; quante cose fondamentali su di loro abbia dimenticato o trascurato.

– Be', santo Dio, – dice Mart Lavin, tornando a rilassarsi sulla poltrona. Ha una faccia come se il Natale fosse arrivato in anticipo. – Ti capisco, sai? Pensavo che ci avresti offerto di organizzare un festival musicale, o dei giri in autobus per turisti americani. E invece apri per noi le porte del Klondike.

– Gesú, Giuseppe e Maria, – dice Bobby Feeney, sbalordito. Bobby è piccolo e grassottello, e quando arrotonda anche gli occhi e la bocca, sembra uno di quei pupazzi che si fanno rotolare. – E io che ho passato nei campi ogni singolo giorno della mia vita. Non avrei mai immaginato una cosa simile.

P. J. Fallon ha le gambe magre avvolte intorno alla sedia, come se lo aiutassero a pensare. – Ne sei proprio sicuro? – chiede a Johnny.

– Ovvio che non è sicuro di niente, – interviene Senan Maguire. – Queste sono favole della buonanotte. Io non attraverserei nemmeno la strada per cose del genere.

Senan è un uomo imponente, con una faccia come un prosciutto e poca tolleranza per le stronzate. Secondo Trey è l'ostacolo principale che suo padre deve superare. Bobby Feeney e P. J. Fallon sono due creduloni, Francie Gannon segue solo il suo istinto e lascia che siano gli altri a fare stupidaggini, se vogliono, nessuno ascolta Dessie Duggan, tutti sanno che Sonny McHugh farebbe qualunque cosa per un po' di denaro, e Con McHugh ha otto anni meno di lui, perciò quello che pensa non ha importanza. Mart Lavin è in disaccordo sempre su tutto, spesso solo per il piacere di discutere, ma tutti ci sono abituati e non gli dànno un gran peso. Senan non ha pazienza. Se decide che si tratta di una stupidaggine, vorrà schiacciarla del tutto.

– Questo è ciò che ho pensato anch'io, all'inizio, – conviene Johnny. – Una vecchia storia che sua nonna aveva sentito e forse ricordava male, o forse l'aveva inventata lei per intrattenere il nipotino; certo, non è abbastanza per andare avanti. Solo che questo Rushborough non è un tipo da contare frottole. Lo vedrete anche voi. È un uomo da prendere sul serio. Perciò gli ho detto che mi sarei seduto con lui davanti a una mappa di queste zone e avrei ascoltato cos'aveva da dire.

Si volta a guardare gli uomini. La faccia ossuta di Francie è inespressiva, quella di Senan è incredula, ma tutti ascoltano.

– Qui sta il punto, ragazzi. Qualunque cosa ci sia in fondo a questa storia, non è solo fumo. E se si tratta di un ricordo che ha subito variazioni nel tempo, è strano che tutte queste variazioni conducano a una somma precisa. I posti di cui la nonna di Rushborough gli aveva parlato esistono davvero. Posso indicarveli tutti, con un margine d'errore di pochi metri. E non sono semplicemente sparsi a caso, uno qui, uno là. Formano una linea che, grosso modo, dai piedi della montagna attraversa le vostre terre e arriva al fiume. Rushborough pensa che qui dovesse esserci un altro fiume, ora asciutto, che ha lavato via l'oro dalla montagna.

– C'era davvero un altro fiume, qui, – dice Dessie, chinandosi in avanti. Parla sempre a voce un po' troppo alta, come se si aspettasse di essere interrotto. – Il suo letto passa nel campo dietro casa mia. È una rottura di cazzo ogni anno, quando devo arare.

– Ci sono letti di fiumi asciutti dappertutto, – commenta Senan. – Questo non significa che dentro ci sia l'oro.

– Ma significa, – interviene Johnny, – che nella storia di Rushborough c'è qualcosa di autentico. Non so voi, ma a me interessa scoprire quanto c'è di vero.

– A me quell'uomo sembra un coglione, – insiste Senan. – Quanto gli costerà tutto questo, eh? Macchinari, forza lavoro e chissà che altro, senza nessuna garanzia che ne ricavi un centesimo.

– Non parlare cosí, – ribatte Johnny. – Rushborough non è uno stupido. Nessuno stupido sarebbe arrivato dov'è arrivato lui. Può permettersi di indulgere in qualcosa che gli interessa, ed è quello che sta facendo. È come quelli che comprano un cavallo da corsa, o fanno il giro del mondo in yacht. Non si tratta di guadagnare, anche se non gli dispiacerebbe di certo. Il fatto è che è tutto entusiasta delle sue radici irlandesi. È cresciuto a forza di canzoni ribelli e pinte di Porter. Gli vengono le lacrime agli occhi se racconta di come gli inglesi hanno legato a una sedia John Connolly e poi gli hanno sparato. Vuole recuperare la sua eredità culturale.

– Un irlandese di plastica, – dice Sonny McHugh, con tolleranza. Sonny è un uomo imponente, con una spruzzata di grigio tra i riccioli e una pancia pronunciata, ma ha una vocina che fa pensare a un uomo molto piú piccolo, e che suona stupida nella sua bocca. – Noi abbiamo un cugino cosí, a Boston. È venuto qui a passare l'estate, tre o quattro anni fa, ve lo ricordate? Quel giovane con il collo grosso? Ci ha portato in regalo una macchina fotografica digitale, nel caso che non ne avessimo mai vista una. Non riusciva a credere che conoscessimo i *Simpson*. E non potete immaginare la sua espressione quando è entrato in casa nostra.

– Non c'è nulla che non va, in casa tua, – commenta Bobby, perplesso. – Ci sono anche i doppi vetri e tutto il resto.

– Lo so. Ma lui pensava che vivessimo in un cottage con il tetto di paglia.

– La mia terra non è un'attrazione turistica, – borbotta Senan, con i piedi ben piantati e le braccia conserte. – Non voglio che arrivi un idiota a calpestarla e a spaventare le pecore, solo perché sua nonna gli cantava *Galway Bay*.

– Non calpesterebbe i tuoi terreni, – puntualizza Johnny. – Almeno, non all'inizio. Vuole cominciare setacciando il fiume, perché è piú facile che scavare. Se trova oro nel fiume, anche solo un pochino, sarà felice di pagare a ciascuno di voi una bella sommetta per il permesso di scavare nelle vostre proprietà.

Quella dichiarazione viene accolta da un breve silenzio. Con guarda Sonny. Bobby resta a bocca aperta.

– Scavare quanto? – chiede Senan.

– Prima di tutto vorrà prendere dei campioni. Si tratta

di infilare un tubo nel terreno e vedere cosa viene fuori. Questo è tutto.

– E quanto ci paga? – chiede Sonny.

Johnny volta i palmi in alto. – Dipende da voi. Quello che riuscirete a negoziare con lui. Facile che siano mille euro a testa, forse duemila, a seconda del suo umore.

– Solo per i campioni.

– Ma certo. Se trova quello che cerca, pagherà molto di piú.

Trey era cosí concentrata su suo padre, che non aveva riflettuto che quegli uomini forse faranno soldi con il suo piano. Un'ondata di rabbia impotente le brucia in gola. Anche se Johnny sapesse di Brendan, sarebbe contento di riempire le tasche a tutto il paese, a patto di ottenere quello che vuole. Per lei non è cosí. Per quanto la riguarda, tutta Ardnakelty può andare a farsi fottere fino all'infinito e oltre. Si strapperebbe le unghie con delle pinze, prima di fare un favore a qualcuno di loro.

– Se c'è l'oro, qui… – dice Con McHugh. È il piú giovane dei presenti, un ragazzone con i capelli scomposti e un viso gradevole e aperto. – Santo Dio, ragazzi, pensateci.

– Ah, c'è, c'è, – dice Johnny, con un tono come se parlasse di un cartone di latte in frigo. – Mia figlia, lí, l'ha imparato a scuola. Non è cosí, tesoro?

Trey ci mette un paio di secondi per capire che sta parlando con lei. Aveva dimenticato che suo padre sa della sua presenza in quella stanza. – Sí, – risponde.

– Cosa dicono gli insegnanti sull'argomento?

Tutti gli uomini si sono girati a guardarla. Potrebbe dire che il professore aveva detto che l'oro era dall'altro lato della montagna, ma che era stato estratto tutto almeno mille anni prima. Suo padre dopo la picchierà, sempre se riuscirà a prenderla, ma quel fatto non ha un peso sulla sua decisione. Anche se lo dicesse, forse gli uomini non si lascerebbero smuovere dal pensiero di un insegnante di Wicklow. Suo padre è bravo a parlare e potrebbe riuscire lo stesso a convincerli. E lei avrebbe perso la sua occasione.

– Il mio professore dice che c'è oro dentro la montagna, – risponde. – Le persone che vivevano qui lo scavavano e lo usavano per farne gioielli, che ora sono nei musei di Dublino.

– Io una volta l'ho visto in un programma televisivo, – interviene Con, chinandosi in avanti. – Spille grandi come una mano e grosse collane. Gioielli bellissimi, luccicanti.

– Ti starebbero benissimo, addosso, – lo prende in giro Senan.

– Li vuole per Aileen, – dice Sonny. – Grande e grosso com'è, lei lo tiene al guinzaglio.

– Come hai fatto a uscire stasera, eh, Con?

– Lei pensa che sia uscito a prenderle dei fiori.

– È scappato dalla finestra.

– Lei gli ha messo addosso un Gps, e tra un minuto busserà alla porta.

– Nasconditi dietro il divano, Con. Diremo che non ti abbiamo visto...

Non si tratta solo di farsi quattro risate. Ciascuno di loro, persino Con, che arrossisce e li manda affanculo, getta un'occhiata a Johnny. Stanno prendendo tempo, per valutare quello che pensano di lui e della sua idea. Intanto, Johnny le rivolge un impercettibile cenno di approvazione. Lei lo fissa senza espressione.

– Voglio solo dire, – sbotta Con quando si è finalmente liberato delle battute e gli altri si sono calmati, – che non direi di no a una badilata o due di quella roba.

– Qualcuno di voi lo farebbe? – chiede Johnny.

Trey li osserva. Sembrano piú giovani, mentre immaginano la scena. Come se potessero muoversi con maggiore rapidità. Le loro mani sono immobili e le sigarette si consumano tra le dita.

– Bisogna tenersene un po', – dice Con, in tono sognante. – Solo un pochino, per ricordo.

– Col cazzo, – dice Senan. – Io per ricordo mi farei una crociera ai Caraibi. E pagherei una bambinaia per badare ai figli, cosí io e mia moglie potremmo sorseggiare in pace dei cocktail preparati dentro noci di cocco.

– California, – dice Bobby. – Ecco dove andrei io. A visitare tutti gli studi cinematografici, cenare in ristoranti dove al tavolo accanto è seduta Scarlett Johansson…

– Tua madre non te lo permetterebbe, – lo stoppa Senan. – Lei vorrebbe andare a Lourdes o a Medjugorje.

– Faremo entrambe le cose –. Bobby è arrossito. – Cazzo, perché no? Mia madre ha ottantun anni, quante altre possibilità può avere?

– E la siccità può andare affanculo, – aggiunge Sonny, con impeto esuberante. – Se non c'è né erba, né fieno, comprerò il mangime migliore e il mio bestiame mangerà di lusso per tutto l'anno. In una stalla nuova di zecca.

– Gesú, ma sentitelo, – si inserisce Mart. – Non hai un po' di romanticismo, ragazzo mio? Comprati una Lamborghini e trovati una top model russa da farci salire sopra.

– Una stalla dura di piú. Una Lamborghini resisterebbe al massimo un anno, su queste strade.

– E anche la top model russa, – commenta Dessie, con una risatina.

– La Lamborghini sarebbe per farti un viaggio in America, – spiega Mart. – O in Brasile, o in Nepal, o dovunque tu voglia. Con questo non voglio dire che le strade in Nepal siano migliori delle nostre, eh.

Johnny ride e rabbocca il bicchiere di whisky di Bobby, ma Trey nota l'occhiata attenta che rivolge a Mart. Sta cercando di capire se è sincero o sta tramando qualcosa. Naturalmente, almeno questo se lo ricorda: Mart Lavin sta sempre tramando qualcosa.

Johnny tiene d'occhio anche Francie, il quale non dice nulla, ma Johnny lo lascia in pace. Francie non gradisce essere incoraggiato a fare qualcosa.

Trey si concentra su suo padre. Con lei Johnny è cosí grezzo che nemmeno se ne accorge, ma con gli altri è disinvolto. Far fallire il suo piano sarà piú difficile di quanto pensava. Trey non ha esperienza nell'essere disinvolta con nessuno.

– Io mi comprerei l'ariete migliore di tutta l'Irlanda, – annuncia P. J., con decisione. – Prenderei quel giovane animale olandese che è stato venduto per centomila euro.

– Ma non avrai piú bisogno di stancarti ad allevare pecore, – gli fa notare Mart. – Potrai startene seduto in poltrona a guardare l'oro che esce dai tuoi terreni. Mentre un maggiordomo ti porta cibo e stuzzicadenti.

– Cristo, ragazzi, calmatevi, – interviene Johnny, alzando le mani e sorridendo. – Non sto dicendo che sarete tutti milionari. Non sapremo quanto oro c'è là sotto finché non cominciamo a cercarlo. Forse sarà abbastanza per viaggi e maggiordomi, o forse solo per una settimana a Lanzarote. Non fate troppi progetti.

– Io mi terrei le pecore in ogni modo, – risponde P. J. a Mart, dopo una breve riflessione. – Ormai ci sono abituato.

– Verrebbero qui reporter di tutti i giornali, – dice Dessie. Il pensiero gli provoca un po' di rossore sulla testa calva. Dessie, in quanto figlio della signora Duggan e marito di Noreen, non è mai al centro dell'azione. – E quelli della televisione, e della radio. Per intervistarci.

– Tu ci guadagneresti un sacco, – dice Mart. – Comprerebbero da mangiare nel negozio di tua moglie. Verrebbero da Dublino, e i dublinesi non pensano mai a portarsi un panino da casa.

– Io dovrò fare un'intervista? – chiede P. J., preoccupato. – Non ne ho mai fatta una.

– Io la farei, – dichiara Bobby.

– Se ti metti a dire stronzate sugli alieni su un canale nazionale, – gli dice Senan, – ti meno con una mazza da hurling.

– Un momento, cazzo, – esclama Sonny. – Perché abbiamo bisogno di quest'irlandese di plastica? Se c'è dell'oro sulla mia terra, me lo scavo da solo. Non mi serve un coglione che si prende metà dei profitti, cantando *Come Out Ye Black and Tans*.

– Ma non sai dove cercare, – gli fa notare Johnny. – Vuoi scavare in ogni singolo punto dei tuoi terreni?

– Puoi dircelo tu, dove cercare.

– Potrei, ma non servirebbe. Ci sono delle leggi. Non puoi usare macchinari se non hai una licenza del governo; potresti scavare solo con un badile. E anche se trovassi l'oro, non potresti venderlo. Il giovane Con, qui, sarebbe felice di farne spille e fermagli per Aileen, ma noialtri vogliamo qualcosa di piú.

– Io ho coltivato la terra per tutta la vita, – dice Francie. – E mio padre e mio nonno prima di me. Non ho mai sentito parlare di oro. Nemmeno una volta.

Francie ha una voce profonda che cala pesantemente sulla stanza, lasciando un pozzo di silenzio.

– Io ho trovato una vecchia moneta, una volta, – racconta Bobby. – Con sopra la regina Vittoria. Ma era d'argento.

– E che cazzo c'entra, me lo spieghi? – chiede Senan.
– Se il nostro finto irlandese si mette a setacciare il fiume, può trovare un'intera… come si chiama… un'intera vena d'oro.

– Vaffanculo. Volevo solo dire...

– Sai cosa mi piacerebbe? Che parlassi solo quando hai qualcosa da dire.

– Voi avete mai trovato dell'oro? – chiede Francie, a tutti. – Anche uno solo di voi.

– Ma non possiamo saperlo per certo, – obietta Con. – Potrebbe essere piú in basso della terra che smuoviamo con l'aratro.

– Io non aro per niente, – puntualizza Mart. – Potrei avere sotto i piedi le miniere di re Salomone e non ne avrei idea. E poi, voi controllate le zolle di terra che rivoltate? Le ispezionate in cerca di pepite? Dirò di piú, qualcuno di voi sa riconoscere una pepita, se dovesse vederne una?

– Io ci guardo, – dice Con, e arrossisce quando tutti si voltano a fissarlo ridendo. – A volte. Non cerco l'oro, ma ho sentito storie di gente che trova monete vichinghe e simili...

– Sei proprio un fesso, – lo rimbrotta suo fratello.

– Hai mai trovato dell'oro? – insiste Francie.

– No, – ammette Con. – Ho trovato del vasellame. E un coltello, una volta. Fatto a mano...

– Vedete, – dice Francie a tutti. – Se Indiana Jones, qui, non l'ha mai trovato, significa che l'oro non c'è.

– I pesci in quel fiume, – dice P. J., dopo una riflessione sufficiente a formarsi un'opinione, – sono uguali a tutti gli altri pesci.

– Ragazzi, – dice Johnny, con un lento sorriso da monello. – Chiariamo una cosa. Io non vi garantisco che l'oro sia dove dice il nostro uomo. Forse c'è e forse no. Sto solo dicendo che Cillian non dubita che ci sia.

– Se sua nonna era una Feeney, si capisce, – puntualizza Senan. – I Feeney credono a qualsiasi cosa.

– Ehi, aspetta un attimo... – esclama Bobby, offeso.

– Tu credi che ci siano gli Ufo sulle montagne, no?

– Non ho bisogno di *crederci*. Li ho *visti*. Tu credi nelle tue pecore?

– Credo nei prezzi a cui riesco a venderle. Quando porterai un alieno al mercato e lo venderai a sei euro al chilo, allora...

– Calmatevi, voi due, – li blocca Francie. – Forse il nostro Cillian non ha dubbi, ma io sí. Lui setaccerà il fiume, non troverà un cazzo e tornerà a casa a piangere davanti a una pinta di Porter. E fine della storia. Noi perché cazzo siamo qui?

Tutti si voltano a guardare Johnny. – Ecco, – dice lui, con il sorriso che gli solleva di nuovo gli angoli della bocca. – Se il signor Rushborough vuole l'oro, dobbiamo fare in modo che lo trovi.

Scende un silenzio improvviso. Trey scopre di non essere affatto sorpresa, e non le piace, perché la fa sentire troppo figlia di suo padre. Alyssa, la figlia di Cal, che Trey ha iniziato ad apprezzare, sarebbe rimasta almeno un po' scioccata, sentendo una cosa del genere.

Dopo un attimo di immobilità, tutti ricominciano a muoversi. Sonny prende la bottiglia di whisky; Dessie spegne la sigaretta e ne accende un'altra. Mart se ne sta in poltrona con una sigaretta rollata in una mano e un bicchiere nell'altra, con l'aria di divertirsi un mondo. Prima di dire qualsiasi cosa, stanno aspettando che Johnny continui.

– Io conosco il punto del fiume dove vuole iniziare a setacciare, – dice Johnny. – Lui ha una gran voglia di crederci; gli serve solo sentire l'odore dell'oro, e si trasformerà in un cazzo di segugio.

– E tu hai tra le mani giusto un po' d'oro che ti avanza, dico bene? – chiede Mart.

– Gesú, raffredda i motori, eh? – dice Johnny, alzando le mani. – Basta fargli trovare qualcosina qua e là, appena abbastanza per farlo felice. Un paio di migliaia di dollari in oro, ai prezzi correnti.

– E tu hai duemila dollari da spendere?

– Non piú. Li ho già investiti nella compagnia mineraria di Rushborough, che lui ha fondato per ottenere le licenze e tutto il resto. Se ciascuno di voi partecipa con trecento euro, non serve altro.

La stanza puzza di fumo. Nella luce torbida e giallastra, le ombre si muovono sui visi degli uomini che scuotono bicchieri, si aggiustano le cinture, si scambiano brevi occhiate e poi distolgono gli sguardi.

– Tu cosa ci guadagni? – vuol sapere Senan.

– Una percentuale su tutto quello che Rushborough troverà, piú il venti per cento di quello che pagherà a voi. L'affare l'ho trovato io, dopotutto.

– Quindi prenderai dei soldi da lui e da noi, comunque vada.

– Sí. Senza di me voi non avreste nulla, e nemmeno Rushborough. E io ho già fatto il mio investimento, mettendo nell'impresa piú di quanto sto chiedendo a voi tutti insieme. Voglio almeno recuperare i miei soldi, che l'oro ci sia o non ci sia. Se non fosse perché anche voi parteciperete all'investimento, chiederei il cinquanta per cento di quello che lui vi darà.

– Cazzo, – esclama Sonny. – Ovvio che non vuoi dirci dov'è l'oro.

– Sono il mediatore, in questa faccenda, ed è questo che fa un mediatore. Sono felice di aiutarvi a ottenere stalle nuove e crociere, ma non partecipo per bontà di cuore. Ho una famiglia da mantenere. Quella ragazza lí starebbe meglio in una casa che non cade a pezzi, e magari giacché c'è potrebbe comprarsi un paio di scarpe decenti. Vuoi che lasci perdere tutto, cosí tu potrai mettere cerchioni piú belli sulla Lamborghini?

– Cosa ti impedisce di intascare i nostri soldi e scomparire nel tramonto? – chiede Mart, interessato. – Lasciandoci qui con un anglosassone incazzato? Sempre se questo Rushqualcosa esiste davvero.

Johnny lo fissa. Mart ricambia lo sguardo. Dopo un momento, Johnny fa una risata triste e scuote la testa.

– Mart Lavin, – dice. – È perché mio padre ti ha battuto a carte nel secolo scorso? Sei ancora arrabbiato per quello?

– Barare a carte è una cosa bruttissima, – spiega Mart. – Preferirei avere a che fare con un assassino che con un baro. Un uomo può diventare un omicida per caso, se le cose non vanno come previsto, ma barare è una cosa che non può succedere per caso.

– Quando avrò un po' di tempo libero, – ribatte Johnny, – sarò felice di difendere l'abilità di mio padre a carte. Lui riusciva a capire cos'avevi in mano da un tremito delle palpebre. Ma ora, – gli punta contro un dito, – non mi farò trascinare in una discussione con te. Qui abbiamo un'occasione di fare soldi, e non durerà per sempre. Ci state o non ci state?

– Sei tu che hai cominciato a blaterare di tuo padre e dei suoi assi nella manica, – gli fa notare Mart. – Io avevo solo fatto una domanda. Legittima.

– Ah, porca miseria, – dice Johnny, esasperato. – Facciamo cosí: io non toccherò quei soldi con un dito. L'oro compratelo voi. Vi dirò esattamente cosa ci serve e dove trovarlo, e poi dove seminarlo. Cosí vi sentite piú tranquilli?

– Oh, io sí, – risponde Mart, con un sorriso. – La tua proposta mi ha fatto bene al cuore.

- E naturalmente, prima di tirare fuori il portafoglio, potrete incontrare Rushborough di persona. Gli ho già detto che di sicuro vorrete conoscerlo, prima di lasciarlo frugare nelle vostre terre, vedere se vi piace come persona. Questo lo ha fatto ridere, pensa che siamo un mucchio di selvaggi che non hanno idea di come si conduce un affare nel mondo reale, ma di sicuro è tutto per il meglio, no? - Johnny dispensa sorrisi a tutti, ma nessuno ricambia. - Sarà qui dopodomani. Lo porterò al *Seán Óg* la sera stessa, e potrete decidere se vi sembra autentico oppure no.

- Dove alloggerà? - chiede Mart. - Qui, su quel divano di lusso? Per immergersi nell'atmosfera locale?

Johnny ride. - Oh, no. Probabilmente lo farebbe, se non avesse altra scelta, visto con quanto ardore vuole quell'oro. Ma la cucina di Sheila è di sicuro diversa da quella a cui è abituato. Si è trovato un piccolo cottage verso Knockfarraney, la vecchia casa della mamma di Rory Dunne, ai piedi della montagna. Da quando sua madre è morta, l'affittano su Airbnb.

- Quanto resterà?

Johnny scrolla le spalle. - Dipende. Vi dirò una cosa: quando l'avrete visto, la smetterete di borbottare e mi aiuterete a lasciare quell'oro nel fiume. Io lo distrarrò per qualche giorno, mostrandogli i dintorni, ma poi vorrà cominciare a setacciare. Entrò martedí mattina presto, devo sapere chi è dentro e chi è fuori.

- E cosa succede dopo? - s'informa Francie Gannon. - Quando sulle nostre terre non troverà nulla?

- Ah, Dio, Francie, - dice Johnny, scuotendo la testa. - Sei un inguaribile pessimista, lo sai? Forse sua nonna aveva ragione e troverà tanto oro da renderci tutti milionari. Oppure, - alza una mano per impedirgli di ribattere,

– sua nonna aveva ragione a metà: l'oro ha attraversato le vostre terre ma non è mai arrivato fino al fiume, oppure è stato lavato via. Perciò, quando Rushborough setaccerà il fiume, invece di non trovare nulla e scoraggiarsi, troverà abbastanza da convincerlo a scavare nelle vostre terre. E lí troverà l'oro per renderci milionari.

– E io mi metterò a cagare diamanti. Cosa succede se non lo trova?

– E va bene, – risponde Johnny, con un sospiro. – Lo dico solo perché tu sei contento solo se tutto va male. Diciamo che in tutta la zona non c'è nemmeno un grammo d'oro. Rushborough si farà un bel fermacravatte con sopra un'arpa e un trifoglio, con l'oro che noi gli abbiamo fatto trovare. Penserà che il resto è da qualche parte sotto la montagna, troppo in profondità per poterlo raggiungere. E se ne tornerà in Inghilterra a parlare delle sue radici irlandesi con gli amici, raccontando loro le sue avventure nella terra dei suoi padri. Sarà tutto contento, e voi avrete in tasca mille o duemila euro in piú, e anch'io. Questo è il caso peggiore. È una cosa cosí terribile da passare la serata con la faccia cupa?

Trey osserva gli uomini mentre ci pensano su. Si guardano l'un l'altro e Johnny li guarda tutti. Ogni traccia di nervosismo è scomparsa dal suo viso. È spaparanzato in poltrona come il re della montagna, sorride con benevolenza e lascia loro tutto il tempo che vogliono.

Non si tratta di uomini disonesti, o almeno Trey non li considera tali. Nessuno di loro ruberebbe nemmeno un pacchetto di caramelle nel negozio di Noreen, e per loro una stretta di mano vale come un contratto legale. Un inglese che vuol fare soldi con le loro terre rientra in regole differenti.

– Vediamo com'è questo Rushborough, – dice alla fine

Senan. – Voglio dargli un'occhiata. Cosí capiremo in cosa ci stiamo mettendo.

Gli altri annuiscono. – Allora d'accordo, – dice Johnny. – Lo porto al *Seán Óg* lunedí sera, e vi farete un'idea di che tipo è. Vi chiedo solo di non prenderlo per il culo. È abituato a gente di alto livello, non sarà in grado di tenere il passo con voi.

– Ah, ma deve farlo, che Dio lo aiuti, – dice Dessie.

– Saremo gentili, – assicura Mart. – Non sentirà nulla.

– Col cazzo che lo sarete, – dice Sonny. – Io non porterei quel povero bastardo in mezzo a loro, se fossi in te, Johnny. Sai cos'hanno fatto al mio cugino americano? Gli hanno detto che la figlia minore di Leanne Brady era infatuata di lui. Sarah, quella bella con quel culo...

– Bada a come parli, – lo avverte Senan, indicando Trey, ma ridacchia al ricordo, come tutti gli altri. L'oro, per accordo unanime, non è piú argomento di discussione. È una cosa su cui riflettere in privato, fino all'arrivo di Rushborough.

– Ora vai pure, – dice Johnny a Trey. – È già passata l'ora di andare a dormire, per te.

Johnny non saprebbe qual è quell'ora anche se Trey ne avesse una, e non ce l'ha. È solo che lei non gli serve piú e vuole che i ragazzi si sentano liberi di parlare di cose di cui non parlerebbero davanti a lei. Trey si alza dal suo angolo e si fa strada tra le gambe tese, augurando cortesemente la buonanotte. Gli uomini le rivolgono cenni del capo mentre passa.

– Non dài un abbraccio a tuo padre? – chiede Johnny, sorridendo.

Trey si china verso di lui, gli posa una mano rigida sulla schiena e si lascia stringere. Trattiene il fiato per non sentire il suo odore di dopobarba e sigarette. – Guardati, – dice Johnny, ridendo e scompigliandole i capelli. – Ora sei troppo grande e dignitosa per dare l'abbraccio della buonanotte a tuo padre.

– Buonanotte, – dice Trey, raddrizzandosi. Anche lei vuol dare un'occhiata a questo Rushborough.

5

Cal trascorre la mattina dopo in casa, aspettando Mart. Non dubita che verrà, quindi non vede il senso di mettersi a fare qualcosa di serio. Invece lava i piatti e dà una pulita in giro, sempre con un occhio alla finestra.

Potrebbe anche fare qualche lavoretto nell'orto, e parlare lí con Mart, ma vuole invitarlo in casa. È passato molto tempo dall'ultima volta che è entrato, ed è stato per volere di Cal: quello che è capitato a Brendan Reddy è come una pietra fredda e pesante tra loro due. Cal ha accettato i limiti imposti da Mart, non ha chiesto nomi, tiene la bocca chiusa, fa in modo che la tenga chiusa anche Trey, e tutti vivono felici e contenti, ma non vuol lasciare che Mart faccia finta di niente. Il problema di Johnny Reddy tuttavia (Cal comincia a considerarlo un problema) significa che, anche se non gli piace, le cose devono cambiare.

Mart arriva a metà mattina, e si ferma sorridendo sulla porta come se venisse ogni giorno. – Entra, – lo invita Cal. – Togliti dal caldo.

Se Mart è sorpreso non lo dà a vedere. – Certo, perché no, – risponde, scuotendo la terra dalle scarpe. Il suo viso e le sue braccia sono di un color rosso mattone; sotto le maniche della polo verde si vedono le strisce bianche che segnano il limite dell'abbronzatura. Arrotola il suo cappello di paglia e se lo infila in tasca.

– La tua villa è molto ben messa, – osserva, guardandosi intorno. - Quella lampada dà un tocco di stile. È stata un'idea di Lena?

- Vuoi un caffè? - gli chiede Cal. - Un tè? - Ormai è lí da abbastanza tempo da sapere che un tè è sempre appropriato, indipendentemente dal clima.

- No, grazie, sto bene cosí.

Un'altra cosa che Cal ha imparato è che non bisogna accettare un rifiuto. - Stavo comunque per prepararlo. Dài, prendilo con me.

- Non posso lasciarti bere da solo. Vada per una tazza di tè.

Cal accende il bollitore e tira fuori le tazze. - Un'altra giornata calda, - commenta.

- Se continua cosí, - dice Mart, sedendosi con difficoltà per via delle giunture poco flessibili, - dovrò vendere le mie pecore perché non avrò piú erba per nutrirle. E in primavera con gli agnelli sarà atroce. Nel frattempo, cosa fanno vedere quei coglioni in televisione? Immagini di bambini che leccano gelati.

- Quei bambini sono molto piú belli di te, - dice Cal.

- È vero, - ammette Mart, ridacchiando. - Ma quei tizi della tivú mi dànno la nausea lo stesso. Parlano del cambiamento climatico come se fosse una novità, con le facce sciocate. Se avessero chiesto a qualunque contadino, negli ultimi vent'anni, avrebbero scoperto che l'estate non è piú come una volta. È diventata un periodo difficile, che ogni anno è piú difficile. E nel frattempo quei fessi se ne vanno in spiaggia a scottarsi i culi pallidi, come se fosse la cosa piú bella del mondo.

- Cosa dicono i vecchi? Finirà presto?

- Mossie Gannon dice che alla fine del mese pioverà a catinelle, mentre Tom Pat Malone dice che il caldo durerà fino a settembre. Ma è ovvio: come possono saperlo?

Questo tempo è come un cane inselvatichito: non puoi sapere di cosa è capace.

Cal porta al tavolo il tè e un pacchetto di biscotti al cioccolato. Mart aggiunge alla sua tazza abbondanti quantità di latte e zucchero e allunga le gambe con un sospiro contento, lasciando da parte il clima e preparandosi al tema del giorno.

– Sai cosa non cessa di stupirmi, in questo posto? Il livello di coglionaggine.

– Ti stai riferendo alla faccenda di Johnny Reddy?

– Quell'uomo, – lo informa Mart, – farebbe emergere il lato idiota persino in Einstein. Non so come ci riesca. È un dono –. Sceglie un biscotto con calma, per aumentare la suspense. – Indovina cos'ha portato da Londra. Forza, indovina.

– Una malattia venerea, – dice Cal. Johnny non fa emergere nemmeno in lui il suo lato migliore.

– Piú che probabile, ma a parte questo. Johnny si è trovato un anglosassone. Non un'amante, eh. Un uomo. Un irlandese di plastica pieno di soldi e di idee romantiche sulla terra di sua nonna. E questo tizio, chiamiamolo Paddy l'Inglese, si è messo in testa che nei nostri campi c'è l'oro, in attesa che arrivi lui a tirarlo fuori.

Cal aveva cercato di immaginare quale fosse l'idea brillante di Johnny, ma a questa non ci era arrivato. – Ma che cazzo?

– È stato anche il mio primo pensiero, – conviene Mart. – Al tizio l'ha raccontato sua nonna, che era una Feeney. I Feeney sono famosi per farsi venire idee strampalate.

– E lei pensava che qui ci fosse l'oro?

– Probabilmente gliel'aveva detto suo nonno, al quale l'aveva detto suo nonno, al quale l'aveva detto suo nonno. Ma il nostro Paddy l'ha preso come vangelo e ora vuole darci dei soldi per avere il permesso di cercarlo sulle nostre terre. O almeno, cosí dice Johnny.

L'istinto di Cal è quello di non credere a nulla che esca dalla bocca di Johnny Reddy, ma sa che anche un millantatore professionista ogni tanto può inciampare in qualcosa che abbia sostanza. – Tu sei l'esperto in geologia, – dice. – C'è una possibilità che sia vero?

Mart si toglie una briciola di biscotto tra due denti. – Questa è la cosa pazzesca, – risponde. – Non posso escluderlo. Qualcuno ha trovato dell'oro sulle montagne vicino al confine, non molto lontano da qui. E in fondo a questa montagna, dove due placche di rocce diverse sfregano l'una contro l'altra, è proprio il tipo di posto dove l'oro fonde per via della frizione e viene spinto verso la superficie. E c'è davvero il letto asciutto di un vecchio corso d'acqua che potrebbe averlo trasportato attraverso i nostri campi fino al fiume a valle del villaggio, tanto tempo fa. Potrebbe essere vero.

– O potrebbero essere solo i Feeney e le loro idee.

– Piú che probabile. L'abbiamo fatto presente a Johnny, ma lui non si è scomposto. Vuole che mettiamo trecento euro a testa e li usiamo per comprare dell'oro da seminare nel fiume, cosí l'irlandese di plastica crederà che spunti nei campi come il tarassaco e ci darà mille o duemila euro ciascuno per avere il permesso di prelevare campioni dalle nostre terre.

Pur avendo avuto solo un breve incontro con Johnny, Cal non riesce a sentirsi sorpreso. – E poi cosa? – chiede. – Se nei campioni non c'è oro?

– Francie Gannon ha chiesto proprio questo, – risponde Mart. – Le grandi menti hanno pensieri simili, eh? Secondo Johnny, Paddy l'Inglese non ci troverà nulla di strano. Se ne tornerà a casa con il poco oro trovato nel fiume, e tutti vivremo per sempre felici e contenti. Non voglio insultare la virtú di Sheila Reddy, ma non so da dove Trey abbia preso il cervello, perché di sicuro non l'ha ereditato da Johnny.

– Quindi tu non parteciperai, giusto?

Mart scuote la testa. – Ah, non ho detto questo. Mi sto divertendo un mondo. Questo è il miglior intrattenimento capitato nel villaggio da anni. Vale quasi la pena di investire un po' di soldi solo per avere una poltrona in prima fila.

– Abbonati a Netflix, – dice Cal. – È piú economico.

– Ce l'ho già, Netflix. Non c'è mai niente, solo film dove Liam Neeson investe i cattivi con uno spazzaneve, e lui è nato poco lontano da qui. In che altro modo potrei spendere i miei risparmi? Mutande di seta?

– Allora darai a Johnny trecento euro?

– Col cazzo. Non metterei in mano a quell'imbroglione nemmeno un centesimo. Ma potrei accompagnare i ragazzi a comprare l'oro. Per il solo piacere di farlo.

– E loro sono d'accordo? – La cosa non quadra con ciò che Cal sa della gente di Ardnakelty e di quello che pensano di Johnny Reddy. – Tutti?

– Non credo tutti. Sono diffidenti, soprattutto Senan e Francie. Ma non hanno detto di no. E piú saranno a dire di sí, piú gli altri non vorranno perdere l'opportunità.

– Ah.

Mart lo osserva da sopra la tazza. – Pensavi fossero piú sensati, eh?

– Non credevo che avrebbero tirato fuori dei soldi solo perché Johnny Reddy glieli ha chiesti.

Mart si rilassa sulla sedia e beve un bel sorso di tè. – Come ti ho appena detto, Johnny ha il dono di far emergere il lato idiota delle persone. Sheila non era un'idiota, finché non è arrivato lui, e ora guardala. Ma è piú di questo. La cosa che devi tenere a mente riguardo agli uomini di questa zona, Sunny Jim, è che sono quelli che sono rimasti. Alcuni volevano restare qui e altri no, ma una volta che hai la terra non vai piú da nessuna parte. Il massimo che puoi fare è lasciare la fattoria a qualcuno per una settimana e andare a Tenerife ad ammirare qualche bikini.

– La terra la puoi anche vendere, – replica Cal. – Lena l'ha venduta.

Mart fa una risata sbuffante. – Non è la stessa cosa, per niente. Lei è una donna, e la terra non era sua, ma del marito. Io mi venderei i reni, prima di vendere la terra della mia famiglia. Mio padre uscirebbe dalla tomba e mi staccherebbe la testa. Noi possiamo passare un anno intero senza vedere una faccia nuova, o un posto nuovo, o fare qualcosa che non abbiamo mai fatto in tutta la vita. Ma tutti abbiamo dei fratelli. Che ci postano su WhatsApp foto di wallaby, e su Facebook video di come battezzano i bambini nelle giungle del Brasile –. Sorride. – A me non dà fastidio. Quando divento troppo inquieto, leggo qualcosa di nuovo, per tenere la mente in equilibrio.

– Geologia, – dice Cal.

– La geologia era anni fa. Adesso leggo sull'Impero ottomano. Quella sí che era gente in gamba. Ci volevano un bel paio di palle per affrontarli –. Aggiunge un altro mezzo cucchiaio di zucchero al suo tè. – Ma alcuni dei ragazzi non hanno le mie stesse risorse. Vanno avanti benissimo per la maggior parte del tempo, come sono abituati a fare. Ma quest'estate siamo tutti un po' fuori squadra: ci svegliamo ogni mattina e guardiamo campi che hanno un bisogno d'acqua sempre piú disperato, e l'acqua non arriva. Siamo nervosi, ecco; il nostro equilibrio è già compromesso. E a un tratto arriva quello sfacciato di Johnny, con le sue storie su star del cinema e milionari e oro nel terreno –. Assapora il tè e annuisce. – Guarda P. J., dall'altro lato del muretto. Credi che abbia le risorse per tenere la mente in equilibrio, quando Johnny gli sta offrendo il sole, la luna e le stelle?

– P. J. mi è sempre sembrato un tipo con i piedi per terra.

– Non voglio sparlare di lui, – puntualizza Mart. – È una brava persona. Ma adesso è in agitazione, si chiede giorno e notte cosa darà da mangiare alle sue pecore se questo tempo non cambia, e non ha nient'altro in mente che possa distrarlo da questi pensieri. Niente wallaby e niente ottomani, solo la stessa vita che ha sempre fatto da quando è nato. E Johnny si presenta con qualcosa di nuovo e luccicante. P. J. è abbagliato, e perché non dovrebbe esserlo?

– Capisco, – dice Cal.

– E anche quelli che non si lasciano abbagliare facilmente sono curiosi, ecco. Hanno un attacco di curiosità.

– Ho capito –. Cal non se la sente di giudicarli. Pensa che ciò che l'ha portato ad Ardnakelty possa essere descritto come un attacco di curiosità, che l'ha colpito con forza. Il paesaggio ha ancora il potere di abbagliarlo, semplicemente, ma quando pensa a tutto il resto, vede troppi strati sovrapposti per lasciarsi abbagliare. Lui e quel posto hanno raggiunto un equilibrio, amichevole, se non proprio basato sulla fiducia, che si mantiene con attenzione e una certa quantità di prudenza. Ciò nonostante, tenendo conto di tutto, non si pente di dove la sua curiosità l'ha condotto.

– Ed ecco il punto, – dice Mart, puntandogli addosso un cucchiaio. – Chi può dire che si sbagliano? Tu ora pensi che P. J. sia uno stupido per essersi fatto abbindolare da Johnny, ma anche se Paddy l'Inglese dovesse cambiare idea sui campioni di suolo, per P. J. vale la pena di spendere qualche centinaio di euro solo per avere qualcosa di nuovo a cui pensare, per un po' di tempo. E vale la pena anche per me, per il divertimento. Forse è meglio cosí che spendere gli stessi soldi per andare da uno psicologo che ti dirà che sei stressato perché tua madre ti ha tolto i pannolini troppo presto. Chi può dirlo?

– Tu sei quello che cinque minuti fa li ha definiti un mucchio di deficienti, per essersi lasciati coinvolgere, – gli ricorda Cal.

Mart agita vigorosamente il cucchiaio. – Ah, no. Non per essersi lasciati coinvolgere. Se entrano in questa storia nello stesso modo in cui punterebbero un po' di soldi su un cavallo sfavorito all'Irish Grand National, va benissimo. Ma se credono di diventare milionari, è diverso. Quella è idiozia. Ed è cosí che la cosa può diventare un casino –. Gli lancia un'occhiata acuta. – La tua ragazzina ha detto loro che un suo professore sostiene che l'oro ci sia.

– Trey era lí? – chiede Cal. – Ieri sera?

– Oh, sí. Seduta in un angolo come un angioletto, non diceva una parola se qualcuno non le domandava qualcosa.

– Ah, – commenta Cal. Crede sempre piú che non finirà l'estate senza prendere Johnny Reddy a pugni nei denti. – Be', se l'ha riferito, è probabile che il suo professore l'abbia detto davvero.

– Un paio d'anni fa, – spiega Mart in tono meditativo, – non avrebbe fatto nessuna differenza. Ma ora tante persone qua intorno pensano che valga la pena di ascoltare quello che ha da dire la tua ragazzina. È incredibile quello che può fare un tavolo ben aggiustato, eh?

– Trey non è mia, – ribatte Cal. – E questa storia dell'oro non ha nulla a che fare con lei.

– Be', se vuoi aggrapparti ai tecnicismi, hai ragione tu. Ma nella mente dei ragazzi, questa storia ha a che fare con lei, e Trey sta avendo un effetto. Chi avrebbe detto che una Reddy avrebbe avuto tanto credito, da queste parti?

– È una brava ragazza –. Cal ha capito che Mart gli sta dando un avvertimento, anche se in modo delicato, per il momento. L'amico osserva i biscotti, cercando quello con piú gocce di cioccolato.

– Almeno non va in cerca di guai di proposito, – conviene Mart. – È già un bene –. Sceglie un biscotto e lo inzuppa nel tè. – Sai una cosa? Quello che i ragazzi hanno pensato di fare per l'oro… Se l'oro ci fosse davvero, ti gireranno le scatole. Crociere, stalle nuove, tour a Hollywood. Nemmeno uno di loro è venuto fuori con un'idea originale.

– Tu come spenderai la tua parte?

– Io non crederò in quell'oro finché non l'avrò in mano, – risponde Mart. – Ma se succede, non lo spenderò in nessuna vacanza del cazzo ai Caraibi. Forse comprerò un telescopio spaziale da mettere sul tetto, o un cammello per tenere compagnia alle pecore, o una mongolfiera con cui andare al villaggio. Tieni d'occhio la situazione, ragazzo.

Mentre lo ascolta, Cal ha creato un'immagine mentale della linea di cui parla Johnny, dai piedi della montagna attraverso i campi e fino al fiume. – Se c'è l'oro nelle tue terre e in quelle di P. J., – commenta, deve essercene anche nel campo dietro casa mia.

– Lo penso anch'io, – conviene Mart. – Immagina: forse hai piantato quei pomodori su una miniera d'oro. Chissà se questo gli dà un sapore speciale.

– Come mai Johnny non mi ha invitato, ieri sera?

Mart gli rivolge un'occhiata obliqua. – Secondo me quella che Johnny ha progettato per Paddy l'Inglese è una truffa di qualche tipo. E tu lo capiresti meglio di me.

– Non è il mio campo, – replica Cal.

– Se stessi progettando una frode, inviteresti una guardia?

– Se sono qualcosa, – dice Cal, – io sono un falegname.

Mart inarca le sopracciglia, divertito. – Un poliziotto e un nuovo arrivato. Johnny non ti conosce come ti conosco io. Tu hai rispetto per come facciamo le cose qui, e sai tenere la bocca chiusa, quando è la cosa migliore da fare. Ma lui non lo sa.

Quelle parole chiariscono come mai Johnny era venuto da Cal ad annusare l'aria ancora prima di disfare i bagagli. Non per dare un'occhiata all'uomo che passa il tempo con sua figlia, ma per capire se l'ex poliziotto era il tipo capace di rovinare i suoi piani.

Prima di potersi fermare, Cal dice: – Lo saprebbe se tu avessi garantito per me.

Le sopracciglia di Mart scattano verso l'alto. – Di che si tratta, Sunny Jim? Vuoi partecipare anche tu? Non pensavo che fossi interessato alle miniere.

– Sono pieno di sorprese.

– Stai già diventando inquieto, o hai trovato delle pepite in mezzo alla pastinaca?

– Come hai detto tu, su Netflix non c'è niente.

– Per l'amor di Dio, non dirmi che Johnny Reddy sta facendo emergere anche il tuo lato idiota. Ne ho già abbastanza degli altri. Oppure ti è venuto l'impulso di spolverare il distintivo e trascinare per il collo i truffatori dalla polizia?

– No, – risponde Cal. – È solo che se le mie terre c'entrano comunque, tanto vale scoprire cosa sta succedendo.

Mart si gratta un morso di zanzara sul collo e lo guarda. Cal ricambia lo sguardo. La sua pancia si ribella all'idea di chiedere un favore a Mart Lavin, ed è sicuro che Mart lo sappia.

– Tu vuoi divertirti, no? – gli dice. – Osservare quello che Johnny cercherà di fare con me dovrebbe alzare la posta.

– Questo è vero, – ammette Mart. – Ma non vorrei far-

gli venire un attacco di nervi che lo convinca a toglierci
Paddy l'Inglese da sotto il naso e tagliare la corda prima
che le cose si facciano interessanti. Sarebbe uno spreco.

– Non farò mosse improvvise, – lo rassicura Cal. – Farà
fatica a ricordarsi che ci sono anch'io.

– Sei bravo a fingerti innocuo, quando vuoi, – dice
Mart, con un sorriso che gli scava rughe intorno alla bocca. – Va bene, allora. Vieni pure al *Seán Óg* domani sera,
quando Johnny porterà Paddy l'Inglese perché possiamo
dargli un'occhiata. Da lí, vedremo come va. Per te va bene?

– Sí, – risponde Cal. – Grazie.

– Non ringraziarmi. Non ti sto facendo un favore, per-
mettendoti di entrare nei piani assurdi di Johnny –. Finisce il tè e si alza, sbloccando le articolazioni una alla volta. – Tu in cosa spenderai i tuoi milioni?

– Una crociera ai Caraibi mi sembra una buona idea.

Mart ride e gli dice di andare al diavolo, poi esce cal-
candosi in testa il suo cappello di paglia. Cal mette via i
biscotti e porta le tazze al lavandino per sciacquarle. Si
domanda come mai Mart abbia deciso di dire a un poliziotto che è anche un nuovo arrivato di un piano che potrebbe essere una truffa. A meno che non lo voglia a bordo per motivi suoi.

Il talento principale che Cal ha scoperto di avere, da
quando si è trasferito ad Ardnakelty, è la capacità di lasciare le cose come stanno. All'inizio aveva dovuto combattere il suo istinto che lo portava a voler aggiustare tutto, ma con il tempo ha trovato un equilibrio: l'istinto di
aggiustare lo riserva soprattutto agli oggetti, come la sua
casa e i mobili di altre persone, mentre lascia al resto il
tempo di aggiustarsi da solo. Alla situazione con Johnny
Reddy non può restare indifferente, ma non gli sembra
nemmeno qualcosa da aggiustare. Sembra piú delicata e

instabile, qualcosa che bisogna tenere d'occhio, nel caso sfugga al controllo.

Trey deve andare al negozio a fare la spesa perché Maeve è una leccaculo. Toccherebbe a lei, ma è sul divano abbracciata a suo padre, gli fa una domanda dopo l'altra sulla Formula 1 alla tivú e ascolta le risposte come se fossero il segreto dell'universo. Quando la mamma le aveva detto di andare, Maeve aveva fatto gli occhioni al papà, il quale aveva riso, dicendo: «Dài, lasciala stare. Stiamo bene qui, vero Maeveen? Qual è l'emergenza?» E cosí, visto che l'emergenza è che non c'è niente per cena, Trey sta andando al villaggio trascinandosi dietro un trolley in cui mettere la spesa. Non ha nemmeno Banjo a tenerle compagnia: lo ha lasciato steso nel punto piú fresco della cucina, ansimante. Quando gli aveva schioccato le dita le aveva rivolto uno sguardo da povero cane morente.

A Trey non piace andare al negozio. Fino a un paio d'anni fa, Noreen la fissava finché non usciva, e lei rubava qualcosa ogni volta che Noreen spostava lo sguardo per servire un cliente. Adesso in genere paga quello che prende e Noreen le rivolge un cenno di saluto e le chiede di sua madre, ma di tanto in tanto, Trey ruba ancora qualcosa, tanto per mantenere chiari i parametri.

Oggi non ha intenzione di rubare nulla; vuole solo comprare patate, pancetta e le altre cose scritte sulla lista che ha in tasca e tornare a casa. Ormai Noreen si sarà fatta dire da Dessie ogni particolare della sera prima, con competenza spietata, e vorrà sapere di piú. Trey non vuole parlarne. Gli uomini erano restati fino a tardi, facendo un chiasso sempre maggiore man mano che si ubriacavano, ridendo cosí forte che Alanna era entrata nella sua stanza, confusa e spaventata, ed era salita nel letto con lei e le aveva respirato sul collo per tutta la notte. Johnny ormai li tiene in pugno, e Trey si sente stupida per aver pensato di poter far fallire il suo piano.

Naturalmente Noreen ha compagnia. Doireann Cunniffe è appoggiata al bancone, da dove sente ogni parola di Noreen, e Tom Pat Malone è seduto sulla sedia nell'angolo che Noreen tiene per i clienti che hanno bisogno di riposarsi un attimo, prima di tornare a casa. La signora Cunniffe è piccola ed eccitabile, con i denti strani e la testa protesa in avanti, e anche con quel caldo indossa un cardigan rosa. Tom Pat è un uomo raggrinzito di piú di ottant'anni, che sa prevedere il tempo ed è il possessore ereditario della ricetta di un balsamo a base di grasso di lana che cura qualunque cosa, dagli eczemi ai reumatismi. Gli hanno dato quel nome in onore dei suoi nonni, e bisogna sempre chiamarlo Tom Pat per non offendere nessuno dei due, anche se sono morti da almeno cinquant'anni. Per giustificare la loro presenza lí, la signora Cunniffe ha posato sul bancone un pacchetto di biscotti senza spina dorsale e Tom Pat ha il giornale della domenica in grembo, ma nessuno dei due è al negozio per fare acquisti. Trey abbassa la testa e comincia a prendere quello che le serve, ma non s'illude di potersela cavare facilmente.

– Per Dio, Noreen, oggi qui sembra la stazione di Galway, – dice Tom Pat. – C'è ancora qualcuno che non è venuto?

– Stanno tutti seguendo il tuo esempio, – replica Noreen, mentre spolvera gli scaffali. Lei è sempre occupata in qualcosa. – Come sta tuo padre oggi, Theresa?

– Benissimo, – risponde Trey, prendendo un pacchetto di prosciutto a fette.

– Gesú, Giuseppe e Maria, si vede che ha la testa fatta di titanio. Cos'hanno bevuto? L'ho chiesto a Dessie, ma non riusciva nemmeno a girarsi per rispondermi.

La signora Cunniffe fa una risatina bassa. Trey scrolla le spalle.

Noreen si volta a metà e le lancia un'occhiata acuta da uccello. – Ma quando è tornato non smetteva di parlare, che Dio ci aiuti. Alle quattro del mattino mi ha fatto alzare per raccontarmi una storia pazzesca di pepite d'oro e per chiedermi di fargli una frittura.

– E gliel'hai fatta? – vuol sapere Tom Pat.

– No. Gli è toccata solo una fetta di toast e una sgridata per aver svegliato i bambini. Dimmi, Theresa, è vero quello che ha detto, o erano solo chiacchiere da ubriaco? C'è davvero un inglese che verrà a scavare l'oro nei terreni di tutti?

– Sí, – risponde Trey. – È ricco. Sua nonna era di queste parti e gli ha raccontato che qui c'è l'oro.

– Santa Maria, madre di Dio, – sospira la signora Cunniffe, chiudendo i due lembi del cardigan. – Sembra un film. Sinceramente, quando l'ho sentito mi sono venute le palpitazioni. E vi dico una cosa stranissima. Venerdí notte ho sognato che trovavo una moneta d'oro nel lavandino della cucina, abbandonata lí. Mia nonna diceva sempre che in famiglia abbiamo la seconda vista...

– O magari l'hai sognato perché hai mangiato del formaggio a notte fonda, – interviene Noreen. – Una volta a Natale noi abbiamo fatto del camembert al forno, e la notte ho sognato che mi trasformavo in un lama allo zoo, ed ero seccata perché le mie scarpe buone non si adattavano agli zoccoli. Lascia stare il formaggio e starai benissimo. Ora, Theresa –. Noreen smette di spolverare, si china sul bancone e punta il piumino verso Trey. – Tuo padre ha detto chi era la nonna di questo tizio?

– No, – risponde Trey. – Non credo lo sappia –. Non riesce a trovare la marmellata che prende di solito e al suo posto prende un qualcosa all'albicocca dall'aspetto strano.

– Cosí sono gli uomini, – sentenzia Noreen. – Una
donna l'avrebbe chiesto. Io e Dymphna, cioè la signora Duggan, abbiamo passato mezza mattina a cercare
di capire chi poteva essere. Secondo Dymphna si tratta
di Bridie Feeney, sull'altra sponda del fiume, che si era
trasferita a Londra prima dell'Emergenza. Non ha mai
scritto a casa. Dymphna dice che secondo sua madre,
Bridie era incinta ed era andata a Londra per partorire,
e non scriveva per nascondere la vergogna, ma io suppongo che all'inizio non scriveva semplicemente perché
non ne aveva voglia, e quando poi ha sposato un medico importante si è montata troppo la testa per scrivere
a dei poveracci come noi. O forse ha fatto entrambe le
cose, – aggiunge, pensandoci meglio. – Il bambino prima e il dottore poi.

– La sorella di Bridie Feeney ha sposato mio zio, – dice Tom Pat. – Ero molto piccolo quando Bridie è andata
via, ma tutti dicevano che avrebbe fatto strada. Potrebbe
sicuramente aver sposato un dottore.

– Io conosco Anne Marie Dolan, – annuncia trionfante
la signora Cunniffe. – Sua madre era una Feeney. Bridie
sarebbe stata la sua prozia. L'ho chiamata subito, non appena ho ripreso fiato, vero Noreen? Ha detto che né suo
nonno, né sua madre, le hanno mai detto una parola sulla
presenza di oro da queste parti. Riuscite a crederci?

– Io sí, – risponde Tom Pat. – È tipico, direi. Il nonno
di Anne Marie era il vecchio Mick Feeney, e Mick non
aveva nessuna considerazione per le donne. Pensava che
fossero tutte pettegole e non sapessero tenere la bocca
chiusa, senza offesa per i presenti –. Sorride a tutte e
tre, e la signora Cunniffe fa una risatina. – Ma ha avuto
solo figlie femmine. Se sapeva dell'oro non lo avrà detto a nessuno, aspettando che il figlio di Anne Marie di-

ventasse abbastanza grande da potergli rivelare il segreto. Solo che prima di poterlo fare ha avuto un attacco di cuore ed è morto.

– E non è stata una sorpresa per nessuno, a parte lui, – commenta Noreen, acida. – Ho sentito che aveva una stanza piena di bottiglie, hanno riempito un intero cassonetto. Non mi meraviglia che non abbia mai fatto nulla riguardo all'oro. Aveva altre cose con cui tenersi occupato.

– E se non fosse per questo inglese, – dice la signora Cunniffe, portandosi una mano al viso, – il segreto sarebbe stato perso per sempre. E noi avremmo camminato sopra quell'oro per tutta la vita, senza averne idea.

– È quello che succede quando le persone non fanno nulla, – dice Noreen. È rimasta ferma il massimo possibile per lei, quindi torna a spolverare. – Dio sa quante generazioni di Feeney sono passate senza che nessuno di loro facesse nulla riguardo all'oro. Almeno questo inglese è abbastanza sensato da fare qualcosa. Era ora.

– Tu incontrerai l'inglese, vero, Theresa? – chiede la signora Cunniffe, avvicinandosi a Trey. – Gli chiederesti se c'è oro anche nel nostro pezzettino di terra? Noreen mi ha detto che è nel fiume, ma noi siamo poco lontani dal fiume. Io non posso scavare, ho un mal di schiena terribile, ma Joe è bravissimo a scavare, rivolterebbe l'orto in un batter d'occhio.

Durante il suo viaggio giú dalla montagna, sembra che l'oro si sia trasformato da una semplice possibilità in qualcosa di solido. Trey non sa cosa pensare.

Posa sul bancone le sue compere, aggiunge un pacchetto di patatine come tariffa per aver coperto il turno di Maeve.

– E un pacchetto da venti di Marlboro, – dice.

– Sei troppo giovane per fumare, – osserva Noreen.

– Sono per mio padre.

– Capisco –. Noreen le lancia un'occhiata sospettosa e
si volta per prendere le sigarette. – Cal ti darà il tormento
se sente puzza di fumo intorno a te, ricordatelo.

– Sí, certo –. Trey vuole solo uscire.

– Vieni qui, *a chailín*, – le ordina Tom Pat, facendole
un cenno col dito. – Verrei io da te, ma ho usato tutta la
forza delle mie gambe per arrivare qui. Perciò avvicinati
e lasciati dare un'occhiata.

Mentre Noreen batte gli acquisti sul registratore di
cassa, Trey va dal vecchio. Tom Pat le prende un polso
per costringerla a chinarsi, in modo da poterla guardare.
I suoi occhi sono rivestiti da una pellicola lattiginosa, e
puzza di latrina.

– Sei l'immagine sputata di tuo nonno, – le dice. – Il
padre di tua madre. Era una gran brava persona.

– Grazie, – risponde Trey. Suo nonno è morto prima
che lei nascesse, e sua madre parla poco di lui.

– Spiegami una cosa, – continua Tom Pat. – Tu e
quell'americano che vive nella casa degli O'Shea. Per
caso fate anche sedie a dondolo?

– Qualche volta.

– Io ne vorrei una. Per sedermi davanti al camino d'inverno. Ultimamente penso spesso all'inverno, per cercare
di sentire fresco. Me la fareste? Una sedia piccola, cosí le
mie gambe corte possono toccare il pavimento.

– Certo, – risponde Trey. Accetta praticamente qualsiasi lavoro le propongano. Sa che, per ragioni legali che
non capisce e non le interessa capire, Cal non ha il permesso di lavorare in Irlanda. Una delle sue paure è che
lui non riesca a guadagnare abbastanza per vivere e debba tornarsene in America.

– Brava ragazza, – dice Tom Pat, sorridendo. I suoi
pochi denti sembrano grandi come quelli di un cavallo,

nella bocca sdentata. – Dovrai venire a casa mia, per parlarne nei dettagli. Io non posso piú guidare perché non ci vedo bene.

– Lo riferirò a Cal, – risponde Trey. La mano del vecchio le stringe ancora il polso, dita ossute scosse da un lento tremito.

– Tuo padre sta facendo una bella cosa per questo posto, – osserva Tom Pat. – Una faccenda simile non si limiterà ad alcune persone che scaveranno nei loro campi. Tra qualche anno non ci riconosceremo piú. E tutto a causa di tuo padre. Sei orgogliosa di lui, eh?

Trey non dice nulla. Il silenzio pesa come una colata di cemento.

– Certo, quando mai i figli apprezzano i genitori? – commenta la signora Cunniffe, con un sospiro. – Sentiranno la nostra mancanza, quando non ci saremo piú. Ma di' a tuo padre da parte mia, Theresa, che è un grand'uomo.

– Sta' a sentire, *a stór*, – prosegue Tom Pat. – Conosci Brian? Il figlio della mia Elaine? Quello con i capelli rossi?

– Sí, – risponde Trey. Brian non le piace. Era in classe con Brendan, lo provocava finché Brendan reagiva, e poi correva dall'insegnante. E naturalmente, nessuno mai credeva a un Reddy.

– Quel sassone avrà bisogno di aiuto, per setacciare il fiume. Non vorrà certo bagnarsi le sue belle scarpe.

– Non lo so, – replica Trey.

– Brian non è alto e grosso, ma è forte, – spiega Tom Pat. – E lavorare gli farà bene. Quel ragazzo ha bisogno di un po' di lavoro duro, per mettere la testa a posto. Sua madre è troppo buona con lui. Dillo a tuo padre.

– Brian non è l'unico che vorrà lavorare, – interviene Noreen, incapace di restare ancora zitta. – Ci sono tanti ragazzi, qui, che non vorranno perdere l'occasione. Il mio

Jack sarà al pub domani sera, Theresa. Di' a tuo padre di presentarlo a quell'inglese.

– Non so nemmeno se abbia bisogno di qualcuno, – risponde Trey. – Non l'ho mai visto.

– Non preoccuparti, l'unica cosa che devi fare è dirlo a tuo padre. Te ne ricorderai?

La fissano con un'intensità a cui non è abituata. Le sembra tutto molto strano, come un vecchio film dove gli alieni prendono il controllo dei corpi delle persone. – Devo andare, – dice, liberando il polso dalla stretta di Tom Pat. – Mia madre ha bisogno della spesa per preparare la cena.

– Trentasei e ottanta, – Noreen cambia subito argomento. – Le sigarette ormai sono carissime. Perché tuo padre non prova lo svapo? Dessie fuma sigarette elettroniche da un anno, e ha lasciato del tutto il tabacco. Non guardatemi cosí, lo so dov'era ieri sera e il mio naso funziona ancora. Ha *quasi* smesso di fumare.

Il campanello del negozio squilla allegramente ed entra Richie Casey, con un odore di merda di pecora. Si pulisce le scarpe sullo zerbino. – Si muore di caldo, – annuncia. – Tra un po' le pecore verranno a pregarmi di tosarle, sempre se il caldo non scioglierà la lana direttamente sulle loro groppe. Come va, Theresa? Come sta tuo padre?

Richie Casey non le aveva mai rivolto la parola in passato. – Sta benissimo, – risponde Trey, poi si ficca in tasca il resto che le ha dato Noreen e taglia la corda prima che la situazione diventi ancora piú strana.

Le ci vuole quasi tutta la camminata su per la montagna per chiarirsi le idee e capire cosa sta succedendo. Tutte quelle persone vogliono qualcosa da lei. Hanno bisogno del suo aiuto, proprio come suo padre la sera prima.

Di solito, solo sua madre ha bisogno del suo aiuto. Per mandarla a comprare qualcosa o per pulire il bagno, richieste precise riguardo alle quali Trey non ha scelta, e che non hanno implicazioni o conseguenze. La faccenda dell'oro è diversa. Tutte quelle persone vogliono da lei cose che può scegliere di fare o non fare; cose che, in un modo o nell'altro, hanno implicazioni.

Trey ha sempre preferito le situazioni trasparenti. Il suo primo istinto era di rifiutare tutta quella faccenda, ma mentre continua a tirarsi dietro il trolley sul sentiero roccioso, le viene in mente una cosa: per la prima volta nella sua vita ha potere.

Ci riflette, ne gusta il sapore. È sicura che Cal consideri una cattiva idea sia il piano di suo padre, sia il fatto che lei sia coinvolta, ma non le sembra rilevante. Cal è un problema a sé. Trey non passa molto tempo a chiedersi se possa aver ragione, prima di tutto perché di solito ce l'ha, e poi perché non fa differenza.

Il calore brucia sulla testa. Gli insetti svolazzano e ronzano sopra l'erica. Ripensa alle dita di Tom Pat, fragili e tremanti, intorno al suo polso, agli occhi sporgenti della signora Cunniffe fissi su di lei, e invece di rigettare la situazione, la sua mente l'abbraccia. Non sa ancora come, ma decide di servirsene.

6.

Normalmente, il lunedí sera il pub *Seán Óg* è quasi deserto. Barty, il barman, guarda le corse in tivú, appoggiato al bancone, conversando in modo intermittente con i pochi fedeli clienti, vecchi scapoli in camicie sbiadite che vengono dai posti piú sperduti del circondario per vedere altri visi umani. Qualcuno magari fa una partita a Cinquantacinque, un gioco a carte che gli abitanti di Ardnakelty trattano con la feroce dedizione che gli americani riservano al football, e che ha la stessa intensità. Quando Cal si reca al pub di lunedí, è perché ha voglia di bere una pinta in santa pace.

Stasera invece il locale è affollato. Si è sparsa la voce e tutti vogliono dare un'occhiata a Paddy l'Inglese. Ci sono persone che Cal non ha mai visto prima, che sono di un altro genere sessuale oppure molto piú giovani della clientela abituale. Tutti parlano allo stesso tempo, e diversi indossano il vestito buono. La quantità di gente e l'atmosfera eccitata rendono l'aria cosí spessa che Cal fa fatica a respirare. Si guarda intorno in cerca di Lena, ma non la vede. Del resto non se lo aspettava.

– Una pinta di Smithwick's, – dice a Barty, quando riesce ad arrivare al bancone. – Gran serata per gli affari, eh?

– Ma smettila, – risponde il barman, sudato. – Non vedevo tanta gente qui dal funerale di Dumbo, ma non è un bene per gli affari. La metà sono donne anziane o ragazzi adolescenti, ordinano uno sherry o una pinta di sidro e occupano il posto per tutta la sera. Se vedi qualcuno che rovescia una goccia, dimmelo che lo butto fuori.

Un paio di mesi fa, Barty ha sostituito gli sgabelli e le panche, ormai in condizioni pietose. I nuovi sedili sono verde bottiglia. Da allora, almeno secondo Mart, è come una donna con una cucina nuova, deve trattenersi per non darti una spolverata prima di lasciarti entrare. Non ha cambiato il vecchio pavimento rosso di linoleum, né la carta da parati piena di bozzi, o i ritagli di giornale incorniciati sui muri, o la rete da pesca sfilacciata che pende dal soffitto, decorata con tutte le cose strane che i clienti ci hanno gettato sopra, perciò il pub ha lo stesso aspetto di sempre, ma Barty non la vede cosí.

– Farò in modo che si comportino bene, – dice Cal, prendendo la sua pinta. – Grazie.

Non riesce a capire dove sia Paddy l'Inglese, nell'alcova in fondo di solito occupata da Mart e dai suoi amici, perché è l'unico angolo del locale che tutti si studiano di ignorare. Si fa strada tra la folla, riparando la sua birra e salutando quelli che conosce. Noreen gli fa un cenno da un angolo, dov'è incuneata tra due dei suoi enormi fratelli; Cal ricambia il saluto e continua a muoversi. Una ragazza saltella in giro con un vestitino rosa elettrico non molto piú grande di un costume da bagno, forse nella speranza che Paddy l'Inglese la noti e la inviti a un party sul suo yacht.

Buona parte dei clienti regolari del *Seán Óg* sono riusciti a schiacciarsi nell'alcova. Sono tutti piú rossi in faccia del solito, ma Cal immagina sia per il caldo, piú che per l'alcol. Stasera sono lí con uno scopo e non vogliono lasciarsi distrarre dal bere finché quello scopo non sarà stato raggiunto. Al centro dell'alcova, ridendo a una storia rac-

contata da Sonny McHugh, c'è un tizio magro dai capelli
biondi che Cal non ha mai visto prima.

I ragazzi gli stanno offrendo, in modo metodico e scru-
poloso, una normale serata al pub. Dessie Duggan sta dicendo a voce altissima a Con McHugh qualcosa che ha a
che fare con la tosatura, mentre Bobby spiega gli ultimi
esami del sangue di sua madre a Francie, il quale non sembra nemmeno accorgersi della sua presenza. Nessuno di
loro si è vestito per l'occasione. Bobby si è lavato fino a
risultare piú rosa e lucente del solito, e Con ha appiattito
i suoi capelli neri e ribelli, o forse l'ha fatto sua moglie,
ma indossano tutti i loro abiti da lavoro, eccetto Mart, che
ha lasciato briglia sciolta al suo senso artistico e indossa
un cappello basso di tweed, una camicia consunta di suo
nonno e un gilè marrone peloso che Cal non gli aveva mai
visto addosso. Gli manca solo una pipa di terracotta per
essere il sogno di qualsiasi turista.

Mart e Senan si sono seduti vicini, per poter discutere
meglio. – Quel cappello, – sta dicendo Senan, con il tono
di chi si ripete per l'ennesima volta, – non è una grande
perdita. Dovresti ringraziare Dio di non averlo piú. Immagina se qui ci fosse un giornalista e lo riprendesse con
la sua telecamera...

– Che diavolo ci farebbe un giornalista qui? – domanda Mart.

– Un servizio su... – Senan abbassa la voce e fa un cenno del capo verso il biondino. – Quello. E immagina se tu
finissi in televisione con quell'affare in testa. Questo villaggio diventerebbe lo zimbello di tutta l'Irlanda. O forse del mondo. Il video diventerebbe virale su YouTube.

– Perché voialtri siete tutti delle icone della moda, vero?
Linda Evangelista ha indossato quella polo sulla passerel-
la? Il mio cappello ha piú stile di qualsiasi cosa abbia mai

indossato tu. Se quel reporter dovesse arrivare davvero, so cosa indosserai per andare a salutarlo.

– Di sicuro non quell'insulto alla natura.

– Siete bellissimi entrambi, – interviene Cal. – Come sta andando?

– Ah, sei tu, – dice Mart, deliziato, alzando la pinta nella sua direzione. – Bobby, spostati un po' e fai spazio per il nostro amico. Senan deve ringraziarti, Sunny Jim. Me lo stavo lavorando per convincerlo a ridarmi il cappello, ma ora l'argomento dovrà aspettare. Signor Rushborough!

L'inglese si volta mentre sta ridendo con Sonny, e Cal riesce a dargli la prima buona occhiata. Ha piú di quarant'anni, con quel tipo di faccia pallida e liscia che non rivela bene l'età. Tutto in lui è liscio: le orecchie attaccate alla testa, i capelli ben pettinati, la camicia stirata. I suoi occhi chiari sono piatti sul viso.

– Lasci che le presenti Cal Hooper, – dice Mart, – il mio vicino. La casa di Cal è tra la mia e quella di P. J.

Johnny Reddy è un paio di posti piú in là e conversa con P. J. Non sembra affatto contento quando vede Cal accomodarsi tra loro. Cal, da parte sua, gli rivolge un gran sorriso.

– Piacere di conoscerla, – dice Rushborough, chinandosi attraverso il tavolo per stringergli al mano. Persino la sua voce è piatta e liscia, da inglese di classe alta. Accanto al suono degli accenti di Ardnakelty tutto intorno, sembra una sfida deliberata.

– Piacere mio, – risponde Cal. – Ho sentito che la sua famiglia era di queste parti.

– Sí, è vero. In un certo senso, ho sempre considerato questo posto come la mia casa, ma prima d'ora non avevo mai trovato il tempo di venirci.

– Meglio tardi che mai, – dice Cal. – Cosa ne pensa, ora che è qui?

– Non sono ancora riuscito a vedere tutto, ma quello che ho visto è fantastico. E questi ragazzi mi hanno dato un meraviglioso benvenuto –. Ha un sorriso da ricco, il sorriso di un uomo che non si aspetta di doversi sforzare. – Sinceramente, un benvenuto molto migliore di quanto mi aspettassi.

– Mi fa piacere sentirlo. E quanto pensa di trattenersi?

– Almeno qualche settimana. È inutile fare le cose a metà. Forse anche di piú, dipende –. Inclina la testa di lato. I suoi occhi chiari misurano Cal, in modo rapido e competente. – Lei è americano, vero? Anche le sue radici sono qui?

– No, – risponde Cal. – Mi è solo piaciuto il posto.

– È chiaro che ha ottimi gusti, – dice Rushborough, ridendo. – Sono sicuro che parleremo ancora –. Gli rivolge un cenno del capo e torna a parlare con Sonny. Ma prima di voltarsi, i suoi occhi indugiano su Cal un secondo di troppo.

– È mio cugino di terzo grado, – dice Bobby, indicando Rushborough a occhi spalancati. – Lo sapevi?

– Avevo sentito che sua nonna era una Feeney, – dice Cal. – Immaginavo che foste parenti.

– Guardandoci, non lo capiresti mai, – replica Bobby, nostalgico. – Lui è molto piú bello di me. Con le donne mi sa che va forte –. Si liscia la pettorina della camicia, tentando di adeguarsi ai suoi nuovi standard. – Non avrei mai pensato che ho un cugino ricco. Tutti i miei cugini sono contadini.

– Se questa storia va come deve andare, – dice Johnny sottovoce, con un ampio sorriso, – sarai tu il cugino ricco –. Cal ha notato che Johnny, mentre riserva un'attenzione adulatoria a P. J., segue anche tutte le altre conversazioni che si svolgono nell'alcova.

– Santo Dio, – dice Bobby, sopraffatto da quel pensiero. - È proprio cosí. E pensare che finora ho passato ogni giorno della mia vita immerso fino alle ascelle nella merda di pecora.

- Non sentirai piú l'odore della merda di pecora tra qualche mese, - gli dice Johnny, - ma quello di caviale e champagne. E lascia che te lo dica: non c'è una sola donna sulla terra capace di resistere a quell'odore -. Gli strizza l'occhio e torna a voltarsi verso P. J.

- È vero? - chiede Bobby a Cal. Bobby lo considera un'autorità in fatto di donne, sulla base del fatto che ha sia una ex moglie, sia una fidanzata. Per Cal un divorzio non è esattamente una prova di competenza in quel campo, ma sarebbe scortese farlo notare a Bobby.

- Non saprei, - risponde. - Alle donne che ho incontrato io non importava che un uomo fosse ricco, bastava che fosse in grado di vivere senza scroccare. Ma di sicuro ad alcune donne importa.

- Mi piacerebbe avere una moglie, - spiega Bobby. - Sono preoccupato per mia madre: non vuole andare in una casa di riposo, ma ormai non ce la faccio piú da solo a occuparmi di lei e anche delle pecore. E non è solo questo. Potrei anche fare a meno di scopare, ma mi piacerebbero le coccole. Con una donna morbida e carina, non di quelle ossute -. Batte le palpebre, malinconico. Cal rivede la sua valutazione precedente: Bobby è almeno tre quarti ubriaco. È il peso piuma della compagnia, Mart dice con rassegnato disprezzo che si ubriacherebbe annusando il sottobicchiere di una birra, ma Bobby lo sa e ne tiene conto. Il fatto che si sia permesso di arrivare a quel punto, significa che ha preso la sua decisione riguardo a Rushborough.

L'inglese nel frattempo ha finito con P. J. ed è passato a Francie Gannon. Ha posato i gomiti sul tavolo e si è messo a fare domande, ascoltando con aria attenta le ri-

sposte. Francie non sembra aver preso nessuna decisione.
Ma risponde alle domande, il che per lui significa essere
socievole. Non rifiuta Rushborough e sua nonna, o almeno non ancora.

– Se mi tocca una parte di quell'oro, – dice Bobby, de-
terminato, – mi trovo una donna grande e morbida a cui
piace l'odore del caviale. Gliene compro una pentola piena,
da mandare giú con una pinta di champagne. Le porto le
due cose a letto, e mentre lei mangia e beve io l'abbraccio
e le faccio le coccole.

– Mi sembra una situazione che presenta solo vantaggi, – osserva Cal.

Mart si è stufato di punzecchiare Senan e si sporge
avanti per intervenire nella conversazione tra Francie e
Rushborough. – Oh, mio Dio, – dice. – Quel posto c'è
ancora, ovviamente. Nessuno da queste parti andrebbe
a scavare lí.

– E nessuno ci salirebbe dopo il tramonto, – dice Dessie.

– La collina delle fate sulla terra di Mossie? – chiede
Bobby, uscendo dal suo sogno a occhi aperti. – Mossie non
ci va mai troppo vicino con l'aratro. E anche cosí, si porta
sempre dietro il rosario, per ogni evenienza.

– Sul serio? – chiede Rushborough, incantato. – Non
era solo mia nonna, quindi?

– Oh, Dio, no, – gli assicura Senan. – Mia madre, che
riposi in pace, – si fa il segno della croce, imitato da tutti
gli altri, – una sera stava tornando a casa dopo essere andata a trovare suo padre che non stava bene, e passò davanti a quel posto. Era inverno e c'era un silenzio di tomba.
Ma a un tratto, non sente una musica? Veniva da quella
collinetta. La musica piú dolce che si possa immaginare,
raccontò poi. Restò ad ascoltarla per un minuto, poi corse
a casa come se fosse inseguita dal diavolo in persona. So-

lo che quando arrivò, trovò tutti noi bambini sulla porta, preoccupatissimi, mentre mio padre si stava mettendo il cappotto per andare a cercarla, perché sarebbe dovuta arrivare già da un pezzo. Ci aveva messo tre ore a fare una camminata di tre chilometri!

– La signora Maguire non era una di quelle donne che lavorano troppo con l'immaginazione, – confida Sonny a Rushborough. – Era una persona pratica, sempre pronta a darti uno scappellotto in testa.

– La finestra della nostra camera da letto dà su quel campo, – dice Dessie. – Molte volte ho visto delle luci su quella collinetta. Luci in movimento, che si spostano in cerchio oppure avanti e indietro. Non andrei lí di notte per nulla al mondo.

– Caspita, – dice Rushborough, eccitato. – Credete che il proprietario mi lascerà andare a dare un'occhiata? Di giorno, naturalmente.

– Deve dire a Mossie chi era sua nonna, – gli spiega Con. – Non permetterebbe a un turista qualsiasi di andarsene a spasso sulla sua terra. Ma se sa che la sua famiglia era di qui, è diverso. Probabilmente l'accompagnerà lui stesso.

– Ti ci porto quando vuoi, – gli promette Johnny. Finora si è tenuto lontano da Rushborough, per lasciare spazio agli altri. Cal non lo trova rassicurante. Significa che la serata sta andando proprio come lui voleva.

– Davvero? – chiede l'inglese, pieno di aspettativa. – Sarebbe fantastico. Devo portare qualcosa? Mi sembra di ricordare che mia nonna parlava di fare un'offerta, ma non ricordo di cosa, è passato troppo tempo. Forse si trattava di panna? Può sembrare stupido, ma…

– È proprio l'offerta che avrebbe lasciato mia nonna, – lo interrompe Mart. Dal modo in cui tiene inclinata la testa, Cal capisce che Mart trova l'inglese molto interessante.

– Ma non salga sulla collina, – lo avverte Francie, cupo. – Il nipote di Mossie un giorno ci è salito, per mostrare che non aveva paura delle vecchie superstizioni. Gli è venuto un formicolio alle gambe, come punture di spilli. Non è riuscito a sentire i piedi per una settimana.

– Che Dio ci protegga da ogni male, – sentenzia Mart, solenne, alzando il bicchiere, e tutti bevono a questo, compreso Cal, il quale è sempre piú convinto che abbiano proprio bisogno di una protezione dal male.

Li ha già visti raccontare storie di folletti a ignari turisti orgogliosi di sé per aver trovato un pittoresco pub irlandese che non era sulle guide di viaggio. Avevano convinto uno studente americano che la stretta finestra nell'angolo era stata benedetta da San Leithreas (che in irlandese vuol dire «cesso») e che se fosse riuscito a passarci attraverso alla sua morte sarebbe andato dritto in paradiso. Lo studente era a metà dell'opera quando Barty era uscito da dietro il bancone e l'aveva tirato giú afferrandolo per il sedere dei pantaloni. Ci avevano provato anche con Cal, all'inizio, ma lui si era rifiutato di vestirsi di verde per ingraziarsi il Piccolo Popolo, o di uscire dal pub camminando all'indietro per evitare la sfortuna, quando gli cadeva a terra qualche spicciolo. Ma quella è una cosa diversa. Non stanno raccontando all'inglese un mucchio di frottole per vedere quante riescono a fargliene credere. Si tratta di un'operazione piú sottile, piú seria.

– Questa è proprio una bella idea! – esclama Johnny, voltandosi verso l'alcova. – P. J. mi ha appena fatto notare che non si può dare il benvenuto a un nuovo membro della compagnia senza una canzone –. P. J. lo guarda come se non avesse espresso nessuna idea del genere, ma annuisce lo stesso.

– Oh, mio Dio, – dice Rushborough, felice. – Un canto di gruppo? Non ne sento uno da quando ero ragazzino in casa di mia nonna.

– Porta la chitarra, – ordina Sonny a Con, il quale si volta a prenderla dall'angolo alle sue spalle: sicuramente, i canti fanno parte del piano. Se Rushborough vuole eredità culturale, la riceverà. – Ah, per Dio, – dice Mart a tutto il tavolo. – Non c'è niente di meglio di una vecchia canzone.

Il normale repertorio del pub, in serate di umore musicale, è un mix di canzoni tradizionali irlandesi, piú qualsiasi cosa da Garth Brooks a Doris Day. Stasera è tutto verde Irlanda, in una varietà di sfumature: nostalgia di casa, ribellione, alcol e belle ragazze. P. J. inizia con *The Fields of Athenry*, con la sua bella voce da tenore, e Sonny segue con *The Wild Rover*, urlando e battendo la mano sul tavolo fino a far saltare i bicchieri. Rushborough è incantato. Con le canzoni sdolcinate appoggia la testa all'indietro contro lo schienale della panca, con gli occhi socchiusi e la pinta di birra in mano; con quelle piú chiassose batte il tempo sulle cosce e partecipa ai cori. Quando i ragazzi gli dicono che è il suo turno, canta *Black Velvet Band*, con una voce chiara e leggera che è quasi giusta, a parte l'accento. Conosce tutte le parole del testo.

Il pubblico va e viene, senza fretta ma con metodo. Le persone si fermano sulla soglia dell'alcova, ascoltano una canzone o scambiano due chiacchiere, oppure fanno la fila al bancone; dopo qualche minuto si spostano e lasciano spazio a qualcun altro. Nessuno si infila nell'alcova e Cal non si aspetta che lo facciano. Presto vorranno conoscere anche loro Rushborough, ma non c'è fretta, sarà per un'altra volta. Per adesso si accontentano di vederlo e di raccogliere impressioni che si scambieranno poi con calma: com'è vestito, i suoi capelli, il suo accento, i suoi modi; se sembra piú un Feeney o piú un milionario, se sarebbe

capace di farsi rispettare in una rissa, se è uno stupido.
Cal non sa che aspetto dovrebbe avere un milionario, ma
secondo lui quell'uomo è in grado di menare forte in una
rissa, e non sembra affatto stupido.

Arriva il suo turno di cantare. Non cerca di pescare dal
repertorio irlandese: farebbe la figura del turista, e non è
quello che vuole. Perciò sceglie *The House of the Rising Sun*.
Ha la voce giusta per esibirsi in un pub, niente di impressionante ma piacevole da ascoltare. Johnny nota che accetta
il suo turno come se fosse una cosa abituale e non ne sembra contento.

Dopo un giro di applausi, tocca a Dessie con *Rocky
Road to Dublin*, e Cal si dirige al bancone. Barty, che sta
riempiendo due bicchieri nello stesso momento, gli fa un
cenno di saluto ma non ha tempo per parlare. Suda ancora piú di prima.

– Donne, – dice Mart, con profonda disapprovazione,
apparendo al suo fianco. – Il pub stasera è pieno di donne.

– Sono dappertutto, – conviene Cal, in tono grave. – Pensi che dovrebbero starsene a casa a badare ai figli?

– Ah, Gesú, no. Ormai siamo nel Ventunesimo secolo.
Anche loro hanno diritto a una serata fuori, come tutti. Ma
cambiano l'atmosfera di un posto, questo non puoi negarlo. Guarda là, per esempio –. Indica la ragazza con il vestito rosa, che sta ballando con un'amica in uno spazio di pochi centimetri quadrati, tra il bancone e i tavoli. Un uomo
grosso con una camicia troppo stretta le ronza intorno con
aria speranzosa, producendosi in movimenti spasmodici che
probabilmente vogliono essere passi di danza. – È quello
che ti aspetteresti di vedere in questo pub un lunedí sera?

– Non credo di aver mai visto nulla di simile, qui, – risponde Cal, sincero.

– È un comportamento da discoteca, ecco cos'è. È quello che succede quando ci sono le donne. Dovrebbero avere dei pub solo per loro, per bersi una pinta in pace senza che qualche faccia a patata cerchi di entrargli nelle mutande. E cosí io potrei bermi la mia senza ormoni maschili nell'aria che ne rovinano il sapore.

– Se ora non ci fossero donne, – puntualizza Cal, – non avresti altro da guardare che la mia faccia barbuta per tutta la sera.

– È vero, – ammette Mart. – Alcune donne qui dentro sono molto piú sceniche di te, senza offesa. Non tutte, ma alcune.

– Goditele finché puoi. Domani la situazione sarà di nuovo la solita.

– Forse è vero. Non proprio uguale, tuttavia, finché avremo qui Bono per attirare la folla.

Guardano entrambi verso l'alcova. Rushborough canta di un ragazzo ucciso dagli inglesi.

– *The Croppy Boy* non è affatto cosí, – osserva Mart.

– Allora mostragli come si canta.

– Lo farò, ma non subito. Devo prima lubrificare meglio le corde vocali.

Cal, interpretando in modo corretto l'allusione, fa un cenno a Barty e indica Mart, il quale annuisce, accettando l'offerta, e torna a guardare Rushborough tra un mare di spalle in movimento. Tutti gli uomini nell'alcova lo stanno guardando, e Cal comincia a perdere la pazienza. Per quanto lo riguarda, Rushborough ha una faccia davanti alla quale un uomo sensato dovrebbe allontanarsi, invece di restarsene lí a fissarlo con venerazione.

– Ti dico una cosa, Sunny Jim? Quell'uomo non mi piace.

– Nemmeno a me, – conviene Cal. Sta cercando di immaginare cosa farebbe Rushborough, se dovesse capire che lo stanno prendendo in giro. E le varie possibilità gli sembrano una peggio dell'altra.

– Comunque, è chi dice di essere, – lo informa Mart. – Pensavo fosse un imbroglione che aveva raccontato a Johnny una storia inventata, per fregare un po' di soldi a tutti noi. Johnny non è furbo come crede. Un vero artista della truffa se lo mangerebbe a colazione, e sparirebbe molto prima che Johnny potesse notare qualcosa di strano.

– È anche la mia impressione, – commenta Cal. Non ha ancora deciso quale opzione gli piace di meno: se il padre di Trey è un truffatore bravo oppure scarso. Prende la sua nuova pinta da Barty e passa a Mart la sua Guinness.

– Ma lui sa della collina delle fate, e sa che bisogna lasciare della panna come offerta. Sa di quella volta che il bisnonno di Francie Gannon cadde nel pozzo e ci vollero due giorni per tirarlo fuori. Sa che le donne della famiglia Fallon avevano la reputazione di essere le piú brave della contea nei lavori a maglia. E hai sentito quando ha cantato *Black Velvet Band*? Non ho mai sentito nessuno a parte noi di Ardnakelty cantare «una ghinea gli prese dalla tasca». Tutti cantano che la ragazza gli ruba l'orologio. La sua famiglia era di qui, non c'è dubbio.

– Può darsi. Ma non mi sembra il tipo capace di farsi venire le lacrime agli occhi ascoltando *The Wearing of the Green*.

– A me non sembra il tipo, – dice Mart guardando Rushborough da sopra il bicchiere, – di farsi venire le lacrime agli occhi per nessun motivo.

– Secondo te perché è qui?

Lo sguardo acceso di Mart si sposta su Cal. – Un paio d'anni fa, tutti si chiedevano la stessa cosa di te, Sunny Jim. E alcuni se la chiedono ancora.

– Io sono qui perché ci sono capitato, – risponde Cal, rifiutando di abboccare. – Lui è venuto a cercare qualcosa.

Mart scrolla le spalle. – Forse non gliene può fregare di

meno dell'eredità culturale. Forse vuole soltanto l'oro. E crede che sarà piú facile fregarci se lo prendiamo per uno scemo che si accontenta di una manciata di trifoglio.

– Se crede davvero che qui ci sia l'oro, – dice Cal, – deve avere in mano qualcosa di piú delle vecchie storie di sua nonna.

– Ti dico una cosa, – dichiara Mart. – Johnny crede davvero che l'oro ci sia. Non si darebbe tanto da fare per tenersi lontano dalla luce dei riflettori e dalla star della serata, in un ambiente di basso livello come questo, solo per il migliaio o due di euro che guadagnerà se nei campi non c'è nulla.

– Pensi sappia qualcosa che noi non sappiamo?

– È possibile. Forse sta aspettando il momento giusto per dircela, o forse intende tenerla per sé. Ma qualcosa sa, secondo me.

– Ma allora perché insiste per seminare l'oro nel fiume?

– Ah, questo non lo so, – risponde Mart. Forse vuole solo essere sicuro che la faccenda vada in porto. Ma sai cosa mi è venuto in mente, Sunny Jim? Chiunque dia a Johnny i soldi che ha chiesto, c'è dentro. Psicologicamente, voglio dire. Una volta che hai investito alcune centinaia di euro in questo, non farai marcia indietro. Lascerai prendere a Paddy l'Inglese tutti i campioni che vuole, lo lascerai scavare dove gli pare. Convincere i ragazzi a seminare l'oro nel fiume forse è il modo in cui Johnny si vuole assicurare che nessuno cambi idea.

Cal pensa che in quel caso l'assicurazione non sarà solo psicologica. Come ha detto Mart, fare quel lavoro nel fiume è una truffa. E chiunque darà denaro a Johnny per metterla in atto, gli darà anche qualcosa con cui lui potrà ricattarlo, o almeno tentare di farlo.

Ricattare quegli uomini non sarebbe una mossa intelligente, e Johnny dovrebbe saperlo, ma Cal ha raggiunto la conclusione, ancora prima di conoscerlo di persona, che Johnny si preoccupa di non sapere mai nulla che potrebbe metterlo a disagio.

– Quindi tu sei fuori, giusto?

– Ah, no, – risponde Mart, scioccato. – Ma resto dentro da uomo avvisato; la mia psicologia non mi giocherà scherzi. Non resterò un minuto piú del necessario. Per essere sincero, se gli altri decidono di partecipare, forse parteciperò anch'io, per bontà di cuore. Faranno un pasticcio, se non ci sono io a consigliarli –. Si volta a guardare il gruppo nell'alcova con un disprezzo tollerante. – Non hanno la minima idea di dove mettere l'oro nel fiume: lo getteranno qua e là a caso. E scommetto che spargeranno la polvere cosí com'è e la metà verrà portata via dalla corrente prima che abbia il tempo di affondare, e non la vedremo piú. Quello che bisogna fare sono delle palline di fango da rotolare nella polvere d'oro, cosí caleranno dritte sul fondo, poi il fango si scioglierà e lascerà la polvere d'oro pronta per essere trovata dal nostro uomo.

– Mi sembra proprio che tu ci sia dentro.

– Mi irrita vedere un lavoro mal fatto –. Fissa Cal inclinando la testa di lato. – E tu, Sunny Jim? Ora che hai dato un'occhiata a Sua Signoria, sei dentro o fuori?

– Sono qui, – risponde Cal. – E questo è tutto, per il momento. La sensazione di essere in combutta con Mart non gli piace. – Quindi la collina delle fate è reale, eh?

Dal ghigno di Mart capisce che sa cosa gli passa per la testa e si sta divertendo.

– Esiste, in ogni modo. E Mossie non ci passa sopra con l'aratro, ma potrebbe essere solo per pigrizia: suo padre e suo nonno non lo facevano, e lui non ha l'iniziativa per fare qualcosa di diverso da loro. A parte questo, non saprei. Ti invito ad andare a dare un'occhiata di persona, una sera qualsiasi. Di' a Mossie che ti mando io.

– Dopo aver bevuto un po' di *poteen*, naturalmente, – dice Cal. – Per abbassare le mie probabilità.

Mart ride e gli dà una pacca sulla schiena e si gira per rivolgere un cenno di saluto a un tizio robusto davanti al bancone. – Come va?

– Tutto bene, – risponde il tizio. – Il vostro uomo si sta divertendo un sacco –. Indica Rushborough con un cenno del capo.

– Certo, chi non si divertirebbe, in un posto raffinato come questo? Era un po' che non ti vedevo qui dentro.

– Ah, ci vengo, ogni tanto –. L'uomo prende la pinta che Barty gli porge. – Sto pensando di vendere alcuni ettari di terra, – aggiunge. – Quel campo giú vicino al fiume.

– Io non compro, – dice Mart. – Prova con il signor Hooper, qui. A lui farebbe bene qualcosa per tenersi occupato.

– Ancora non vendo, ne sto solo parlando. Se in quel campo c'è l'oro, o anche solo se l'inglese va a cercarlo lí, posso triplicare il prezzo.

– Allora esci con un badile, – dice Mart, sorridendo, – e comincia a scavare.

L'uomo prende un'espressione cocciuta. – La nonna dell'inglese forse ha detto che c'è oro sulle vostre terre, ma non ha mai detto che non ce n'è altrove. Johnny Reddy non può tenersi tutto per sé e per i suoi amici.

– Io non sono amico di Johnny Reddy, – precisa Mart. – Ma dirò questo in suo favore: fa bene a iniziare in piccolo. Prenditi un po' di tempo e vedi da che parte soffia il vento.

L'uomo fa un verso insoddisfatto. Ha gli occhi puntati

sull'alcova, dove Dessie sta cantando una canzone piena di allusioni sconce, su un tizio che torna a casa ubriaco e trova varie cose inaspettate. Rushborough ride. – Ci vediamo, – dice, prendendo il suo bicchiere e rivolgendo a Mart un cenno di saluto. – Tornerò presto.

– Sai qual è il vero difetto di Johnny Reddy? – dice Mart, fissando l'uomo che fende la folla per tornare al suo tavolo. – Non pensa le cose fino in fondo. Non ci vuole un veggente per prevedere la reazione di quel tipo e di tanti altri come lui, ma sono pronto a scommettere che Johnny non ci ha mai pensato.

– Non mi è sembrato molto felice, – conviene Cal.

– Gli avrei consigliato di andare di persona a fare due chiacchiere con il signor Rushborough, – dice Mart. – Solo per vedere cos'avrebbe fatto Johnny. Ma quel tizio non ha nessuna sottigliezza. Sarebbe riuscito solo a irritare Paddy l'Inglese, e questo cosa ci avrebbe fatto guadagnare?

– La gente lo sa? – chiede Cal. E quando Mart inclina la testa in modo interrogativo aggiunge: – Che Johnny pensa di seminare l'oro nel fiume?

Mart fa spallucce. – Non c'è modo di capire chi sa cosa, da queste parti. In questo stesso pub circolano una dozzina di storie diverse, e varie dozzine di modi in cui molti pensano di partecipare. Si prepara un periodo interessante. Ora torniamo nell'alcova, prima che qualcuno ci rubi i posti.

La serata va avanti. Un po' alla volta le canzoni perdono spinta; Con posa di nuovo la chitarra nell'angolo e Rushborough offre un doppio whisky alla tavolata. Tutto il pub sta perdendo la spinta. Quelli che non sono del posto hanno raggiunto il livello massimo di ubriachezza che ancora gli consente di guidare fino a casa su strade che non conoscono. I vecchi sono stanchi e vogliono andare a letto, e i giovani si annoiano e comprano borse piene di birra in lattina per andare a casa di qualcuno di loro, dove potranno fare piú casino. La ragazza in rosa esce abbracciata all'uomo con la faccia da patata.

A mezzanotte, nel pub rimangono solo una puzza densa di sudore e birra stantia, Barty che pulisce i tavoli con uno straccio e gli uomini nell'alcova. Sono comparsi anche i portacenere. Rushborough fuma Gitanes, il che abbassa ancora di piú la stima che Cal aveva per lui: la sua idea è che, mentre chiunque ha diritto di avere i propri vizi, se non è un vero stronzo può sempre trovare il modo di coltivare tali vizi senza far venire il mal di gola a chi gli sta intorno.

– Sono orgoglioso, – dice a tutti Rushborough, con un braccio intorno alle spalle di Bobby. – Sono orgoglioso di essere il cugino di quest'uomo. E anche vostro, naturalmente. Sono sicuro che siamo tutti cugini in qualche modo, non è cosí? – Si guarda intorno, mezzo ubriaco. Ha i capelli scomposti, senza piú l'accurata pettinatura di prima, e ondeggia, benché in modo non troppo drastico. Cal non riesce a guardarlo bene negli occhi, per valutare se è davvero ubriaco.

– Sarebbe un miracolo se non lo fossimo, – conviene Dessie. – Tutti in questo posto sono imparentati, in un modo o nell'altro.

– Io sono lo zio di questo qui, – dice Sonny a Rushborough, indicando Senan con la punta della sigaretta. – Uno zio distante, ma non abbastanza, per me.

– Mi devi cinquant'anni di regali di compleanno, allora, – ribatte Senan. – E i soldi per i regali della prima comunione. Non accetto assegni.

– Tu invece mi devi un po' di rispetto. Va' al bancone e prendi una pinta per lo zio Sonny.

– Col cazzo.

– Guardate! – esclama Rushborough, come se avesse preso una decisione improvvisa. – Voglio mostrarvi una cosa.

Posa la mano al centro del tavolo, con il palmo verso il basso, tra bicchieri e sottobicchieri e cenere di sigaretta. Sull'anulare c'è un anello d'argento. Rushborough lo gira in modo che si veda bene il castone. Dentro c'è un frammento dorato.

– Me l'ha dato mia nonna, – spiega, in tono reverente. – L'aveva trovato con un suo amichetto, quando entrambi avevano nove anni, scavando in giardino. L'amico si chiamava Michael Duggan. Ne hanno trovato due pezzetti e ne hanno tenuto uno ciascuno.

– Michael Duggan era il mio prozio, – dichiara Dessie, cosí sbigottito che per una volta parla a bassa voce. – Il suo deve averlo perso.

Gli uomini, compreso Cal, si chinano a guardare la mano di Rushborough. La pepita è grande come il bottone di una camicia, lucidata dal tempo, frastagliata, con dentro piccoli pezzetti bianchi. Alla luce giallastra delle lampade a muro, splende serena.

– Prendetelo, – dice Rushborough. – Guardatelo pure. – Si toglie l'anello con una risatina, come se stesse facendo un gesto sconsiderato. – Non lo tolgo mai, ma… Dio sa che potrebbe essere stato vostro, invece che mio. Sono certo che i vostri nonni scavavano negli stessi giardini, da piccoli. Fianco a fianco con mia nonna.

Dessie solleva l'anello e lo osserva, inclinandolo da un lato e dall'altro. – Santo Dio, – sospira. Posa un polpastrello sulla pepita. – Guardate qua.

– È bellissimo, – dice Con, e nessuno lo prende in giro.

Dessie passa l'anello a Francie, con un gesto reverenziale. Francie lo fissa a lungo, poi annuisce.

– Quello è quarzo, – li informa Mart. – I puntini bianchi.

– Esatto, – dice Rushborough, voltandosi a guardarlo. – Da qualche parte su quella montagna c'è una vena
di quarzo aurifero. E nel corso di migliaia di anni, l'oro
è stato trasportato in basso dall'acqua. Fino al terreno di
Michael Duggan e ai vostri.

L'anello passa di mano in mano. Quando arriva a lui,
Cal lo prende, ma lo guarda appena. Ha notato il cambio
di atmosfera. L'aria sembra magnetizzata, intorno a quel
frammento lucente e agli uomini che lo circondano. Fino a
quel momento, l'oro era soltanto una nuvola di parole e un
sogno a occhi aperti. Adesso è un oggetto solido tra le dita.

– Il fatto è, – dice Rushborough, – che mia nonna non
ha trovato questa pepita per caso. C'è una cosa che mi spaventa, l'unica che mi causa dei dubbi su tutta questa faccenda, ed è la possibilità che le indicazioni di mia nonna
non siano esatte. Sono state tramandate per generazioni,
forse perdendo pezzi per strada, e ormai forse non sono
piú abbastanza accurate da portarci nei punti giusti. Ma
vedete, lei e il suo amichetto Michael hanno trovato questo –. Indica l'anello, posato come una farfalla tra le ma-
none di Con. – E non stavano scavando a caso. Avevano
scelto il posto dove il padre di suo nonno aveva detto a
suo nonno che c'era l'oro.

– E aveva ragione, – dice Bobby, con lo sguardo sognante.

– Aveva ragione, – conferma Rushborough. – Ma non
lo sapeva. Questa è una delle cose piú curiose: suo nonno non credeva che l'oro ci fosse davvero. Secondo lui
era soltanto una leggenda, inventata da un loro antena-
to per impressionare una ragazza, o per intrattenere un
bambino malato. Anche quando mia nonna trovò questa pepita, pensava che fosse soltanto un bel sassolino.
Ma tramandò lo stesso la storia, perché, vera o falsa che

fosse, apparteneva alla nostra famiglia e non voleva che scomparisse.

Cal lancia un'occhiata a Johnny Reddy, il quale non gli ha rivolto la parola per tutta la sera. E si è sforzato di non guardare mai dalla sua parte. In quel momento, Johnny e Cal sono gli unici due che non stanno fissando la pepita. Mentre Cal osserva Johnny, Johnny osserva gli altri, con un viso intento come i loro. Se l'anello era il suo asso nella manica, stava avendo tutto l'impatto che poteva sperare.

– L'oro è là fuori, – dice Rushborough, indicando la finestra buia e la notte calda, piena di insetti e dei loro predatori. – I nostri antenati, i vostri e i miei, scavavano qui migliaia di anni fa. I nostri nonni giocavano con l'oro nei campi, scambiando le pepite per sassolini. Io voglio che ora lo troviamo insieme.

Gli uomini sono immobili. La loro terra sta cambiando: da qualcosa che conoscono come le loro tasche, a un qualcosa di misterioso, un messaggio in codice di cui non sospettavano l'esistenza. Fuori, nel buio, i sentieri che percorrono ogni giorno brillano di segnali.

Cal ha l'impressione di non essere nella stessa stanza con loro, o meglio, sente che non dovrebbe esserci. Qualunque cosa ci sia sulla sua terra, non è la stessa che cercano loro.

– Mi sento incredibilmente fortunato, – dice piano Rushborough. – Perché sono quello che, dopo tante generazioni, ha la possibilità di trasformare questa storia in una realtà. È un onore. E intendo dimostrarmi all'altezza.

– E non c'è nessuno se non questo gruppo di coglioni che le dia una mano, – sentenzia Senan dopo un attimo di silenzio. – Che Dio l'aiuti.

L'alcova esplode in una risata collettiva, enorme e incon-

trollata, che si protrae a lungo. Sonny ha le lacrime agli occhi dalle risa; Dessie dondola avanti e indietro, e non riesce
quasi a respirare. Johnny, ridendo, si allunga per dare una
pacca sulla schiena a Senan, e Senan non si sottrae.

– Oh, andiamo, – protesta Rushborough, ridendo e rimettendosi l'anello al dito. – Non posso immaginare una
compagnia migliore.

– Io posso, – dice Sonny. – Per esempio Jennifer Aniston…

– Non sarebbe di molto aiuto con un badile in mano, –
gli fa notare Francie.

– Non ce ne sarebbe bisogno. Potrebbe stare sul bordo
del campo, e io scaverei come un pazzo per raggiungerla.

– Senti un po', – dice Bobby, piantando le dita nel braccio solido di Senan. – Mi prendi sempre per il culo dicendo
che gli alieni non vorrebbero mai venire qui, nel buco del
culo dell'Irlanda. Questa è una replica sufficiente?

– Ah, ti piacerebbe, eh? – ribatte Senan, ma senza con-
vinzione. Sta fissando la mano di Rushborough, la luce che
emana dall'anello ogni volta che fa un gesto.

– Agli alieni serve l'oro, dico bene? – chiede Mart, prendendo la parola.

– Qualcosa gli serve, – risponde Bobby. – Altrimenti
perché verrebbero qui? Sapevo che doveva esserci qualcosa
che volevano. Avevo pensato al plutonio, ma…

– Il *plutonio*, cazzo? – esclama Senan, strappato ai suoi
pensieri dall'idiozia di quell'idea. – Pensavi che la montagna stesse per esplodere in un fungo atomico…

– Il tuo problema è che non ascolti. Non ho mai detto
questo. Ho detto solo che evidentemente gli serve del carburante e se si dànno la pena di venire fin…

– E adesso usano l'oro come carburante? Oppure pensano di barattarlo con il diesel al mercato nero intergalattico?

Cal li lascia alle loro discussioni e torna al bancone. Mart lo raggiunge di nuovo, per evitare che dimentichi chi gli ha fatto il favore di invitarlo lí.

– Ehi, – dice Cal a Barty, indicando che vuole due pinte.

Mart muove un ginocchio che si è irrigidito stando seduto. Tiene d'occhio l'alcova dietro le spalle di Cal. – Hai mai sentito la storia dei tre pozzi? – chiede.

– Dove arrivano tre pazzi? – risponde Cal, anche se non è dell'umore di dargli corda.

– Proprio quella.

Cal non sta osservando Rushborough, ma Johnny, il quale ha la testa china su un accendino. In quell'unico secondo di distrazione, il suo viso mostra un'emozione non programmata. A Cal sembra sollievo.

– Come ti dicevo, – continua Mart, – ci attende un periodo interessante.

– Cosa farai se le cose vanno male?

Mart aggrotta la fronte. – Cosa vuoi dire?

– Se Rushborough capisce che qualcosa non va.

– Non spetta a me fare qualcosa, Sunny Jim, – risponde Mart, in tono pacato. – Questa è l'impresa di Johnny Reddy. Io sono a bordo solo come turista. Proprio come te.

– Giusto, – dice Cal, dopo un paio di secondi.

– Non preoccuparti –. Mart prende la borsa del tabacco e rolla una sigaretta sul bancone, con dita esperte. – Se te ne dimentichi, te lo ricordo io.

Barty lancia un'imprecazione vedendo uno strappo in uno dei suoi sgabelli nuovi. Nell'alcova, qualcuno lancia un fischio acuto, che risuona al di sopra di voci e risate come un allarme.

7

Durante la colazione, Cal fa i suoi calcoli, nonostante il doposbronza. Vuole parlare con Johnny Reddy al piú presto, per evitare che gli risponda che è troppo tardi; ma per parlargli, Johnny dev'essere sveglio, e quando Cal era andato via a mezzanotte Johnny andava ancora a tutta birra. Preferisce che Rushborough non sia presente, e anche se Johnny è riluttante a lasciarlo solo, l'inglese sembrava molto piú ubriaco di lui, perciò ci metterà piú tempo per riemergere. Inoltre, Cal non vuole incontrare Trey, ma il martedí mattina lei ha l'allenamento di calcio e dopo di solito resta con i suoi amici, perciò non dovrebbe presentarsi da lui, a meno che non abbia fame.

Alla fine decide che le dieci e mezza sono l'ora giusta: Trey sarà assente, Johnny sarà cosciente e Rushborough ancora no. Alle dieci meno un quarto prende trecento euro dalla sua busta delle emergenze, se li mette in tasca e si avvia verso la montagna. Lascia a casa Rip. Durante il primo incontro il cane ha espresso con chiarezza cosa pensa di Johnny, e non c'è bisogno di costringerlo a un secondo.

La montagna è ingannevole. Da lontano sembra bassa, con curve arrotondate dall'aspetto innocuo, e anche quando inizi a salire i passi sembrano facili, ma a un certo punto ti rendi conto che i muscoli delle gambe sono esausti. E la stessa cosa vale per quanto riguarda il non perdersi: il sentiero sembra evidente, finché ti distrai un minuto, guardi in basso e ti trovi con un piede che affonda in un punto paludoso. È un posto i cui pericoli si palesano solo quando ci sei già dentro fino al collo.

Cal lo sa e l'affronta in modo lento e costante. Il caldo si fa già sentire. Sulla distesa paludosa e violacea, il ronzio delle api tra l'erica è incessante, e produce un fruscio che solo il loro numero rende udibile. Il panorama cambia con le curve del sentiero, con i suoi muretti a secco mezzi crollati e distese di brughiera con l'erba alta, che scendono fino ai campi ben curati a valle.

Nel cortile dei Reddy, Liam e Alanna hanno trovato un badile con il manico rotto e stanno scavando la terra, all'ombra di un grande albero non potato. Corrono da lui a spiegargli quello che stanno facendo, e a chiedere caramelle; quando scoprono che non ne ha portate, tornano di corsa al loro progetto. Il sole estrae un profumo resinoso e inquieto dalla macchia di abeti dietro la casa.

Sheila Reddy viene ad aprirgli la porta. Cal si sforza di trovare il modo di parlare spesso con Sheila, per non darle l'impressione che sua figlia passi il tempo con un estraneo. Di solito lei sorride e sembra contenta di vederlo, e gli dice come funziona bene il tetto riparato. Oggi però il suo viso mostra la stessa chiusura e stanchezza che aveva anni fa, quando Cal era venuto per la prima volta. Sembra brandire la porta come un'arma.

– Buongiorno, – esordisce Cal. – Un'altra giornata bollente, direi.

Sheila guarda appena il cielo. – Theresa è a calcio, – dice.

– Oh, lo so. Sono venuto per parlare con il signor Reddy, se è libero.

Sheila lo fissa per un minuto, senza espressione. – Vado a chiamarlo, – annuncia, e rientra in casa chiudendosi la porta alle spalle.

Liam a un tratto prende a calci un angolo della fossa e Alanna protesta con forza. Liam calcia piú forte, lei urla piú forte e gli dà una spinta. Cal resiste all'impulso di dire loro di darci un taglio.

Johnny se la prende comoda, prima di aprire la porta. La prima cosa di lui che irrita Cal è la sua camicia blu gessata, ben stirata e con i polsini ripiegati. Quella sarà un'altra giornata incandescente, in cui anche le vecchie signore avvizzite che vanno a portare fiori alla grotta della Vergine Maria trovano qualcosa a maniche corte da indossare, ma quello stronzetto ha bisogno di far notare che è troppo elegante per qualsiasi cosa che riguardi Ardnakelty, persino il tempo.

– Signor Hooper, – dice, in tono cordiale ma senza tendere la mano. – Si è divertito ieri? Ho apprezzato la sua partecipazione alla serata, ha proprio una bella voce.

Non è ancora uscito di casa e già è stato capace di irritare di nuovo Cal, comportandosi come se quello della sera prima fosse stato un suo party personale e Cal si fosse presentato senza invito ma lui avesse deciso di ammetterlo ugualmente. – Grazie, – risponde Cal. – Posso dire la stessa cosa di lei.

Johnny inevitabilmente aveva cantato *The West is Awake*, con una bella voce tenorile e indugiando a lungo sulle note importanti. Ci ride sopra. – Ah, sí, so cantare in modo decente. È nel sangue, credo: tutti quelli di queste parti cantano bene.

– Ho avuto anch'io questa impressione, – risponde Cal. – Ha un minuto?

– Sí, naturalmente, – dice Johnny, cortese. Attraversa il cortile e si dirige al cancello, lasciando la porta aperta per sottolineare che di tempo non ne ha poi molto. Cal lo segue. Al sole, il doposbronza si nota: ha le occhiaie e gli occhi arrossati, il che dà ai suoi atteggiamenti da ragazzo un'aria dozzinale. – Cosa posso fare per lei?

Cal sa per esperienza che gli uomini come Johnny Reddy non amano lasciarsi cogliere di sorpresa. Sono abituati a scegliersi vittime facili, in modo da essere loro a dettare il ritmo e tutto il resto. Se qualcuno li coglie alla sprovvista, iniziano ad annaspare.

– Ho sentito che cerca degli investitori per seminare un po' d'oro nel fiume, – dice subito Cal. – Ci sto anch'io.

Quelle parole sembrano dare la sveglia a Johnny. Si ferma di colpo e lo fissa per un secondo. – Santo Dio, – dice poi, scoppiando in una risata troppo forte. – Dove l'ha sentito dire?

– La tariffa d'entrata è trecento euro, giusto?

Johnny scuote la testa, sorridendo. – Mio Dio, Theresa deve aver capito tutto male. Cosa le ha detto, di preciso?

– Non mi ha detto una parola, – risponde Cal. – Né io le ho chiesto nulla.

Johnny nota la tensione nel suo tono e fa subito marcia indietro. – Ah, so che non lo farebbe. Ma deve capire una cosa: questa sarà un'opportunità meravigliosa per Theresa. Sarò in grado di darle tutto quello che finora non ha mai avuto: lezioni di musica, di equitazione, e qualunque cosa desideri. Ma non voglio che abbia a che fare con questa faccenda, che venga interrogata su quello che sa e debba chiedersi tutto il tempo se può o non può dire qualcosa.

– Sí, – dice Cal. – Sono del tutto d'accordo con lei.

– Mi fa piacere saperlo –. Johnny annuisce in modo grave. – È bello che siamo d'accordo –. Dà una spolverata al cancello e ci poggia sopra gli avambracci, stringendo gli occhi per guardare verso la montagna. – Allora, se non le dà fastidio, potrebbe dirmi chi le ha detto ciò che ha sentito?

– Ecco, – risponde Cal, poggiando la schiena contro il cancello. – Devo ammettere che sono rimasto sorpreso che non me ne abbia parlato lei, visto che la mia terra è proprio sulla linea dell'oro.

Il viso di Johnny esprime una leggera riprovazione, come se Cal avesse commesso un errore sociale. – Sarei stato felice di prenderla a bordo, – spiega. – Per avere la possibilità di ripagare un po' della gentilezza che ha mostrato verso Theresa mentre io ero via. Ma per questo dovremo aspettare ancora. Non desidero essere scortese, ma deve capire che questa è una faccenda di Ardnakelty. Il signor Rushborough vuole prelevare i suoi campioni solo sui terreni di persone del posto. L'ha sentito anche lei, ieri sera: dove trovare l'oro è un segreto che è stato tramandato dai nostri antenati, non dai suoi.

Cal è fuori allenamento. Ha lasciato che Johnny usasse Trey per deviare la conversazione, e ora ha avuto abbastanza tempo per trovare un motivo per rifiutare.

– Certo, capisco che bisogna tenere conto anche di questo, – dice con un sorriso. – Ma è stato un uomo di Ardnakelty a raccontarmi tutta la storia e a invitarmi al pub ieri sera. Ha detto che avrei dovuto ricordarle che io e la mia terra siamo coinvolti, nel caso lei l'avesse dimenticato. Questo la tranquillizza?

Johnny ride, gettando indietro la testa. – Mi lasci indovinare. Mart Lavin, vero? Gli è sempre piaciuto agitare le acque. Credevo fosse cambiato, ma alcune persone non imparano mai.

Cal aspetta. Ha avuto centinaia di conversazioni come quelle con stronzetti reticenti come Johnny: conversazioni a due strati, dove è chiaro di cosa si sta parlando davvero, e tutti e due sanno che lo sa anche l'altro, ma devono continuare a fare gli scemi per far piacere allo stronzetto

reticente. Tutta quell'energia sprecata lo aveva sempre irritato, ma almeno in passato lo pagavano per farlo.

Johnny sospira e fa una faccia seria. – Senta, – dice,
in tono dispiaciuto, passandosi una mano sul viso. – Lasci che le dica come stanno le cose. Sono in una posizione delicata, capisce? Non posso fare un passo senza che
qualcuno mi chieda perché è stato lasciato fuori, perché
l'inglese non vuol scavare nella sua terra. E si tratta di
persone che conosco da quando ero in fasce. Ho tentato di spiegare loro che non sono io a decidere dove c'è
oro e dove non c'è, e che se avranno un po' di pazienza
ci saranno occasioni per tutti di partecipare in qualche
modo. Ma... – Allarga le braccia e rivolge a Cal un'occhiata stanca del mondo. – È impossibile far sentire alla
gente quello che non vuole sentire. Cosa penserebbero
se facessi entrare un estraneo, dopo aver lasciato fuori
loro? Se la prenderebbero tutti con me. E ho già abbastanza problemi.

– Be', – dice Cal. – Di sicuro io non voglio metterla in
difficolà.

– Non si tratta solo di questo, – spiega Johnny. – Il signor Rushborough non sta cercando di concludere un affare
lucrativo. Vuole piú che altro ritrovare le sue radici. Senza offesa, ma un americano che è arrivato all'improvviso
e ha comprato un pezzo di terra irlandese... non è quello
che cerca. Vuole che non ci siano estranei in questa storia,
cosí saprà che nemmeno lui è un estraneo. Se comincia a
sembrare un affare a ingresso libero, potrebbe abbandonare l'idea, e allora che fine faremmo noi?

– Meglio non pensarci –. Cal guarda verso la casa e la
fitta macchia d'alberi sul pendio. Anche con quel caldo,
tra i rami soffia una brezza, languida ma non riposante,
come se risparmiasse le forze.

– Come ho detto, – lo rassicura Johnny, – ci saranno opportunità per tutti, a tempo debito. Aspetti con calma, e avrà la sua parte. Non si può mai sapere: magari Rushborough vorrà possedere anche lui un pezzetto di Ardnakelty e le proporrà di vendergli la sua terra.

– Gesú, – dice Cal. – Figuriamoci, un milionario che compra i miei campi.

– Il cielo è il limite, – sentenzia Johnny.

– Cosa succede se Rushborough decide di mettersi a setacciare il fiume stamattina, appena gli sarà passata la sbronza?

Johnny ride, scuotendo la testa. – Ha delle strane idee su questa storia, lo sa? Parla come se il signor Rushborough fosse qui solo per mettere le mani su tutto l'oro che riesce a trovare. È qui per visitare la terra dove sono vissuti e morti i suoi antenati. Ha molto da fare, prima di dedicarsi a setacciare il fiume.

– Speriamo, – dice Cal. – Sarebbe un peccato se questa corsa all'oro finisse ancora prima di iniziare.

– Mi ascolti, – dice Johnny, indulgente. – Questa storia di seminare oro nel fiume, non so chi gliel'abbia raccontata, ma l'ha presa in giro; si è voluto divertire alle sue spalle. Noi abbiamo uno strano senso dell'umorismo, da queste parti, e bisogna prenderci l'abitudine. Non faccia sciocchezze, tipo andare a raccontarla al signor Rushborough. Comunque lui non crederebbe nemmeno a una parola.

– Sul serio? – chiede Cal, cortese. Non ha intenzione di parlarne a Rushborough, anche perché non è ancora riuscito a prendergli le misure.

– Assolutamente. Le dico io cosa fare. Non ci caschi, non dia soddisfazione a Mart Lavin o a chiunque gliel'ha raccontata. Torni a casa e non dica a nessuno quello che ci siamo detti stamattina. E quando lui verrà a chiederle

com'è andata tra noi due, gli rida in faccia e gli chieda se
l'ha preso per uno scemo.

– È una bella idea, – conviene Cal. Si volta e appoggia
le braccia sul cancello, di fianco a Johnny. – Ma ne ho una
migliore: lei mi fa entrare nell'affare, e io non andrò in
città a raccontare all'agente O'Malley che tipo di truffa
lei sta organizzando nella sua giurisdizione.

Johnny lo fissa. Cal sostiene il suo sguardo. Sanno entrambi che se O'Malley venisse a fare domande ad Ardnakelty,
non otterrebbe un bel niente, ma non importa: l'ultima
cosa che Johnny vuole in questo momento è un poliziotto
che si metta a curiosare, rendendo tutti diffidenti.

– Non so se è una buona idea lasciare che Theresa frequenti un uomo disposto a entrare in una truffa, – dice
Johnny.

– È lei che ha avuto l'idea, – replica Cal. – E ha lasciato che Theresa sentisse tutto.

– Non è successo nulla del genere. E anche se fosse, sono suo padre. Per questo la voglio con me. Forse dovrei
esaminare meglio le sue motivazioni, invece.

Cal non si muove, ma Johnny ha un sussulto e si tira
indietro.

– È meglio che non lo faccia, Johnny. Mi creda.

Il caldo si è fatto piú forte. Il sole lassú è diverso; brucia di piú, come se raschiasse la pelle per poterla scottare
piú facilmente. Liam e Alanna si sono messi a cantilenare
qualcosa in modo trionfante, ridacchiando, ma l'aria ter-
sa di montagna riduce le loro voci a un suono indistinto.

Cal tira fuori di tasca i trecento euro e li tende a Johnny, il quale li guarda ma non li prende. Dopo qualche secondo dice: – Io non c'entro niente. Se vuol fare qualcosa
con questo denaro parli con Mart Lavin.

Cal in un certo senso se lo aspettava. Mart gli ha detto

che nessuno si è fidato a dare dei soldi a Johnny Reddy, perciò andranno ad acquistare l'oro da soli. Johnny cosí resta con le mani pulite e li ha convinti che l'idea è stata loro.

– Lo farò, – risponde Cal, rimettendosi in tasca i soldi. – Mi ha fatto piacere parlare con lei.

– Papà! – grida Liam, indicando la fossa e dicendo qualcosa in modo eccitato.

– Ci vediamo in giro, – dice Johnny, e si avvia verso l'opera di Liam e Alanna, dove si siede sui talloni, indica qualcosa e fa domande in tono interessato. Cal si incammina lungo la strada che scende dalla montagna, per andare a cercare Mart.

Far incazzare Noreen ha un prezzo. Lena è l'ultima persona del villaggio a venire a sapere dell'oro della nonna dell'inglese. Nonostante l'opinione di sua sorella, Lena non è un'eremita e anzi ha un discreto numero di amici, ma i piú intimi sono le donne del club del libro a cui si era iscritta in città alcuni anni prima, oppure colleghi di lavoro (Lena porta i conti, e fa anche altre cose, in una scuderia dall'altra parte di Boyle). A volte passa giorni interi senza parlare con nessuno di Ardnakelty, quando non ha voglia di farlo, e nelle circostanze presenti non ne ha alcuna voglia. Non è andata al negozio di Noreen, perché se la sorella le chiederà di nuovo di riordinare gli scaffali potrebbe mandarla al diavolo e dirle di farsi gli affari suoi, il che sarebbe soddisfacente ma improduttivo. Non è andata nemmeno da Cal. Il ritmo piacevole che hanno stabilito nei due anni appena trascorsi vuole che si vedano alcune volte alla settimana; Lena, che non si è mai preoccupata di pensare quali implicazioni Cal possa leggere nelle sue azioni, ora non vuole fargli pensare che gli sta addosso perché Johnny Reddy è tornato a casa. Si aspettava che Trey tornasse a chiederle di dormire da lei, ma non si è fatta vedere.

Perciò la prima volta che sente dell'oro è quando va da Cal martedí, per dargli della senape. Le piace trovare piccole cose da regalargli. Cal non è un uomo che desidera molte cose, perciò le piace la sfida. Al mercato in città, mentre tornava dal lavoro, aveva trovato un barattolo di senape con whisky e *jalapeños*, che potrebbe piacere a Cal e provocare in Trey quell'espressione mista di sospetto e determinazione che a loro due piace vedere.

– Cazzo, – commenta, dopo che Cal l'ha aggiornata sulla situazione. Sono sotto il portico dietro la casa, e stanno pranzando con sandwich al prosciutto, perché Cal ha voluto provare subito la senape. Alcuni corvi, che avevano puntato il cibo prima ancora che loro due si sedessero a mangiare, se ne stanno sull'erba a distanza di sicurezza, voltando le teste per non perdere d'occhio il premio. – Non me l'aspettavo proprio.

– Pensavo che Noreen te l'avesse già detto, – dice Cal.

– L'altro giorno ci siamo prese male, e volevo aspettare un po' per farmela passare. Avrei dovuto saperlo: non vedo mia sorella per due giorni e mi perdo la piú grande notizia di Ardnakelty degli ultimi anni.

– Va' da lei e dille che l'hai saputo solo ora. Sarà cosí soddisfatta che ti perdonerà ogni cosa –. Rip si agita, per l'impulso di correre dietro ai corvi. Cal gli accarezza la testa per calmarlo.

Lena ripensa a Johnny appoggiato al suo cancello, che le raccontava di star costruendo la propria fortuna. – Ah, – dice, colpita da un pensiero. – Io pensavo che quello stronzetto fosse venuto per farmi la corte, e invece aveva gli occhi sul mio portafoglio, non sulla mia bella faccia. Cosí imparo a illudermi.

– Cerca soldi solo dalle persone i cui terreni sono lungo la linea di cui ti ho parlato, – spiega Cal. – Almeno finora. Credo che da te volesse soprattutto che andassi a dire in giro che è un bravo ragazzo e che merita il loro appoggio.

– Allora è venuto nel posto sbagliato, – replica Lena, gettando un pezzetto di sandwich ai corvi. – Secondo me chiunque si lasci coinvolgere nei piani di quel coglione ha bisogno di uno psichiatra.

– Quello sono io, – dice Cal. – Stamattina ho dato trecento euro a Mart per entrare nell'affare.

Lena dimentica i corvi e si volta a fissarlo.

– Probabilmente ho bisogno di uno psichiatra, – dice Cal.

– Per caso il coglione ha messo in mezzo anche Trey, in questa storia?

– L'ha fatta restare mentre cercava di convincere i ragazzi, e le ha chiesto di dire che un suo professore sostiene che l'oro ci sia. A parte questo, non so altro.

Sembra molto calmo, ma Lena non commette l'errore di pensare che stia prendendo la cosa alla leggera. – Quindi vuoi tenerlo d'occhio, – dice.

– Non c'è altro che posso fare, per il momento –. Cal strappa un pezzo di crosta dal sandwich, evitando la senape, e lo lancia ai corvi. Due di essi lo afferrano e si mettono a fare un tiro alla fune. – Se poi succede qualcosa di interessante, voglio esserci.

Lena lo osserva. – Qualcosa di che tipo?

– Non lo so ancora. Voglio aspettare e vedere, nient'altro.

Lena ha sempre visto solo il suo lato gentile, ma non s'illude che non abbia anche un lato oscuro. Non sottovaluta la sua rabbia. Riesce quasi a sentirne l'odore, come di metallo riscaldato.

– Cosa ne pensa Johnny di averti a bordo?

– Non è affatto contento, – risponde Cal. – Ma deve sopportarmi. Soprattutto se non mi vuole.

Anche se Lena cercasse di convincerlo a non immischiarsi, non otterrebbe nulla. – Gli farà bene, – dice. – È troppo abituato ad averla vinta.

– Sí, be', stavolta no.

Lena mangia il suo sandwich (la senape è buona e forte) e riflette su ciò che ha saputo. La sua prima intuizione era giusta e quella di Noreen era sbagliata. Johnny non è tornato a casa perché una donna l'ha mollato e non sa come cavarsela da solo. È tornato perché ha un disperato bisogno di denaro. Uno come lui non si impegnerebbe tanto se il problema fosse solo l'affitto arretrato o la carta di credito in rosso. Deve dei soldi a qualcuno; qualcuno pericoloso.

A Lena non frega un cazzo di quale sia il problema di Johnny. Quello che vuol sapere è se il pericolo resterà a Londra, in attesa che Johnny torni con i contanti, oppure se lo seguirà qui. Lena non si fiderebbe di Johnny nemmeno per farsi portare dei soldi da un lato all'altro della strada, figuriamoci dall'altro lato del mare. Se volesse denaro da lui, lo andrebbe a cercare.

Cal, che non lo conosce come lei, probabilmente non ha ancora raggiunto la sua stessa conclusione. Lena pensa se è il caso di comunicargliela, ma decide di aspettare. Una cosa è non assumersi la responsabilità dell'umore di Cal; un'altra sarebbe spronare le sue paure e la sua rabbia, quando tutto quello su cui lei può basarsi sono soltanto congetture.

– La prossima volta che vedo Trey, – dice, – le chiederò di venire a stare da me per qualche giorno.

Cal getta ancora un pezzo di crosta ai corvi e cambia posizione, esponendo al sole l'altro lato del viso. – Non mi piace questo clima. Quando facevo il poliziotto, era nei periodi in cui c'era un caldo del genere che scoppiavano i guai. Le persone perdono la testa, fanno cose assurde che ti fanno pensare a droga e alcol, ma poi arrivano i risultati degli esami e scopri che erano del tutto sobrie. Ogni volta che il caldo dura troppo a lungo, mi aspetto sempre il peggio.

Lena non lo dice, ma a lei piace quell'ondata di calore. Apprezza il cambiamento che ha portato. Trasforma i colori pastello, azzurro, panna e giallo, delle case del villaggio, dando loro una brillantezza quasi irreale, e porta i campi dalla loro solita sonnolenza a una vividezza spinosa. È come quando Cal le mostra un nuovo aspetto di sé: riesce a conoscere meglio il posto in cui vive.

– Quello è un caldo diverso, mi sa, – dice. – Da quanto ho sentito, l'estate in America ti scioglie il cervello. Questo è solo il caldo che troveresti in una vacanza in Spagna, ma almeno è gratis.

– Forse.

Lena lo guarda in faccia. – Sí, è vero, qualcuno diventa nervoso. La settimana scorsa Sheena McHugh ha buttato Joe fuori di casa, dicendo che non poteva sopportare un minuto di piú il modo in cui mastica il cibo. Joe è dovuto tornare da sua madre.

– È quello che intendevo, – replica Cal, ma con un accenno di sorriso. – Devi proprio aver perso la testa per mandare qualcuno da Miz McHugh. Sheena l'ha già ripreso in casa?

– Sí. Lui è andato in città a comprare uno di quei grandi ventilatori verticali. I controlli sono in un'app dedicata. Sheena prenderebbe in casa anche Hannibal Lecter, se si presentasse con un oggetto simile.

Cal ride.

– Il caldo passerà, – dice Lena. – E poi torneremo a lamentarci della pioggia.

I due corvi stanno ancora battagliando per la crosta di sandwich. Un terzo corvo si avvicina furtivo e a un tratto si mette a gracchiare come un pazzo. Gli altri due volano via e il terzo afferra la crosta e vola verso le colline. Lena e Cal scoppiano a ridere.

A tarda notte, i genitori di Trey stanno litigando. Lei si districa dalle lenzuola sudate, cercando di non svegliare Banjo e Alanna, che è venuta di nuovo nel suo letto, e va a origliare accanto alla porta. La voce di Sheila è bassa, ma brusca: poi arriva un lungo discorso offeso di Johnny: si controlla, ma la rabbia aumenta.

Trey va in soggiorno e accende la tivú, come scusa per essere lí, ma tiene il volume al minimo per poter ascoltare. La stanza odora di cibo e fumo di sigaretta. Il disordine è tornato, dopo la riordinata che suo padre aveva dato l'altra sera. Metà della moquette è occupata da un gruppo di bamboline con gli occhi fissi, sul divano c'è un mucchio di proiettili giocattolo e un calzino sporco pieno di carte di caramelle. Trey li spinge in un angolo. Alla tivú, due donne pallide in vestiti antiquati sono sconvolte dopo aver letto una lettera.

Cillian Rushborough era venuto a cena. «Non posso cucinare per un tipo abituato al lusso», aveva protestato Sheila. «Portalo al ristorante in città».

«Fa' uno stufato irlandese» aveva detto Johnny, afferrandola alla vita e baciandola. Era stato in gran forma tutto il giorno, tirando calci a un pallone con Liam e lasciandosi insegnare passi di danza irlandese da Maeve, in cucina. Sheila non aveva ricambiato il bacio ma non si era nemmeno sottratta: aveva solo continuato a muoversi come se lui non ci fosse. «Con tante patate. Gli piacerà, vedrai. Il tuo stufato piacerebbe a un miliardario, figuriamoci a un milionario. È cosí che lo chiameremo da ora in

poi, eh, ragazzi? Stufato milionario!» Maeve si era messa
a saltare su e giú battendo le mani (da quando Johnny è
tornato, si comporta come una bambina di quattro anni
viziata) e Liam aveva dato calci alla sedia cantilenando di
uno stufato milionario fatto di melma. «Forza, Maeveen»,
aveva detto suo padre, sorridendo. «Mettiti le scarpe e ac-
compagnami al negozio a comprare i migliori ingredienti.
Stufato milionario per tutti!»

I piú piccoli avevano mangiato in soggiorno davanti alla tivú, ma Trey e Maeve si erano sedute a tavola con gli
adulti in cucina, cosí Trey aveva potuto osservare bene
Rushborough. L'inglese si era prodotto in grandi lodi dello
stufato, aveva parlato con trasporto della giornata trascor-
sa a camminare per le *boreen* («È cosí che si pronuncia?
Dovete correggermi, non lasciatemi fare figure da stupido, per favore»), poi aveva chiesto a Maeve quale fosse la
sua musica preferita e aveva fatto domande a Trey sulla
falegnameria, concludendo con una storia divertente su
un'oca dei Maguire che l'aveva inseguito. Trey ha un'av-
versione per le persone che vogliono affascinare, come suo
padre. Rushborough è piú abile di Johnny. Quando aveva
chiesto a Sheila del paesaggio ad acquerello appeso al muro, ricevendo in risposta solo poche parole brusche, aveva fatto marcia indietro all'istante, tornando a parlare di
Taylor Swift con Maeve. La sua disinvoltura rende Trey
piú diffidente nei suoi confronti, non meno.

Non si aspettava di trovarlo simpatico e non le sembra
importante. L'importante è cosa può fare al riguardo. Si
aspettava che fosse… non stupido, ma come Laureen, la
sua compagna di classe che crede a tutto perché non si
prende il fastidio di riflettere. Una volta Aidan, un altro
compagno di classe, le aveva detto che uno dei Jedward era
suo cugino, e lei l'aveva raccontato a tutti finché qualcuno

le aveva dato dell'idiota, facendole notare che i Jedward erano gemelli. Ma Rushborough controlla le cose. Maeve diceva una cosa divertente e lui rideva a crepapelle; ma un minuto dopo, Trey notava che la fissava, riflettendo su quello che aveva detto.

Immagina che Rushborough voglia cosí tanto credere che l'oro ci sia, da aver deciso di non controllare troppo a fondo. Se scoprirà che è una bufala, del tutto o in parte, si arrabbierà il doppio, perché dovrà prendersela anche con sé stesso. Ma non lo scoprirà, a meno che non abbia altra scelta. Se Trey gli raccontasse cos'aveva detto suo padre l'altra sera, l'inglese la giudicherebbe un'adolescente che vuole creare problemi.

Le voci in camera da letto salgono di intensità, ma non di volume. Trey si sta chiedendo se è il caso di fare qualcosa, quando la porta della stanza da letto si apre, con abbastanza forza da sbattere contro il muro, e suo padre esce in corridoio ed entra in soggiorno, abbottonandosi la camicia. Dal modo in cui si muove, Trey capisce che è mezzo ubriaco.

– Cosa fai ancora sveglia? – chiede Johnny, vedendola.

– Guardo la tivú –. Trey non pensa che ci sia un pericolo immediato: in passato, lui picchiava sempre sua madre o Brendan, prima di prendersela con lei, e la discussione che ha origliato non sembrava preludere a questo. Ciò nonostante, è tesa e pronta a scappare. Prova una fitta di rabbia improvvisa contro la propria memoria muscolare, perché ormai credeva di aver superato quelle cose.

Johnny si lascia cadere in poltrona con un sospiro che è quasi un ringhio. – Donne, – dice, passandosi le mani sul viso. – Sono il diavolo, quanto è vero Dio.

Sembra aver dimenticato che anche Trey è una donna. È una cosa che a volte succede. Lei non si irrita per questo, né con loro, né con suo padre. Aspetta.

– Tutto quello che un uomo vuole da una donna, – dice Johnny, – è che abbia un po' di fiducia in lui. È questo che ti dà forza, quando la situazione è difficile. Un uomo può fare qualunque cosa al mondo, se sa che la sua donna lo appoggia fino in fondo. Ma lei...

La testa scatta in direzione della stanza da letto. – Dio onnipotente, quanto frigna. È stata malissimo mentre io non c'ero, tutta sola, temendo per la sua vita, si vergognava di entrare nel negozio dove le donne le lanciavano sguardi furtivi, la polizia veniva a casa per costringere te ad andare a scuola, lei doveva chiedere soldi in prestito per Natale... Ma l'ha mai fatto davvero? O l'ha detto solo per farmi sentire in colpa?

– Non lo so, – risponde Trey.

– Le ho detto, ma di cosa puoi avere paura, quassú, e cosa te ne importa di quello che dicono quelle stronze, e se la polizia non ha di meglio da fare che rompere le scatole ai nostri figli perché bigiano la scuola, vaffanculo. Ma non si può parlare con una donna decisa a creare problemi dal nulla.

Si fruga in tasca, cercando le sigarette. – Non è mai soddisfatta. Potrei portarle il sole, la luna e le stelle, e troverebbe qualcosa da ridire. Non era contenta quando ero qui e non era contenta quando me ne sono andato. E ora, – alza le mani, offeso, – ora sono tornato. Sono seduto qui. Ho un piano per farci diventare ricchi. E lei di nuovo non è contenta, porca miseria. Ma che cazzo vuole da me?

Trey non capisce se si aspetta una risposta da lei o no.

– Non lo so, – risponde comunque.

– Le ho persino portato qui Rushborough, per farglielo conoscere. Credi che ci tenessi a fargli vedere questo cesso di casa? Ma l'ho invitato lo stesso, per mostrarle che non sto raccontando balle. Quell'uomo che le ha fatto i complimenti per il suo stufato ha mangiato nei migliori ristoranti del mondo. E lei lo guardava come se fosse un vagabondo che avevo recuperato in una fogna. Te ne sei accorta?

– No. Mangiavo lo stufato.

Johnny accende una sigaretta e aspira una lunga boccata. – Le ho chiesto la sua opinione. Le ho raccontato tutto il piano. Cosa ne pensi, le ho detto, quest'anno passeremo un Natale migliore, eh? Sai cos'ha fatto? – Fissa qualcosa dietro di lei e scrolla le spalle in modo esagerato. – Questo. Un'alzata di spalle, nient'altro. Io volevo solo che mi guardasse e dicesse: «Fantastico, Johnny, hai fatto proprio una bella cosa». Forse con un sorriso, o un bacio. Non mi sembra di chiedere molto. E invece, ricevo... – Si produce di nuovo nello sguardo fisso con scrollata di spalle. – Lo giuro, le donne sono su questa terra solo per farci impazzire.

– Forse, – dice Trey, sentendo di dover dare una risposta di qualche tipo.

Johnny alza gli occhi, ci mette un po' a mettere a fuoco lo sguardo e finalmente sembra ricordarsi chi è. Si forza di sorriderle. In quel momento, senza il suo atteggiamento allegro e spumeggiante, non sembra piú un ragazzo. Sembra piccolo e striminzito sulla poltrona, come se i suoi muscoli si stessero già avvizzendo per la vecchiaia. – Non tu, tesoro, – la rassicura. – Tu sei la gioia di papà. E hai tutta la fede del mondo in me, vero?

Trey scrolla le spalle.

Johnny la fissa. Per un attimo Trey pensa che le darà uno schiaffo. Suo padre si accorge che è pronta a scappare e chiude gli occhi. – Ho bisogno di qualcosa da bere, cazzo, – dice a bassa voce.

Trey resta a guardarlo, seduto con la testa gettata indietro e le gambe distese. Ha delle ombre viola sotto gli occhi.

Va in cucina, prende dall'armadietto la bottiglia del whisky e mette del ghiaccio in un bicchiere. Quando torna in soggiorno, suo padre non si è mosso. Dalla poltrona si solleva un filo di fumo. Trey si siede sui talloni accanto a lui.

– Papà, tieni.

Johnny apre gli occhi e la fissa con uno sguardo vuoto. Poi vede la bottiglia e fa una risata secca. – Dio, – borbotta, quasi tra sé.

– Ti prendo qualche altra cosa, se non vuoi questo, – dice Trey.

Johnny fa uno sforzo e si mette a sedere dritto. – Ah, no, tesoro, va benissimo cosí. Grazie mille. Sei proprio una brava ragazza, a prenderti cura di tuo padre. Cosa sei?

– Una brava ragazza, – risponde lei, obbediente. Versa del whisky nel bicchiere e glielo porge.

Johnny beve un lungo sorso e lascia andare il fiato. – Bene, – commenta. – Visto? Tutto va meglio.

– Io ho fiducia in te, – dice Trey. – Andrà tutto benissimo.

Suo padre sorride e stringe la radice del naso tra due dita, come se avesse mal di testa. – Questo è il piano, almeno. E perché non dovrebbe andare bene? Non ci meritiamo qualcosa di bello?

– Sí, – risponde Trey. – E anche la mamma sarà contenta quando lo vedrà. E sarà orgogliosa di te.

– Ma certo. E quando tornerà anche tuo fratello, per lui sarà una bella sorpresa. Immagini la sua faccia, quando scenderà dalla macchina e vedrà una casa grande come un centro commerciale?

Solo per un attimo, Trey lo vede, un'immagine vivida come se fosse vera: Brendan con la testa sollevata verso file di finestre, a bocca aperta, il suo viso magro e mobile pieno di felicità. Suo padre è bravo a evocare le cose.

– Sí, – risponde.

– Non vorrà mai piú andarsene, – dice Johnny, sorridendo. – Non ne avrà bisogno.

– La signora Cunniffe vuole che tu chieda al signor Rushborough se c'è oro anche sulle loro terre. E Tom Pat Malone chiede se il loro Brian può dare una mano negli scavi.

Johnny ride. – Capisci cosa sta succedendo? Tutti non vedono l'ora di avere una parte in questa storia, eccetto tua madre, ma alla fine la convinceremo. Di' alla signora Cunniffe e a Tom Pat che Rushborough apprezza le loro gentili offerte e ci penserà. E tu continua a riferirmi chi altri vuole partecipare. Puoi farlo per me?

– Sí, certo.

– Brava. Dove andremmo a finire, senza di te?

– Quando metterete l'oro nel fiume?

Johnny beve un altro sorso di whisky. – Arriverà domani. Non qui, il corriere si perderebbe tra queste montagne. Andrebbe a finire in una palude, con tutto l'oro, e non è quello che vogliamo. Andrà da Mart Lavin. E il giorno dopo, di prima mattina, andremo a seminarlo nel fiume. Poi saremo pronti per portare il signor Rushborough a caccia del tesoro –. Inclina la testa e la guarda. – Tu vuoi venire, si tratta di questo? Vuoi darci una mano anche tu?

Trey non vuole nulla del genere, ma chiede: – A che ora?

– Dobbiamo muoverci presto, prima che si alzino i contadini. Non vogliamo che ci veda nessuno, capito? L'alba è alle cinque e mezza, e noi a quell'ora dobbiamo già essere al fiume.

Trey fa una faccia disgustata. – No.

Johnny ride e le scompiglia i capelli. – Santo Dio, come ho potuto pensare di chiedere a un'adolescente di alzarsi prima di mezzogiorno! Non preoccuparti, resta pure a ca-

sa a goderti il tuo sonno di bellezza. Ci saranno altri modi
per darmi una mano, capito?

– Sí, – risponde Trey. – Solo non cosí presto.

– Ti troverò qualcosa, – le assicura Johnny. – Con il tuo
cervello, ci sono milioni di cose che puoi fare.

– Posso tenere d'occhio Rushborough, domani. Assicu-
rarmi che non scenda al fiume finché non è tutto pronto.

Suo padre smette di fissare il bicchiere e si volta a guardarla. Si nota che, nonostante il rallentamento prodotto
dall'alcol, sta cercando di valutare l'idea.

– Non mi vedrà, – lo tranquillizza Trey. – Resterò nascosta.

– Sai una cosa? – dice Johnny dopo un attimo. – È una
grande idea. Io dico che se ne andrà in giro a guardare il panorama e tu ti annoierai, ma non c'è bisogno che tu lo segua
tutto il giorno. Nel pomeriggio lo accompagnerò a vedere
la collina delle fate di Mossie Gannon; tu basta che lo tieni
d'occhio in mattinata. Se lo vedi andare verso il fiume, vai
da lui, lo saluti con educazione e ti offri di mostrargli le ro-
vine di quella torre in pietra vicino alla strada. Gli dici che
apparteneva ai Feeney e lui ti seguirà come un agnellino.

– Va bene. Dove alloggia?

– In quel vecchio cottage grigio verso Knockfarraney,
sulla proprietà di Rory Dunne. Vacci domattina, non appena sarai riuscita ad alzarti dal letto, e vedi cosa fa. Poi
piú tardi me lo racconti.

Trey annuisce. – Va bene.

– Ottimo, – suo padre sorride. – Mi fai un mondo di
bene, sai? È tutto quello di cui avevo bisogno: che la mia
bambina fosse dalla mia parte.

– Sí, – dice Trey. – Sono dalla tua parte.

– Ma certo. – Ora va' a dormire, altrimenti domani
mattina non potrai fare nulla.

– Mi alzerò in tempo. Buonanotte.

Stavolta lui non cerca di abbracciarla. Quando Trey si volta per chiudere la porta, vede che si stringe di nuovo la radice del naso. Pensa che forse dovrebbe provare pena per lui, ma avverte solo una fredda scintilla di vittoria.

Per natura, non si sente portata ad affrontare cose o persone in modo indiretto. La sua tendenza è prendere tutto di petto e andare avanti finché il lavoro non è finito. Ma è disposta a imparare nuove abilità, se necessario. E le sta imparando da suo padre. La cosa che la sorprende non è quanto impara in fretta (Cal le dice sempre che è molto sveglia), ma quanto facilmente suo padre, che non ha mai affrontato nulla nella sua vita in modo diretto, si lascia ingannare.

8.

Fino al momento in cui Trey si presenta da lui, mercoledí pomeriggio, Cal non si era reso conto di quanto timore avesse che Johnny le impedisse di venire. Si sente in colpa per non aver avuto piú fiducia in lei, sapendo per esperienza quanto sia difficile tenerla lontana da quello che vuole; ma del resto, sarebbe un vero idiota se presumesse di sapere cosa Trey vuole in quel periodo. Forse non lo sa nemmeno lei. Anche il padre di Cal entrava e usciva dalla sua vita, quando era ragazzo. Era piú divertente e molto piú elegante di Johnny Reddy, e quando c'era provava a esserci davvero, ma anche lui dava l'impressione di essere il primo a sorprendersi delle proprie azioni, e sarebbe stato rude e ingiusto chiedergliene conto. Al quinto o sesto ritorno a casa, Cal e sua madre avrebbero avuto tutto il diritto di mandarlo al diavolo, ma non era mai cosí semplice. Suo padre aveva cosí tante cattive abitudini che Cal è sicuro che sia morto, ormai.

Lui e Trey hanno finito di ripulire la sedia da aggiustare, che sotto gli strati di unto e sporco si è rivelata di un bel marrone dorato autunnale. Ora la smontano con attenzione, scattando foto con il cellulare di Cal, e misurano i pezzi rotti per poterli sostituire. Cal lascia molti spazi di silenzio in cui Trey potrebbe parlare di suo padre, di Rushborough e dell'oro, ma lei non ne approfitta.

Probabilmente è normale. Trey ha quindici anni, la

stessa età in cui Alyssa aveva smesso di confidarsi con lui. Trey ha pochissimo in comune con sua figlia, una ragazza dal cuore d'oro che vede qualcosa di buono nelle persone piú improbabili e segue piani metodici perché la vedano anche loro, ma in un certo senso quindici anni sono sempre quindici anni. Quando Alyssa aveva smesso di parlare con lui, Cal aveva pensato che almeno parlava con la mamma, e non aveva insistito. Adesso non è piú sicuro che sia stata la scelta giusta, ma anche se lo fosse stata, con Trey non è cosí facile.

Naturalmente, nulla gli impedisce di iniziare lui la conversazione e dirle che è al corrente di tutta la storia (cosa che Trey probabilmente sa già, visto che Mart è un chiacchierone) e che è entrato nell'affare dell'oro; ma ha la sensazione che sarebbe una cattiva idea. Trey non crederà che lui senta l'impulso di fregare un po' di soldi a un inglese di passaggio, e di sicuro non apprezzerà il fatto che sia entrato nella truffa per proteggere lei. E se si vergogna di quello che Johnny sta facendo, o se vuole tenere separato il suo rapporto con Cal dalle imprese di suo padre, non sarà contenta di essere forzata a parlarne. Trey ha vari livelli di silenzio. L'ultima cosa che Cal desidera è spingerla verso un livello piú profondo.

– Per oggi è abbastanza, – dichiara, quando hanno tagliato e piallato i pezzi di quercia fino a portarli grosso modo alle dimensioni giuste, pronti per il tornio. – Ti va un piatto di spaghetti alla bolognese?

– Sí, – risponde lei, spazzolandosi le mani sui jeans. – Mi presteresti la tua macchina fotografica?

Non molto tempo dopo essersi trasferito in Irlanda, Cal si era comprato una macchina fotografica digitale di alto livello, per mandare foto e video ad Alyssa. Il suo telefono sarebbe andato benissimo, ma voleva qualcosa in grado di farle apprezzare ogni particolare e sfumatura. È proprio quella gamma di sottigliezze che costituisce la bellezza del posto, e lui voleva stimolarla a decidere di venire a vederlo di persona. Poi aveva prestato la macchina fotografica a Trey per un progetto scolastico sulla vita degli animali selvatici. – Certo, – risponde. – Per cosa?

– Solo per un paio di giorni, – dice lei. – Te la tratto bene.

Cal decide di non insistere, per evitare che lei gli propini una menzogna. Va in camera da letto e prende la macchina fotografica da una delle belle mensole ordinate che hanno sistemato nell'armadio a muro.

– Eccola, – dice, tornando in soggiorno. – Ti ricordi come si usa?

– Piú o meno.

– Bene, allora troviamo qualcosa per fare un ripasso. Abbiamo un po' di tempo, se proprio non muori di fame.

Trey ha delle idee precise su cosa fotografare. Dev'essere all'esterno, a una distanza di circa cinquanta metri e ha bisogno di girare anche un video, e deve imparare come regolare la macchina per condizioni di luce bassa. Sono le cinque del pomeriggio e la luce è ancora molto alta, ma vanno nel campo dietro casa e usano lo spaventapasseri come modello. Qualcuno deve averlo aiutato di nuovo a tirare fuori il suo potenziale: ha una pistola ad acqua in una mano e un orsetto di pezza appeso all'altra, che dondola sulle gambe.

– Mart, – dice Trey.

– No –. Cal conta cinquanta passi dallo spaventapasseri, il quale, attivato dalla loro presenza, ringhia e brandisce l'orsetto con aria minacciosa. – Mart me l'avrebbe detto. Gli piace veder riconosciuto il suo lavoro.

– Non credo sia stato P. J.

– Certo che no. Forse Senan, o i suoi figli.

– Potremmo prendere una telecamera di sicurezza. I Monihan ne hanno una che possono controllare con i cellulari. Lena mi ha raccontato che Noreen le ha detto che una volta Celine Monihan non è andata a messa perché non si sentiva bene, e durante la messa sua madre ha dato un'occhiata alla telecamera con il telefono e ha visto Celine che limonava in giardino con il suo ragazzo. Ha starnazzato cosí forte che il prete ha perso il filo di quello che stava dicendo.

Cal ride. – No, non voglio spaventare l'autore di queste bravate. Piuttosto voglio vedere cosa s'inventa la prossima volta. Qui va bene? È abbastanza lontano per te?

I cani masticano ciascuno il suo finto osso e borbottano contenti tra l'erba. Mentre Cal mostra a Trey come spostare il punto di autofocus e come passare dalle foto alla funzione video, cerca di immaginare cosa Johnny vuole farle fotografare. La cosa piú sensata che gli viene in mente è che Johnny voglia delle riprese dei ragazzi che seminano l'oro nel fiume, nel caso che a un certo punto gli serva qualcosa con cui ricattarli. E non è il tipo da muovere il culo di persona per girare un video; quella responsabilità deve averla lasciata a sua figlia, anche perché il codice morale di Trey non le permetterebbe di lasciare la macchina fotografica nelle mani di Johnny. E naturalmente, Johnny non si deve essere preso il disturbo di pensare cosa potrebbe succedere a Trey se si facesse scoprire.

All'alba di domani, Cal sarà giú al fiume. Se vuole che i ragazzi lo tengano al corrente degli sviluppi, non può starsene nelle retrovie, come Johnny, e lasciare agli altri il lavoro sporco. Deve restare con loro tutto il tempo.

Se Trey, nascosta da qualche parte, lo vede lí che partecipa all'intrigo seminando polvere d'oro con l'acqua fino al ginocchio, penserà che le abbia mentito. Perciò prende la decisione di discutere con lei dell'argomento, quella sera stessa.

– Devo zoomare di piú, – dice Trey. – Lo spaventapasseri non è abbastanza riconoscibile.

– C'è un software di riconoscimento facciale, – le spiega Cal. – Non so se funziona con gli zombie, ma se inquadri una persona mette a fuoco immediatamente il suo viso.

Trey non dice nulla. Manovra i cursori, scatta un'altra foto e poi osserva il display con aria critica. Lo spaventapasseri guarda l'obiettivo a bocca aperta, ed è cosí definito che si vedono le gocce di sangue finto sui denti. Annuisce, soddisfatta.

I tasti si possono illuminare, se sei al buio, – dice Cal. – Cosí puoi controllare quello che fai. Ti faccio vedere?

Trey scrolla le spalle. – Non so ancora se mi servirà.

– È questo tasto qui, – dice Cal. – Provalo al buio prima di uscire a scattare foto. Per evitare che tutti i tasti facciano piú luce di quella che vuoi.

Trey si volta a fissarlo, con uno sguardo interrogativo. Per un attimo Cal pensa che stia per dire qualcosa, ma poi annuisce e torna a concentrarsi sulla macchina fotografica.

– È pesante, – osserva.

– Sí. Devi sistemarti in modo da tenere ferma la mano.

Trey prova vari modi di poggiare il gomito sul ginocchio. – Mi servirà un muretto. O un sasso, o qualcosa di simile.

– Senti, – dice Cal. – Ricordi quello che abbiamo detto se qualcuno cerca di farti fare qualcosa che non vuoi?

– Colpirlo ai coglioni, – risponde subito Trey, guardando nel mirino a occhi socchiusi. – O agli occhi.

– No, no. Voglio dire, sí, se non hai altra scelta. O alla gola. Ma volevo dire se qualcuno cerca di convincerti a bere o a usare droghe. O a fare stupidaggini, tipo forzare la porta di vecchie case.

– Non penso di usare droghe, – ribatte subito lei. – O di ubriacarmi.

– Lo so –. Cal nota che non ha detto che rifiuterà di
bere o di entrare in case abbandonate, ma quello può
aspettare. – Ma ricordi cos'abbiamo detto se qualcuno
ti fa pressioni?

– Nessuno mi fa pressioni, – lo rassicura lei. – Non gliene frega un cazzo di quello che faccio. Meglio per loro. E i
miei amici non usano droghe, solo un po' d'hashish qualche volta, perché non sono stupidi.

– Certo. Benissimo –. Quella conversazione era sembrata molto piú facile l'ultima volta che l'avevano fatta,
l'anno prima, mentre pescavano giú al fiume. Ora, con la
ricomparsa di Johnny Reddy, anche quello sembra un territorio roccioso e complicato. – Ma se qualcuno ci provasse, tu riusciresti a gestirlo, dico bene?

– Gli direi di andare affanculo. Ora guarda questa.

Cal osserva la foto sul display. – È buona. Se vuoi vedere meglio gli alberi sullo sfondo puoi giocare con il tasto
di messa a fuoco. Quello che volevo dire sulle pressioni,
è che puoi fare la stessa cosa con gli adulti. Se un adulto
cerca di convincerti a fare qualcosa che non ti piace, hai
tutto il diritto di mandarlo affanculo.

– Credevo mi avessi raccomandato di essere beneducata, – replica Trey, sogghignando.

– È vero. Allora puoi dire con gentilezza a chi ti infastidisce di andare affanculo.

– Non mi piace per niente fare i compiti di irlandese, –
dice Trey. – Posso dire all'insegnante…

– Bel tentativo, – la blocca Cal. – Tante persone hanno
combattuto e sono morte, perché tu potessi studiare la tua
lingua. Almeno, è quello che mi ha detto Francie. Perciò,
fa' i tuoi compiti di irlandese.

– Conosco benissimo l'irlandese. *An bhfuil cead agam
dul go dtí an leithreas.*

– Sarà meglio che tu non mi abbia appena detto gentilmente di andare affanculo.

– Scoprilo. Ripetilo a Francie la prossima volta che lo vedi.

– Scommetto che non significa nulla –. Cal si sente un po' rassicurato, ma non troppo, dal fatto che lei sembra di buon umore. I sensori di pericolo della ragazza sono calibrati male: è in grado di identificare una situazione pericolosa, ma non per questo sente il bisogno di starne lontano. – Devi averlo inventato.

– No. Significa «Posso andare in bagno?»

– Caspita, – dice Cal. – Suonava molto bene. Scommetto che puoi mandare affanculo qualcuno in irlandese, e lo prenderebbe come un complimento.

Rip lancia un latrato ringhiante. Cal si volta di scatto e sente Trey irrigidirsi al suo fianco.

Johnny Reddy viene verso di loro con il sole del tramonto alle spalle. La sua lunga ombra sul campo pieno di stoppie lo fa sembrare alto, e si avvicina lentamente, come scivolando.

Cal e Trey si alzano in piedi. Senza pensarci, Cal dice: – Non sei obbligata ad andare con lui. Puoi restare qui.

Rip abbaia di nuovo. Cal gli posa una mano sulla testa.

– No, – risponde Trey. – Grazie.

– Va bene. Basta che tu lo sappia –. Le parole gli escono di bocca a fatica.

– Lo so.

Johnny alza un braccio in un gesto di saluto, che nessuno dei due ricambia.

– Che piacere vedervi, – dice Johnny, cordiale, quando arriva abbastanza vicino. – Ho appena portato il signor Rushborough a vedere la collina delle fate di Mossie Gannon. Dio onnipotente, com'era eccitato; sembrava un bambino alla sua prima recita scolastica, non sto scherzando. Aveva portato una bottiglia di panna e una ciotola in cui versarla, e sembrava una vecchia con i suoi centrini, alla ricerca del posto perfetto dove lasciarla. Voleva sapere quale lato della collina era piú tradizionale –. Johnny fa una scrollata di spalle esagerata e alza gli occhi al cielo, divertito. – Io non ne avevo la minima idea. Ma Mossie ha detto il lato est, e cosí abbiamo fatto. Rushborough voleva restare fino a buio, sperando di vedere uno show di luci e suoni, ma io volevo andare a cena. Gli ho detto che saremmo tornati un altro giorno, cosí avremmo visto anche se le fate avevano preso la panna.

– La mangeranno le volpi, – dice Trey. – O il cane di Mossie.

– *Shhh*, – dice Johnny, minacciandola con un dito. – Non dirlo a Rushborough. È una cosa bruttissima, distruggere i sogni di un uomo. E non si sa mai, le fate potrebbero prenderla prima delle volpi.

Trey fa spallucce.

– Lei ci è mai stato? – chiede Johnny a Cal.

– No.

– Ah, deve andarci. È un bel posto, non importa se crede alle fate oppure no. Dica a Mossie che le ho raccomandato di fare il tour completo –. Gli strizza l'occhio. Cal reprime l'impulso di chiedergli che cazzo ha da fare l'occhiolino.

– Ho appena accompagnato Rushborough a casa, – spiega Johnny. – Ha avuto abbastanza eccitazione per la giornata. Vi ho visti qui e ho pensato di risparmiare alla mia piccola la camminata fino a casa, visto che ho la macchina –. Indica la Hyundai ammaccata di Sheila, il cui tettuccio argentato spunta oltre il muretto della strada. – Cosí arriverai in tempo per il banchetto che tua madre avrà cucinato per stasera.

Trey non dice nulla e spegne la macchina fotografica.

– Tieni, – dice Cal, passandole il fodero. – Ricordati di caricarla.

– Certo. Grazie.

– Di che si tratta? – chiede Johnny, guardando la macchina fotografica.

– Me la sono fatta prestare, – spiega Trey, inserendola con attenzione nel fodero. – Compiti per le vacanze. Dobbiamo fotografare cinque tipi di animali selvatici e scrivere del loro habitat.

– Potresti usare il mio telefono. Non c'è bisogno di far correre rischi alla bella macchina del signor Hooper.

– Voglio fotografare uccelli, – replica Trey. – Un telefono non ha la messa a fuoco abbastanza buona per questo.

– Santo Dio, non fai nulla per semplificarti la vita, eh? – commenta Johnny, sorridendole. – Non potevi scegliere gli insetti? Puoi trovare cinque tipi di insetti diversi in dieci minuti, dietro casa. E avresti finito il compito.

– No, – risponde Trey. Si mette a tracolla la macchina fotografica. – Tutti faranno gli insetti.

– Brava ragazza, – dice Johnny, in tono affettuoso, scompigliandole i capelli. – Non seguire il gregge, fa' le cose a modo tuo. Ringrazia il signor Hooper per il prestito.

– L'ho già fatto.

Cal rivede le sue idee precedenti. Le battute di un mentitore professionista come Johnny non significano nulla, ma Cal ora è pronto a scommettere che, qualunque cosa voglia fare Trey con la macchina fotografica, non vuole che suo padre ne sappia nulla. Cal non ha idea di cosa le passa per la mente, e non gli piace affatto.

Comunque, ora non c'è piú l'urgenza di spiegarle come mai lui si è immischiato in quella storia, visto che non sarà al fiume per vederlo. L'istinto gli suggerisce, in una situazione confusa e paludosa come quella, di fare meno passi possibile. A un certo punto probabilmente dovrà dare delle spiegazioni a Trey, ma preferisce aspettare finché non avrà capito cosa sta combinando.

– Potrebbe volerci un po', prima che riveda la sua macchina fotografica, – lo avverte Johnny. – Theresa nei prossimi giorni non avrà molto tempo per la falegnameria. Mi darà una mano con alcune cose. Vero, tesoro?

– Sí, – risponde Trey.

– Non ho fretta, – dice Cal. – Posso aspettare.

Trey chiama Banjo con un fischio e il cane la raggiunge con la testa inclinata a una strana angolazione, per non dover mollare il suo osso finto. – Ci vediamo, – dice a Cal.

– Benissimo –. E a Johnny dice: – Ci si vede in giro.

– Di sicuro, – gli assicura Johnny. – In un posto piccolo come questo incontri sempre tutti. Sei pronta, signorina?

Cal li segue con lo sguardo mentre attraversano il campo in direzione della macchina. Johnny parla a tutto spiano, si volta a guardare la figlia e indica cose. Trey ha lo sguardo fisso sulle scarpe che procedono tra l'erba. Cal non capisce se risponde al padre oppure no.

Nel buio prima dell'alba, gli uomini non sembrano uomini. Sono soltanto forme indistinte al bordo della visione di Trey: macchie d'ombra piú fitta che si spostano sulla riva, parole borbottate sopra il fruscio del fiume, che risuona piú forte nel silenzio. Le stelle sono cosí deboli che il luccichio dell'acqua si nota appena; la luna è una macchia fredda bassa sull'orizzonte, che quasi non emette luce. Il bagliore arancione di un mozzicone di sigaretta descrive un arco e scompare. Un uomo ride.

In luglio l'alba arriva presto. Trey ha la capacità di svegliarsi quando vuole, ed era già vestita prima delle quattro. Era uscita dalla finestra e aspettava tra gli alberi accanto alla strada di veder passare suo padre. Seguire Johnny si era dimostrato piú difficile del previsto. Lei si aspettava che fosse diventato un cittadino, che faceva rumore tra la vegetazione, inciampava sui sassi e ci avrebbe messo piú di mezz'ora a fare i sette-ottocento metri fino al fiume. Non aveva pensato che Johnny ha trascorso piú anni di lei sulla montagna. Era sceso a valle come una volpe, agile e silenzioso, prendendo scorciatoie attraverso muretti di confine e macchie d'alberi. Trey per sicurezza era restata indietro e alcune volte l'aveva perso, ma suo padre aveva portato una piccola torcia, che accendeva per qualche secondo ogni volta che doveva orientarsi, e lei non doveva fare altro che aspettare il bagliore.

Johnny l'aveva condotta fino a un'ansa del fiume, non lontano dal punto in cui lei e Cal a volte vanno a pescare. Trey ora è nascosta tra i faggi sulla riva, acquattata dietro un tronco caduto che serve a ripararla e a tenere ferma la macchina fotografica. Il terreno sotto di lei ha un odore caldo e vivo. Gli uomini sono riuniti a valle dell'ansa, dove il fiume si fa piú largo e meno profondo.

Piano piano il buio diminuisce. Gli uomini prendono forma. All'inizio sembrano solo grosse pietre irregolari sul bordo dell'acqua, ma quando il cielo diventa piú azzurro si animano. Trey riconosce per primo Mart Lavin, ingobbito sopra il suo bastone. Nota suo padre a causa dei movimenti inquieti e P. J. dal suo modo di camminare, quando fa qualche passo per guardare nell'acqua: P. J. dà sempre l'impressione di zoppicare, ma in realtà trascina tutti e due i piedi, non uno soltanto, come se non ce la facesse a controllare fino in fondo le sue gambe ossute. L'uomo piú grosso di tutti dev'essere Senan Maguire. Ma a un tratto si volta e dal movimento delle sue spalle Trey riconosce Cal.

Resta ancora piú immobile nel sottobosco. Non le

passa nemmeno per la mente che Cal sia lí per truffare Rushborough. Anche lui, come lei, deve avere i suoi motivi per trovarsi lí, e probabilmente si tratta di motivi validi.

Ciò nonostante, si sente ferita e arrabbiata. Cal è consapevole che lei sa tenere la bocca chiusa. Sa, o dovrebbe sapere, che non è una bambina che bisogna proteggere da ciò che fanno gli adulti. Qualunque sia il motivo per cui è lí, avrebbe dovuto dirglielo.

Infila la macchina sotto la felpa per attutire il bip quando l'accende. Poi trova un punto stabile sul tronco caduto e comincia a regolare la configurazione come le ha insegnato Cal. Il cielo è sempre piú chiaro. Sonny McHugh e Francie Gannon, i due pescatori piú esperti, stanno indossando stivali di gomma a gamba lunga e arrotolando le maniche delle camicie.

Trey, in ginocchio dietro il tronco, li osserva attraverso il mirino, immaginando che si tratti del mirino del grosso fucile Henry di Cal. E immagina di ucciderli uno alla volta: Mart si accascia in avanti sopra il bastone, Dessie Duggan rimbalza come un pallone sulla sua grossa pancia, finché restano solo Cal, immobile in mezzo agli spari, e suo padre, che corre come un coniglio mentre lei mira alla sua schiena.

La mattina sta prendendo vita. Sulla riva opposta, una colonia di uccellini sopra una grossa quercia si sta svegliando con un fortissimo cinguettio; il fruscio del fiume ora si integra con gli altri suoni. La luce è abbastanza per girare un video. Trey schiaccia il tasto «record».

Mart prende qualcosa da una tasca, una busta di plastica Ziploc. Gli uomini lo circondano in fretta, per guardare. Trey sente la risata rapida e felice, da ragazzo, di Con McHugh. Bobby Feeney fa per toccare la busta, ma Mart gli dà uno schiaffetto sulla mano. Intanto parla, indicando la busta e spiegando qualcosa. Trey si sforza di non filmare Cal, ma lui è in mezzo al gruppo e non riesce a tenerlo fuori dall'inquadratura.

Mart dà la borsa a Francie, che entra nel fiume seguito da Sonny. L'acqua è bassa; devono allungarsi per scendere dalla riva, e il fiume scorre intorno a loro, profondo solo fino al ginocchio. Sonny ha un lungo bastone, che usa per misurare la profondità. Si chinano a tastare il fondo. Poi prendono il materiale che si trova nella borsa, affondano le mani a pugno sotto l'acqua e le tirano fuori vuote.

Mart fa gesti con il bastone e dà istruzioni. Johnny parla, girando la testa qua e là; a volte qualcuno ride, un mormorio che arriva a Trey sopra il rumore del fiume. Tiene ferma la macchina. A un tratto Cal volta la testa, scrutando i dintorni. Trey resta immobile. Per un mezzo secondo i loro sguardi s'incrociano, ma poi Cal guarda oltre.

Quando Francie e Sonny si raddrizzano e si voltano per uscire dall'acqua, Trey rimette la macchina fotografica nel fodero e comincia ad allontanarsi in silenzio tra la vegetazione. Appena è fuori vista, comincia a correre, tenendo la macchina premuta contro il fianco per impedirle di ballonzolare. Sulla via del ritorno, scatta foto di tutti gli uccelli che riesce a vedere, tanto per stare sul sicuro.

Quando arriva a casa, Alanna e Liam sono in cortile e cercano di insegnare a Banjo a camminare sulle zampe posteriori, cosa che il cane non sembra aver intenzione di fare. Trey entra dalla porta principale e va a nascondere la macchina fotografica prima che qualcuno la veda. Poi va in cucina a fare colazione.

Sheila sta stirando le camicie di Johnny. – Non c'è piú pane, – annuncia, senza alzare gli occhi, sentendola entrare.

La stanza è già calda, con il sole che entra dalla finestra e illumina le mani screpolate di sua madre contro il blu della camicia. Il vapore del ferro da stiro si alza nel raggio di sole.

Trey prende fiocchi di mais e una ciotola. – Dov'è papà? – chiede.

– Fuori. Credevo fossi andata con lui.

– No, sono andata da sola.

– Ha chiamato Emer, – racconta Sheila. – Gliel'ho detto.

Emer è la primogenita. Si è trasferita a Dublino da qualche anno e lavora in un negozio. Torna a casa solo per Natale. Trey non pensa quasi mai a lei. – Le hai detto cosa? – chiede.

– Che tuo padre è tornato. E dell'inglese.

– Pensa di venire a casa?

– Perché dovrebbe?

Trey scrolla una spalla sola, riconoscendo che sua madre ha ragione.

– Pensavo che volessi restare per un po' da Lena Dunne.

– Ho cambiato idea –. Trey si appoggia al piano di lavoro per mangiare i suoi fiocchi.

– Va' da lei, – insiste sua madre. – Ti do un passaggio in macchina, cosí non dovrai camminare con la valigia.

– Perché?

– Non mi piace quell'inglese, – risponde Sheila.

– Ma non dorme mica qui.

– Lo so.

– Non ho paura di lui, – dice Trey.

– Invece dovresti.

– Se prova a farmi qualcosa, lo uccido.

Sheila scuote la testa brevemente. Trey non dice altro. Quello che ha detto le sembra stupido. Il silenzio è riempito dal sibilo del ferro da stiro.

– Cosa fa papà, oggi? – chiede.

– Porterà in giro l'inglese.

– E stasera?

– C'è una partita a carte da Francie Gannon.

Trey riempie di nuovo la ciotola e riflette. Le sembra improbabile che Rushborough venga invitato da Francie. Perciò, a meno che non vada a bere una pinta al pub, sarà in casa da solo.

Sheila sistema la camicia su una gruccia e l'appende allo schienale di una sedia. Poi dice: – Avrei dovuto trovarvi un padre migliore.

– Allora noi non esisteremmo.

Sheila solleva gli angoli della bocca in un accenno di sorriso. – Nessuna donna ci crederebbe, – replica. – O almeno, nessuna madre. Agli uomini non lo diciamo, per non ferirli, perché sono cosí sensibili. Ma tu saresti la stessa indipendentemente dal padre che ti avessi trovato. Magari avresti i capelli e gli occhi di un colore diverso, se mi fossi messa con un bruno. Piccole cose di questo tipo. Ma saresti la stessa.

Scuote un'altra camicia e la esamina, lisciando le pieghe con la mano. – C'erano altri ragazzi che mi volevano, – aggiunge. – Avrei dovuto scegliere qualcuno di loro.

Trey ci pensa su, ma rifiuta l'idea. Quasi tutti gli uomini del villaggio sembrano, a un occhio esterno, un'opzione migliore di suo padre, ma lei sa cos'hanno fatto alcuni di loro, e lo sa anche sua madre. – Allora perché hai scelto lui?

– Non me lo ricordo, è stato molto tempo fa. Pensavo di avere dei motivi. O forse semplicemente volevo lui.

– Avresti potuto mandarlo al diavolo, quando è tornato.

Sheila preme la punta del ferro sul colletto della camicia e dice: – Mi ha detto che gli stai dando una mano.

– Sí.

– In che modo?

Trey scrolla le spalle.

– Qualsiasi cosa ti abbia promesso, non la riceverai.

– Lo so. Non voglio niente da lui.

– Ci sono tante cose che non sai. Sai dov'è adesso? È
andato a nascondere dell'oro nel fiume per farlo trovare
all'inglese. Lo sapevi?

– Sí. Ero presente quando l'ha detto agli altri.

Per la prima volta da quando Trey è entrata in cucina,
Sheila alza lo sguardo per fissarla. Il sole le stringe le pu-
pille, e i suoi occhi sono di un azzurro limpido.

– Vai da Lena, – dice. – Fingi che Cal Hooper sia tuo
padre. Dimentica che Johnny sia mai stato qui. Io passerò
a prenderti quando potrai tornare a casa.

– Voglio stare qui, – dice Trey.

– Prepara la borsa, ti ci porto adesso.

– Devo andare. Io e Cal dobbiamo sistemare quella
sedia –. Va al lavandino e sciacqua la ciotola sotto il rubinetto.

Sheila la osserva. – Allora vai –. Si china di nuovo sul
ferro. – Impara la falegnameria. E ricorda che tuo padre
non ha nulla da darti che valga nemmeno la metà di questo. Nulla.

9.

Trey dà per scontato che ci siano cose invisibili sulla montagna. È un'idea che l'accompagna fin da quando riesce a ricordare, e il brivido di paura che porta con sé è una presenza stabile, accettata. Gli uomini che vivono in quel territorio isolato le hanno parlato di alcune di quelle cose: luci bianche sull'erica, di notte, creature selvagge come lontre enormi e gocciolanti che escono dalle paludi, donne piangenti che, quando ti avvicini, non sono affatto donne. Trey una volta aveva chiesto a Cal se ci credeva. «No», aveva risposto, tra due colpi delicati di martello su un incastro a coda di rondine. «Ma sarei stupido a considerarle impossibili. Non è la mia montagna».

Trey non ha visto mai nulla del genere, ma quando è sulla montagna di notte sente quelle presenze. La sensazione è cambiata negli ultimi due anni. Quando era piú piccola, sentiva che la guardavano e la lasciavano perdere, troppo insignificante per dedicarle tempo e concentrazione, solo un altro animaletto che andava in giro. Ora la sua mente è piú densa e intricata. E si sente notata.

È seduta con la schiena appoggiata a un vecchio muro, e osserva il tramonto che riempie l'aria di una foschia viola. Banjo è accucciato contro i suoi polpacci, orecchie e naso attenti a seguire il progresso della sera. Un'auto solitaria curva sulla strada, il raggio dei fari lungo nel vuoto. Il pic-

colo cottage grigio dove alloggia Rushborough è isolato e
buio all'ombra della montagna.

Qualunque cosa viva da quelle parti, Trey si aspetta d'in-
contrarla. Ha usato una parte dei suoi guadagni per comprare rifornimenti per cinque giorni: pane, burro d'arachidi,
biscotti, acqua minerale e cibo per cani. Li ha nascosti, insieme a un paio di coperte e qualche rotolo di carta igieni-
ca, in una casa abbandonata sulla montagna. Cinque giorni
dovrebbero essere piú che abbastanza. Quando avrà fatto
quello che pensa di fare, Rushborough se ne andrà veloce
come una freccia. E quando gli uomini scopriranno che se
n'è andato, anche suo padre sparirà all'improvviso. Ha solo
bisogno di star lontana da lui fino ad allora.

Non si fida di Rushborough ma non vede che convenienza avrebbe a tradirla. Forse lo direbbe a suo padre, ma non
agli altri. Se qualcuno dovesse chiederle perché è andata via,
dirà che suo padre era tornato a casa in collera, perché si era
tradito e Rushborough si era fatto sospettoso, e Trey aveva
tagliato la corda per paura che se la prendesse con lei, il che
è abbastanza vicino alla verità. Per non far preoccupare sua
madre, ha lasciato un biglietto sul letto, con scritto: «Devo
andare in un posto. Torno tra qualche giorno».

Si è persino ricordata di portare un coltello per spalma-
re il burro d'arachidi. Sorride, pensando a come sarà orgoglioso Cal dei suoi modi beneducati, ma poi ricorda che
non può dirgli nulla di questo.

Di recente ha pensato a Brendan, cosa che non succede
spesso, ormai. Quando aveva saputo cosa gli era successo
(un incidente, le aveva detto Cal, quel giorno le cose avevano semplicemente preso una piega sbagliata, come se
questo facesse una differenza), pensava a lui tutto il tempo. Passava ore intere rivedendo le cose nella sua mente,
scene in cui gli impediva di andarsene di casa quel pome-

riggio, lo avvertiva di stare attento, oppure andava via con lui e poi gli urlava le parole giuste al momento giusto. Nella sua immaginazione l'aveva salvato un milione di volte, non perché credesse di poter cambiare qualcosa, ma solo per avere un po' di pausa da un mondo in cui Brendan era morto. Ma quando Brendan aveva iniziato a sembrarle un personaggio inventato, aveva smesso. Da allora, pensava solo al vero Brendan: rivedeva ogni parola, ogni espressione o movimento che riusciva a ricordare, tatuandoseli nella mente in modo indelebile. Erano pensieri che facevano male. Anche mentre stava facendo qualcosa, lavorando con Cal, o giocando a pallone, quello che era successo a suo fratello era un peso freddo e grande come un pugno sotto lo sterno, che spingeva verso il basso.

Ora, con il tempo, quel peso è diminuito. Può fare cose senza sentirlo, guardare senza quel nero che cancellava parte della sua visione. A volte questo la fa sentire una traditrice. Ha pensato di incidersi sul corpo il nome di Brendan, ma sarebbe stupido.

Ciò che spera d'incontrare, sulla montagna, sono i fantasmi. Non sa se esistono davvero, ma se esistono, quello di Brendan sarà lí. Non sa che forma possa prendere, ma le varie possibilità non sono un deterrente abbastanza forte.

I pipistrelli sono in caccia, con rapide picchiate e squittii. Stanno spuntando le prime stelle. Un'altra auto appare sulla strada e si ferma davanti al cottage di Rushborough, appena visibile nel buio. Dopo qualche momento si allontana di nuovo, e le luci del cottage si accendono.

Trey si alza in piedi e comincia a scendere dalla montagna, insieme a Banjo. La macchina fotografica è sotto la felpa, cosí ha le mani libere nel caso dovesse scivolare, ma non succederà.

Aveva sorvegliato Rushborough per tutta la mattina, come aveva promesso a suo padre. L'inglese non aveva fatto altro che passeggiare in giro e scattare foto a muri in pietra, cosa che a lei sembrava un'idiozia; una volta si era chinato a raspare sul terreno, si era alzato con un oggetto in mano, l'aveva fissato e se l'era messo in tasca. Si era fermato varie volte a chiacchierare con le persone che incontrava: Ciaran Maloney, che stava spostando le pecore da un campo all'altro; Lena, che era uscita per portare a spasso i suoi cani; Áine Geary, che annaffiava le piante nell'orto mentre i figli le tiravano le gonne. Un paio di volte si era voltato verso Trey, ma non l'aveva vista perché la sua testa aveva continuato il movimento. Valeva la pena aver sprecato una mattina, per scoprire dove alloggiava. Quando era andata a riferire tutto a suo padre, lui l'aveva guardata come se avesse dimenticato di cosa stava parlando. Poi aveva riso, le aveva detto che era una ragazza fantastica e le aveva dato una banconota da cinque.

Rushborough, quando apre la porta, sembra molto sorpreso di vederla.

– Mio Dio, – esclama. – Theresa, giusto? Tuo padre non è qui. Molto gentilmente oggi mi ha portato a vedere alcune curiosità locali e poi mi ha accompagnato a casa. Gli dispiacerà sapere che non l'hai trovato.

– Ho qualcosa da mostrarle, – dice Trey.

– Oh –. Rushborough ha una breve esitazione, poi continua: – In tal caso entra pure. Anche il tuo amico è benvenuto.

Trey non è contenta della piega che hanno preso le cose. Voleva mostrargli tutto sulla soglia. Le sembra che l'inglese dovrebbe essere più diffidente, nei confronti di una ragazza che non conosce. Suo padre dice che è un tipo innocente, convinto che Ardnakelty sia tutta folletti e ragazze che danzano ai crocevia, ma a lei non sembra affatto innocente.

Il soggiorno è pulitissimo e spoglio, solo alcuni mobili di pino collocati in posti innaturali, e un dipinto floreale sul muro. Odora di un posto dove non ha mai vissuto nessuno. La giacca di Rushborough, appesa a un attaccapanni nell'angolo, sembra contraffatta.

– Non vuoi sederti? – le chiede, indicando una poltrona. Trey si siede e misura la distanza che la separa dalla porta. Lui si accomoda sul divano a fiori e inclina la testa, guardandola con attenzione, le mani intrecciate tra le ginocchia. – Bene, cosa posso fare per te?

Trey vorrebbe solo trovarsi fuori di lí. Non le piacciono i suoi denti troppo piccoli e regolari, o la disparità tra la sua voce piacevole e il modo esperto in cui la osserva, come se fosse un animale che deve decidere se comprare o no. Alla fine dice: – Nessuno deve sapere che sono stata io a dirglielo.

– Mio Dio, – dice Rushborough, inarcando le sopracciglia. – Quanto mistero. Ma certo: le mie labbra sono sigillate.

– Lei domani andrà al fiume a cercare l'oro nell'acqua, – dice Trey.

– Oh, tuo padre ti ha rivelato il segreto? – Rushborough sorride. – È vero, ci andrò. Non ho grandi speranze, ma non sarebbe bellissimo se lo trovassimo? È questo che vuoi mostrarmi? Hai trovato una pepita, per caso?

– No. – Trey apre la cerniera della felpa, estrae la macchina fotografica dal fodero, seleziona il video e gliela passa.

Rushborough le lancia un'occhiata tra divertita e perplessa. Mentre guarda il video, il divertimento scompare dal suo viso e non ne rimane nemmeno una traccia.

– Quello è oro, – spiega Trey. Il suo istinto la spinge a mantenere il silenzio, ma si costringe a dirlo. – Lo stanno mettendo nel fiume per farglielo trovare.

– Sí. Lo vedo.

Trey vede che sta riflettendo. Guarda il video fino alla fine.

– Bene, – dice poi, ancora guardando il display. – Bene, bene, bene. È una cosa inaspettata.

Trey non dice nulla. È pronta a reagire a qualunque mossa improvvisa.

Rushborough alza gli occhi. – È tua questa macchina fotografica? O devi restituirla a qualcuno?

– Devo ridarla indietro.

– E hai fatto un backup di questo video?

– No, – risponde Trey. – Non ho un computer.

– Sul Cloud?

Trey lo fissa senza capire. – Non so cos'è il Cloud.

– Bene, – dice di nuovo Rushborough. – Apprezzo la tua iniziativa nei miei confronti. Sei stata molto gentile –. Tamburella sui denti davanti con l'unghia di un dito. – Penso che dovrò fare una conversazione con tuo padre, non credi?

Trey scrolla le spalle.

– Oh, sicuro. Gli faccio uno squillo e gli dico di venire subito.

– Io devo andare, – dice Trey. Si alza e tende la mano per riavere la macchina fotografica, ma Rushborough non si muove.

– Devo mostrare questo video a tuo padre, – spiega. – Hai paura che si arrabbierà? Non preoccuparti. Non lascerò che ti faccia nulla. Sono molto contento che tu me l'abbia portato.

– Ho detto che nessuno deve sapere che sono stata io. Dica solo che qualcuno gliel'ha detto.

– Be', non credo che tuo padre ne parlerà in giro, – le
fa notare lui, in tono ragionevole. Tira fuori di tasca un
cellulare e compone il numero, tenendola d'occhio. – Non
ci vorrà molto. Sistemeremo tutto in un attimo. «Johnny?
Abbiamo un problema. La tua bella figlia è qui e mi ha
portato qualcosa che devi vedere. Quando puoi passare?
Perfetto. Ci vediamo, allora».

Mette via il telefono. – Sarà qui tra pochi minuti, – dice,
sorridendo. Si rilassa sul divano e sfoglia le altre foto sul display, dedicando tempo a ciascuna. – Le hai scattate tu? Sono molto buone. Questa non starebbe male in una galleria –.
Le mostra una foto dei corvi sulla quercia, scattata da Cal.

Trey non dice nulla. Resta in piedi. Banjo si agita e spinge
con il naso contro un ginocchio, con un leggerissimo guaito; lei gli posa una mano sulla testa per calmarlo. Tutto è
andato storto. Ora vorrebbe correre verso la porta, ma non
può andarsene senza la macchina di Cal. Rushborough continua a scorrere foto, con un lieve sorriso di tanto in tanto.
Fuori dalle finestre è buio e lei sente le distanze, la distesa
silenziosa dei campi.

Suo padre arriva prima di quanto pensasse. L'auto frena
sbandando sulla ghiaia. – Ci siamo, – dice Rushborough,
alzandosi per andare ad aprire.

– Qual è il problema? – chiede Johnny, gli occhi che si
spostano di continuo tra Trey e Rushborough. – Tu cosa
ci fai qui?

– *Shhh*, – interviene Rushborough. Gli passa la macchina fotografica. – Da' un'occhiata a questo, – dice, in
tono cordiale.

La faccia di Johnny mentre guarda il video provoca in
Trey un moto d'esultanza. È bianca e inespressiva, come
se in mano avesse una bomba di cui non può impedire
l'esplosione; come se avesse in mano la propria morte.

A un tratto alza la testa e apre la bocca, ma Rushborough insiste: – Guardalo tutto.

Trey si tiene pronta, una mano sulla schiena di Banjo. Non crede alla promessa di Rushborough di non lasciare che suo padre le faccia del male; preferisce credere alla montagna. Non appena suo padre mollerà la stretta sulla macchina fotografica per cominciare a borbottare scuse, lei la prenderà, lo spingerà addosso a Rushborough e fuggirà verso la sua casa abbandonata. Puoi cercare una persona per tutto l'anno su quella montagna, e non trovarne neppure una traccia. E quando al villaggio sapranno che Rushborough è andato via, suo padre non avrà un anno a disposizione per cercarla.

Quando il video finisce, Johnny abbassa la macchina. Trey si aspetta che cominci a raccontare la storia che secondo lui Rushborough potrà credere con maggiore probabilità. Invece lui alza le mani, facendo ondeggiare la macchina fotografica per la cinghia.

– Non è un problema, – dice. – Lo giuro su Dio. Lei non dirà nulla, posso garantirlo.

– Prima le cose importanti, – dice Rushborough. Riprende la macchina fotografica e chiede a Trey: – A chi altri l'hai detto?

– A nessuno. – Non capisce come mai l'inglese si comporti come se fosse il capo, dando ordini a suo padre. Non ha senso. Non capisce cosa sta succedendo.

Rushborough la fissa con curiosità, la testa inclinata di lato. Poi le molla un manrovescio. Trey barcolla, sbatte contro il bracciolo della poltrona e cade. Si rialza, tenendo la poltrona tra lei e l'inglese. Non vede nulla che potrebbe usare come arma. Banjo si è alzato e ringhia.

– Tieni buono il tuo cane, – dice Rushborough. – O gli spezzo la schiena.

Le tremano le mani. Riesce a schioccare le dita e Banjo, riluttante le viene accanto. Emette ancora un ringhio basso, pronto a scattare.

Johnny resta dov'è, agitando le mani in modo inquieto. Rushborough le chiede di nuovo, con lo stesso tono: – A chi l'hai detto?

– Non ho detto una parola a nessuno. Quei bastardi possono andare affanculo. Con tutto il villaggio –. Mentre parla le esce del sangue dalla bocca.

Rushborough inarca le sopracciglia. Trey capisce che le crede. – Bene. Allora dimmi perché l'hai fatto.

Trey sposta lo sguardo su suo padre, il quale sta cercando qualcosa da dire. – Se non fosse stato perché loro ti trattavano come una merda, – dice, – non saresti andato via.

Le viene fuori perfetto, con la giusta mistura di rabbia e vergogna, come se fosse qualcosa che non avrebbe mai ammesso, se non costretta con la forza. Il viso di suo padre si riempie d'affetto.

– Ah, tesoro, – dice, facendo un passo avanti. – Vieni qui da me.

Trey lascia che l'abbracci e le accarezzi i capelli. Sotto il dopobarba speziato, c'è un odore di paura, come gomma bruciata. Dice che ora è tornato a casa e che insieme gliela faranno vedere a quei bastardi.

Rushborough li osserva. Trey sa che non si è fatto fregare. Ha capito che lei ha mentito, proprio come prima aveva capito che stava dicendo la verità, ma non sembra importargliene.

Lei non si spaventa facilmente, ma Rushborough le fa paura. Non è per il manrovescio. Anche suo padre gliene ha dati, ma solo perché era arrabbiato e lei si trovava a portata di mano. Rushborough ha un'intenzione precisa.

Vede la sua mente al lavoro, una macchina lucida ed effi-
ciente, che procede lungo binari oscuri che lei non capisce.

A un tratto fa cenno a Johnny di smettere di abbracciarla. Suo padre indietreggia immediatamente. – E l'americano? – chiede l'inglese.

– Non gli ho detto nulla, – risponde Trey. Il labbro
spaccato ha lasciato del sangue sulla camicia di suo padre.
– Lui l'avrebbe detto agli altri.

Rushborough annuisce. – Questa macchina fotografica
è sua, vero? Perché gli hai detto che la volevi?

– Un progetto scolastico. Foto di animali selvatici.

– Oh, gli uccelli. Buona idea, mi piace. In realtà, – dice
a Johnny, – questo potrebbe funzionare molto, molto bene.

Le indica la poltrona. Trey si siede, prendendo Banjo
con sé, e tampona il labbro con il collo della maglietta.
Rushborough torna a prendere posto sul divano.

– Vediamo se ho capito bene, – dice. – La tua idea
era che io avrei visto questo, – dà un colpetto sulla macchina fotografica, – e me ne sarei tornato di corsa in Inghilterra. Cosí quei tizi sarebbero restati con il cazzo in
mano, senza i soldi che gli avevo promesso, e si sarebbero messi a setacciare il fiume cercando di recuperare il
loro oro. È cosí?

– Sí, – risponde Trey.

– Perché a te non piacciono.

– Esatto –. Trey preme le mani sulle cosce, per tenerle
ferme. Un pezzo alla volta, il quadro sta prendendo forma.

– Io sarei dovuto fuggire, – dice Johnny, offeso, quando
gli viene in mente. – Senza nemmeno un centesimo in tasca.

– Non ci avevo pensato, – ammette Trey.

– Ma che cazzo, – dice suo padre. Tutte le sue emozioni si
stanno trasformando in rabbia, per comodità d'uso. – Che in-
gratitudine. Ti avevo promesso di darti tutto ciò che volevi…

– Silenzio, – sbotta Rushborough. – Non è questo che mi fa incazzare. Mi fa incazzare il fatto di lavorare con un cretino del cazzo che si fa fregare da una ragazzina.

Johnny chiude la bocca. Rushborough si rivolge di nuovo a Trey. – Non è un brutto piano, – dice. – Ma io ne ho uno migliore. Ti piacerebbe far perdere a quei tizi qualche migliaio di euro, invece di qualche centinaio?

Il suo accento è cambiato. È sempre inglese, ma non piú di alto ceto. Sembra un modo di parlare ordinario, quello che potrebbe avere un uomo che lavora in un negozio. Questo lo rende piú temibile, non meno. Perché Trey lo sente piú vicino.

– Sí, – risponde. – Forse.

– Aspetta qui –. Rushborough va in camera da letto, facendole un sorrisetto scaltro e portando con sé la macchina fotografica.

– Devi fare tutto quello che ti dice, – le spiega Johnny sottovoce. Lei nemmeno lo guarda. Banjo turbato dall'odore di sangue e paura, le lecca le mani, per essere rassicurato. Trey gli accarezza le guance e cosí le sue mani smettono di tremare.

Rushborough torna con in mano una piccola borsa di plastica Ziploc. – L'idea originale era che stamattina dovevo trovare questo. Tu mi hai visto, vero? Di sicuro potresti dire in giro che mi hai visto quando l'ho trovato. Ma sarà molto meglio se dirai che sei stata tu a trovarlo.

Le consegna la busta. Contiene quello che sembra un pezzetto di carta stagnola dorata, del tipo in cui sono avvolte le barrette al cioccolato. È spiegazzata, come se avesse passato troppo tempo in una tasca. È grande come la testa di un chiodo, di quelli vecchi fatti a mano, difficili da sostituire quando arrugginiscono. Ci sono dentro pezzettini bianchi di roccia e terra.

– L'hai trovato proprio ai piedi della montagna, – le spiega Rushborough. – A meno di un chilometro a est di qui. Mi hai sentito parlare con tuo padre, hai riconosciuto il posto che ho descritto, e sei partita per fare una piccola ricerca mineraria per conto tuo. Non vuoi dire qual è il posto esatto, perché hai scavato senza il permesso del proprietario, ma sei cosí compiaciuta che non hai resistito alla tentazione di mostrare la pepita. Hai capito tutto?

– Sí, – risponde Trey.

– Ha capito davvero? – chiede l'inglese a suo padre. – Pensi che ci riuscirà?

– Sí, sí, – risponde Johnny. – È intelligente, farà un ottimo lavoro. Se ci pensi, alla fine tutto questo è stato per il...

– Bene. È tutto quello che devi fare, – dice Rushborough a Trey. – E avrai tolto migliaia di euro dalle tasche di quegli uomini. Non è divertente?

– Sí.

– Non perderla, eh? – Le sorride. – Se farai un buon lavoro, potrai tenertela. Considerala un regalino. Altrimenti dovrai restituirmela.

Trey arrotola la busta e la ficca in una tasca dei jeans.

– Bene, – riprende Rushborough. – Visto? Siamo tutti dalla stessa parte. Andrà tutto benissimo e saremo molto contenti –. Si volta verso Johnny. – E tu non sgridarla, chiaro? Resta concentrato.

– Certo che no, – gli assicura Johnny. – Non lo farò. È tutto perfetto, tutto super –. È ancora pallido.

– Non perdere d'occhio il risultato.

– Io devo restituire la macchina fotografica, – dice Trey.

– Non ancora, – obietta l'inglese, in tono ragionevole. – La tengo io ancora per un po', nel caso dovesse servire. Il tuo progetto scolastico può benissimo durare alcuni giorni.

– Allora, tutto risolto, quindi, – dice Johnny, un po'
troppo in fretta. – Tutto fantastico. Ora lasciami portare
a casa mia figlia a dormire. Vieni, tesoro.

Trey capisce che non otterrà indietro la macchina fotografica, o almeno, non subito. Si alza in piedi.

– Fammi sapere com'è andata, – le dice Rushborough,
– e non combinare pasticci –. Con un piede schiaccia forte una zampa di Banjo.

Il cane abbaia di dolore e tenta di morderlo, ma lui è già
fuori portata. Trey lo afferra per il collare. Banjo guaisce,
tenendo la zampa in alto.

– Andiamo, – dice Johnny. Prende Trey per un braccio
e la trascina verso la porta. Rushborough si toglie di mezzo per lasciarli passare.

Quando la porta si chiude alle loro spalle, Trey si divincola dalla stretta del padre. Non teme di essere picchiata per aver girato il video. Johnny ha troppa paura
di Rushborough per disobbedirgli.

Infatti, tutto quello che fa è sospirare di sollievo, in modo
quasi comico. – La vita è piena di sorprese. Devo ammetterlo, questa non me l'aspettavo proprio. Anche tu sei rimasta
scioccata, eh? – La sua voce ha ripreso il tono estroso. Alla
luce della luna, Trey vede che sorride, invitandola a sorridere a sua volta. Ma lei si limita a una scrollata di spalle.

– Ti fa male il labbro? – China la testa per osservarla in
viso. Fa la sua voce piú gentile. – Non preoccuparti, guarirà presto. Puoi dire che sei inciampata.

– Fantastico.

– Sei arrabbiata perché non ti ho raccontato tutta la
storia? Ah, tesoro mio, non volevo immischiarti in tutto
questo piú dello stretto necessario.

– Non me ne frega niente, – ribatte Trey. Banjo guaisce ogni volta che posa la zampa a terra. Lo accarezza sul-

la testa. Non vuole fermarsi a esaminare la zampa finché non si saranno allontanati.

– Ora ci sarai di grande aiuto, – dice suo padre. – Farai un ottimo lavoro, con quell'affare. Devi solo mostrarlo a una o due persone, magari scegli qualche chiacchierone, e il resto verrà da sé. Pagherei per vedere la faccia di Noreen quando lo tirerai fuori.

Trey non si ferma accanto all'auto e prosegue verso la strada. – Dove vai? – domanda Johnny.

– Voglio far dare un'occhiata alla zampa di Banjo.

Johnny ride in modo un po' forzato. – Lascia perdere, il cane sta benissimo; ti comporti come se lui gliel'avesse amputata.

Trey continua a camminare.

– Vieni qui! – le grida dietro suo padre.

Trey si ferma e si volta, ma a quel punto Johnny sembra non sapere piú cosa dirle. – È andato tutto bene, eh? – dice alla fine. – Non voglio mentirti, ero preoccupato. Ma tu gli piaci, l'ho capito.

– Sua nonna non è di queste parti, vero?

Johnny si volta a guardare la casa. Alle finestre non c'è nessuno. – È un mio amico. Non proprio amico, direi, ma insomma, lo conosco.

– E qui non c'è l'oro.

– Ah, non si può mai sapere, – replica Johnny, agitando un dito. – Il tuo professore non ha detto che c'è?

– Da qualche altra parte. Non qui.

– No. Semplicemente, non ha specificato che è qui. Ma potrebbe anche esserci. Qui come in qualunque altro posto.

Trey comprende con una chiarezza nuova quanto detesta parlare con suo padre. – E il tuo amico non è ricco, – dice.

Johnny ride di nuovo. – Ah, dipende da cosa intendi

per ricco. Non è un milionario, ma ha piú di quanto io abbia mai avuto.

– Come si chiama davvero?

Johnny viene piú vicino. – Ascolta, – dice, tenendo la voce bassa. – Io gli devo dei soldi.

– Ti ha fatto un prestito? – Trey non si sforza di nascondere l'incredulità. Rushborough non gli è sembrato cosí scemo da prestare soldi a suo padre.

– No. Io facevo l'autista per lui, di tanto in tanto. Una volta stavo portando della roba a Leeds e mi hanno rapinato. Non è stata colpa mia, qualcuno deve avermi teso una trappola, ma a lui non interessa –. Johnny continua a muoversi, sposta i piedi sulla ghiaia del vialetto, producendo dei rumori crocchianti. Trey vorrebbe dargli un pugno per farlo smettere. – Io non avevo soldi per ripagarlo e mi sono trovato nei guai. Capisci quanto grossi erano quei guai?

Trey scrolla le spalle.

– Molto grossi. Capiscimi. Molto grossi.

– Va bene.

– Ma poi ho avuto un'idea. Mi girava in testa da anni. Avevo chiaro in mente dove poteva trovarsi l'oro, sapevo sulle terre di chi, avevo un anello con una pepita preso in un negozio, che avrei potuto esibire come prova… L'ho pregato di lasciarmi provare. Non voleva che venissi qui da solo, perché secondo lui avrei tagliato la corda. Allora gli ho proposto di venire con me e fare la sua parte –. Johnny getta un'occhiata al cottage alle sue spalle. – Non immaginavo che l'avrebbe fatto davvero. Uno come lui, in un posto come questo, senza vita notturna, senza donne? Ma gli piace provare qualcosa di nuovo. Si annoia facilmente. E gli piace tenere le persone sulle spine, senza mai rivelare in anticipo cosa sta per fare. Credo sia stato per questo che è venuto.

Trey rivede Rushborough, o come diavolo si chiama,

seduto al tavolo della cucina, che sorrideva a Maeve e le chiedeva di Taylor Swift. Già allora le era sembrato molto sospetto. Si dà dell'idiota per non aver capito il resto.

– Non avrei voluto farlo, – dice suo padre, in tono ferito, come se lei l'avesse accusato. – Averlo intorno a te e a tua mamma, e ai bambini. Ma non avevo scelta. Non potevo dirgli di no, capisci?

Cal gli avrebbe detto di no, Trey lo sa. E Cal non si sarebbe mai messo in quel pasticcio, a prescindere.

– Andrà tutto bene, – le assicura Johnny. – È una passeggiata. Tu fa' la tua parte, cosí i ragazzi sapranno che in questa zona l'oro c'è e aspetta solo di essere scovato. Poi, dopo che lui avrà trovato la roba che abbiamo messo nel fiume, darà loro una scelta: li pagherà mille euro ciascuno se lo lasciano prelevare dei campioni dalle loro terre, oppure possono investirne qualche migliaio nella sua compagnia mineraria e cosí avranno diritto a una quota di tutto quello che trova. Dirà che a Londra conosce persone pronte a investire, ma vuol dare l'opportunità prima di tutto ai ragazzi della sua terra d'origine. Solo che devono decidere in fretta, perché quelli di Londra gli fanno pressioni. Se tutti scelgono l'investimento, io avrò pagato il mio debito. Se riusciamo a tirare a bordo anche qualcun altro, è tutto profitto extra.

– Ma non gli daranno soldi solo perché io dirò di aver trovato quella pepita.

– Hanno già investito qualcosa. È questo che penseranno. Perché non andare fino in fondo e assicurarsi l'opportunità di vincere forte?

– Perché non sono scemi, – risponde Trey, – e non si fidano di te. Il modo in cui si è evoluta la serata le dà una libertà che la coglie di sorpresa. Non ha piú bisogno di mostrarsi sottomessa a suo padre.

Johnny non discute. Fa un lieve sorriso, guardando verso i campi bui. – Dimentico che sei solo una ragazzina, – dice. – Devi imparare a capire gli uomini. I ragazzi di qui hanno lavorato duro per tutta la vita. Tutto ciò che hanno se lo sono guadagnato. Un uomo dovrebbe essere orgoglioso di questo, ma la verità è che può esserne anche stufo. E comincia a desiderare qualcosa che non deve guadagnarsi con il sudore della fronte; qualcosa che gli cada tra le mani senza motivo. È per questo che le persone giocano alla lotteria. Non sono i soldi che vogliono, anche se pensano di sí; vogliono quel momento in cui si sentono vincitori, toccati dalla mano di Dio. I ragazzi di qui vogliono sentirsi fortunati, per una volta. Vogliono sentirsi come se Dio e la terra fossero dalla loro parte. Forse non darebbero cinquemila euro per la possibilità di guadagnarne cinquantamila, ma li daranno per la possibilità di sentirsi fortunati.

Trey non sa bene di cosa stia parlando e non le interessa. – Lascia fuori Cal, – dice soltanto.

– Io non lo volevo dentro fin dall'inizio, – ribatte Johnny, offeso. – Non prenderei un penny a un uomo che è stato buono con te. L'ho mandato via, e sai cos'ha fatto? Ha minacciato di andare alla polizia, se non l'avessi lasciato entrare. Ecco cosa succede se frequenti uno yankee. Un uomo di queste parti avrebbe detto una cosa simile?

– Lascialo fuori, – ripete Trey. – O questa pepita la getto in un pantano.

– Farai quello che ti è stato ordinato, – dice suo padre. Sembra al limite della pazienza. – Se no ti darò un sacco di botte.

Trey scrolla le spalle.

Johnny si passa una mano sul viso. – Va bene. Farò quello che posso. Tu cerca solo di far bene la tua parte. Per l'amor di Dio.

Trey si avvia lungo la strada.

– Dove credi di andare? – le grida dietro Johnny. – Non ci sono veterinari aperti a quest'ora.

Trey lo ignora.

– Stai andando dal tuo amico Hooper?

Trey vorrebbe accelerare il passo, ma deve aspettare Banjo, che ha smesso di guaire ma zoppica in modo evidente.

– Dài, torna qui, – la chiama Johnny. Lei lo sente aprire la portiera dell'auto. – Vi darò un passaggio.

– Vaffanculo, – gli grida Trey, senza voltarsi.

Trey passa attraverso i campi, per assicurarsi che suo padre non possa seguirla. Quando trova un punto ben illuminato dalla luna, vicino a un muretto che le permette di nascondersi alla vista, si china a esaminare la zampa di Banjo. Dalla terra si solleva il calore accumulato durante il giorno. Il cuore le batte ancora forte.

La zampa è gonfia. Quando la tasta in cerca di bozzi o fratture, il cane guaisce molto e alla fine ringhia, poi si pente e la lecca per scusarsi. Trey gli accarezza il collo nel modo che piú gli piace. Non vuole fargli male fino al punto che tenti di morderla, perché poi Banjo ci starebbe malissimo.

– È tutto a posto, – gli dice. – Stai bene –. Avrebbe voluto dare a Rushborough una ginocchiata nelle palle.

L'inglese e tutto quello che ha portato con sé sono qualcosa di cosí estraneo, per lei, e non riesce a ricapitolare la serata in termini che gliela rendano comprensibile. Sembra quasi che non sia successo davvero. Seduta a terra, cerca di dipanare l'accaduto nella sua mente per poterlo comprendere. Dall'altro lato del muro, le vacche ruminano a un ritmo lento e sognante.

Per quello che riesce a vedere, ha due scelte. Può seguire il suo obiettivo originale, che era quello di far fallire il piano di suo padre e costringerlo a tornarsene da dove è venuto. È l'opzione piú semplice. Le basta portare la pepita a Cal, o a uno dei ragazzi, e dirgli come l'ha avuta. Loro sospettano già di suo padre per riflesso. Lo sbatterebbero fuori dal villaggio insieme all'inglese entro fine giornata. Rushborough può anche essere pericoloso, ma non è nel suo territorio e loro sono in soprannumero: se ne dovrebbe andare per forza.

Contro questa ipotesi gioca il fatto che Trey si taglierebbe una mano, piuttosto che fare un favore a quegli uomini. Quello che vorrebbe fare è aprirgli il torace e strappargli il cuore. Vorrebbe spaccarsi i denti mordendo le loro ossa.

È un impulso che non le ha mai dato problemi morali. Lo accetta come qualcosa che non potrà mai mettere in pratica (anche se ha scoperto esattamente dove potrebbe dirigerlo), ma è convinta che avrebbe tutto il diritto di farlo. Quello che la blocca in modo deciso è Cal. Hanno fatto un patto: Cal ha scoperto cosa è successo a Brendan, anche se non nei dettagli, e in cambio lei gli ha dato la sua parola che non farà nulla per vendicarlo. Ma le azioni di suo padre non c'entrano con Brendan. E in quel caso può fare ciò che vuole.

Può fare quello che le hanno chiesto suo padre e l'inglese. Contro, c'è il fatto che non desidera fare favori nemmeno a loro: suo padre può andare affanculo, per quanto la riguarda, e Rushborough, dopo quello che ha fatto a Banjo, può andare affanculo un milione di volte. Ma il loro piano, se andasse in porto, colpirebbe metà della gente di Ardnakelty. E tra loro ci saranno le persone che hanno fatto del male a Brendan.

E in quel modo anche suo padre scomparirà in fretta. Anche se il piano va in porto, prima o poi sarà evidente il

fatto che l'oro non c'è. Lui e Rushborough arrafferanno
tutti i soldi che possono e taglieranno la corda.

Nella sua mente emerge la consapevolezza che suo padre non ha mai avuto l'intenzione di restare. Sembra ovvio, una cosa che avrebbe dovuto capire dall'inizio, se solo
ci avesse riflettuto. Sarebbe semplicemente potuto andare da Lena e restarci finché lui se ne fosse andato, senza
nemmeno pensare a tutta la merda che si è portato dietro.

Se lo avesse capito prima, avrebbe fatto proprio cosí.
Ma è contenta di aver deciso altrimenti. Resta seduta nel
campo ancora un po', tenendo tra le dita le orecchie mor-
bide di Banjo e pensando ai vari modi di vendicarsi.

– Vieni, – dice al cane, alla fine. Lo prende in braccio
e se lo carica sulle spalle, come un grosso neonato. Banjo
è tutto contento. Le annusa un orecchio, sbavando tra i
capelli. – Pesi una tonnellata, – gli dice Trey. – Ti metterò a dieta.

Il suo peso caldo, il suo odore, le fanno bene. All'improvviso si sente sola. Vorrebbe portare tutta la faccenda da Cal
e chiedergli come comportarsi, ma non lo farà. Qualunque
cosa abbia in mente Cal, è chiaro che non include lei.

– Insalata, – dice a Banjo, incamminandosi sulla strada.
– Non mangerai altro –. Lui le lecca la faccia.

Trey temeva che Lena fosse già andata a letto, ma le sue
finestre sono ancora illuminate. Quando viene ad aprire
la porta, si sente della musica in casa, una donna dalla voce roca che canta una canzone malinconica in una lingua
che lei non riconosce.

– Gesú, – dice Lena, inarcando le sopracciglia. – Cosa
ti è successo?

Trey aveva dimenticato il labbro. – Sono inciampata su
Banjo, – risponde. – Lui mi è finito sotto i piedi e gli ho
schiacciato una zampa. Potresti dargli un'occhiata?

Lena non cambia espressione ma non fa commenti. – Non c'è problema –. Le indica la cucina. – Portalo lí.

Appena vede Nellie e Daisy, Banjo si divincola per scendere, ma quando posa a terra la zampa guaisce di dolore. – Ah, capisco, – dice Lena. – È proprio da lui. Voi due, fuori, – dice a Nellie e Daisy, aprendo la porta di servizio. – Altrimenti lo distraggono. Ora, seduto, forza.

Spegne la musica. Nel silenzio improvviso, la cucina diventa immobile e calma. Trey sente l'impulso di sedersi sul fresco pavimento in pietra e restarci.

Lena s'inginocchia davanti a Banjo e gli accarezza le guance finché lui tenta di leccarle il viso. – Mettiti dietro di lui, – dice. – E tienigli ferma la bocca, non vorrei che mi mordesse. Se diventa aggressivo posso fargli una museruola con una benda di garza, ma preferirei di no.

– Non ti morderà, – dice Trey.

– È ferito. Anche il cane migliore del mondo cambia, in simili condizioni. Ma proviamo prima cosí. Vediamo.

Prende la zampa di Banjo e la tasta con delicatezza. Il cane si agita contro le mani di Trey e si produce in tutto il suo repertorio di guaiti, gemiti e piccoli latrati, e alla fine abbaia forte. – *Shhh*, – gli mormora Trey all'orecchio. – Non fare il bambino.

Lena gli tasta l'altra zampa come termine di paragone e non alza lo sguardo. – Direi che non ha nulla di rotto, – afferma alla fine, sedendosi sui talloni. – È solo una contusione. Non lasciarlo sforzare, nei prossimi giorni.

Trey libera il cane e lui si mette a girare in cerchio, cercando di leccarle tutte e due allo stesso tempo, per mostrare che le ha perdonate.

– È meglio che stanotte resti qui, – dice Lena. – Non dovrebbe camminare in salita fino a casa tua.

– Lo porto in braccio.

Lena le lancia un'occhiata. – Al buio?

– Sí.

– E se inciampi, starete tutti e due peggio di come state ora. Lascialo qui. Cosí se domani per caso peggiora, lo portiamo subito dal veterinario a fare i raggi. Puoi restare anche tu, il letto è ancora fatto dall'ultima volta.

Trey pensa al letto ampio e fresco, a suo padre che l'aspetta a casa per romperle le scatole. All'improvviso chiede: – Sai chi è stato a fare quello a mio fratello?

Non ne avevano mai parlato prima. Lena non si mostra sorpresa, non finge di non capire. – No, – risponde. – Nessuno sembrava intenzionato a dirmelo e non volevo chiedere.

– Però puoi immaginarlo.

– Sí, ma potrei sbagliarmi.

– Chi è stato, secondo te?

Lena scuote la testa. – Niente da fare. Puoi tirare a indovinare su chi fa gli scherzi allo spaventapasseri di Cal, o chi ha lasciato una merda davanti alla porta dei Cunniffe. Su questo no.

– Io comunque li odio tutti, quelli di qui, – ribatte Trey. – Eccetto te e Cal.

– Capisco. E se sapessi chi ha fatto cosa, li odieresti di meno?

Trey ci pensa su. – No.

– Vedi?

– Però saprei chi odiare di piú.

Lena inclina la testa, riconoscendo che non ha tutti i torti. – Se sapessi per certo chi è stato, probabilmente te lo direi. Sarebbe una cattiva idea, ma forse lo farei. Comunque non lo so.

– Secondo me si tratta di Donie McGrath, – azzarda Trey. – Dico, per la merda davanti alla porta dei Cunniffe, non per lo spaventapasseri. Perché la signora Cunniffe si è lamentata che lui tiene la musica a un volume troppo alto.

– Mi sembra probabile, – replica Lena. – Ma è una questione diversa. Qui sei su terreno solido. Non ci sono tante persone qui intorno che lascerebbero della merda davanti a una porta, e comunque userebbero merda di vacca. Donie è un'eccezione. Ma ci sono molte persone che nasconderebbero tutto se avessero fatto qualcosa di davvero brutto. Quindi potrei solo tirare a indovinare alla cieca.

– Sí –. Trey vorrebbe dire che la differenza principale è che loro non hanno diritto di sapere della porta dei Cunniffe, mentre lei ha tutto il diritto e il bisogno di sapere di Brendan, ma all'improvviso la stanchezza le cade addosso come un sasso sulla testa. Le piace la cucina di Lena, che è vissuta, ha il giusto tipo di disordine ed è piena di colori caldi. Vorrebbe stendersi sul pavimento e addormentarsi.

Ha una terza opzione: potrebbe allontanarsi dall'intera faccenda. Salire sulla montagna e restarci finché tutto si sarà sgonfiato: vivere nel suo cottage abbandonato, oppure andare da uno degli uomini che vivono lassú. Loro sono di poche parole, non le farebbero domande e non la tradirebbero se qualcuno venisse a cercarla. Non hanno paura dei tipi come Rushborough.

Lena la sta fissando. – Da cosa dipende la tua domanda?

Trey la guarda senza capire.

– Come mai me l'hai fatta proprio stasera, dopo due anni?

Trey non se l'aspettava. Lena è la persona meno ficcanaso che conosce, il che è la ragione per cui le piace. – Non lo so.

– Adolescenti del cavolo –. Lena si alza in piedi e va ad aprire la porta ai suoi cani. Loro entrano di corsa per vedere come sta Banjo e gli annusano la zampa.

– Banjo ha già mangiato?

– No.

Lena prende una scodella in piú ed estrae una busta di cibo per cani da un armadietto. Tutti e tre i cani dimenticano la zampa contusa e si stringono contro di lei, strusciandosi sulle sue gambe nella loro migliore interpretazione di beagle prossimi a morire di fame.

– Quando avevo sedici anni, – racconta Lena, – una mia amica è rimasta incinta. Non voleva che i suoi genitori lo sapessero. Cosí sai cosa ho fatto? Ho tenuto la bocca chiusa.

Trey annuisce.

– Sono stata una deficiente, – continua Lena. Spinge via i cani con un ginocchio per poter versare il cibo nelle ciotole. – Lei aveva bisogno di un controllo medico; forse aveva dei problemi con la gravidanza. Ma tutto quello che ho pensato è stato che gli adulti avrebbero fatto un gran casino, complicando le cose. Era meglio lasciarli fuori e fare da sole.

– Com'è andata?

– Un'altra nostra amica è stata piú sensata e l'ha detto a sua madre. Cosí la mia amica incinta è andata da un medico, ha avuto il bambino e tutto è andato bene. Ma poteva finire a partorire in un campo, e forse sarebbero morti entrambi. Questo perché noi pensavamo che gli adulti fosse meglio lasciarli fuori.

Trey capisce dove vuole andare a parare, ma le sembra che, come per la porta dei Cunniffe, Lena non prenda in considerazione importanti differenze. È quasi pentita di essere venuta da lei, visto che Banjo comunque sta bene. Si sente piú sola che mai. – Chi è stato?

– Merda, non è questo il punto, – ribatte Lena.

Trey si alza dal pavimento. – Puoi tenerlo per stanotte? – chiede. – Passo a prenderlo domani mattina.

Lena rimette nell'armadietto il cibo per cani. – Stammi a sentire. Io e Cal faremmo qualunque cosa per te. Lo sai, vero?

– Sí –. Trey guarda i cani che mangiano, imbarazzata. – Grazie. – L'idea le dà un certo conforto, ma confuso e pasticciato. Andrebbe meglio se riuscisse a pensare a qualcosa da chiedere a Lena e Cal.

– Allora ricordatelo. E hai bisogno di lavarti la faccia e metterti qualcosa sopra quella maglietta, se non vuoi che la gente ti chieda da quale guerra sei uscita.

La montagna è piena di attività mentre Trey torna verso casa, un'attività che si mantiene ai bordi della sua percezione, con movimenti e fruscii che forse ci sono e forse no. Lei si sente nuda, senza Banjo al fianco.

Non è preoccupata per Lena. Se suo padre dovesse provare a convincerla a investire nella sua miniera d'oro immaginaria, non otterrebbe nulla. Lena ama mantenere le distanze, e Johnny e Rushborough insieme non hanno abbastanza forza da smuoverla nemmeno di un passo. Ma Trey è preoccupata per Cal. Lui sta facendo qualcosa che lei non sa, e non conosce la verità su Rushborough. Ha già avuto abbastanza guai, a causa sua e della sua famiglia, e Trey non vuole assolutamente che ne abbia ancora. Il fatto che ce l'abbia con lui intensifica la sensazione: non desidera trovarsi in debito nei suoi confronti piú di quanto già non sia.

Deve trovare qualcosa da fare riguardo a Cal. E durante il cammino la situazione si fa piú chiara. Suo padre e Rushborough sono le uniche armi che ha a disposizione. Sono armi cariche, pronte all'uso. Non è andata a cercarle, ma se le è trovate davanti, a opera di quello stesso qualcosa che ha portato Cal ad Ardnakelty quando lei aveva bisogno di scoprire cosa era successo a Brendan. Allora aveva paura di parlare con Cal, ma l'aveva fatto ugualmente, perché sentiva, come sente ora, che non farlo voleva dire sputare in faccia a quel qualcosa.

Cal le ha detto molto tempo fa che ciascuno di noi ha bisogno di vivere secondo un codice. Trey capisce solo in parte cosa significa, ma ciò nonostante, o forse proprio per questo, ci pensa molto. Il suo codice è sempre stato rudimentale e poco coerente, ma da quando suo padre è tornato si è affinato, indicandole la strada e formando esigenze. Se è vero che non può uccidere nessuno per quello che è stato fatto a Brendan, e non può nemmeno mandare in prigione nessuno, vuole almeno un prezzo di sangue.

10

Di tanto in tanto, Lena ha dei ripensamenti oziosi sul fatto di non aver voluto figli, soprattutto nei momenti in cui la prevedibilità della sua vita comincia a darle fastidio. Ma oggi ringrazia Dio: Trey non è sua figlia, eppure la fa impazzire come se lo fosse.

Nel suo mondo sta succedendo qualcosa. Lena suppone che sia stato suo padre a picchiarla e a far male a Banjo, ma dal modo in cui Trey si è espressa, non si è trattato solo di una rabbia da ubriaco; deve avere qualcosa a che fare con Brendan. Lena ha capito cosa è successo a Brendan, anche se si è premurata di non venire a sapere i dettagli, ma non riesce a capire in che modo questo si collega con Johnny, con l'inglese e con l'oro. Sperava quasi che la zampa di Banjo peggiorasse durante la notte, per portarlo dal veterinario e cosí avere un'altra occasione di provare a parlare con Trey. Ma stamattina il gonfiore era scomparso e lui riusciva ad appoggiare bene la zampa, anche se sentiva di meritare altro cibo e coccole come compenso per quella brutta esperienza. Trey era arrivata prima che lei uscisse per andare al lavoro e se l'era portato via, con un discorsetto di ringraziamento che aveva evidentemente imparato a memoria. Lena non sa che fare con lei.

Si tratta di un'abilità che non ha mai sviluppato. Vuole bene ai suoi nipotini, gioca con loro e ascolta i loro problemi e dà consigli se glieli chiedono, ma tutte le cose piú complesse che li riguardano le risolvono le loro madri, o qualche volta i padri. Forse lei potrebbe fare di piú, se volesse, ma non vuole. Non le è mai sembrato necessario, perché i genitori dei suoi nipoti sembrano piú che capaci di fare da soli. Ma qualunque cosa stia succedendo nella vita di Trey, non se ne occupa nessuno.

Si sente inquieta. E come se non bastasse, non si tratta solo di Trey, ma anche di Cal, del suo nervosismo elettrico, della rabbia nascosta sotto la sua calma; e si tratta di Rushborough, che ieri si è fermato a fare due chiacchiere mentre lei portava a spasso i cani, e le era risultato ancora meno simpatico di quanto avesse immaginato. Aspettare e vedere non è piú abbastanza. Aveva provato a chiamare Noreen per scusarsi del battibecco dell'altro giorno, ma anche se sua sorella ha accesso a una riserva di pettegolezzi molto piú grande della sua, non sapeva nulla di concreto. Cosí, malgrado il suo istinto le dica di non farlo, è diretta nell'unico posto dove potrà capire che diavolo sta succedendo. È sicura che sia una cattiva idea, ma non ne ha una migliore.

Il calore si è fatto piú forte e il sole del primo pomeriggio tiene il villaggio in una morsa di immobilità. La strada principale è deserta, ci sono soltanto i vecchi seduti contro il muro della grotta, forse perché hanno troppo caldo per muoversi e rientrare in casa; uno di loro si sventola pigramente con un giornale.

La signora Duggan è alla finestra, come sempre; fuma una sigaretta e controlla la strada in cerca di informazioni interessanti. Lena incrocia il suo sguardo, le rivolge un cenno di saluto e riceve in cambio un sopracciglio inarcato. Quando bussa alla porta, non ci sono movimenti all'interno, ma dopo qualche secondo una voce lenta e pesante dice: – Entra pure.

La casa odora dei prodotti di pulizia di Noreen, con un sottofondo sudato e dolciastro. Il soggiorno è ingombro di vecchi mobili marroni, soprammobili di porcellana e foto in cornice di papi del passato. La signora Duggan è affondata nella sua poltrona, le braccia sui braccioli. Indossa un vestito viola e vecchie pantofole di pile; i capelli, tinti di un nero lucente, sono tirati indietro in una crocchia severa. Ha l'aria di un fenomeno geologico, come se la casa le fosse stata costruita intorno perché nessuno era disposto a tentare di spostarla.

– Ma guarda un po', – dice, ispezionandola con un'espressione divertita negli occhi infossati. – Lena Dunne che viene a trovarmi. Stiamo vivendo tempi strani, in questo posto.

La signora Duggan è uno dei motivi per cui Lena non ha mai voluto figli. Rappresenta la fermentazione di tutte le cose di Ardnakelty che Lena voleva lasciarsi alle spalle. Alla fine ha trovato un modo di vivere in pace con quel posto, ma non gli avrebbe mai consegnato un figlio suo.

– Ho appena fatto la marmellata di mirtilli, – dice Lena. – Gliene ho portato un barattolo.

– La mangio volentieri –. La signora Duggan si china in avanti, con evidente sforzo, prende il barattolo dalle sue mani e lo esamina. – Andrà benissimo con del pane di soda. Chiederò a Noreen di farne un po' stasera –. Trova uno spazio per il barattolo sul tavolino accanto alla poltrona, tra tazze di tè e portacenere e carte da gioco e biscotti e fazzoletti, e lancia un'occhiata a Lena. – Ti dispiace per tua sorella, costretta a fare il pane per una vecchia, con questo caldo?

– Noreen ha quello che voleva, – risponde Lena. – Non ho motivo di dispiacermi per lei.

– Quasi tutti ottengono quello che vogliono, – sentenzia la signora Duggan. – Nel bene e nel male. Siediti –.

Indica la poltrona dall'altro lato della finestra. – Tu per esempio hai quell'americano nella casa degli O'Shea. Come sta andando?

– Lui mi piace. E sembra che io piaccia a lui.

– Lo sapevo, sai? La prima volta che è passato davanti alla mia finestra, ho fatto una scommessa con me stessa: se lo prenderà Lena Dunne. E quando ho saputo che avevo avuto ragione, ho brindato con un bicchiere di sherry. Hai intenzione di tenertelo?

– Non faccio piani per il futuro, – risponde Lena.

La signora Duggan le rivolge un'occhiata cinica. – Sei troppo vecchia per queste sciocchezze, come se fossi una ragazzina. Certo che fai piani per il futuro. Fai bene a non sposarlo ancora. Lascialo crogiolarsi nell'idea che si tratta di un'avventura. Agli uomini di quell'età piace. Li fa sentire un po' folli –. Aspira un'ultima, profonda boccata dalla sigaretta e schiaccia il mozzicone nel portacenere. – Bene, ora vuota il sacco. Cosa vuoi?

– Avrà sentito di Johnny Reddy e del suo inglese che cercano l'oro, – dice Lena.

– Certo, l'hanno sentito anche i cani.

– Si è mai parlato di oro da queste parti, prima d'ora?

La signora Duggan si rilassa sulla poltrona e ride, una risata profonda, ansimante, che fa sussultare le pieghe di grasso come un movimento tettonico.

– Mi domandavo quando qualcuno si sarebbe deciso a chiedermelo, – risponde. – E avevo fatto una scommessa con me stessa su chi sarebbe stato il primo. Ma mi sono sbagliata. Niente bicchiere di sherry, stasera.

Lena non le chiede su chi aveva scommesso. Non vuole darle piú soddisfazione dello stretto necessario. Aspetta senza dire nulla.

– Hai chiesto a Noreen?

– Se Noreen avesse sentito qualcosa, lo saprei.

La signora Duggan annuisce, allargando le narici in un'espressione di leggero disprezzo. – Quella non è capace di tenere la bocca chiusa. Perché ti sei presa il disturbo di venire da me, se sua signoria non aveva nulla da dirti?

– Le informazioni si perdono, – risponde Lena. – Magari qualcuno sapeva dell'oro, trenta, quaranta o cinquant'anni fa, ma ora è morto. E Noreen non ne sa quanto lei del passato. Se qualcuno lo sa, è lei.

– È vero. Non mi lusinga che tu mi dica quello che già so.

– Non volevo lusingarla. Le sto solo dicendo perché sono qui.

La donna annuisce, prende un'altra sigaretta dal pacchetto, con una certa difficoltà per via delle dita gonfie, e l'accende.

– Il mio Dessie è giú al fiume, in questo momento, – dice, – con tutti gli altri. Stanno aiutando l'inglese a trovare l'oro che hanno messo nell'acqua. Il tuo uomo è con loro?

– Credo di sí.

– Come se fossero dei ragazzini, – dice la signora Duggan. – Frugano nel fango e si divertono un sacco –. Mentre fuma, la osserva con attenzione. – Ecco una cosa che vorrei sapere, – dice. – Perché ti sbaciucchiavi con Johnny Reddy quando eri fidanzata con Sean Dunne?

Lena già da molto tempo si rifiuta di batter ciglio per quella donna. – Johnny era un bel ragazzo, ai tempi. Piaceva a tutte.

La Duggan fa una risata sbuffante. – Cosa te ne facevi di quel pagliaccio quando avevi un uomo come si deve? Sean valeva come minimo il doppio di Johnny.

– È vero, – conviene Lena. Ma tante ragazze desiderano un'ultima avventura prima di sistemarsi. E anche tanti ragazzi.

– È la pura verità, – dice la Duggan, con un sorrisetto. – Ma tu non sei mai stata una puttanella. Hai sempre pensato di essere troppo importante per seguire le regole, ma non è stato per questo. Se avessi voluto un'ultima avventura, saresti partita per l'Australia con lo zaino.

Ha perfettamente ragione, e a Lena non piace. – Sarebbe stato molto meglio, è vero, – dice. – Ma Johnny era a portata di mano e costava meno.

La Duggan scuote la testa e aspetta, osservandola e fumando con aria divertita.

Lena prova un senso di nuda impotenza che non sentiva da decenni. Quella donna e quel posto sono ciò che sono in un modo cosí ostinato e monumentale, che sembra assurdo tentare di vincerli in astuzia. La loro vastità non le lascia spazio di manovra, non le lascia respiro. Per un istante ricorda quella sensazione, che sconfina nel panico assoluto. E ricorda la mano di Johnny che le risaliva lungo la schiena.

– Se Sean l'avesse scoperto, – confessa, – forse mi avrebbe lasciata. E allora sarei andata all'università.

La signora Duggan si sistema meglio in poltrona e ride di nuovo. È una lunga risata. – Ma pensa un po', – dice quando ritiene di essersi divertita abbastanza. – Era di questo che si trattava: la nostra Helena voleva qualcosa di piú di quello che il povero Seaneen Dunne e la povera piccola Ardnakelty potevano offrirle. E speravi che io facessi il lavoro sporco per te.

– Non lo speravo, – ribatte Lena. – Volevo Sean, altrimenti il lavoro sporco me lo sarei fatto da sola. Ho solo voluto lanciare i dadi per vedere che succedeva.

– Ti credevi molto furba, ma io non mi lascio usare.

– Non pensavo a lei. Non so nemmeno come sia venuta a saperlo. Pensavo a chiunque fosse passato di lí.

– Sapevi che io vengo a sapere tutto, – dice la Duggan.
– Ma con quello che sento ci faccio quello che voglio io,
non quello che vuoi tu o nessun altro.

Lena è stufa; ormai ha pagato il dovuto. Dice: – Quindi avrà sentito se qui c'è l'oro oppure no.

La signora Duggan annuisce, accettando la transazione.
Soffia una boccata di fumo e lo osserva arricciarsi contro
la finestra.

– In tutta la mia vita, – risponde, – non ho mai sentito
una parola sull'esistenza di oro da queste parti. La gente
adesso dice che il vecchio Mick Feeney lo sapeva e se l'era
tenuto per sé, ma ci sono stati tempi in cui Mick Feeney
mi avrebbe dato qualunque cosa, in cambio di quello che
voleva da me, e non ha mai detto una parola su questo argomento. Io ho conosciuto tutti i Feeney negli ultimi ottant'anni, e se qualcuno di loro sapeva di depositi d'oro in
questa zona, mi mangio questo portacenere –. Spegne la
sigaretta, schiacciandola forte, e fissa Lena. – Non so dirti per certo se qui c'è l'oro, ma posso dirti che nessuno ha
mai pensato che ci fosse, finché non sono arrivati Johnny
e il suo inglese con i loro grandi discorsi. Tu cosa ne pensi?

– Qualsiasi cosa esca dalla bocca di Johnny Reddy, – risponde Lena, – mi sorprenderebbe molto se fosse vera.

La signora Duggan fa una breve risata. – Ora sai come
stanno le cose. Che farai?

– Non ci ho ancora pensato. Forse non farò nulla.

– Ci saranno guai, – dice la Duggan, con apprensione.
– Mi hai detto che non fai piani in anticipo, ma se fossi in
te, stavolta farei un'eccezione.

– Non ha mai detto niente di questo a Noreen o a Dessie, giusto?

– Se me l'avessero chiesto, forse gliel'avrei detto. Ma non
me l'hanno mai chiesto. Tutti pensano che sia tua sorella

quella che sa le cose, adesso. Io sono solo una vecchiaccia che ha superato la sua data di scadenza –. Si sposta sulla poltrona, facendola cigolare, e la sua bocca ampia si allarga in un sorriso. – Non m'interessa se Dessie vuole fare la figura dello stupido. Tra poco non ci sarò piú. Ma finché ci sono, prendo quello che posso –. Indica il portacenere. – Vuotalo prima di uscire, ma non nella differenziata. Tua sorella è una gran rompiscatole su questo punto.

Lena lo prende e va in cucina a vuotarlo nella spazzatura. La cucina è grande, splendente e pulita in modo quasi feroce, con file di tazze tutte uguali appese sotto gli armadietti e un'incerata a fiori sul lungo tavolo. Su una parete c'è una lavagna bianca con una colonna per ogni figlio di Noreen, per ricordarsi dei loro allenamenti e degli appuntamenti dall'ortodontista e di chi ha bisogno di una nuova mazza da hurling. Lena scrive: «Fa' qualcosa di bello per tua madre», in ciascuna colonna.

– Bene, Sunny Jim, – dice Mart. Lui e Cal risalgono la strada verso le loro rispettive case, a un passo tranquillo per non sforzare le articolazioni di Mart. Il sole colpisce un po' meno forte a quell'ora, e proietta le loro ombre nette e nere sulla strada e lungo muri e siepi. – Direi che è andata bene.

– Tutti sembravano contenti, – commenta Cal. Quella era la cosa che l'aveva sorpreso: l'esplosione spontanea di grida di giubilo quando Rushborough aveva sollevato le prime tracce di polvere d'oro nella padella; il suono di genuino stupore e contentezza, come se davvero stessero trattenendo il fiato in attesa di scoprire se c'era qualcosa oppure no. L'oro ormai ha acquistato una realtà al di fuori di loro e delle loro azioni. Sono come credenti esaltati dalla santa verità di una reliquia, pur sapendo che la reliquia non è altro che una scheggia d'osso di pollo.

– Io non ci speravo troppo, – dice Mart. – Quando hai
a che fare con tipi come Johnny Reddy, devi sempre aspet-
tarti che qualcosa vada storto. Ma stavolta devo ammettere che è andato tutto liscio come l'olio.

– Finora.

– Finora, – conviene Mart. – Sai una cosa che mi ha
colto di sorpresa? Non contavo di passare lí tutta la giornata –. Tenta d'inarcare la schiena e fa una smorfia di dolore sentendola scrocchiare. – Pensavo che bastasse dare
due scosse alla padella, far uscire la sabbia e via, a setacciare il prossimo punto. Non pensavo ci fosse tanto da fare:
restare fermi per tanto tempo è facile per te e per gli altri
giovanotti, ma per me è tutto un altro paio di maniche.

– Saresti dovuto tornare a casa, allora, lasciando me e
gli altri giovanotti a lavorare.

– Avrei potuto, – ammette Mart. – Ma qui succedono
cosí poche cose che questa non voglio perdermela. E inoltre, se smetti di tenere d'occhio costantemente Johnny
Reddy, poi non puoi lamentarti di quello che ti capita –.
Fa scrocchiare di nuovo la schiena e reprime una smorfia di
dolore. – Comunque starò bene. Tu verrai ai festeggiamen-
ti? Non puoi mancare. Non possiamo rischiare che Paddy
l'Inglese s'insospettisca, chiedendosi se qualcosa non va.

– Dubito che si accorgerebbe della mia assenza, – replica
Cal. – Secondo me non gli piaccio –. Rushborough l'aveva
trattato con quel tipo di cortesia a labbra strette che gli inglesi riservavano a chi non gli piaceva, e aveva guardato nella
sua direzione il meno possibile. Cal aveva notato che la cosa
aveva innervosito Johnny. E gli piace che Johnny sia nervoso.

– In realtà, non noterebbe nemmeno la tua presenza,
secondo me, – dice Mart. – Ha altre cose in mente. Hai
visto che faccia aveva? Sembrava un bambino che ha appena visto Babbo Natale.

– Sí, – risponde Cal –. Ripensa a Rushborough immerso nell'acqua fino alle cosce, la padella sollevata come un trofeo e i denti scoperti in un sorriso esultante, illuminato dal sole, con l'acqua che gli scorreva lungo le braccia. Non gli era sembrato affatto un bambino. – Mangio qualcosa, faccio una doccia e vengo. Sto sudando come un peccatore in chiesa.

– Ci sarà qualcuno a darti una mano con entrambe le cose, – gli fa notare Mart, mentre escono dalla curva, indicando il cortile di Cal con il bastone. – Ma forse dopo non sarai meno sudato.

Nel cortile c'è l'auto di Lena. Involontariamente Cal affretta il passo. Di solito, la Skoda blu di Lena è una delle cose che piú gli piace vedere, ma in quel periodo ogni cosa inaspettata puzza di cattive notizie. – Santo Dio, hai fretta, eh? – Il sorriso di Mart si allarga. Cal rallenta.

Negli ultimi giorni si è sentito sempre piú inquieto. Ci sono troppe piccole cose che non gli piacciono. Per esempio, non gli è piaciuto il fatto che il giorno prima Johnny fosse sceso al fiume per contribuire a seminare l'oro. Aveva pensato che volesse tenersi lontano da quella parte del piano, e invece Johnny era sulla riva con tutti gli altri, anche se aveva evitato di bagnarsi le scarpe, e Cal non riesce a capire perché. Non gli piace il fatto di restarsene inattivo: normalmente, concentra la sua tendenza ad aggiustare le cose su vecchie sedie, ma questi non sono tempi normali, e la situazione richiede molto piú che starsene fermi nel fango a guardare un inglese che gioca alla caccia al tesoro. Non gli piace che Johnny tenga Trey lontana da lui, con la stessa disinvoltura con cui il cane di Mart taglia fuori dal gregge una pecora per uno scopo specifico. E non gli piace il fatto di non riuscire a capire quali piani abbia Johnny per la ragazza. Ma la cosa che gli piace meno di tutte è il fatto che Trey gli tenga nascoste delle cose, anche se sa benissimo che non è obbligata a dirgli nulla.

– Non mi fermo a salutarla, – dice Mart. – La tua donna non è pazza di me, l'hai notato? Non le ho mai fatto nulla, ma non è una mia fan.

– Sui gusti non si discute, – sentenzia Cal.

– Quando faremo il bagno nell'oro le comprerò un cesto di leccornie per i suoi cani, e vediamo se cambia idea. Nel frattempo, la lascio a te.

– Ci vediamo al *Seán Óg*, – risponde Cal. Un'altra cosa che non gli piace è la sensazione di ritrovarsi a fare l'alleato di Mart. Aveva delineato chiaramente i confini tra loro due e hanno resistito per due anni, anche se Mart ogni tanto li metteva alla prova solo per dargli fastidio. Ora hanno perso solidità. Johnny può essere solo uno stronzetto qualunque, ma in qualche modo adesso ha abbastanza forza da rovesciare gli equilibri in tutto il territorio.

– Non affrettarti, – gli dice Mart. – Dirò ai ragazzi che hai una buona scusa per il ritardo –. Alza il bastone in segno di saluto e si allontana. Il calore che si solleva dalla strada rende tremolanti le sue gambe, come se fosse sul punto di dissolversi nell'aria. Cal gira intorno alla casa, attraversando il prato mezzo secco.

Lena è sulla sedia a dondolo sotto il portico posteriore, dove sapeva che l'avrebbe trovata. Ha le chiavi di casa, ma entrare quando lui non c'è è un limite che non ha ancora voglia di superare. A volte lui vorrebbe che lo facesse. Gli piace l'idea di tornare a casa e trovarla raggomitolata sul divano, immersa in un libro, con una tazza di tè in mano.

La relazione con lei era stata una completa sorpresa. Quando sua moglie l'aveva lasciato, aveva deciso di lasciar stare le donne per sempre. Era stato con Donna fin da quando aveva vent'anni; era l'unica donna che avesse

mai voluto e l'ultima cosa che desiderava era innamorarsi
di nuovo. Voleva diventare uno di quegli uomini contenti
di flirtare in un bar, di avere un'avventura di una notte di
tanto in tanto, ma nulla di piú. Lena gli ha detto che per
lei era un po' diverso, forse perché suo marito non l'aveva
lasciata ma era morto. Non era che fosse decisa a non avere piú un altro uomo, era solo che le sembrava impossibile. Eppure, in qualche modo, si sono incontrati ed eccoli
qui, anche se non si sa bene dove sia «qui». La loro storia
ancora sorprende Cal. Si sente come se non ne avesse diritto, dopo aver deciso in modo cosí netto che non avrebbe avuto un'altra donna.

– Ciao, – dice. – Tutto bene?

– Benissimo, – risponde lei, e Cal respira di sollievo.
– Ho lasciato uscire Rip, prima che scardinasse la porta.
È nel campo dietro casa, con i miei cani. E vorrei tanto
una tazza di quel tè, se ne hai in frigo.

Il caldo estivo l'ha finalmente convertita al tè freddo
dolce di Cal, che prima sia lei, sia Trey, guardavano con
molto sospetto. Trey si era rifiutata anche solo di assaggiar-
lo. Cal riempie un bicchiere alto per ciascuno, con ghiaccio e una fettina di limone e va a staccare alcune foglie di
menta dalla pianta in vaso sotto il portico.

– Ho sentito che questo è stato il grande giorno, – dice
Lena, alzando il bicchiere in segno di ringraziamento per
il tè. – Tutti voi giú al fiume, a riprendere l'oro da dove
l'avevate messo ieri. Il cerchio della vita.

– Ma lo sanno davvero tutti? – chiede Cal, sedendosi
sulla sua poltrona.

– Noreen l'ha saputo da Dessie, e noi due ci parliamo di
nuovo, cosí me l'ha detto. Non credo l'abbia detto a tutti, l'ha detto a me perché pensava che l'avessi già saputo
da te. Com'è andata?

– Tutto secondo i piani, direi. Quel Rushborough aveva l'equipaggiamento completo, padella, setaccio, calamita, e una cosa che soffiava aria, e non so che altro. E parlava tutto il tempo. Giacimento aurifero, ristratificazione, canali alluvionali. Temevo che alla fine ci sarebbe stato un quiz.

Beve metà del suo bicchiere e pensa che avrebbe dovuto aggiungere del bourbon. Mart ha ragione, è stata una giornata piú lunga di quello che credeva. Il sole si rifletteva sull'acqua ad angolazioni strane, cosí doveva continuare a stringere gli occhi e voltare la testa, per vedere qualcosa. All'improvviso si sente stufo di tutto quel caldo, o comunque stufo di qualcosa.

– Per tutto il tempo, – dice, – pensavo che avessimo sbagliato qualcosa. Per esempio, che non avessimo messo l'oro alla giusta profondità, o che l'avessimo messo nella parte sbagliata del fiume, eccetera. E che Rushborough avrebbe capito il trucco, avrebbe chiuso baracca e burattini e sarebbe tornato a Londra. In tal caso, Johnny l'avrebbe seguito, per evitare che i ragazzi lo pestassero a dovere per avergli fatto perdere i loro soldi –. Preme il bicchiere freddo sulla tempia e sente il sangue pulsare contro il vetro. – Immagino che Mart sapesse quello che diceva, perché Rushborough si è comportato come se fosse tutto perfetto, e non smetteva di dire quanto sarebbe stata orgogliosa sua nonna. Felice come un maiale nella merda.

Lena non fa commenti. Rigira il bicchiere in mano, osservando i cubetti di ghiaccio. Cal capisce che sta cercando il modo migliore di dirgli qualcosa. I suoi muscoli s'irrigidiscono di nuovo. Come quasi tutti i maschi che conosce, poche cose lo innervosiscono come una donna che ha qualcosa in mente. Beve un altro sorso di tè, sperando che il freddo prepari il cervello a qualunque cosa lo aspetti.

– Sono andata a trovare la signora Duggan, – dice Lena. – La conosci? È la suocera di Noreen. Quel donnone che se ne sta alla finestra tutto il giorno a osservare la strada.

– L'ho vista, – risponde Cal. – Ma non l'ho mai conosciuta.

– Non esce quasi mai, va solo a messa. Per via della sciatica. Fino a una quindicina d'anni fa era lei a gestire il negozio, ed era informata di tutto quello che succedeva qua intorno. Anche piú di Noreen. Tu facevi qualcosa con la tua migliore amica, non dicevate una parola a nessuno, ma il giorno dopo la signora Duggan lo sapeva.

Lena dondola sulla sedia e parla in tono tranquillo, ma Cal avverte la tensione. Essere andata da quella donna doveva esserle costato.

– C'era una come lei nella cittadina dove viveva mio nonno, – le dice. – Molti posti starebbero molto meglio senza quel tipo di persone.

– Anch'io l'ho sempre pensato, – replica Lena. – Oggi non ne sono tanto sicura. La signora Duggan mi ha detto che non ha mai sentito parlare di oro nei dintorni. Ha ottant'anni, perciò non ha mai conosciuto Bridie Feeney, la nonna di Rushborough, ma conosceva fratelli e sorelle di Bridie. E Michael Duggan, quello che secondo Rushborough ha trovato quella piccola pepita insieme a sua nonna, era un suo zio acquisito. Se lei non ha mai sentito una parola su quell'oro, significa che neppure i Feeney ne sapevano nulla.

Cal resta immobile e cerca di incastrare quello che lei ha appena detto tra le altre cose che sa, sospetta o teme. L'annebbiamento mentale è scomparso e si sente attento come non lo è mai stato nella sua vita. – Credi che ti abbia detto la verità?

– Sí. La cosa peggiore riguardo alla signora Duggan è

che ha sempre ragione. Sarebbe inutile sapere sempre tutto, se poi la gente non sa se deve crederti o no.

– Ma allora da dove diavolo... – Cal non riesce piú a stare fermo. Si alza e comincia a camminare avanti e indietro sotto il portico. – Da dove diavolo è venuta fuori tutta questa storia? Rushborough se l'è tirata fuori dal culo, ci ha aggiunto una serie di cose che sua nonna gli aveva detto su questo posto e ha usato quel coglione di Johnny come biglietto d'ingresso? – Si prenderebbe a calci per non averlo capito fin dall'inizio. Rushborough non gli aveva mai dato l'impressione di essere un credulone; fin dalla prima occhiata, gli era sembrato piú il tipo che spilla ai creduloni tutti i loro soldi. Tutti gli altri possono essere scusati per non averlo notato. Lui no.

– No, – dice Lena. – Io penso che siano insieme nell'affare. E ti dirò un'altra cosa: quando Johnny è tornato, aveva un gran bisogno di un taglio di capelli. È una piccola cosa, ma non è da lui. Gli è sempre piaciuto presentarsi bene. Perciò ho pensato che stesse scappando da qualcosa, che si fosse messo nei guai.

– Non me l'avevi detto.

– No. Poteva anche non essere nulla.

– Quindi Johnny e Rushborough... – Cal si costringe a sedersi di nuovo, per mantenere in ordine i pensieri. – Si sono trovati in qualche problema, in Inghilterra. Allora hanno inventato questa storia e sono venuti qui per tirare su un po' di soldi e cavarsi fuori dai guai.

Non sottovaluta il tipo di guai in cui Johnny può essersi cacciato. È evidentemente un truffatore di piccolo calibro, con la parlantina sciolta e un utile sorriso. Ma se è stato trascinato in qualcosa di piú grande di lui, può essere andato a finire in qualche territorio molto lontano da quello a cui appartiene naturalmente.

– Ma come? Oggi avranno tirato fuori dal fiume oro per un valore di quanto? Mille, duemila euro? Non varrebbe la pena aver fatto tutto questo per cosí poco.

– No, infatti –. Cal ricorda Mart che parlava di psicologia, nel pub. – Questo è solo l'inizio. Ora hanno gasato tutti, e troveranno un motivo per dire che servono piú soldi. Per acquistare una licenza mineraria, equipaggiamento, qualcosa. Secondo te Mart, P. J. e il resto hanno abbastanza soldi da valere la pena di provare a truffarli?

Il movimento della sedia a dondolo di Lena è cessato. – Di sicuro hanno dei risparmi da parte, – risponde. – Forse non Con McHugh, è troppo giovane, ma gli altri sí. E hanno la terra. Sessanta o settanta acri ciascuno. Senan ne ha cento. Terra di famiglia, libera da debiti. Chiunque di loro potrebbe andare in banca domani e ipotecare quegli acri per cinquemila euro l'uno, o darli in garanzia per un prestito.

– I ragazzi ci sono già dentro fino al collo –. Cal non ha mai lavorato alla sezione Frodi, ma ci lavoravano alcuni suoi amici, perciò sa come funziona. – Se Johnny sa descrivere la situazione in modo convincente, penseranno che è da stupidi non fare quel passo in piú.

Lena ha ripreso a dondolarsi sulla sedia, mentre riflette. – Lo faranno, – dichiara. – La maggior parte, almeno. Se pensano che ci sia dell'oro sui loro terreni, o anche solo che possa esserci, non riusciranno a voltare semplicemente le spalle. Se fosse sulla montagna, forse resterebbero sul sicuro e non farebbero nulla. Ma non se pensano che sia vicino alle loro case.

Cal prova uno strano senso di offesa in nome degli uomini che erano al fiume quella mattina. Con alcuni ha dei problemi, ma ricorda i loro visi nel pub, quando Rushborough si era tolto l'anello: erano immobili, mentre la loro terra si trasformava e si accendeva, illuminata da nuove costellazioni e da messaggi dei loro antenati. A paragone di ciò che stanno facendo Johnny e Rushborough, l'aver seminato l'oro nel fiume sembra una marachella da ragazzi, come rubare una birra, o radere le sopracciglia a un amico ubriaco. Cal vive ad Ardnakelty da abbastanza tempo da sapere che il legame tra quegli uomini e le loro terre è qualcosa di profondo e inesprimibile a parole. Johnny avrebbe dovuto sapere che non era il caso di cercare di fregarli su quello, e meno che mai di lasciare che lo facesse un tizio dall'accento inglese.

– Se lo scoprono, – dice, – ci saranno guai.

Lena lo osserva. – Credi che dovrebbero scoprirlo?

– Sí –. Cal sente dentro di sé un'immensa ondata di sollievo. – E prima è, meglio è. Ci vedremo tutti al *Seán* per festeggiare. Cosí lo sapranno tutti insieme.

Lei inarca le sopracciglia. – Scoppierà un casino.

– Piú aspetto, piú il casino sarà grosso.

– Potresti dirlo solo a Johnny. Lo accompagni verso casa dopo il pub e gli dici che domani lo dirai ai ragazzi, perciò, ha tempo fino ad allora per fare i bagagli. Cosí eviterai che le cose vadano fuori controllo.

– No.

– Digli che ci sono anche altre persone che lo sanno. Nel caso che Rushborough si faccia venire strane idee.

– Le persone qui intorno, – dice Cal, – considerano Trey quasi come se fosse mia figlia –. Gli viene fuori con difficoltà, perché non l'aveva mai detto prima e perché non sa fino a quando sarà vero; non vede Trey da giorni, e gli dispiace. Ma per ora, almeno, la loro relazione vale qualcosa per lei. – Se io sbugiardo Johnny davanti a Dio e a tutti quanti, tutti sapranno che sono stato io ad affondare il suo piano, e nessuno penserà che Trey fosse sua complice.

Cosí, una volta che se ne sarà andato, lei potrà continuare
la sua vita senza che nessuno la infastidisca.

Scende un breve silenzio. Ai bordi dell'orto, i cani hanno fatto scattare i sensori dello spaventapasseri zombie e
gli abbaiano contro, minacciando distruzione da una distanza di sicurezza. Le piante di pomodori si stanno svi-
luppando; anche dal portico Cal riesce a vedere le macchie
rosse tra il verde.

– Quel Rushborough, – dice Lena. – L'ho incontrato
ieri mattina. Stavo portando a spasso i cani e si è fermato
a fare due chiacchiere.

– Su cosa?

– Su nulla. Quanto sono belle queste montagne, questo
non è il clima che si aspettava in Irlanda… Qualunque cosa farai, tienilo d'occhio.

– Non dirò nulla mentre lui è presente, – le assicura
Cal. – È piú intelligente di Johnny e potrebbe trovare il
modo di cavarsela inventando una storia. Ma scommetto
cento euro che Rushborough andrà via dopo un paio di
bevute, lasciando a Johnny e ai ragazzi lo spazio per ridere in privato di come l'hanno fregato bene. Ed è allora
che interverrò.

– Comunque tienilo d'occhio, – insiste Lena. – Non mi
piace per niente.

– Sí. Nemmeno a me.

Vorrebbe dirle che in quei giorni non riesce a trovare
Trey, che per tre notti di fila ha sognato che lei spariva
sulla montagna, che avrebbe dovuto regalarle un cellulare con sopra un'app di localizzazione, cosí potrebbe
starsene comodamente seduto a guardare il puntino rosso che si sposta qua e là. Invece dice: – Devo fare una
doccia e mangiare qualcosa. Abbiamo appuntamento al
pub alle sei.

Lena lo guarda. Poi gli va incontro, gli prende la testa tra le mani e lo bacia con forza sulla bocca.

– Va bene, – dice poi. – Ti lascio alle tue cose.

– Grazie –. Cal sente il suo odore nel naso, pulito e assolato come fieno secco. – Per aver parlato con la signora Duggan.

– Quella donna è un incubo ambulante, – replica Lena. – Se fossi Noreen, le avrei messo il veleno nel tè da un bel pezzo –. Infila in bocca pollice e indice e fischia per chiamare i cani. Loro abbandonano la guerra con lo spaventapasseri e attraversano il campo a balzi, felici. – Fammi sapere com'è andata.

– Certo –. Cal non la segue con lo sguardo mentre va verso la macchina. Ha già preso i bicchieri vuoti ed entra in casa, pensando alle parole giuste da usare quando sarà il momento.

11.

È ancora presto e il *Seán Óg* è quasi vuoto, ci sono solo
alcuni clienti che mangiano toast e guardano le corse alla
tivú; la folla del venerdí è ancora a casa a digerire la cena
e a gettare le fondamenta per la seria bevuta della serata.
La luce solare entra obliqua dalle finestre, in lunghi raggi
resi solidi dal pulviscolo. Solo l'alcova è piena e chiassosa.
I ragazzi sono tutti lavati e pettinati, indossano le camicie buone; colli e visi sono arrossati in punti strani, per il
sole che hanno preso al fiume. Rushborough tiene banco
al centro, spaparanzato su una panca, e sta raccontando
una storia con ampi gesti delle mani, facendo ridere il suo
pubblico. Sul tavolo, tra le pinte di birra e i sottobicchieri,
con sfumature rosse e verdi e gialle sotto i raggi di sole che
entrano dalla finestra, c'è la bottiglietta di polvere d'oro.

– Scusate il ritardo –. Cal non si rivolge a nessuno in particolare. Prende uno sgabello e trova uno spazio sul tavolo
dove posare la sua pinta. Se l'è presa comoda, perché non
ha nessuna voglia di passare con Johnny e Rushborough piú
tempo dello stretto necessario.

– Anch'io sono arrivato tardi, – gli dice P. J. Come
Bobby, tende a confidarsi con Cal, forse perché Cal non
li conosce da abbastanza tempo per prenderli in giro. –
Ho ascoltato musica. Quando sono arrivato a casa ero tutto
agitato, non riuscivo a stare fermo. Ho provato a sedermi
a tavola ma mi alzavo e abbassavo continuamente, come

le mutande di una puttana, e dimenticavo di prendere la forchetta, poi il latte, poi la salsa rossa. Quando sono in quello stato, l'unica cosa che mi calma è un po' di musica.

Da quello che Cal riesce a vedere, la musica ha fatto il suo lavoro solo in parte. Quello è stato un lungo discorso, per P. J. – Cos'hai ascoltato? – P. J. a volte canta per le sue pecore, in genere musica folk.

– Mario Lanza. È ottimo per calmare lo spirito. Quando invece sono depresso e non riesco nemmeno ad alzarmi dal letto, ascolto quella giovane inglese, Adele. Lei ti dà la carica per fare qualunque cosa.

– Ma come mai eri agitato? – chiede Mart, interessato, con un'occhiata a Rushborough per assicurarsi di non disturbarlo con la sua voce. – Sapevi tutto fin dall'inizio.

– È vero, – risponde P. J., umilmente. – Ma è stata una giornata intensa lo stesso.

– Non ne abbiamo molte, cosí, – ammette Mart.

Rushborough si prende un secondo per osservare Cal, mentre gli altri ridono a una sua battuta, e sente la fine della conversazione. – Mio Dio, di sicuro avete vite piú eccitanti della mia, io non ho *mai* avuto una giornata come questa –. Ride e si china in avanti sul tavolo. Capite cosa significa, vero? Significa che siamo sulla strada giusta. Lo sapevo che l'oro c'era. Ma quello che temevo, quello di cui avevo davvero paura, era che le istruzioni di mia nonna non fossero accurate. Vedete, non è che lei mi abbia dato una mappa con una X che segna il posto giusto. Il suo era un gioco del telefono che è andato avanti per secoli, e descriveva un posto che lei non aveva piú visto da quando era piccola, con istruzioni del tipo: «E poi segui il vecchio letto del fiume verso ovest, ma se arrivi al campo dietro la casa dei Dolan sei andato troppo lontano». Mio Dio, – si lascia ricadere sulla panca, allargando le braccia. – A volte mi chiedevo se non fossi impazzito, a voler trovare qualcosa di cosí vago. Mia nonna poteva aver deviato di chilometri dal posto giusto. Ero preparato a non trovare altro che fango, oggi, e a tornare a casa con la coda tra le gambe. Non sarebbe stata comunque una perdita di tempo, conoscere voi e vedere finalmente questo posto è stato bellissimo, ma non posso negarlo: ci sarei restato malissimo.

Cal deve ammettere che è bravo. Non ha solo inventato una storia falsa, ma ci ha costruito intorno una vita intera. Nel suo lavoro ha incontrato tipi come Rushborough, le cui menzogne prendono tanto spazio che la gente gli crede solo perché non credergli sarebbe troppa fatica. Non ha nessuna certezza che, quando lo sbugiarderà in pubblico, i ragazzi si lasceranno convincere. Sa benissimo di essere un estraneo, né piú, né meno di Rushborough, e in passato ha avuto problemi con vari di loro.

– Ma questa, – Rushborough afferra la bottiglietta con l'oro e la tiene tra le mani come se non riuscisse a staccarla, – questa è una prova. Mia nonna, che Dio la benedica, dovrò andare a portare dei fiori sulla sua tomba, o accendere una candela in chiesa, per farmi perdonare di aver dubitato di lei. Mi ha guidato dritto come un… no, non un chiodo, una freccia, sí, dritto come una freccia nel punto giusto.

– Gesú, – dice Johnny, ridendo e dandogli una pacca sulla spalla. – Sei troppo eccitato, hai bisogno di qualcosa per calmarti, prima che ti venga un infarto. Barty! Un brandy per quest'uomo!

– E uno anche per tutti voi! – grida a sua volta Rushborough. – Lo so, lo so, sono eccitato, ma potete biasimarmi? È come aver trovato la pentola d'oro in fondo all'arcobaleno!

L'altra cosa che colpisce Cal è quanto sforzo stia dedi-

cando alla sua recita. Il livello emotivo è molto elevato.
Perché il gioco valga tanta fatica, lui e Johnny devono avere in mente di ripulire Ardnakelty da tutto quello che ha.

Bevono il brandy con un brindisi alla nonna di Rushborough e grida di giubilo. Cal non vuota il suo bicchiere; non
vuole nulla da quel tizio, e vede che Rushborough l'ha notato.

– Bene, – dice l'inglese, mettendo giú il bicchiere e sof-
focando uno sbadiglio. – Ragazzi, posso chiamarvi ragazzi, vero? Ora devo lasciarvi. Mi dispiace abbandonare una
bella festa. Non so se è per l'adrenalina della giornata o per
la mia vita di città, ma il fatto è che sono esausto.

Si leva un coro di proteste, ma non tale da spingerlo a
cambiare idea. Proprio come Cal si aspettava, gli uomini
vogliono un po' di tempo in privato.

– Vi dispiace, – dice Rushborough con aria timida, tenendo un dito sulla bottiglietta di polvere d'oro, – se questa
la tengo io? Farò pesare la polvere e pagherò a ciascuno di
voi la sua parte, ovviamente. Ma… è un fatto sentimentale, lo so. I primi frutti, capite? Mi piacerebbe farmi fare
un gioiello con questo oro, magari una nuova incastona-
tura per la pepita di mia nonna. Per voi andrebbe bene?

Tutti pensano che sia un'ottima idea, cosí Rushborough
intasca la bottiglietta, saluta profusamente e se ne va. Il
pub comincia a riempirsi: mentre esce molti alzano il bicchiere e gli rivolgono un cenno del capo, e lui distribuisce
sorrisi a destra e a manca.

– C'è cascato, – dice Con, chinandosi sul tavolo non appena la porta del pub si chiude alle spalle di Rushborough.
– C'è cascato con tutte le scarpe.

– Ha abboccato in pieno, – dice Senan. – Il babbeo.

– Ah, – dice Johnny, indicandolo. – Non è che è un
babbeo, è che voi siete stati magnifici, tutti quanti. Ci ho
quasi creduto persino io. È per questo che è andata bene,

non perché lui sia uno stupido. Avete recitato benissimo –.
Alza la sua pinta per brindare a tutti.

– Adesso non fare il modesto, giovanotto, – lo rimbrotta Mart, sorridendo. – Il merito è tuo. Sei stato tu a fare la parte piú impegnativa. Sei molto convincente, quando vuoi. Eh?

– Conosco Rushborough, – replica Johnny. – E so come gestirlo. Non vi deluderò.

– E ora cosa succede? – domanda Francie. Continua ad avere la sua aria scettica. È anche vero che il suo viso sembra fatto per quello, ossuto e dalle labbra sottili, con le sopracciglia folte, ma la sua espressione naturale sembra piú intensa.

– Ora, – dice Johnny, rilassandosi sulla panca, con il viso brillante di soddisfazione, – lo teniamo in pugno. Farà tutto quello che c'è da fare, pur di iniziare a scavare sul serio. Tutto quello che dobbiamo fare è lasciarlo lavorare e prendere i soldi.

– Se c'è qualcosa di valore sulla mia terra, – dice Francie, – e non sto dicendo che ci sia, non voglio svegliarmi una mattina e scoprire che ho ceduto diritti che valgono milioni in cambio di un paio di migliaia di euro.

– Ma che cazzo, Francie, – sbotta Johnny, esasperato. – Che cos'è che vuoi? Se pensi che sotto la tua terra ci siano milioni, chiedi a Rushborough di entrare nella sua compagnia mineraria, cosí avrai la tua quota. Se invece credi che non ci sia nulla, allora accetta qualche migliaio di euro per i diritti minerari e lascialo scavare dove vuole. Non puoi avere tutte e due le cose, perciò, quale scegli?

Cal comincia a capire quale sarà il prossimo passo, nel piano di Johnny e Rushborough. Resta in silenzio, lasciando che le cose procedano. Piú Johnny parla, piú cose avranno i ragazzi su cui riflettere, quando lui sgancerà la bomba.

– Non sono affari tuoi, – replica Francie a Johnny. – Voi fate quello che volete. Io dico solo che lui non può andarsene in giro per le mie terre a prendere quello che vuole.

– Cristo in croce, ma sei proprio un guastafeste, lo sai? – esplode Sonny. – Tutto sta andando benissimo, e tu te ne stai lí con una faccia che farebbe inacidire il latte, cercando cose su cui borbottare. Vorresti chiudere la bocca solo per stasera e lasciarci divertire?

– Sta solo pensando in anticipo, – lo difende Senan. – Dovresti provarci anche tu, qualche volta.

– Sta solo rompendo i coglioni.

– Ma basta. Sta' zitto, una buona volta e lascia parlare le persone sensate.

Sono tutti troppo chiassosi e troppo lontani dalla verità. Cal avverte la carica elettrica nell'aria. È una serata in cui qualcuno probabilmente finirà preso a calci, e sa che, una volta che avrà fatto il suo discorsetto, c'è una discreta possibilità che si tratterà di lui.

– Sai una cosa? – dice Bobby a Senan. – A te piace tanto dire agli altri di chiudere la bocca. Ma nessuno ti ha fatto re di questo posto. Forse dovresti chiuderla tu, una volta tanto.

Senan lo fissa come se gli fosse spuntata un'altra testa. Bobby è terrorizzato dalla propria audacia, ma non ha intenzione di fare marcia indietro. Si drizza in tutta la sua altezza e ricambia lo sguardo. Mart si sta divertendo un mondo.

– Ma porca miseria, – dice Senan. – Se questo è il risultato solo di aver sentito il profumo dell'oro, non voglio vedere cosa succede se davvero trovano qualcosa sulla tua terra. Perderai la bussola completamente. Te ne andrai in giro con un diadema e un anello di diamanti, aspettandoti che la gente lo baci...

– Sto solo dicendo, – ribatte Bobby, con dignità, – che ho il diritto di esprimere la mia opinione tanto quanto te.

– Dovremo chiamarti sir Bobby? O sua signoria?

– Ah, ragazzi, ragazzi, – dice Johnny, pacato, alzando le mani per calmare la disputa e riportarli tutti al punto. – Ascoltatemi. Francie ha ragione. Vuole solo essere sicuro di ricevere qualcosa in cambio. Cosa c'è di male? Non è quello che vogliamo tutti?

– Esatto, cazzo, – dice Senan.

– Certo, nemmeno io vorrei che il tuo amico se la squagliasse con il bottino, – interviene Con. – Non con i soldi guadagnati dalle mie terre.

Tra i ragazzi serpeggia un mormorio d'assenso.

– Ma dobbiamo proprio lasciare che faccia quello che vuole sui nostri terreni? – vuol sapere P. J., preoccupato.

– Non devi fare nulla che non vuoi, – lo rassicura Johnny. – Pensaci su, prenditi il tempo che ti serve. L'unica cosa da tenere a mente è questa: se pensi che l'oro ci sia e decidi di investire nella compagnia mineraria di Rushborough, dovresti farlo presto, perché una volta trovato l'oro, le azioni costeranno molto di piú.

P. J. tace e si rifugia nella sua pinta, cercando di districarsi in quel ragionamento. Sonny e Con si scambiano occhiate che contengono domande mute.

– Quanto ci vorrebbe? – chiede Dessie. – Per investire, voglio dire.

Johnny scrolla le spalle. – Dipende. Da quale percentuale vuoi acquistare, da quanto oro lui pensa di trovare, tutte queste cose. Io ho investito poche migliaia di euro e ne ho ricavato abbastanza, ma era quando Rushborough aveva in mano solo le storie di sua nonna. Dopo la giornata di oggi, forse il prezzo delle azioni aumenterà.

– Se siamo uniti, – dichiara Senan, – acconsentirà al

prezzo che diciamo noi, se no può andare a scavare nel suo giardino.

– Un momento, non sono nemmeno sicuro che voglia degli investitori, – li avverte Johnny. – Ci sono altre persone, a Londra, che gli stanno intorno. Potrebbe non avere spazio per nessun altro.

– Come ho detto, se noi siamo uniti, possiamo dirgli di prendere o lasciare.

– Chi ha detto che io voglio investire qualcosa? – chiede Francie.

Sonny ricade sulla panca con un gemito frustrato. – Ma che cazzo, sei stato tu a iniziare questa discussione!

– Ragazzi, ragazzi, – interviene di nuovo Johnny, in tono calmo. – Nessuno deve decidere nulla stasera. Parlate con Rushborough. In modo delicato, eh? Non andate da lui come se fosse un mercante di bestiame al mercato. Tirate fuori le antenne e vedete cosa dice.

Cal ha atteso abbastanza. Tutto ciò che è stato detto dovrebbe essere piú che sufficiente per aiutare i ragazzi a guardare la situazione da un nuovo punto di vista, una volta che avrà detto loro quello che pensa.

– Johnny, – esordisce. Non alza la voce, ma il suo tono mette tutti a tacere. – Ho una domanda per lei.

Per un attimo, Johnny lo fissa. Poi: – Oh, santo Dio, – dice, fingendosi terrorizzato, con una mano sul cuore. – Sembra una cosa seria. Ho dimenticato di pagare il canone della televisione, detective? La nostra vecchia auto ha le gomme consumate? Ci dia un'altra occasione, la prego. Farò il bravo…

Cal aspetta che abbia finito. Gli altri osservano. Alcuni, come Sonny, Dessie e Bobby, ridono alla piccola performance di Johnny. P. J. sembra confuso, Senan e Francie non ridono.

– No, un momento, – prosegue Johnny, alzando un dito come se Cal avesse voluto interromperlo. – Non me lo dica, ho capito. Ho esagerato, lo so. Ho attraversato la strada senza...

A un tratto fissa qualcosa dietro le spalle di Cal e la voce di Trey lo chiama: – Papà.

Cal si volta di scatto. Trey è sulla soglia dell'alcova. È la stessa di sempre, con le mani in tasca, una vecchia maglietta blu e i jeans consumati, ma Cal resta colpito, vedendola. Abbronzata dall'estate e irrobustita dal lavoro, i lineamenti piú marcati di quanto gli era sembrato solo un paio di giorni prima, non sembra piú una ragazzina, ma una persona in grado di badare a sé stessa. Il cuore di Cal si stringe tanto da levargli il fiato. Non ha idea di cosa fare con lei.

– Be', ma guarda chi c'è, – esclama Johnny, una frazione di secondo dopo. – Cosa c'è tesoro? È successo qualcosa a casa?

– No, – risponde lei. – Ho una cosa da dirti.

Johnny inarca i sopraccigli. – Come sei misteriosa. Vuoi che andiamo fuori?

– No, va bene qui.

Johnny la guarda con un mezzo sorriso indulgente, ma Cal vede che sta pensando a tutta velocità. Non si sente perso, esattamente, ma è stato colto di sorpresa.

– Hai fatto qualcosa di sbagliato e sei preoccupata che ce l'abbia con te? – La minaccia con un dito, sorridendo. – Ah, papà non si arrabbierà. Ne ho fatte parecchie anch'io, di quelle cose, alla tua età.

Trey scrolla le spalle. P. J., intrappolato in quella che sembra una disputa familiare, struscia i piedi sul pavimento e cerca di intavolare una conversazione con Mart, il quale lo ignora e sfacciatamente si gode il dramma.

– Va bene, – dice ancora Johnny, come se avesse preso

una decisione. – Vieni a sederti qui e dimmi tutto –. Dà
un colpetto sulla panca. Trey si avvicina, ma resta in piedi. Ha il labbro inferiore gonfio.

– Quando il tuo amico Rushborough è venuto da noi,
quella sera, e ti ha detto dove sua nonna sosteneva che ci
fosse l'oro, ho origliato.

– Ah, e sei preoccupata che mi arrabbi per questo? –
Johnny fa una risata affettuosa, dandole un colpetto sul
braccio. Trey non si sposta. – Che Dio ti benedica, nessuno avrebbe resistito alla tentazione. Chiunque di questi uomini adulti, se fosse stato lí, avrebbe appoggiato un
orecchio alla porta. Non credi?

– Non lo so –. Lo scambio di battute non è mai stato
il forte di Trey.

– Ma certo che l'avrebbero fatto. È questo che volevi?
Toglierti questo peso?

– No, – risponde Trey. Non ha guardato Cal nemmeno
una volta. I suoi occhi sono fissi su Johnny. – Sono andata dove ha detto Rushborough. Ho scavato un po', giusto
per vedere cosa avrei trovato.

– Ah, caspita, – dice Johnny, di nuovo scuotendo un
dito. – Non avresti dovuto, signorina. Stavolta non ti
faccio niente, perché sei venuta a confessare, ma d'ora in
avanti, se vuoi…

– Ho trovato questo – dice Trey –. Fruga nella tasca dei
jeans e tira fuori una piccola busta sigillata.

– Che cos'è? Hai trovato qualcosa di bello? – Johnny
prende la busta con un'espressione a metà tra divertita e
perplessa, e si china a guardarla. Sotto gli occhi attenti dei
presenti, la volta e la tiene sotto la luce.

I muscoli di Cal sono contratti. Vuole rovesciare il tavolo in faccia a Johnny, afferrare Trey per una spalla, farla
voltare e portarla fuori. Ma resta immobile.

Johnny alza la testa a fissare la figlia. – Dove l'hai trovato?

– Te l'ho detto. Dove aveva detto il tuo amico, ai piedi della montagna.

Johnny si guarda intorno. Poi getta la busta al centro del tavolo, tra bicchieri e sottobicchieri.

– Questo è oro, – dice.

Nella sala principale del pub, la voce del commentatore televisivo galoppa insieme ai cavalli. Qualcuno bestemmia e qualcun altro grida di gioia.

Con si china a guardare la busta, ed è il primo a ridere, seguito da Dessie e Sonny.

– Cosa c'è? – chiede Trey, drizzando il pelo.

– Oh, Gesú, – dice Con. Anche Senan ha iniziato a ridere. – E noi a mollo nel fiume all'alba, dentro fino alle ascelle...

Bobby si piega in due dalle risate e dà manate sul tavolo. – Com'eravamo ridotti...

– E abbiamo sborsato un sacco di soldi, – riesce a dire Sonny, e invece avremmo solo potuto mandare... – Indica Trey e si scioglie in risatine.

– Cosa c'è, si può sapere?

– Nulla, – dice Johnny, dandole un colpetto sul braccio. – Nessuno sta ridendo di te, tesoro. Stiamo ridendo di noi stessi.

Trey sembra poco convinta. Cal si volta a guardare Mart, che ride con gli altri, ma ha gli occhi attenti che si spostano tra Johnny e Trey.

– È perché sei stata fantastica, – spiega P. J. a Trey, con un ampio sorriso. – E noi siamo stati stupidi.

Trey scrolla le spalle. – Se non la volete, – dice, indicando la busta sul tavolo, – me la riprendo.

– E perché no, – replica Johnny, afferrando la busta e

mettendogliela in mano. – Nessuno te ne farà una colpa.
Te la sei guadagnata. Dico bene?

– Certo, prendila pure, – commenta Dessie, agitando
una mano verso di lei. – Tanto ce n'è ancora, da dove è
venuto quello.

– Ah, tesoro, – dice Johnny, con aria di rimorso. Cal
comincia a chiedersi se abbia dimenticato il nome di sua
figlia. – Sei stata in gamba. Papà è molto contento di te, e
lo stesso vale per questi ragazzi. Va bene? Ora torna a casa e di' alla mamma di mettere questo sassolino in un posto
sicuro, poi ci faremo fare una bella collana per te.

Trey scrolla le spalle, si stacca da lui e se ne va. I suoi
occhi passano sopra Cal senza fermarsi.

– Dio onnipotente, ragazzi, – dice Johnny, mettendosi
le mani tra i capelli e seguendola con uno sguardo tra affettuoso e riflessivo. – Non è interessante? Non sapevo
se abbracciarla o darle uno scappellotto. Quella ragazza
sarà la mia morte.

– Bisogna dire che ha un bel tempismo, – dice Mart,
amabilmente. – Non è un grande talento?

– Dov'è che è andata a scavare? – chiede Senan.

– Ma che cazzo, – ribatte Johnny, con un'occhiata incredula. – Parli sul serio? Io non do nulla gratis, e comunque saperlo non vi servirebbe: come ho già spiegato, non
ci si può mettere a scavare senza una licenza. No, faremo
tutto come si deve.

– Ai piedi della montagna, ha detto, – ripete Sonny a
Con. – Si tratta della nostra terra.

– Aspettate, – dice Johnny, alzando una mano per chiedere silenzio e voltandosi verso Cal. – Il signor Hooper
aveva una domanda per me, prima che Theresa entrasse a
interromperlo. Mi scuserei per lei, ma stavolta quello che
aveva da dire valeva la pena, no?

– Come no! – sbotta Sonny, dal cuore.

Johnny sorride a Cal e aspetta.

– No, – dice Cal. – Nessuna domanda.

– Ma prima l'aveva. E doveva essere seria, vista la sua faccia. Il mio cuore ha fatto un salto, lo sa? Ho pensato che forse avevo investito il suo cane e non me n'ero accorto.

– No, non è nulla di cosí grave. Non mi ricordo piú di che si trattava, ma prima o poi mi tornerà in mente e glielo dirò.

– Benissimo, – risponde Johnny, annuendo con approvazione. – Nel frattempo, ragazzi, direi che ci meritiamo un altro bicchiere di quello buono, che ne dite? Stavolta offro io. Faremo un brindisi a quella testa matta di mia figlia.

– Io vado a casa, – dice Cal.

– Ah, no, – replica Johnny. – Non può restare solo per due bicchieri; non è cosí che si usa, qui. Resti ancora un po' e se teme di essere troppo su di giri per guidare l'accompagno io. Cosí approfittiamo anche per fare una chiacchierata.

– No, – dice Cal. Vuota la sua pinta e si alza in piedi. – Ci vediamo in giro –. Mentre esce, Johnny dice qualcosa che fa ridere tutti.

La luna è quasi piena. Fa apparire la strada bianca e stretta, un nastro che si snoda verso l'alto, tra pantani coperti di erica e le forme scure e incombenti degli alberi. Una brezza incostante sibila tra i rami alti, ma non serve a diminuire il calore dell'aria. Cal continua a salire, con la camicia sudata, e al bivio svolta verso la casa dei Reddy. Arriva piú vicino di quanto vorrebbe, ma non vuole che qualcuno passi per caso e lo veda lí, perciò abbandona la strada, trova un masso all'ombra di un alberello contorto, da dove vede benissimo il sentiero, e si siede ad aspettare.

Pensa a Trey, in piedi all'ingresso dell'alcova, con gli

occhi fissi su Johnny e l'aria decisa, vicina eppure irraggiungibile. Si chiede dove sia ora, cosa stia pensando e cosa le sia successo al labbro. È addolorato di non aver trovato un modo per convincerla a rivolgersi a lui, riguardo
a quella faccenda.

Non è strano, lo capisce. Quando Johnny era tornato a
casa, lei non voleva nemmeno vederlo, ma piú Cal guarda
Johnny, piú gli sembra che Brendan, il fratello di Trey,
abbia preso dal padre. Trey idolatrava Brendan. Se coglie
nel padre tracce di cose che credeva di aver perso per sempre, potrebbe trovare difficile voltargli le spalle.

Cal sa, anche se non fa molta differenza, che Johnny
non sta cercando deliberatamente di mettere sua figlia in
pericolo. Dubita che il pensiero del pericolo sia mai passato per la mente di Capitan Pasticcione. Johnny ha un
piano, tutto sta andando secondo quel piano, quindi nella
sua testa è tutto perfetto. Non comprende i pericoli insiti
nel fatto di essere l'unico con un piano, mentre i suoi ber-
sagli non ne hanno uno e sono disposti a fare qualunque
cosa la situazione richieda.

Il sottobosco è pieno di schiocchi e fruscii, mentre gli
animali seguono le loro solite piste; una donnola o un ermellino attraversa il sentiero, il corpo snello come una
pennellata, e svanisce dall'altro lato. La luna si sposta,
cambiando le ombre. Cal vorrebbe, con un'intensità do-
lorosa, che Johnny avesse aspettato ancora un anno, prima di tornare a casa a rovinare tutto. In quell'anno lui
forse avrebbe avuto il tempo di sanare le crepe nell'ani-
mo di Trey.

Lo sente arrivare, prima di vederlo. Quel coglione cammina sulla strada canticchiando, felice: «Ma sono stanco
di questo piacere, perciò non mi farò piú vedere, e l'ultima cosa che avrai da me sarà una lettera da New York...»

Cal resta in silenzio all'ombra dell'albero. Lascia che Johnny arrivi a tre metri da lui, prima di uscire sul sentiero.

Johnny fa un salto di lato, come un cavallo spaventato. Poi riconosce Cal e si riprende. – Cazzo, per poco non mi veniva un infarto, – dice, con una mano sul cuore e una risatina nervosa. – Stia attento, con questi scherzi. Un altro avrebbe reagito con violenza, a una sorpresa del genere. Cosa ci fa qui, comunque? Credevo che fosse andato a casa a dormire.

– Ha detto che voleva parlarmi.

– Gesú, raffreddi i motori. Non si tratta di vita o di morte, è una cosa che può aspettare. Vengo da un festeggiamento, non sono nello stato adatto per fare conversazioni delicate, e nemmeno lei, se è venuto qui a pungersi il culo con i rovi a quest'ora; deve aver preso troppo sole giú al fiume. Vada a casa; domani le offro una birra e parleremo da persone civili.

– Ho aspettato qui due ore, per sentire quello che voleva dirmi, – risponde Cal. – Perciò me lo dica.

Johnny lo guarda, poi sposta gli occhi sulle eventuali vie di fuga. Non è ubriaco, ma è decisamente piú brillo di Cal, e il terreno può riservare molte brutte sorprese, in una fuga senza un vantaggio iniziale.

Sospira e si passa una mano tra i capelli. – E va bene, – ribatte, rassegnato alle pretese dell'americano assillante. – Glielo dirò. Senza offesa, eh? Ambasciator non porta pena.

– Ci vuole molto perché io mi offenda.

Johnny fa un sorriso automatico. – È una bella cosa. Stia a sentire: detesto doverlo dire, ma lei non è simpatico al mio amico Rushborough. Non c'è un motivo, è solo che lei non gli piace. Lo rende nervoso, mi ha detto. Secondo me è solo il fatto che lei non rientra nell'idea che si era fatto di questo posto, capisce cosa intendo? Gli altri, contadini pelosi che puzzano di merda di pecora, hanno flauti di stagno e quaranta sfumature di verde, sono ciò che è venuto a cercare. Un poliziotto di Chicago come lei... – volta i palmi in alto, – non rientra per niente nella sua immagine mentale. Non è colpa sua, ma lei distrugge il suo sogno. E le persone diventano nervose quando qualcuno interferisce con i loro sogni.

– Sa una cosa? – replica Cal. – Pensavo proprio che mi avrebbe detto qualcosa del genere. Devo essere un sensitivo.

– È un uomo con esperienza, – gli spiega Johnny. – Un uomo che conosce il mondo come lei capisce subito quando un altro ce l'ha con lui. Succede, a volte, senza un vero motivo. Ma capisce dove voglio arrivare, vero? Se lei dovesse restare a bordo, Rushborough diventerebbe sempre piú nervoso, finché alla fine potrebbe decidere che non si diverte piú e tornarsene a Londra. Perciò... – rivolge a Cal un'occhiata dispiaciuta, – vorrei che lei facesse un passo indietro, signor Hooper. Naturalmente non se ne andrà a mani vuote, non si preoccupi; io e i ragazzi le daremo la sua parte, da quello che ricaveremo. So che è ingiusto quello che le chiedo, ma siamo in una situazione delicata, ed è meglio questo che perdere Rushborough.

– Sí, – ribatte Cal. – La richiesta non mi sorprende. Ora è il mio turno. Vada avanti con la sua truffa, a me non interessa. Come ha detto, io non sono di qui. Ma non deve coinvolgere Trey in nessun modo. La ragazza dovrà continuare a vivere qui, quando lei e comesichiama ve ne sarete andati.

Vede Johnny valutare l'opzione di fare il padre offeso, poi ripensarci e decidere di fare l'innocente confuso. – Ehi, – dice, allargando le mani, con espressione ferita. – Non l'ho coinvolta in niente. Forse avrei dovuto controllare che non

stesse origliando, ma come potevo sapere che sarebbe andata a scavare? E che danno ha fatto, in ogni modo? Ce
n'è abbastanza per tutti, là fuori, senza bisogno di negare
alla bambina il suo divertimento...

– Johnny, – lo interrompe Cal. – Non sono dell'umore.
Quel pezzo d'oro gliel'ha dato lei, e non c'è nessun oro
da trovare.

– Oh, Dio, – dice Johnny, alzando gli occhi al cielo. – Ce n'è sempre uno. Il pessimista della situazione.
Debbie Downer, lo chiamate voi americani, vero? Senta, facciamo cosí: le restituisco quello che ha investito,
cosí non dovrà piú preoccuparsi di quello che c'è o non
c'è da trovare e potrà andare avanti tranquillo con la sua
vita. E saremo tutti felici e contenti.

– No, – ribatte Cal. – Lei qui ha finito. Faccia i bagagli,
si prenda il suo inglese e toglietevi di torno.

Johnny fa un passo indietro nella luce lunare, inarcando
le sopracciglia. – Mi prende in giro? Vuole ordinarmi di
andarmene da casa mia? Ha una bella faccia tosta, Hooper.

– Le do due giorni. È abbastanza per inventare una storia che non coinvolge sua figlia.

Johnny gli ride in faccia. – Gesú, ma chi si crede di essere?
Vito Corleone? Non è piú in America, e da queste parti non
è cosí che facciamo. Si rilassi, Cristo. Prenda dei popcorn e
si sieda a guardare. Sarà tutto molto bello. Rushborough se
ne andrà contento, che troviamo o non troviamo...

– Johnny, – lo interrompe di nuovo Cal. – Sto cercando davvero di non perdere la pazienza, ma lei deve pian-
tarla con le stronzate. Lei non sta cercando di fregare
Rushborough; voi due insieme state cercando di fregare
i ragazzi. Piú soldi riuscite a portargli via, piú loro se la
prenderanno con sua figlia quando tutto sarà finito. Perciò, faccia i bagagli e basta.

Johnny lo fissa senza espressione. Poi fa una risata breve
e senza senso. Si mette le mani in tasca e si volta a guardare i lunghi profili curvi delle montagne contro le stelle,
mentre pensa alla nuova tattica da adottare. Quando torna a guardare Cal, il suo tono ha perso ogni charme, diventando secco e pratico.

– Altrimenti cosa farà? Smetta di fare minacce vaghe e
guardi in faccia la situazione. Cosa pensa di fare? Andare dalle guardie a dire che lei e i ragazzi state cercando di
truffare un povero turista, solo che lei non è piú d'accordo? Oppure vuole andare a dire ai ragazzi che sono loro
i truffati? Continua a comportarsi come se le importasse
tanto di Theresa, ma come crede che andrebbe, per mia
figlia, una cosa del genere?

– Non c'è nessun «altrimenti», – dice Cal –. Vorrebbe
avere la sua pistola, e sparare nei coglioni a quel piccolo
pezzo di merda per essere il padre di Trey, quando lei meritava di meglio. – Ha fino a domenica sera.

Johnny lo fissa a lungo, poi sospira. – Senta, – dice, in
un tono diverso, piú semplice. – Se potessi, lo farei, mi
creda. Crede che io volessi venire qui? Me ne andrei in un
secondo, se potessi scegliere.

Per la prima volta da quando si conoscono, sembra sincero, stanco, impotente. Quando si toglie una ciocca di capelli dagli occhi, con un respiro improvviso da ragazzino,
ha l'aria di volersi stendere lí sul sentiero e addormentarsi.

– Passano quattro autobus al giorno, – dice Cal, – sulla
strada principale. Ne scelga uno.

Johnny scuote la testa. – Ho dei debiti.

– È un problema suo, non di sua figlia.

– È stata lei a voler dare una mano, non l'ho costretta.

– Avrebbe dovuto dire di no.

Johnny alza gli occhi a fissarlo. – Devo dei soldi a

Rushborough, – dice. La sua voce è cosí piena di scon-
fitta e paura che appesantisce l'aria notturna. – E lui
non è uno da prendere alla leggera.

– Grande. Quindi lui e io abbiamo qualcosa in comune, dopotutto.

Johnny scuote di nuovo la testa. – No. Faccia il duro
finché vuole, ma non è cosí. Io l'ho visto tenere ferma una
bambina e praticarle dei tagli sulle braccia con un rasoio,
finché suo padre non ha pagato quello che gli doveva; una
bambina non piú grande della mia Alanna.

Cal dice, senza alzare la voce: – E cosí l'ha portato qui.

Johnny fa una scrollata di spalle, triste e in un certo
senso accattivante: – Cristo, ma cosa vuole da me, un uomo fa quello che deve fare –. Cal, alla fine, gli dà un pugno in bocca.

Johnny non se l'aspettava e cade a terra, sul bordo
del sentiero, con un tonfo e un fruscio di cespugli. Ma
si riprende subito, e quando Cal tenta di doppiare il colpo alza un piede, cercando di colpirlo allo stomaco. Lo
manca, prendendolo sulla coscia, e Cal gli cade addosso
con tutto il suo peso, togliendogli il fiato. La lotta si fa
confusa, piena di grugniti e gomitate. Johnny combatte
meglio di quanto Cal credesse. È disperato e gioca sporco, mirando agli occhi e cercando di infilargli le dita in
bocca o nel naso. Cal ne è contento. Non voleva una lotta pulita, non con lui.

Rotolano insieme tra sassi e rovi. Johnny cerca di non con-
cedergli spazio per avvantaggiarsi del suo peso maggiore, e si
tiene a distanza ravvicinata, in modo da non lasciargli tirare
un pugno decente. Odora di dopobarba di finto lusso. Cal
vede i suoi denti, l'erica, le stelle. Gli passa per la mente che
se rotolano troppo e finiscono in un pantano la montagna se
li prenderà entrambi e nessuno lo saprà mai.

Afferra Johnny per i capelli tagliati con cura e gli sbatte il viso sul terreno, ma Johnny riesce a prendergli un orecchio e tenta di strapparlo, solo per ritrarsi svelto come una volpe quando Cal si sposta all'indietro. Cal è carponi e si lancia contro di lui, accecato dal gioco di luce lunare e ombra, seguendo il rumore dei suoi movimenti e del suo respiro ansante. Riesce ad afferrargli una gamba e lo trascina verso di sé, sferrando pugni contro ogni bersaglio possibile, finché riesce a colpirlo con un calcio in fronte. Nessuno dei due urla. Cal non aveva mai combattuto prima in un tale silenzio. Se sulla montagna c'è qualcun altro, non vogliono attirare la sua attenzione.

Tenta di afferrare Johnny per le braccia, si becca un pollice in un occhio e vede un'esplosione di stelle, ma l'impulso di collera gli dà la forza necessaria per sollevare un ginocchio tra i loro corpi e colpire Johnny nei coglioni. Johnny si piega in due, ansimando, e Cal gli monta addosso e gli sferra un pugno sul naso, giusto per procurargli un'ammaccatura sul suo bel visino, cosí che una ragazza o due evitino di cadere nelle sue reti. Poi si costringe a smettere. Vorrebbe continuare a colpirlo finché non ci sia piú un viso da rovinare, ma ha bisogno che sia cosciente per sentire quello che deve dirgli.

Johnny riprende fiato e tenta di divincolarsi, ma Cal è molto piú grosso di lui. Quando Johnny cerca di colpirlo a un occhio, gli afferra il polso e lo torce all'indietro fino a farlo urlare.

– Se sei ancora qui lunedí mattina, – gli dice, cosí vicino alla sua faccia da sentire l'odore di sangue e alcol, – ti sparo e getto la tua carcassa in un pantano, che è dove merita di stare. È chiaro?

Johnny ride e tossisce sangue, spruzzandone alcune gocce sulla guancia di Cal. Sotto la luna, la sua faccia, bian-

ca e nera e sporca non sembra nemmeno piú una faccia; i
bordi si confondono con il bianco e nero del sottobosco,
come se stesse per dissolversi.

– Non lo farai. Perché in quel caso Rushborough penserebbe che ho tagliato la corda, e per farmi tornare farebbe
del male alla mia famiglia. Credi che si limiterà a Theresa?

Cal gli torce ancora di piú il polso, facendolo sibilare di
dolore. – A te non frega un cazzo della tua famiglia, stronzo. Rushborough potrebbe infilarli in un tritatutto e tu
non usciresti dal tuo nascondiglio. E lui lo sa.

– Allora lo farà solo come vendetta per i soldi che ha
dovuto sborsare. Non lo conosci.

– A lui ci penso io. Quello di cui ti devi preoccupare tu
è fare i bagagli.

– Pensi di gettare anche lui in un pantano? Ti darò un
consiglio gratis: non lo coglierai di sorpresa come hai fatto
con me. Provaci, e nel pantano ci finirai tu.

La sua voce è impastata di sangue. – Correrò il rischio,
– dice Cal. – Quello che devi capire tu è che hai molte piú
chance fuori da questo posto che qui. Puoi andare in tutto il mondo per evitare Rushborough, ma se resti qui non
potrai evitare me. Hai capito?

Sono molto vicini l'uno all'altro. Gli occhi di Johnny sono linee fratturate di luce e ombra, ed esprimono solo rifiuto, come quelli di un animale. Per un attimo Cal crede che
dovrà spezzargli il polso, poi vede il lampo di paura quando
Johnny capisce la sua intenzione e realizza che fa sul serio.

– Sí! – grida, appena in tempo. Scuote con forza la testa, per liberarsi del sangue che ha sugli occhi. – Cristo,
ho capito. Ora lasciami.

– Grande. Era ora, cazzo –. Cal si alza in piedi, avver-
tendo un dolore pulsante in varie parti del corpo, e tira su
Johnny prendendolo per il colletto della camicia.

– Arrivederci, Johnny, – dice. – È stata un'esperienza interessante –. La lotta li ha portati piú lontani dal sentiero di quanto credesse; ci mette un po' a orientarsi in quel labirinto d'ombre e a puntare Johnny nella giusta direzione. Gli dà una spinta e lui riparte barcollando verso casa, tamponandosi il naso con la manica, con l'obbedienza automatica di chi ha perso abbastanza combattimenti da conoscere bene la procedura. Cal resiste all'impulso di fargli accelerare il passo con un calcio in culo.

Non ha ancora pensato a cosa fare con Rushborough, o se fare qualcosa. L'istinto gli dice che Johnny voleva solo gettargli fumo negli occhi, e che se lascerà il paese Rushborough lo inseguirà. Ha conosciuto molti uomini, e anche donne, che fanno del male agli altri per il piacere di farlo, e Rushborough non gli sembra appartenere alla categoria. Gli dà l'impressione di essere un altro tipo di predatore, quello dalla mente fredda che si attacca alla preda e non molla la presa a meno che non gli spari. Nonostante quello che ha detto, non crede che Johnny riuscirà a scrollarsi di dosso l'inglese, né lí, né altrove.

Sa di dover considerare la possibilità che Johnny abbia detto la verità, per una volta nella sua vita, ma è un problema da affrontare dopo che si sarà lavato via il sangue. È anche possibile che Johnny non vada da nessuna parte. Le paure di quel bastardo sono un reticolo complicato, e Cal non sa quali siano le probabilità, o i rischi che alla fine il suo algoritmo privato e disperato sceglierà di correre.

Il rumore dei passi barcollanti di Johnny comincia a svanire in lontananza. Cal arriva sul bordo del sentiero e resta in ascolto per assicurarsi che quello stronzetto sia davvero andato via. Poi controlla i danni. C'è un bernoccolo grosso come un uovo sul sopracciglio e un gonfiore sulla mandibola, la coscia gli fa male dove il piede di Johnny si

è piantato nel muscolo, la camicia è strappata e sul fianco
ha un graffio profondo. In piú, ha lividi e graffi piú piccoli in tutto il corpo, ma è roba che guarirà da sola. La
cosa piú importante è che Johnny sta molto peggio di lui.

Si chiede se sia davvero diretto a casa, se lí troverà Trey,
cosa le dirà e in che modo lei reagirà. Si chiede se non abbia appena rovinato tutto. Non è pentito di aver dato una
lezione a Johnny, perché ce n'era bisogno, e anzi, sente di
avere aspettato fin troppo, ma lo mette a disagio il fatto
di aver perso le staffe. È stata una cosa non pianificata, e
la situazione richiede pianificazione.

Si avvia verso casa, ascoltando i movimenti tra le ombre.

Trey sa di non essere l'unica ancora sveglia. Tutti sono a letto, Liam russa piano e Maeve borbotta nel sonno
le sue lamentele, ma Trey sente sua madre muoversi nella
sua stanza, e ogni tanto Alanna si gira con un sospiro nel
letto, sperando che qualcuno venga a chiederle cosa c'è
che non va. La casa è inquieta.

È seduta sul divano e accarezza in modo meccanico la
testa di Banjo posata su un ginocchio. La zampa va meglio, ma il cane la tiene ancora sollevata e quando vuole
un premio o una coccola fa la faccia patetica. Trey gli dà
entrambe le cose in abbondanza.

Aspetta il ritorno a casa di suo padre. Pensa che sarà
contento di come si è comportata, ma con lui non si può
mai sapere. Ha lasciato aperta la finestra della sua stanza,
nel caso ci sia bisogno di scappare.

Aveva riflettuto su quello che lui le aveva detto di fare, mostrare la pepita a Noreen o alla signora Cunniffe,
lasciando che fossero loro a parlare. Non avrebbe funzionato. Trey, come tutti quelli di Ardnakelty, ha una com-
prensione istintiva del potere dei pettegolezzi, ma per il

risultato che vuole suo padre è il potere sbagliato: fluido, scivoloso, crea canali contorti e imprevedibili. Capisce perché suo padre aveva subito scelto quella strada. Lui è un distillato di tutte quelle cose; indipendentemente dalle sue convinzioni, o da quelle degli altri, è un prodotto di Ardnakelty fino all'osso. Trey invece non lo è e non vuole esserlo, il che significa che vede cose che a suo padre sfuggono. Un oggetto concreto messo sotto gli occhi degli uomini, sfacciato e innegabile, ha un potere diverso, al quale loro non sono abituati e contro il quale hanno poche difese. Ha lasciato che fosse l'oro a parlare.

Banjo sussulta nel sonno, con le sopracciglia che fremono e le zampe che si muovono. – *Shhh*, – gli dice Trey, passandosi tra le dita un orecchio morbido. – Va tutto bene –. E il cane si rilassa di nuovo.

Quella mattina, una volta deciso cosa avrebbe fatto, era andata da Cal per avvertirlo. Non sapeva bene come dirglielo, perché non vuole rivelargli troppo di ciò che sta facendo; lui potrebbe considerarlo una violazione della sua promessa di non far nulla per vendicare Brendan e dirle di fare marcia indietro. Comunque Cal non era in casa. Lo aveva aspettato ore sotto il portico, mangiando insieme a Banjo le fette di prosciutto che aveva portato per fare dei panini per pranzo, ma Cal non era tornato. Era fuori con gli uomini, a occuparsi della faccenda che vuole tenerle nascosta. Alla fine lei era andata via.

Non sottovaluta la situazione in cui si è messa. Le cose che faceva prima, rubare al negozio di Noreen o entrare in case abbandonate con gli amici a bere alcolici sottratti ai loro genitori, erano giochi da bambini. Quella è una cosa reale, il che le trasmette una bella sensazione.

Quando sente suo padre alla porta, pensa subito che sia ubriaco, da come lo sente barcollare e far fatica a infilare la chiave. Poi lui entra in soggiorno e lo vede in faccia. Si alza di scatto, facendo cadere Banjo.

Johnny la guarda come se non la vedesse. – Sheila, – dice, e poi ripete, con voce alta e collerica: – Sheila! – Ha del sangue intorno alla bocca come una barba colorata, e altro sangue rappreso sulla camicia. Quando appoggia il piede destro ha un sussulto, come Banjo.

Sheila si avvicina alla porta e lo guarda. Non sembra né sorpresa, né sconvolta, di vederlo in quello stato. È come se si aspettasse che succedesse fin dal suo ritorno.

– Hai il naso rotto, – dice.

– Lo so, cazzo, – sbotta Johnny, con una voce ringhiante che spinge Trey sulle punte dei piedi, ma lui è troppo concentrato su sé stesso per prendersela con qualcun altro. Tocca delicatamente il naso con le dita e poi se le guarda. – Dammi una ripulita.

Sheila esce. Johnny si volta, non riuscendo a stare fermo, e i suoi occhi si posano su Trey. Prima che lei possa fare un passo, scatta attraverso la stanza e le afferra un polso. Ha gli occhi dilatati, quasi neri, e pezzetti di vegetazione tra i capelli. Ha un'aria animalesca.

– Sei andata a dire tutto a quello yankee. Ma che cazzo pensi di…

– Non gli ho detto niente.

– Mi farai uccidere. È questo che vuoi? È questo?

Le torce il braccio, affondando le dita e lasciando dei lividi. – Non gli ho detto *niente*! – gli grida in faccia Trey, senza mostrare paura. Banjo guaisce.

– E allora come cazzo fa a saperlo? Non lo sapeva nessuno, solo tu. A che cazzo di gioco stai giocando?

La mano che le stringe il polso ha uno spasmo. Trey si libera con inattesa facilità, facendolo barcollare all'indietro. Johnny la fissa e lei per un secondo pensa che voglia picchiarla. Se ci prova, gli darà un pugno sul naso rotto. Da ora in poi, si piegherà alla volontà di suo padre solo quando aiuta i suoi scopi.

Forse Johnny se ne accorge. In ogni modo, non l'aggredisce. – Lena Dunne –. La sua voce, ostruita dalle botte, ha preso un brutto suono. – Hai parlato con lei? Lei mi avrà tradito senza pensarci due volte, quella puttana presuntuosa.

– Non ho detto *niente*. A nessuno.

– E allora come cazzo fa Hooper a saperlo?

– Forse l'ha capito da solo. Non è uno stupido. Solo perché gli altri ci sono caduti...

Johnny si allontana da lei e barcolla per la stanza, le mani tra i capelli. – Questo succede quando frequenti un cazzo di poliziotto. L'ho capito la prima volta che l'ho visto, che avrebbe creato problemi. Che cazzo ci fai con un poliziotto? Sei scema, o cosa?

– Non svegliare i bambini, – dice Sheila, ricomparendo sulla porta. Ha in mano una bacinella d'acqua e un vecchio strofinaccio a scacchi rossi. – Siediti.

Johnny la fissa per un secondo, come se avesse dimenticato chi è. Poi si lascia cadere sul divano.

– Vai a letto, – dice sua madre a Trey.

– Resta qui, – le ordina Johnny. – Devi fare una cosa per me.

Trey si avvicina alla porta, per sicurezza, ma resta. Sheila si siede accanto a Johnny, tuffa lo strofinaccio nell'acqua e lo strizza. Quando inizia a tamponargli il viso, Johnny sibila di dolore. Lei lo ignora e continua a lavorare con gesti brevi e metodici, come se stesse pulendo una macchia in cucina.

– Non ha nessuna prova, – considera Johnny, con una smorfia perché Sheila ha toccato un punto sensibile. Sembra che stia parlando tra sé. – Può raccontare quello che vuole, non gli crederà nessuno.

Cala un silenzio rotto solo dal gocciolio dello straccio strizzato da Sheila. Anche Alanna ha smesso di rigirarsi nel letto. L'acqua nella bacinella sta diventando rossa.

– Dimmi una cosa, – prosegue Johnny, voltandosi a guardare Trey. – Tu lo conosci. Hooper andrà da tutti a raccontare che l'oro non c'è?

– Non lo so, – risponde lei. – Forse no –. Non capisce la relazione di Cal con Ardnakelty. Lui avrebbe tutto il diritto di coltivare una serie di rancori, ma è cordiale e cortese con tutti, fino al punto che non si capisce quali potrebbero essere i suoi rancori. Ma questo non significa che non ce ne siano. Cal, anche se ce l'ha con Johnny per averlo preso in giro, potrebbe non fare nulla e lasciare che gli altri cadano nella trappola. Da quello che le ha raccontato della sua infanzia, il suo codice di comportamento ammette la vendetta, e sa aspettare il momento giusto.

– Se lo facesse, loro gli crederebbero?

– Non lo so. Alcuni sí.

– Quel Francie Gannon del cazzo. Quello stronzo cerca solo una scusa per mandare tutto a puttane –. Johnny sputa sangue nella bacinella. – Di Francie posso farne a meno. Tutti sanno che tipo è. E gli altri? Si fidano di Hooper?

È una domanda complicata e Trey non ha intenzione di scendere nei dettagli. – Abbastanza, – risponde.

Johnny fa una risata amara. – Guarda un po'. Un poliziotto del cazzo, per giunta americano, e i miei compaesani sono disposti a credere a lui piú che a me –. Ha alzato di nuovo la voce. – Ogni cazzo di volta, mi sputano in faccia come se fossi... Aah! – Sobbalza e dà uno schiaffo sulla mano di Sheila. – Che cazzo fai?

– Ti ho detto di non svegliare i bambini.

Si fissano, e per un attimo Trey pensa che Johnny stia per picchiarla. Si tiene pronta.

Johnny si lascia andare sul divano. – Di sicuro non è la fine del mondo, – riflette. Gli sanguina ancora il naso, e Sheila lo asciuga. – Niente panico, alcuni dei ragazzi resteranno con me. E ne porteranno altri. Troveremo un modo. Magari ci vorrà un po' di piú, ma alla fine ce la faremo, ve lo dico io.

– Certo, – dice Trey. – Andrà tutto bene e io ti darò una mano –. Non vuole che suo padre tagli la corda dopo aver fregato ai suoi amici solo qualche centinaio di euro. Brendan vale piú di questo.

Johnny la guarda e fa un sorriso che gli provoca una smorfia di dolore. – Qualcuno ha ancora fiducia in me, – esclama. – Mi dispiace per prima. Avrei dovuto sapere che non avresti detto una parola.

Trey fa spallucce.

– Quello che hai fatto stasera nel pub è stato geniale. Avrei dovuto pensarci io. Le facce di quei babbei, eh? Credevo che il testone di Bobby Feeney sarebbe esploso.

– Ci sono cascati.

– Sí, cazzo. Hanno ingoiato esca, amo e galleggiante. È stato bellissimo, avrei voluto rivedere la scena un sacco di volte. Gli insegneremo noi a non mettersi con i Reddy, eh?

Trey annuisce. Pensava che fare il numero della pepita d'oro nel pub, raccontando balle mentre tutti la fissavano, sarebbe stato difficile: non si aspettava la sensazione di potere che ha provato. Li teneva per il naso e poteva portarli dove voleva. Avrebbe potuto farli alzare, abbandonare le loro birre, e condurli sulla montagna, su tutti i sentieri che aveva esplorato quando cercava Brendan. Avrebbe potuto farli finire tutti dritti in un pantano.

Sheila volta il mento del marito verso di sé, per pulir-

gli l'altro lato del viso. – Ora, – dice Johnny, voltandosi a
metà per vedere Trey, – ho un altro lavoro per te. Domani mattina devi andare da quello smargiasso di Hooper e
chiedergli, cortesemente, di farsi i cazzi suoi, come favore
personale per te. Puoi farlo?

– Sí. No problem –. Anche Trey vuole che Cal resti fuori da quella faccenda. Ma trovarsi dalla parte di suo padre non le piace e la lascia con uno strano senso di offesa.

– Spiegagli che nessuno gli crederà. Se continua a impicciarsi, non farà altro che procurarti dei guai. Questo dovrebbe convincerlo –. Le rivolge un sorriso storto. – Dopodiché,
tutto il resto sarà facilissimo. Ci aspettano giorni felici, eh?

La porta cigola e sulla soglia appare Alanna, con una
vecchia T-shirt di Trey e il suo coniglio di peluche sotto
un braccio. – Cos'è successo? – chiede.

– Torna a letto, – le ordina Sheila, brusca.

– Ah, tesoro, – la consola Johnny, sforzandosi di fare
alla figlia un gran sorriso. – Il papà è caduto e si è fatto
male. Guarda in che stato sono, eh? La mamma mi sta sistemando un po', e dopo passo a darti la buonanotte.

Alanna lo fissa, a occhi spalancati. – Portala a letto, –
dice Sheila a Trey.

– Vieni –. Trey trascina la sorella in corridoio. Johnny
fa loro un cenno di saluto, sorridendo come un idiota tra
il sangue e lo strofinaccio.

– È caduto davvero? – vuol sapere Alanna.

– No, – risponde Trey. – Ha fatto a botte.

– Con chi?

– Non sono affari tuoi.

Trey si dirige verso la stanza di Alanna e Liam, ma la
sorella si ferma e le tira la maglietta. – Voglio venire nel
letto con te.

– Ma non devi svegliare Maeve.

– Va bene.

La stanza è troppo calda, anche con la finestra aperta. Maeve ha calciato via le lenzuola ed è stesa a pancia in giú. Trey guida Alanna attraverso vestiti e chissà che altro sparsi sul pavimento. Copre entrambe con il lenzuolo.

– Ora silenzio, – dice.

– Non voglio che resti, – le confida Alanna, in quello che secondo lei è un sussurro. – Invece Liam sí.

– Non resterà.

– Perché?

– Perché è fatto cosí. *Shhh.*

Alanna annuisce, accettando la spiegazione. Pochi secondi dopo dorme, abbracciata al suo coniglio. I suoi capelli, contro il viso di Trey, odorano di orsetti gommosi e sono vagamente appiccicosi.

Trey resta sveglia, ascoltando il silenzio che proviene dal soggiorno. Una brezza leggera muove pigramente la tenda. A un tratto sente un ruggito soffocato di dolore da Johnny, e una parola dura da Sheila: immagina che lei gli abbia riallineato il naso. Poi di nuovo silenzio. Il respiro di Alanna non cambia.

Cal ci mette molto tempo ad arrivare a casa. L'adrenalina è scesa e gli ha lasciato le membra pesanti e ingombranti come sacchi di sabbia bagnata. La luna è calata dietro le montagne, e la notte è buia e caldissima. Quando finalmente la sua casa appare dietro la curva, le finestre del soggiorno sono illuminate, piccole luci valorose contro il nero incombente della montagna.

Resta immobile, tra le falene e i fruscii, appoggiato con entrambe le mani al muretto che costeggia la strada, chiedendosi chi può essere l'intruso e dove troverà la forza di mandarlo via. La coscia e la fronte pulsano di dolore. Per un attimo pensa di stendersi a dormire sotto una siepe e rimandare tutto a domani.

Poi una forma passa davanti alla finestra. Anche a quella distanza, riconosce Lena, dalla linea della schiena e dalla luce che le illumina i capelli biondi. Fa un respiro profondo, poi si raddrizza e si avvia lungo la strada buia, inciampando in ogni buca con i piedi che sembrano sacchi di sabbia.

I cani segnalano il suo arrivo e Lena gli viene incontro sulla porta. È a piedi nudi e la casa odora di tè e pane tostato. Lo sta aspettando da un pezzo.

– Ciao, – la saluta Cal.

Lei inarca i sopraccigli e lo sposta sotto la luce, per esaminargli il viso. – Johnny, eh? – domanda.

– Lui è messo peggio di me.

– Buono a sapersi –. Lena gli volta la testa da un lato e dall'altro, per valutare i danni. – Dessie è tornato a casa e ha detto a Noreen della visita di Trey al pub. E Noreen ha chiamato me immediatamente. Così ho pensato di passare per sentire tu cosa ne pensavi. E vedo che ci avevo preso, grosso modo.

Cal sposta la sua mano dalla guancia e la prende tra le braccia. Resta così a lungo, con il viso affondato nel calore dei suoi capelli, sentendo il battito del suo cuore contro il petto e la forza delle sue mani sulla schiena.

12

Mart, come Cal si aspettava, arriva la mattina dopo, mentre Lena sta andando via. Resta fermo al cancello, per discrezione. Lena bacia Cal sulla porta. Quando mette in moto la macchina, Mart le apre il cancello e le fa un gran gesto di saluto. Lena alza una mano in risposta, senza guardarlo.

Cal non vuole sentirsi obbligato a invitarlo a entrare, perciò scende al cancello. – Capisci cosa voglio dire, adesso? – dice Mart. – Quella donna non mi si fila proprio. Se fossi un tipo sensibile, mi sentirei ferito al cuore.

– Volevi solo vedere se ti riusciva di farla innervosire, – ribatte Cal. Rip e Kojak corrono insieme a ispezionare il perimetro del suo terreno.

– Non perderei tempo con una cosa simile, – dice Mart. – Lena Dunne non s'innervosisce facilmente.

– È vero, dovresti sforzarti di piú.

Mart guarda l'auto sparire dietro le siepi. Non mostra di aver notato le varie ferite di Cal, che stamattina sono arrossate ed estremamente evidenti. – Di cosa parlate, voi due? – chiede.

La domanda coglie Cal di sorpresa. – In che senso?

– È quello che ti sto chiedendo. Io non ho mai avuto molte occasioni di parlare con le donne, a parte mia madre, e con lei sapevo sempre cosa avrebbe detto prima che lo dicesse. Era una brava donna, mia madre, ma non era una fan della varietà. Le piaceva ripetere le stesse conversazioni che aveva avuto per settant'anni. Perciò lei non conta. Di cosa parla un uomo con una donna?

– Gesú, – risponde Cal. – Non lo so.

– Non ti sto chiedendo quali parole dolci le mormori all'orecchio. Vorrei sapere delle conversazioni. Quello di cui parlate davanti a una tazza di tè, per esempio.

– Di varie cose. Cose di cui parlerei con chiunque. Tu di cosa parli con i ragazzi al pub?

– Di varie cose, – ammette Mart. – Un punto per te. Be', se divento curioso abbastanza dovrò trovare una donna che abbia voglia di prendere una tazza di tè con me e scoprirlo da solo –. Lancia un'occhiata meditativa nella direzione in cui è andata Lena. – È quello che vorrebbe fare Bobby, se Johnny Reddy lo farà milionario: trovarsi una donna. Non so se immagina di poterne ordinare una su Amazon, come se fosse un dvd, ma è quello che dice –. Rivolge a Cal un'occhiata tagliente. – Tu cosa pensi? Johnny ci renderà tutti milionari?

– Chi lo sa –. Rip arriva di corsa dal suo giro con Kojak e gli spinge il muso contro la gamba, in cerca di attenzione. Cal lo accarezza, notando che ha il pelo pieno di ricci spinosi.

– Johnny ieri sera doveva essere piú ubriaco di quanto sembrava, – lo informa Mart. – L'hai visto, stamattina?

– No.

– Era da Noreen a occupare spazio quando sono entrato. Sai cosa gli è successo ieri mentre tornava a casa? È uscito dal sentiero ed è ruzzolato lungo il pendio. Dovresti vedere com'è conciato. Come se avesse colpito ogni sasso sulla sua strada.

Significa che Johnny ha fatto i suoi calcoli e non intende andarsene, e vuole farglielo sapere. – A me non sembrava tanto ubriaco, – dice Cal. – Non fino a quando sono uscito dal pub, almeno.

– È proprio quello che ti sto dicendo. Non ho contato le pinte che ha bevuto, ma devono essere state parecchie, per cadere giú da un sentiero che ha percorso per tutta la vita. Tu cosa ne pensi?

– Non ho una grande opinione dell'intelligenza di Johnny, – risponde Cal. – Ubriaco o sobrio. Per cui non mi sorprendono le stupidaggini che può fare.

– È vero, – riconosce Mart. – Ma tu non mi sembri uno stupido, Sunny Jim. Sei caduto anche tu lungo un pendio?

– No. Sono scivolato nella doccia. Anch'io dovevo essere piú ubriaco di quanto credessi.

– Ah, la doccia è tremenda, – conviene Mart. – Mio cugino, su a Gorteen, è scivolato nella doccia e ha battuto la testa, e da allora ha un occhio mezzo chiuso e parlare con lui è difficile, perché non sai quale occhio guardare.

– Io ho avuto fortuna, – dice Cal. Si siede sui talloni e inizia a togliere i ricci spinosi dal pelo di Rip.

– Finora, – puntualizza Mart. – Ma se fossi in te starei piú attento. Una volta che una doccia sente il sapore del sangue, non si trattiene piú.

– Sí, forse prenderò uno di quei tappetini antiscivolo.

– Fallo. Non aspettare che ti succeda qualcosa –. Mart alza la testa a guardare il cielo, come per capire che tempo farà. Il cielo ha esattamente lo stesso aspetto che ha avuto negli ultimi due mesi. Cal comincia a non sopportare piú quel clima. Sta arrivando alla conclusione che almeno metà del suo amore per l'Irlanda dipende dall'odore della vegetazione sotto la pioggia. Senza quell'odore, complesso e malinconico e generoso, si sente come truffato.

– Sai una cosa? – continua Mart. – Devo davvero trovarmi quella donna con cui parlare. Gli uomini sono troppo prevedibili.

– Mi dispiace –. Rip si agita e gli lecca le mani, rendendo difficile il processo di rimozione dei ricci, non tanto perché gli dà fastidio ma perché si diverte.

– Vuoi sapere un'altra cosa degli uomini che mi fa ammattire? – dice Mart. – Il modo in cui coltivano un risentimento. Le donne, invece... – Appoggia un gomito sul cancello, mettendosi comodo per la spiegazione. – Se una donna ce l'ha con qualcuno, lo sa tutto il paese. Sai cosa le ha fatto quella persona, e perché non ne aveva il diritto, e cosa dovrebbe fare per farsi perdonare, e cosa succederà se non lo fa. Ne senti parlare finché non succede qualcosa, e se la situazione non si risolve durante la tua vita, ne sentiranno parlare i tuoi figli dopo la tua morte. Un uomo, invece, può coltivare un rancore per venti o trent'anni, senza mai parlarne con nessuno. Persino il tizio con cui ce l'ha magari non ne sa nulla. Che senso ha? Che bene può fare un rancore se non viene mai comunicato?

– Non ne ho idea, – risponde Cal.

– E poi, – prosegue Mart, – dopo aver bollito per tutto quel tempo senza che nessuno ne sapesse nulla, un giorno qualcosa va storto, l'uomo vede la sua occasione, o forse ha solo avuto una brutta giornata o magari ha bevuto troppo, e tutto esplode di colpo. Conosco un tizio dalle parti di Croghan che alla festa dei ventun anni di sua figlia ha dato al cognato una botta in testa con una bottiglia e per poco non l'ha ammazzato. Cosí, dal nulla. E tutto quello che sono riusciti a fargli dire è che il cognato se lo meritava, per una cosa che aveva fatto al battesimo della figlia –. Scuote la testa. – E si tratta di un ragazzo gentile, tranquillo, che va d'accordo con tutti. Questo tipo di imprevedibilità non mi piace. La vendetta può essere sconcertante, Sunny Jim, quando arriva come un fulmine a ciel sereno.

Rip si annoia e ha cominciato a saltellare e a scuotersi,

tentando di rendere il lavoro di Cal abbastanza difficile da convincerlo a smettere, in modo da poter tornare con Kojak. – Fermo, – gli ordina Cal. Il cane fa un sospiro da martire e si accuccia di nuovo.

– Naturalmente ci sono delle eccezioni, – concede Mart. – La tua ragazzina mi sembra capace di tenere la bocca chiusa sui rancori che può aver accumulato. A me invece piace parlarne; non ne ho molti, ma li racconto nei particolari a chiunque abbia voglia di starmi a sentire.

– Hashtag «nonvalepertutti», – dice Cal, spostando il naso di Rip per continuare il suo lavoro. Vive ad Ardnakelty da abbastanza tempo per capire che Mart non sta solo facendo chiacchiere oziose. Perciò cerca di capire se con quelle storie voglia dirgli qualcosa, chiedergli qualcosa, o tutte e due le cose.

– Santo Dio, ma sentitelo, – dice Mart, punzecchiando la gamba di Cal con la punta del bastone. – Abbiamo qui il signor Social Media, con i suoi hashtag. Di secondo lavoro fai l'influencer, Sunny Jim? Sei su TikTok e ti agiti al ritmo di Rihanna? Mi piacerebbe vederti.

– Lo farò, – risponde Cal. – Appena trovo un vestitino in pelle nera della mia taglia.

Mart ride. – Spiegami una cosa, – dice, riappoggiandosi al bastone. – Tu come sei messo a rancori? Se ne avessi qualcuno, io ne saprei tutti i dettagli, oppure te li terresti per te? A me sembri il tipo forte e silenzioso, mi sbaglio?

– Io non sono di queste parti, – risponde Cal. – Devi essere del posto per avere dei rancori.

Mart inclina la testa di lato, riflettendo su quelle parole. – Forse, – ammette. – Tu devi saperlo meglio di me; io vivo qui da tutta la vita. Mi stai dicendo che se qualcuno fa qualcosa di male, a te o a una persona che ti è cara, o se solo ti irrita con la sua presenza, porgeresti l'altra guancia e dimenticheresti tutto, perché sei americano? Molto cristiano, da parte tua.

– Semplicemente mi faccio i fatti miei, – replica Cal.
– E cerco di andare d'accordo con tutti –. La situazione si sta facendo piú chiara: Mart, a modo suo e prendendosela comoda, vuole sapere della vendetta. Gli sta chiedendo se lui, una volta appurato che la storia dell'oro è un mucchio di letame, se ne starebbe a guardare mentre i ragazzi perdono i risparmi di una vita.

– Sei un esempio per tutti noi, – lo informa Mart, in tono pio. – Ma non so quanti lo seguirebbero. Ti dirò una cosa, comunque: ci saranno molti rancori, se la storia dell'oro non darà risultati.

– Sí, ne sono convinto –. Cal ha compreso l'avvertimento.

– Specialmente se i ragazzi investiranno nella compagnia di Paddy l'Inglese, spinti dal pezzetto d'oro trovato dalla tua ragazzina, e poi tutta la faccenda va in merda –. Sogghigna. – Bobby non sarà felice, se perde l'occasione di trovare la sua donna su internet.

– Bobby è un bravo ragazzo. Ci sono tante donne che sarebbero felici di conoscerlo.

– Ma non vivono da queste parti. Ah, e lui è un buon esempio di quello di cui stiamo parlando –. Gli punta contro il bastone, per enfatizzare il concetto. – Tutti sanno che Bobby aveva messo gli occhi su Lena, poi sei arrivato tu e gliel'hai portata via da sotto il naso. Non che Lena l'avrebbe mai preso in considerazione, ma lui non lo sapeva. Ora, Bobby non si comporta come se ce l'avesse con te, ma non si può mai sapere, no?

Cal ha preso la sua decisione. L'idea gli scatena dentro una specie di terrore, ma non gli sembra di avere scelta.

– Non me ne frega un cazzo di chi ce l'ha con Johnny, –

dice, alzandosi in piedi. – Ma non voglio che la ragazza debba sopportarne le conseguenze.

Mart lo guarda di traverso. – Intendi Theresa, quella che ieri sera nel pub ha mostrato la pepita d'oro che aveva scavato? *Quella* ragazza?

– Sí, proprio lei.

– Se troveremo l'oro, lei starà benissimo. Johnny dovrà sopportare delle conseguenze, come le chiami tu, se non ne troveremo abbastanza almeno per recuperare l'investimento, ma la tua Theresa non ha mai offerto o promesso niente a nessuno. Perciò i ragazzi non faranno ricadere su di lei le stronzate di suo padre –. Getta un'altra occhiata a Cal. – A meno che anche lei faccia qualche stronzata. Per esempio, se l'oro che ha mostrato nel pub non risultasse in nulla. Se non trovassimo piú niente, o se Johnny tagliasse la corda con i soldi di tutti. Queste non sarebbero buone notizie.

Cal non dice nulla. Dopo qualche secondo, Mart annuisce e torna a guardare il cielo, con aria meditativa. – Se fossi nei tuoi panni, Sunny Jim, e sono contento di non esserlo, per prima cosa spiegherei a Johnny Reddy che lui e il suo sassone devono sellare i cavalli e sparire in lontananza –. I suoi occhi passano rapidi, senza cambiare espressione, sulla guancia piena di lividi di Cal. – Se il messaggio non dovesse essere recepito, allora andrei a parlare con qualcuno che abbia un potere maggiore. E infine farei una chiacchierata con la ragazza, per chiarirle alcune cose. E per l'amor di Dio, le raccomanderei di non fare altre stupidaggini.

– E cosí nessuno le darà fastidio.

– Dio, certo che no. Niente danni, niente problemi. Come ho detto, Johnny non è colpa sua –. Mart sorride. – Per quanto riguarda noi, ragazzo mio, lei è tua figlia, indipendentemente da chi siano i suoi genitori. Se tu sei in una buona posizione, lo è anche lei.

– Secondo la signora Duggan, – dice Cal, – nessuno ha mai detto che ci fosse dell'oro, da queste parti, finché non è arrivato Johnny Reddy a parlarne.

Questo coglie Mart di sorpresa. Inarca le sopracciglia, lo fissa e un attimo dopo scoppia a ridere. – Dymphna Duggan, – esclama. – Gesú, Maria e tutti i santi del calendario, avrei dovuto sapere che aveva un contributo da dare. Mi prenderei a calci, per non aver pensato a lei prima di te. Non avrei potuto andare a parlarle, ovviamente, perché mi detesta, ma avrei potuto mandare qualcuno. Probabilmente non sarebbe servito a niente lo stesso, perché lei si diverte troppo a guardare quello che succede e non le importa quello che i ragazzi possono offrirle. Per l'amor di Dio, prima che muoia di curiosità, dimmi come hai fatto a tirarle fuori questa informazione. Nemmeno una volta nella sua vita Dymphna ha dato notizie di quel calibro solo per bontà di cuore. Sicuramente avrà voluto in cambio del materiale di qualità. Cosa le hai dato?

– Segreto del mestiere, – risponde Cal. Rivede Lena in attesa sotto il portico, vibrante di tensione. Ha sempre saputo, e lo accetta senza difficoltà, che lei ha spazi privati che non condivide con nessuno, nemmeno con lui. Il pensiero che abbia dovuto esporli alla curiosità della signora Duggan gli fa desiderare di aver fatto molto piú male a Johnny.

Mart gli rivolge un'altra delle sue occhiate. – Sai una cosa, non credevo che tu potessi avere qualcosa che lei ritiene utile. È molto schizzinosa, la nostra Dymphna. Ci sono un paio di cose che so di te che comunque faresti meglio a non dirle, e a parte questo non capisco cosa puoi averle offerto per solleticare le sue papille.

– Perché credi che io sia prevedibile, – ribatte Cal. – Ma non tutti la pensano allo stesso modo.

– Lena Dunne, invece, – continua Mart, come se Cal

non avesse parlato, – lei sí che è una donna del mistero, o almeno la cosa che ci si avvicina di piú, da queste parti. Se volesse qualcosa da Dymphna Duggan, potrebbe darle in cambio informazioni in grado di farle venire l'acquolina in bocca.

Cal raccoglie i ricci che ha tolto dal pelo di Rip e li getta nella siepe. – Adesso vai pure, – dice al cane, dandogli una pacca sul fianco. Rip parte di corsa a cercare Kojak.

– Comunque sia, – dice ancora Mart, – se Dymphna sostiene che la storia dell'oro è una stronzata, allora lo è. Devo ammetterlo, ora mi sento compiaciuto. Avevo annusato fin dall'inizio che qualcosa non girava. Ed è bello sapere che il mio istinto funziona ancora bene.

– Johnny deve dei soldi a Rushborough, – spiega Cal. – E ha paura di lui. Per questo non vuole andarsene via.

– Ma guarda, – commenta Mart, – quella testa di cazzo non ha mai avuto nemmeno il buonsenso che Dio ha dato a un asino. Ho bisogno di pensarci su, Sunny Jim. Se parto sparato ci sarà una guerra santa e nessuno la vuole. Ti farò sapere. Fino ad allora, stattene buono.

Fa un fischio a Kojak, il quale si volta in piena corsa e viene verso di lui a balzi, con Rip che lo segue a distanza, le orecchie al vento. Mart guarda l'erba assolata che ondeggia intorno a loro.

– Se può consolarti, – dice, – stai facendo la cosa giusta per Theresa. Nessuno qui vuole crearle dei problemi. Vogliamo solo saperla in buone mani, sapere che cresce nel modo giusto. Se ha avuto un po' d'incertezza è comprensibile, con quell'idiota che si è fatto vivo all'improvviso. Deve solo tornare sulla strada giusta e starà benissimo. Parla con lei.

– Lo farò –. La fitta di terrore si è un po' calmata. Mart è un uomo pratico. Se è necessario fare del male lo fa, ma non vede il senso di sprecare energia in castighi o vendette. Se Cal riuscirà a mettere in riga Trey, lei sarà al sicuro. Ma non ha idea di quando e se ne avrà la possibilità.

– Tu e io insieme, – dice Mart, con un ghigno improvviso, – sistemeremo tutto in pochissimo tempo. Il lavoro di squadra è la cosa migliore, ragazzo mio.

– Tienimi aggiornato.

– Ieri sera al pub, – dice Mart, in tono riflessivo, – ti ho detto di farti gli affari tuoi e stare fuori da quelli di Johnny, te lo ricordi? E ora, per la prima volta nella mia vita, sono contento che qualcuno non mi sia stato a sentire. A volte il mondo è proprio strano, Sunny Jim. Ci sono già abbastanza cose che ti tengono sulle spine.

Cal lo segue con lo sguardo mentre si allontana, fischiettando pezzi di qualche vecchia canzone. Vorrebbe rientrare in casa e mettersi al lavoro su quella sedia, ma resta appoggiato al cancello ancora per un po'. Si sente proprio come quando Trey gli aveva detto per la prima volta del ritorno di Johnny: come se le sue gambe o il terreno non fossero abbastanza solidi da sostenerlo. Cal è troppo vecchio per mettere in moto qualcosa senza avere almeno un'idea di come potrebbe andare a finire.

È passato molto tempo dall'ultima volta che Lena è salita in montagna. Quando era un'adolescente dal sangue caldo in cerca di libertà, lei e i suoi amici andavano lassú per fare cose che non volevano far sapere agli adulti; e nei mesi difficili dopo la morte di Sean a volte andava a camminare sui sentieri per ore, la notte, nel tentativo di stancarsi abbastanza da poter dormire. In tutti e due quei periodi, sapeva perfettamente di correre dei rischi e li accettava, in modi diversi. Ora le viene in mente che, a parte le volte in cui è andata a trovare Sheila dopo ciascun parto, forse non si era mai recata prima su quella montagna in uno stato mentale equilibrato.

Il sole e il caldo fanno sembrare la montagna piú pericolosa del solito, e non meno; come se si fosse fatta piú audace e non avesse piú voglia di tenere nascosti i propri rischi; anzi, li sfoggia come sfide. L'erica che copre i pantani emette forti fruscii a ogni colpo di vento, facendo voltare Lena di scatto senza che ci sia nulla; i veri e i falsi sentieri sembrano identici tra gli alberi; i precipizi si vedono bene, annunciati dal sottobosco avvizzito che si spinge troppo vicino al sentiero. Lena ha lasciato a casa i cani, per via del caldo, ma ora se ne pente. La montagna oggi sembra un posto dove un po' di compagnia non sarebbe male.

Comunque trova facilmente la casa dei Reddy e sa di aver scelto l'ora giusta. È la tarda mattinata, la gente è in giro a farsi gli affari suoi. Due ragazzini spettinati di cui non ricorda i nomi giocano su una struttura da arrampicata fatta di legname di scarto e metalli, ma Banjo non si vede da nessuna parte e quando chiede ai bambini se il loro papà o Trey siano in casa, loro scuotono la testa, appesi alla struttura e guardandola fisso.

Sheila viene ad aprire la porta, con un pelapatate in mano e un'espressione cauta. Quando vede Lena, la diffidenza aumenta. Non è qualcosa di personale, ma una reazione automatica a qualsiasi cosa che arrivi senza una spiegazione evidente.

– Ti ho portato questa, – dice Lena, tirando fuori un barattolo di marmellata di mirtilli. Le piace farsi le marmellate da sé, prima di tutto perché cosí le prepara secondo i suoi gusti, ma anche perché hanno altre proprietà di cui è ben consapevole. – Trey l'ha assaggiata qualche giorno fa a casa mia e le è piaciuta molto, cosí le ho promesso che

gliene avrei dato un barattolo, ma poi me ne sono dimenticata. Hai da fare?

Sheila guarda il suo pelapatate, e ci mette qualche secondo a ricordare la formula cortese. – No, tranquilla, –
risponde. – Entra, prendiamo una tazza di tè.

Lena si siede al tavolo della cucina e fa domande bana-
li sui bambini. Sheila toglie di mezzo le patate e mette il
bollitore sul gas. Mezza vita fa, Lena si sarebbe messa a
tagliare le patate mentre Sheila le pelava. Le piacerebbe
farlo anche adesso, perché renderebbe piú fluida la chiacchierata, ma ormai non sono piú in confidenza.

Non ricorda quand'è stata l'ultima volta che si sono
viste. Sheila scende di rado al villaggio; di solito manda Trey o Maeve da Noreen a comprare ciò che le serve. Lena ha sempre pensato che fosse per orgoglio. Ai
vecchi tempi, Sheila non era solo bella ma anche allegra
e ottimista, il tipo sempre pronto a farsi due risate e ad
allontanare ogni preoccupazione con l'idea che alla fine
tutto si sarebbe risolto per il meglio. Ardnakelty è piena
di persone rancorose che prendono l'ottimismo come un
insulto personale, e Lena pensava che Sheila non volesse sopportare le loro frecciatine su quello che resta della
sua vecchia personalità. Ma ora, guardandola, immagina
che forse semplicemente non ha abbastanza energia per
fare tutta la strada.

Sheila porta in tavola il tè. Le decorazioni delle tazze,
coniglietti tra fiori selvatici, sono sbiadite dai tanti lavag-
gi. – Fa quasi troppo caldo per un tè, – dice.

– Cal in questo periodo fa il tè freddo, – replica Lena.
– Non con il latte, eh? Solo un tè leggero con zucchero e
limone, e lo tiene in frigo. A me questo caldo non dà fastidio, ma devo ammettere che il tè freddo mi piace.

– Io questo caldo lo odio, – dice Sheila. – Quassú è tutto secco come un osso; il vento scuote ogni cosa per l'intera la notte, e fa tanto rumore che non riesco a dormire.

– Qualcuno si è preso un ventilatore. Quello dovrebbe riuscire a bloccare il rumore, almeno in parte.

Sheila scrolla le spalle. – Forse –. Beve il suo tè, in modo costante e meccanico, come se fosse un altro compito da portare a termine per arrivare a fine giornata.

– Johnny ha un bell'aspetto, – dice Lena. – Londra gli ha fatto bene.

– Johnny è lo stesso di sempre, – è la risposta. – E Londra non c'entra. Sarebbe lo stesso in qualsiasi posto.

La pazienza di Lena, già provata durante quella settimana, si è ulteriormente assottigliata per via della salita in montagna. Abbandona la conversazione oziosa, che comunque non sembra andare da nessuna parte.

– Volevo dirti una cosa, – spiega. – Se hai bisogno di una mano con qualsiasi cosa, io ci sono.

Sheila alza gli occhi per guardarla dritto in faccia. – Per cosa dovrei aver bisogno di una mano?

– Non lo so. Magari vuoi un posto dove stare per qualche tempo.

Sheila solleva un angolo della bocca in quello che potrebbe essere un accenno di sorriso divertito. – Ti prenderesti in casa me e quattro ragazzini?

– Troverei lo spazio.

– Non ci vuoi davvero.

– Invece sareste i benvenuti, – insiste Lena, in tono sincero.

– Ma perché dovrei andare via? Johnny non mi ha picchiata, e non lo farà.

– Forse vuoi allontanarti da lui.

– Questa è casa mia. E lui è mio marito.

– Appunto. Forse vorrai mostrare a tutti che lui non ha nulla a che fare con te.

Sheila posa la tazza e la guarda. Lena ricambia lo sguardo.
Fino a quel momento, non era sicura che Sheila fosse a conoscenza del piano di Johnny. E forse Sheila si chiedeva lo
stesso riguardo a lei, sempre se si chiedeva qualcosa. Lena è
contenta di aver chiarito le cose, anche se la situazione è imprevedibile. Una delle cose principali che la irritano in quel
posto, è il gioco infinito a «tu sai che io so che lei sa che lui sa».

– Ma perché vuoi ospitarci? – chiede Sheila.

– Mi sono molto affezionata a tua figlia Trey.

Sheila annuisce. – All'inizio ho pensato che avresti detto: «per amore dei vecchi tempi», – replica. – Questo non
l'avrei creduto. Non sei mai stata cosí.

– È vero. Forse un po' lo sono diventata con la vecchiaia, ma non ne sono sicura.

Sheila scuote la testa. – Sto bene dove sono, – risponde. – Voglio poterlo tenere d'occhio.

– Capisco. Se vuoi prendo i bambini.

– I piccoli stanno bene qui. Avevo detto a Trey di andare a stare da te finché Johnny non se ne andrà.

– Può venire quando vuole.

– Lo so, ma non vuole.

– Prova a dirglielo di nuovo. Glielo chiederò anch'io.

Sheila annuisce. – Mi fa piacere che qualcuno veda che
vale la pena di darle una mano. E lei dovrebbe approfit-
tarne. Nessuno ha mai pensato questo di me.

Lena ci riflette su. – La gente forse immaginava che
avessi avuto quello che volevi. Lo credevo anch'io, e non
ha senso aiutare qualcuno a liberarsi di quello che vuole.

Sheila scuote brevemente la testa. – Erano convinti che
avessi avuto quello che meritavo. È diverso.

– Gli piace tanto pensare queste cose, a quelli di qui, –
conviene Lena. – Sono convinta che lo dicessero anche di
me, quando Sean è morto.

– Sean mi piaceva, – dice Sheila. – Hai scelto bene –.
Fuori, in cortile, uno dei bambini caccia uno strillo, ma
lei non si volta a guardare. – Ci sono comunque persone
che mi aiutano, – continua. – Negli ultimi due anni. Mi
portano della torba per l'inverno, aggiustano il recinto nei
punti in cui è crollato.

Lena non dice nulla. Sa perché la gente del posto ha cominciato a darle una mano.

– Dovrei sputare loro in faccia, – dice Sheila. – Ma non
posso permettermelo.

– Vuoi sputare in faccia anche a me?

Sheila scuote di nuovo la testa. Tutti i suoi movimenti
sono brevi e contenuti, come se risparmiasse energie per
poter arrivare a sera. – Tu non lo fai per ripagare un debito. Non mi devi nulla. E non lo fai per me, lo fai per Trey.

– Comunque, se vuoi che prenda i tuoi figli in casa mia,
portali.

Stavolta Sheila la guarda in modo diverso, quasi con
interesse. – Tutti ti farebbero delle domande. E tu odi
quando la gente ficca il naso.

È la prima volta che si esprime come se Lena fosse
un'amica, o lo fosse stata. – Ora sono piú vecchia, – risponde Lena. – Possono fare tutte le domande che vogliono, gli farà bene alla circolazione.

– Cosa risponderesti?

– Quello che vogliamo noi. Forse che l'inglese è andato
a caccia degli alieni di Bobby, e lui e Johnny te ne hanno
portato uno in casa e tu sei stufa di pulire merda di alieno dai pavimenti.

Sheila ride. Una risata libera, cristallina e giovanile che
le coglie entrambe di sorpresa. Dopodiché chiude la bocca
di scatto, come se avesse fatto qualcosa di male.

– Doireann Cunniffe ci crederebbe, – continua Lena.

– Basterebbe solo mantenere un'espressione seria mentre
lo racconti.

Sheila fa un debole sorriso. – Non sono mai stata brava, in quello. Eri tu ad avere la miglior faccia da poker,
tra noi. Io ero sempre quella che cominciava a ridere e ci
faceva scoprire.

– Quello era metà del divertimento. Cercare di toglierci dai guai dopo.

Uno dei bambini strilla di nuovo. Stavolta Sheila lancia
una breve occhiata verso la finestra. – Se raccontassi ai
miei figli quello che facevamo, non mi crederebbero. Non
crederebbero nemmeno a una parola.

Quel pensiero sembra disturbarla.

– È cosí che funziona, – replica Lena. – Anche i nostri
genitori devono aver fatto tante cose che noi non avremmo creduto.

Sheila scuote la testa. – Vorrei che lo sapessero, – dice. – Per avvertirli. Un attimo fai parte di un gruppo di
monelli sconsiderati, e l'attimo dopo... Dillo tu a Trey.
A te crederà.

– Ha quindici anni, – puntualizza Lena. – Saremo for-
tunate se crederà a una parola di quello che le dice qualsiasi adulto, nei prossimi anni.

– Diglielo tu, – ripete Sheila. Cerca di togliere con un
dito un pezzetto di qualcosa che si è attaccato alla tazza, e l'operazione sembra irritarla. I bambini fuori hanno smesso di strillare. – Una volta l'ho lasciato, – dice.
– In piena notte. Lui dormiva, ubriaco. Ho caricato i
bambini in macchina, eravamo solo in quattro, era prima
di Liam e Alanna, e siamo partiti. Ricordo il silenzio di
quella notte: la pioggia sul parabrezza e nemmeno un'a-
nima per la strada. I bambini si sono addormentati. Ho
guidato per ore. Alla fine ho invertito la marcia e sono

tornata. Non c'era nessun posto abbastanza lontano che valesse la pena.

Le dita sulla tazza hanno smesso di muoversi. – Mi sono sentita una cretina monumentale. Johnny non l'ha mai saputo, comunque. Meglio cosí, mi avrebbe presa in giro.

– Se ti viene in mente qualcosa che posso fare, – insiste Lena, – dimmelo.

– Forse lo farò. Grazie della marmellata –. Si alza e porta via tazze e teiera.

Cal sta lavando i piatti dopo pranzo quando arrivano Trey e Banjo. Il rumore della porta spalancata gli provoca un impeto di sollievo sproporzionato, che lo fa quasi cadere a terra. – Ciao, – esclama. – Era un pezzo che non ti facevi vedere.

Trey getta un'occhiata lunga e impenetrabile al suo viso ferito, poi sposta lo sguardo. – Sono venuta ieri mattina, – lo informa. – Ma non c'eri.

Il fatto che fosse venuta è una bella cosa, ma Cal non capisce se il motivo era solo la falegnameria o il fatto che voleva parlare. – Be', – dice. – Ora ci sono.

– Sí –. Trey si china per ricevere il benvenuto di Rip e accarezzargli le guance.

Non ha portato nulla. A Cal non piace quando porta del cibo, è come se volesse pagarsi il biglietto d'ingresso, ma oggi gli sarebbe piaciuto vederle in mano un pacchetto di biscotti, un pezzo di formaggio o altro. Avrebbe voluto dire che intendeva restare.

– Cosa gli è successo alla zampa? – chiede, indicando Banjo.

– Gli sono caduta sopra, – risponde Trey, un po' troppo in fretta. – Ma è stato qualche giorno fa, ora sta bene. È solo in cerca di fette di prosciutto.

– Be', ce le ho –. Cal va ad aprire il frigorifero e lancia
il pacchetto a Trey. Non le chiede del labbro, che è già
quasi guarito. Sembra che oggi sia la giornata in cui nessuno chiede niente a nessuno. – Vuoi mangiare qualcosa?

– No, ho già pranzato –. Si siede per terra e comincia
a dare pezzetti di prosciutto al cane.

– Si dice «No, grazie» –. Le parole gli escono in automatico, prima di potersi fermare.

Trey alza gli occhi al cielo, e questo lo conforta un po'.
– No, grazie.

– Alleluia –. Tira fuori il tè freddo. La propria voce gli
sembra falsa. – Finalmente ci siamo arrivati. Bevi un po' di
questo. Con il caldo che fa, se non bevi ti raggrinzisci tutta.

Trey alza di nuovo gli occhi al cielo, ma beve tutto il tè
e tende il bicchiere per averne ancora. – Per favore, – dice, come un ripensamento.

Cal le riempie di nuovo il bicchiere e ne versa anche uno
per sé. Sa che deve parlarle, ma prima si prende un minuto per osservarla, appoggiato al piano di lavoro della cucina. Trey è cresciuta ancora e le caviglie escono dai jeans.
L'ultima volta Sheila ci aveva messo mesi a notarlo, prima
di comprarle vestiti nuovi: Trey rifiutava di accettare la
beneficenza di Cal e lui aveva dovuto trovare un modo di
portare il problema all'attenzione di Sheila senza sembrare
un pervertito che guardava le gambe alle ragazzine. Si era
promesso che la prossima volta sarebbe andato in città e
le avrebbe comprato un paio di jeans, e se lei non li avesse accettati poteva darli da mangiare ai maiali di Francie.

– Ho visto mio padre, ieri notte, – dice Trey. – Quando è tornato a casa.

– Sí? – Cal mantiene un tono neutro, anche se di sicuro
lo stronzetto non aveva trovato nulla di male nel dire alla
figlia chi era stato, coinvolgendola nella faccenda.

– Lo hai pestato per bene.

Due anni prima, avrebbe detto «gli hai fatto il culo a strisce», o qualcosa di simile. Il «per bene» è tutto merito di Cal. – Ce le siamo date di santa ragione, – ammette.

– Come mai?

– Opinioni diverse.

Trey stringe i denti, nel modo che usa quando vuole mettere qualcosa in chiaro. – Non sono una bambina, cazzo.

– Lo so.

– Allora perché l'hai menato?

– E va bene. Non mi piace il suo gioco.

– Non è un gioco.

– Sai cosa voglio dire.

– Cosa non ti piace, di preciso?

Cal si trova nella situazione in cui lei sembra metterlo regolarmente: si sente un pesce fuor d'acqua, proprio nel momento in cui è importante non combinare pasticci. Non ha idea di cosa dire senza peggiorare le cose.

– Non intendo sparlare di tuo padre con te, – risponde. – Non sta a me farlo. Ma quello che sta facendo... – «Non è quello che voglio per te», vorrebbe dire. Ma non ha il diritto di volere nulla per lei. – La gente qui alla fine sarà molto incazzata.

Trey scrolla le spalle. Rip spinge via Banjo, perché vuole tutto il prosciutto e l'attenzione. Trey li separa e li accarezza ciascuno con una mano.

– Quando succederà, – continua Cal, – sarebbe bene che tu non ti ci trovassi in mezzo.

Trey gli getta una rapida occhiata. – Possono andare affanculo. Non ho paura di loro.

– Lo so. Non è quello che volevo dire –. Quello che voleva dire è molto semplice: «Stava andando tutto benissimo, questo è l'importante, non mandare tutto a puttane». Ma non riesce a trovare un modo per dirlo. Gli sembra che ci siano troppi significati che una ragazzina della sua età non riuscirebbe a comprendere, anche se lui glieli spiegasse: il peso e la portata delle scelte; il fatto che alcune cose si possono rafforzare senza pensarci, ma in modo permanente. Trey è troppo giovane per prendere le redini del proprio futuro. Cal vorrebbe abbandonare quell'argomento e tornare a parlare del fatto che ha bisogno di un taglio di capelli. Vorrebbe poterle proibire di uscire di casa finché non avrà imparato a comportarsi in modo sensato.

– Allora cosa volevi dire? – domanda Trey.

– Lui è tuo padre –. Cal sceglie le parole con difficoltà. – È naturale che tu voglia aiutarlo. Ma le cose si metteranno male.

– Non se tu tieni la bocca chiusa.

– Credi che farebbe una differenza? Sul serio?

Lo sguardo di Trey vuol comunicargli che se fosse solo un pochino piú stupido avrebbe bisogno di essere annaffiato. – Tu sei l'unico che lo sa. Come lo scopriranno gli altri, se tu non parli?

Cal prova un moto di rabbia. – Come cazzo possono *non* scoprirlo? Non c'è *nessun oro del cazzo*. Anche se tuo padre li considera degli idioti, prima o poi se ne accorgeranno. E allora cosa succederà?

– Mio padre inventerà una spiegazione. È quello che sa fare meglio.

Cal ingoia diversi commenti a cui è meglio non dare voce. – Ai ragazzi non importerà un cazzo di nessuna spiegazione. Vorranno indietro i loro soldi. Se pensi che tratteranno meglio tuo padre perché sei coinvolta anche tu e ora ti rispettano…

– Mai pensato nulla di simile.

– Bene, perché non lo faranno. Otterrai solo di finire nella merda insieme a lui. È questo che vuoi?

– Te l'ho detto: per me possono tutti andare affanculo.

– Sta' a sentire, – dice Cal. Fa un respiro profondo e riporta la voce a un tono normale, per quanto possibile. Osserva le spalle squadrate di Trey e capisce che qualunque cosa dirà sarà inevitabilmente sbagliata. – Voglio dire solo che prima o poi questa faccenda finirà. E tuo padre e Rushborough dovranno andarsene da qui.

– Lo so.

Cal non capisce se sia vero o no. – E tu dovresti pensare a cosa succederà dopo. Se da ora in avanti ti separi dalle faccende di tuo padre, posso assicurarti che nessuno se la prenderà con te. Ma se…

Trey ha un lampo di rabbia. – Non voglio che tu ci ficchi il naso. So badare a me stessa.

– Va bene, va bene –. Cal fa un altro respiro. Non sa come evidenziare le cose a cui Trey dà valore per sostenere il proprio punto di vista, perché in quel momento non sa bene quali siano quelle cose, a parte Banjo, e gli sembra che non lo sappia nemmeno lei. – Indipendentemente da quello che farò io, se tu resti invischiata con tuo padre, le cose cambieranno. Ora tutti hanno una buona opinione di te. Ti ho sentito dire che dopo la scuola vuoi occuparti di falegnameria. Sei già brava, potresti aprire il tuo laboratorio domani e avere piú lavoro di quanto riesci a gestirne.

Gli sembra di vederle battere le palpebre, come se l'argomento l'avesse colpita. – Se continui ad aiutare tuo padre, questo non succederà. La gente non ti tratterà piú come adesso. So che di loro non te ne frega niente, ma le cose non stanno piú come due anni fa. Ora hai qualcosa da perdere.

Trey non alza lo sguardo. – Come hai detto tu, lui è mio padre.

– Lo so –. Cal si passa una mano sulla bocca. Chissà se
lei crede che quando suo padre lascerà la città la porterà
con sé. – Lo so. Ma come hai detto tu, non sei piú una
bambina. Se non vuoi essere immischiata nei suoi affari,
hai il diritto di deciderlo, e tuo padre non c'entra.

Prova l'impulso di offrirle delle cose, una pizza fuori,
un tornio nuovo, un pony, qualunque cosa voglia, se solo
lei si allontanerà dalla miccia accesa e tornerà a casa.

Trey dice: – Io voglio farlo.

Nella stanza scende un breve silenzio. Il sole e il rumore delle mietitrebbia in lontananza entrano dalle finestre.
Rip si stende sulla schiena per farsi grattare la pancia.

– Ricorda solo, – dice Cal, alla fine, – che puoi cambiare idea in qualsiasi momento.

– Ma perché t'importa tanto se quelli prendono una
fregatura? Tu non gli devi nulla. E ti hanno anche fatto
del male.

– Voglio solo stare in pace, – risponde Cal. All'improvviso si sente esausto fino alle ossa. – Questo è tutto. E
stavamo in pace, fino a un paio di settimane fa. Era bello. Mi piaceva.

– Puoi avere la pace. Restane fuori e lascia che loro facciano quello che vogliono.

Cal è di nuovo bloccato. Non può dirle che non intende
togliersi di mezzo finché lei è coinvolta; sarebbe ingiusto
affibbiarle quella responsabilità. La loro quasi non sembra
una conversazione, ma una serie di muri e siepi spinose.

– Non è cosí semplice, – dice.

Trey sbuffa, impaziente.

– Senti, ragazzina. Diciamo che io mi levo di mezzo:
cosa penseranno loro, quando tutto andrà in malora? Penseranno che io lo sapevo e non ho detto nulla. Cosí non ci
sarà certo la pace.

Continuando a guardare i cani, Trey dice: – Mio padre mi ha detto di dirti di fare marcia indietro e pensare agli affari tuoi.

– Ah, ma guarda.

– Sí. Dice che non hai in mano nulla e che se parli riuscirai solo a mettere nella merda me.

– Ah –. Cal avrebbe dovuto gettare Johnny in un pantano quando ne aveva la possibilità. – È un modo di considerare le cose.

Trey gli lancia una breve occhiata che non sa interpretare. – Anch'io voglio che tu ne stia fuori.

Cal si sente come se gli fosse caduto un masso sullo stomaco. – Come mai?

– Fallo e basta. Non sono affari tuoi.

– Capisco.

Trey lo osserva, accarezzando Rip in attesa che lui aggiunga qualcosa. Poiché Cal non dice altro, chiede: – Allora posso dire a mio padre che ti tirerai fuori?

– Tutto quello che dovevo dire a tuo padre gliel'ho detto ieri sera. Inoltre, – prosegue, pur sapendo che farebbe meglio a tenere la bocca chiusa, – se avrò qualcosa da aggiungere, gliela dirò di persona, senza usare te come tramite.

Per un attimo pensa che lei voglia ribattere. Invece Trey si alza di scatto, facendo schizzare via i cani, e dice: – Possiamo lavorare a quella sedia?

– Certo, – risponde Cal. All'improvviso sente le lacrime pungergli gli occhi. – Mettiamoci all'opera.

Trey lavora alla sedia con maggior cura e delicatezza del necessario, ripassando tre volte la gamba al tornio, e poi usando una carta vetrata sempre piú fine, fino a renderla liscia come la pelle di un neonato. Lavorano quasi in completo silenzio. L'aria estiva entra ed esce dalla finestra, portando dentro odori di insilato e trifoglio, e facendo brillare il pulviscolo. Verso l'ora di cena, quando il sole si sposta dalla finestra e il calore comincia a diminuire, Trey si spazzola i jeans striminziti e torna a casa.

13.

Quella notte la casa è immobile: tutti dormono, dopo i casini della sera prima. Trey non vuole andare a letto. La sua vita ha smesso di essere normale, ed è piena di troppe persone e troppi bisogni, tanto che non può perderla d'occhio un minuto, nemmeno per dormire. Per questo è sul divano, a guardare vecchi programmi alla tivú alla luce giallastra della lampada a stelo. Un tipo viscido tenta di convincere una coppia dall'aria infelice a costruire un annesso a forma di scatola che a loro non piace. Trey non lo sopporta, e spera che i due gli diano un calcio in culo e costruiscano quello che gli pare.

Quando una luce forte come quella del giorno si accende fuori ed entra dalle tende, non si muove. La sua mente è vuota, non ha la capacità di reagire. Per una frazione di secondo pensa che gli Ufo di Bobby Feeney siano reali e siano atterrati in giardino, anche se non crede in quelle stronzate. Per un altro momento pensa che dev'essersi addormentata e ora è mattina, ma alla tele c'è lo stesso stronzo di prima che continua a parlare. Spegne la tivú. Nel silenzio improvviso, sente il rumore forte e profondo di motori accesi.

Si alza in piedi nel soggiorno e ascolta. Nel resto della casa non c'è nessun movimento. Banjo, accucciato nel suo angolo vicino al divano, russa pacifico. In quella luce di un bianco bluastro la stanza sembra la scena di un incubo, dove oggetti familiari all'improvviso diventano incandescenti e minacciosi.

Trey si muove, silenziosa, lungo il corridoio, verso la sua stanza. Pensa alla finestra, ma prima di arrivare alla porta vede la stessa luce bianca e blu che esce dalla fessura. Apre la porta e nel bagliore che entra dalla finestra vede il viso di Maeve addormentata, luminoso e innaturale, irraggiungibile, come se lei fosse sott'acqua.

– Mamma, – dice, a voce non abbastanza alta da essere udita. Non sa se vuole davvero che sua madre si svegli. Non sa cosa potrebbe fare.

Maeve si gira nel letto ed emette un suono di protesta. Trey non vuole che si svegli e cominci a chiedere spiegazioni. – Mamma! – dice, a voce piú alta.

Nella stanza dei genitori sente movimenti e mormorii, seguiti da passi rapidi. Sheila apre la porta in camicia da notte a fiori, i capelli scomposti sulle spalle. Dietro di lei Johnny, in boxer e T-shirt, si sta infilando i pantaloni.

– C'è qualcosa fuori, – dice Trey.

– *Shhh*, – la blocca sua madre, con un'occhiata in corridoio. Maeve è seduta sul letto a bocca aperta e Liam sta chiamando.

Johnny passa accanto a Trey e Sheila e va verso la porta d'ingresso. Resta immobile, l'orecchio alla porta, in ascolto. Tutti loro si raccolgono dietro di lui.

– Papà, che cos'è? – chiede Maeve.

Johnny la ignora. – Vieni qui, – dice ad Alanna, raddrizzandosi, ma lei si tira indietro con un gemito spaventato. – Tu, allora, – prende Liam per un braccio, – non piagnucolate, porca miseria; nessuno vi farà del male. Andiamo –. Spinge Liam davanti a sé, apre la porta e resta sulla soglia.

La luce lo investe in pieno, da tutte le direzioni. La notte diventa una specie di nebbia bianca. Il rumore dei motori è piú forte, un ringhio profondo. Da ogni parte in quella foschia, troppo accecante per fissarla, ci sono cerchi di luce piú forte, appaiati come occhi. Trey ci mette qualche secondo a capire che si tratta di fari abbaglianti.

– Qual è la storia, ragazzi? – chiede Johnny, in tono allegro, sollevando un braccio per ripararsi gli occhi. La sua voce è in netto contrasto con la scena. – C'è una festa e nessuno mi ha avvisato?

Silenzio; solo il ruggito basso dei motori e uno strano suono crepitante, come quando il vento agita il bucato steso ad asciugare. Trey si affaccia dietro suo padre e vede le fiamme. Al centro del cortile spoglio c'è un bidone di metallo, con dentro un fuoco. Le fiamme si alzano avide, alte una trentina di centimetri, una colonna frastagliata che ondeggia nella brezza.

– Ah, ragazzi, – il tono di Johnny è un misto di tolleranza ed esasperazione. – I miei bambini stanno cercando di dormire. Tornate alle vostre case e andate a letto. Se avete qualcosa da dirmi, tornate domani e parleremo da persone civili.

Nulla. Il vento afferra un pezzetto di qualcosa in fiamme dal barile e lo spinge via finché si spegne, in alto contro il cielo. Trey stringe gli occhi, tentando di vedere gli uomini, o almeno le auto, ma le luci sono troppo forti; tutto, alle loro spalle, è tenebra fitta. L'aria è calda e febbricitante.

– Chiudi quella porta, – dice a un tratto Sheila, con voce tagliente. – Entra o resta fuori.

Johnny non si volta a guardarla.

– Ho detto chiudila.

– Ma che cazzo, ragazzi, – esclama Johnny, con disapprovazione. – Datevi una regolata. Fatevi passare la sbronza e parliamo domani –. Tira dentro Liam e chiude la porta.

Restano raggruppati in corridoio, a piedi nudi e con indosso la roba per dormire. Nessuno vuole muoversi. Intorno a loro, da ogni porta filtra la luce bianco-bluastra.

– Chi c'è fuori? – sussurra Alanna, con una faccia come
se stesse per piangere.

– I ragazzi che fanno gli scemi, – risponde Johnny. Si
guarda intorno, valutando le opzioni. I suoi lividi sembrano buchi dentro la carne.

– Perché c'è un fuoco?

– Vogliono dire che ci faranno uscire con un incendio, –
dice Sheila, rivolgendosi a Johnny. – Cosa significa?

Johnny ride, gettando indietro la testa. – Cristo onnipotente, ma ti senti? – dice alla moglie. – Come sei drammatica. Nessuno incendierà nulla.

Si siede sui talloni e posa una mano sulla spalla di Alanna
e l'altra su quella di Liam, fissando le loro facce inespressive. – La mamma sta scherzando, tesori miei, e anche quei
ragazzi là fuori. Hanno bevuto qualche pinta di troppo e
hanno pensato di divertirsi facendoci uno scherzo. Non
sono sciocchi, a fare una cosa simile a quest'ora?

Sorride ai due figli. Nessuno ricambia il sorriso, allora
aggiunge: – Vi dico cosa faremo. Faremo anche noi uno
scherzo a loro, eh?

– Gli sparo con la carabina ad aria compressa, – dice
Liam.

Johnny ride di nuovo, dandogli una pacca sulla spalla,
ma scuote la testa. – No. Mi piacerebbe, ma li spaventeremmo e non vogliamo farlo, vero? No, vi dico io cosa faremo: torniamo a letto e ignoriamoli completamente. Cosí
si sentiranno un mucchio di idioti, per essere venuti fin
quassú per niente. Eh?

I figli lo guardano.

– Andate a letto, – ordina Sheila. – Tutti quanti.

Per qualche secondo nessuno si muove. Alanna ha la

bocca aperta; Maeve sembra disposta a discutere ma non trova nulla da dire.

– Forza, andiamo, – dice Trey. Spinge i due piú piccoli verso la loro stanza e prende Maeve per un braccio. Lei si divincola, ma dopo un'occhiata prima al padre e poi alla madre, fa una scrollata di spalle teatrale e segue Trey.

– Tu non puoi dirmi cosa devo fare, – dice, una volta dentro la stanza. In corridoio, i genitori non parlano.

Trey si mette a letto vestita e volta le spalle alla sorella, tirandosi il lenzuolo sopra la testa per bloccare la luce che entra dalla finestra. Per un po' avverte la presenza di Maeve che la osserva, in piedi. Poi la sorella sbuffa e si getta sul letto. Il rumore dei motori fuori continua.

Dopo molto tempo, quando il respiro di Maeve finalmente rallenta e lei si addormenta, la luce si allontana dalla finestra e la stanza piomba nel buio. Trey si volta nel letto e guarda in corridoio, dove, una alla volta, le altre finestre diventano buie. Ascolta i motori scendere lentamente giú dalla montagna.

– Cosa è successo di notte? – chiede Alanna alla madre, la mattina a colazione. Johnny è ancora a letto.

– Non è successo niente, – risponde Sheila, mettendo una tazza di latte davanti a ciascuno di loro.

– Chi c'era fuori?

Anche Liam osserva la madre, mentre toglie la crosta dal toast.

– Non c'era nessuno. Mangia.

Sheila dice che c'è bisogno di pulire la casa e che nessuno può uscire finché non avranno finito.

– Per me non vale, – dice Liam, guardando il padre in cerca di approvazione. – I maschi non devono fare le pulizie.

Johnny, appena alzato, spettinato e sudato, ride e gli scompiglia i capelli, ma dice: – Aiuta tua madre.

Sheila mette Maeve a riordinare il soggiorno, e Trey e Alanna a pulire il bagno, mentre lei e Liam si occupano della cucina. Come vendetta per il fatto di non poter uscire e andare a trovare i suoi amichetti, Maeve accende il televisore con il volume al massimo, un talk show con un sacco di stupide risate.

– Qui –. Trey spruzza un detergente sul lavandino. – Pulisci qui.

Alanna prende la spugnetta. – C'erano delle persone fuori, – dice, e guarda Trey di traverso per vedere la sua reazione.

– Sí, – risponde Trey. Si aspetta altre domande, ma la sorella si limita ad annuire e comincia a pulire il lavandino.

Johnny resta quasi tutto il tempo in camera da letto. Fa una telefonata; Trey lo sente camminare su e giú mentre parla a bassa voce, con un'urgenza che fa del suo meglio per soffocare. Sta parlando con Rushborough, il quale non è affatto contento. Trey cerca di origliare, per capire quanto è arrabbiato e cosa gli sta dicendo Johnny per calmarlo, ma ogni volta che si avvicina alla porta della camera da letto, sua madre spunta dalla cucina e la rimanda al lavoro.

Johnny viene in bagno mentre Trey sfrega le piastrelle sul muro. Le sembravano già pulite, ma se dice che ha finito sua madre le troverà qualcos'altro da fare. Alanna si è annoiata ed è andata a sedersi nella vasca, a canticchiare una canzone inventata, senza capo né coda.

– Come sta andando? – chiede suo padre, affacciandosi sulla porta con un sorriso.

– Benissimo, – risponde Trey. Non vuole parlare con lui. In un modo o nell'altro, ha mandato tutto in malora. Tra lui e Rushborough avevano fatto abboccare all'amo tutta Ardnakelty, dovevano solo tirare su la lenza, e suo padre è riuscito a rovinare tutto.

– Ottimo lavoro, – dice Johnny, guardando il bagno con approvazione. – Quando avrai finito non riconosceremo piú questo posto. Ci sembrerà di vivere in un hotel di lusso.

Trey continua a sfregare.

– Vieni qui, – dice Johnny. – Tu sei il cervello di questa famiglia, perciò se c'è qualcuno che lo sa, sei tu: chi c'era là fuori ieri notte?

– Non lo so, – risponde Trey. Alanna sta ancora canticchiando, ma di sicuro ascolta. – Non riuscivo a vederli.

– Quanti erano, secondo te?

Trey scrolla le spalle. – Forse otto. Forse meno.

– Otto, – ripete Johnny, tamburellando le dita sullo stipite della porta, come se lei avesse detto qualcosa di molto importante. – Non è troppo male, allora. Vuol dire che un bel po' di gente non ha voluto partecipare. Sai una cosa? – Il suo tono si fa piú allegro e le punta addosso un dito. – In fin dei conti, potrebbe non essere un male, per noi. Da queste parti ci sono tanti bastian contrari. Se alcuni di loro strillano che si tratta di un'idea terribile, ci sono anche molti secondo cui si tratta solo di risentimento, e proprio per questo punteranno i piedi.

Dal modo in cui lo dice, sembra piú che possibile; sembra ovvio. Trey è incline a credergli, e ciò la rende furiosa con sé stessa.

– Tutto quello che dobbiamo fare, – dice Johnny, – è capire chi appartiene a quale gruppo. Domani va' al villaggio e vedi cosa riesci a sapere. Resta vicino al negozio di Noreen, nota chi è amichevole e chi invece è sgarbato con te. Va' a casa di Lena Dunne. Parla con il tuo americano, cerca di scoprire se sa qualcosa.

Trey spruzza altro detergente sul muro.

– Non oggi, però, – aggiunge suo padre, con un ghigno.
– Lasciamo riposare le cose. Gli farà bene stare un po' sulle spine, giusto?

– Sí, – risponde Trey, senza guardarlo.

– Hai saltato un punto, lí in alto, – dice suo padre, indicandolo. – Stai facendo un ottimo lavoro. Continua cosí. La perseveranza è una virtú.

Dopo pranzo, Sheila, Trey e Maeve escono in cortile per ripulire i resti del fuoco, con un secchio e una pentola pieni d'acqua. Il frinire delle cavallette è assordante e il sole le colpisce come un pugno. Sheila ha detto ai piccoli di restare in casa, ma loro si affacciano sulla soglia a guardare. Alanna mangia lentamente un biscotto.

Il bidone galvanizzato era pieno di stracci e giornali, ora neri e fragili, che si sbriciolano al minimo tocco. Si sollevano ancora fili di fumo. L'esterno del bidone è molto caldo quando Trey lo tocca.

– Spostati, – dice Sheila. Solleva il secchio con sforzo, lo posa in equilibrio sul bordo e versa l'acqua. Dal bidone si solleva un sibilo aggressivo e una nuvola di vapore.

– Ancora, – dice Sheila. Trey versa anche l'acqua della pentola. I residui nel bidone diventano una specie di fanghiglia nerastra.

– Andate a prendere il rastrello, – dice Sheila. – E il badile. Qualunque cosa che abbia un manico lungo.

– Perché? – vuol sapere Maeve. – È spento.

– Basta una scintilla e s'incendia tutta la montagna. Fate come vi ho detto.

Il capanno in fondo al cortile contiene attrezzi che risalgono a prima che loro nascessero, quando Sheila aveva provato a trasformare il cortile in un giardino. Trey e Maeve avanzano tra cose incenerite che si disintegrano sotto i loro piedi. – Io li odio, quegli uomini, – dice Maeve. – Sono soltanto dei coglioni.

– A loro non gliene frega niente se tu li odi, – dice Trey. Lei e Maeve non si sono mai piaciute molto, fin da piccole, e oggi in particolare non le piace nessuno.

Spostano una scala a pioli piena di ragnatele e una carriola arrugginita e prendono un rastrello, una zappa e un badile. – Non è colpa di papà, – dichiara Maeve in tono di sfida, quando tornano al bidone. Nessuno le risponde.

Piantano i manici degli attrezzi nel bidone e li muovono, per spegnere ogni resto di braci, sollevando un odore acre. – Che puzza, – dice Maeve, arricciando il naso.

– Ma vaffanculo, – dice Trey.

– Vaffanculo tu.

Sheila si gira e le schiaffeggia in piena faccia, con un solo movimento, cosí nessuna delle due ha il tempo di saltare indietro. – Vi sta bene, – dice, e torna a voltarsi verso il bidone.

Le ceneri oppongono resistenza, attaccandosi ai manici. Alla fine Sheila tira fuori il rastrello e fa un passo indietro, ansimando. – Portatelo via, – dice, indicando il barile. – E poi tornate subito a casa, se non volete un sacco di botte –. Solleva il secchio e la pentola e torna in casa.

Trey e Maeve prendono il bidone dai due lati e lo trascinano su per il pendio dietro la casa. C'è una scarpata dove vanno a buttare i rifiuti ingombranti, tipo biciclette rotte o la culla ormai inutile di Alanna. Il bidone è pesante e difficile da afferrare, raschia il cortile con un rumore irritante, lasciandosi dietro una scia di sporcizia e di liquido nero. Quando arrivano al sottobosco, devono fermarsi ogni pochi secondi per fargli superare rovi e radici.

– Tu credi di essere cosí brava, – dice Maeve. Sembra sull'orlo delle lacrime. – E guarda cos'hai fatto.

– Non sai di cosa parli, – ribatte Trey. Le fanno male le braccia, le mosche le girano intorno al viso, attratte dal sudore, ma non ha una mano libera per scacciarle. – Stupida vacca.

Il burrone si apre all'improvviso sul fianco della montagna, ripido e roccioso, popolato qua e là da cespugli muscolosi e tenaci e da alte erbacce. Sul fondo, tra i cespugli sul letto asciutto di un vecchio torrente, Trey vede il riflesso del sole sugli altri rifiuti.

– Hai combinato un casino apposta, – l'accusa Maeve. – Non vuoi che papà resti con noi.

Gettano insieme il bidone oltre il bordo del burrone, e lo guardano rimbalzare sulle rocce fino al letto asciutto del torrente, con un profondo rimbombo ogni volta che sbatte sul terreno.

– Io esco, – annuncia Trey mentre sparecchia dopo cena. Sheila non aveva quasi nulla in casa, quindi la cena è stata un triste stufato di patate, carote e dado da brodo. Johnny si è sforzato di lodare il sapore e di spiegare che nei ristoranti di lusso ora va di moda la cucina tradizionale irlandese, ma nessuno aveva fame, eccetto Liam.

– Non vai da nessuna parte, – dice Sheila.

– Faccio solo una passeggiata.

– No. Lava i piatti.

– Li lavo dopo –. Non sopporta di dover vedere le loro facce nemmeno un altro secondo. L'aria le sembra soffocante. Ha bisogno di muoversi.

– Lavali adesso.

– Comunque non puoi uscire, – interviene Johnny, in tono da paciere. – Anch'io tra poco devo uscire e tu devi restare qui ad aiutare tua madre mentre io non ci sono.

– Non voglio che vai via, – gli dice Maeve, spingendo

le labbra in fuori. – Resta qui. – Gli si stringe contro un fianco. Johnny le sorride e le liscia i capelli.

– Smetti di fare la bambina piccola, – dice Trey.

– Non lo sto facendo! – sbotta Maeve, con il labbro tremante. – Voglio papà!

– Hai undici anni, cazzo.

– Ho paura!

– Mi fai vomitare.

Maeve le pianta un calcio in uno stinco. Trey le dà uno spintone, sbattendola contro il piano di lavoro. Maeve caccia uno strillo e le salta addosso, cercando di graffiarle il viso con le unghie, ma Trey le blocca il polso e le dà un pugno nello stomaco. Maeve resta senza fiato e tenta di afferrarle i capelli, ma sono troppo corti. Liam ride forte, è una risata falsa, ma non riesce a fermarsi.

Il padre le divide, anche lui ridendo a crepapelle. – Calma, calma, raffreddate i motori, – dice, con una mano sulla spalla di ciascuna. – Santo Dio onnipotente, cos'abbiamo qui, due tigri? Non voglio vedere nulla del genere. Lasciate queste cose ai maschi. Voi due siete troppo belle per rovinare quei bei visini. Stai bene, Maeveen, piccola mia?

Maeve scoppia in lacrime. Trey scuote via la mano del padre dalla spalla e va a darsi una sciacquata nel lavello. Le sembra come di annegare, di affondare ogni secondo di piú in un pantano, come se la montagna la risucchiasse.

Prima di uscire, Johnny si affaccia nella stanza di Trey, dove lei si è rifugiata per stare lontana dagli altri. Maeve è sotto la doccia da un pezzo. Trey è pronta a scommettere che sta usando apposta tutta l'acqua calda.

– Ecco la mia piccola donna selvaggia, – dice suo padre. È vestito di tutto punto, con una camicia nuova e i capelli pettinanti in un'onda attraente; Trey sente il profumo del suo dopobarba. Sembra quasi che stia andando a un appuntamento romantico. – Ora, fa' quello che ti dice la mamma mentre io non ci sono, e bada ai due piccoli. E non litigare con Maeve. Lei è solo un po' nervosa; non è colpa sua, non è grande e coraggiosa come te.

Trey scrolla le spalle. Sta spazzolando il pelo di Banjo. Di solito lui è felice di quelle attenzioni, e si contorce per fare in modo che la spazzola arrivi dappertutto, ma stasera fa troppo caldo per muoversi, e se ne sta lí come se si fosse sciolto. Trey pensa di lasciare il pelo che ha perso nel letto di Maeve, ma quei dispetti da bambini non quadrano con la situazione tra lei e la sorella.

– E non stare a preoccuparti, – aggiunge suo padre, agitando un dito. – Nessuno farà nulla, stanotte. Sono tutti andati a farsi un bel sonno, dopo l'impresa di ieri. Fa' lo stesso anche tu.

– Ma perché non posso uscire?

– Ah, – dice Johnny, con disapprovazione. – So che ti mancano i tuoi amici, ma un po' di responsabilità non ti farà male. È solo per una sera, domani potrai andare dove vuoi.

Trey resta in silenzio e Johnny cambia tono. – Tesoro, è difficile essere la piú grande, vero? Sarà bello quando Brendan capirà di essere stato via abbastanza e tornerà a casa. Tu potrai tornare tra i piccoli e sarà lui a doversi preoccupare.

Trey non vuole pensare a Brendan e continua a tenere lo sguardo sul cane.

– Nel frattempo, – prosegue Johnny, – insisti nel dire agli altri che è tutto a posto, perché sarà cosí. Stasera farò la mia parte, tu farai la tua domani e avremo il nostro spettacolo di nuovo in pista.

– Qual è la tua parte?

– Ah, preferisco non dirlo –. Johnny si dà un colpetto su un lato del naso. – Un po' di questo, un po' di quello e anche un po' di quell'altro. Tu riposati, domani avrai una giornata piena –. Le strizza l'occhio, alza i pollici e va via.

Trey non vuole dormire, ma dopo le ultime due notti non resiste, e scivola in un sonno inquieto, da cui si sveglia di continuo per cose che forse sono reali e forse sono sogni: una porta che si chiude, una voce che le dice «Aspetta» all'orecchio, un lampo di luce, il belato insistente di una pecora. E poi riaffonda nel sonno. Maeve si rigira e borbotta tra le lenzuola.

Quando si sveglia a metà per l'ennesima volta e vede la luce dell'alba intorno alle tende chiuse, si costringe a sedersi sul letto. La casa è silenziosa. Non vuole essere presente quando si sveglieranno tutti, e suo padre le metterà un braccio intorno alle spalle e le darà istruzioni, mentre Maeve farà l'imbronciata per ricevere le sue attenzioni. Prende in mano le scarpe e va in cucina, dà da mangiare a Banjo e nel frattempo imburra alcune fette di pane. Troverà un posto all'ombra per mangiarle e aspettare che Ardnakelty si svegli, cosí potrà cominciare a valutare i danni.

Coltiva ancora un filo di speranza che suo padre riesca a far ripartire il piano. Come ha detto a Cal, inventare storie e convincere le persone a crederci è il suo forte, e ora è spronato dalla disperazione. Potrebbe anche farcela. Il filo è sottile, e si sfilaccia ogni volta che Trey ricorda la colonna di fiamme nel cortile, ma è quello che ha, perciò se lo tiene stretto.

Il belato che ha sentito durante la notte era reale: alcune pecore dal muso nero, ciascuna con una macchia di vernice rossa sul fianco destro, girano per il cortile mangiando quello che possono. Il gregge di Malachy Dwyer ha trovato di nuovo il modo di creare una breccia nel muro di recinzione. Non appena Banjo comincia a latrare, tutto felice, fanno un salto e corrono tra gli alberi. Trey cambia i suoi piani. Malachy le piace. Quando era piccola le dava sempre commissioni da fare, e segue la regola degli uomini sulla montagna: non fare domande. Invece di andarsene in giro finché la gente non si sveglia, Trey decide di salire fino a casa di Malachy e dirgli che le sue pecore sono in giro. Quando l'avrà aiutato a radunarle, sarà abbastanza tardi per andare da Noreen.

Ancora prima di uscire dal cancello è già sudata. Il sole è appena sorto, ma anche il vento che scende dalla montagna oggi è ridotto a un alito sottile, e l'aria è così pesante che la sente premerle sulle orecchie. Quello che servirebbe è un bel temporale, ma il cielo è sereno e senza nuvole da settimane.

Quando stanno per arrivare al bivio dove la strada incrocia il sentiero che scende dalla montagna, Banjo s'irrigidisce e allunga il naso in avanti. Poi corre via al galoppo e sparisce oltre la curva.

Trey sente il suo ululato salire come una sirena tra gli alberi e le macchie di sole: significa che ha trovato qualcosa. Fischia per chiamarlo, nel caso abbia incontrato altre pecore di Malachy, ma lui non viene. Quando supera la curva, vede un uomo morto sulla strada.

14.

Il morto è proprio al bivio, dove le due strade s'incrociano.
È steso sul fianco sinistro, con il braccio e la gamba destra
in una posizione strana, e dà le spalle a Trey. Anche da una
distanza di dieci passi e senza vederlo in faccia, lei capisce
subito che è morto. Banjo è accanto a lui, le zampe piantate a terra, il naso in alto, e ulula verso le cime degli alberi.
   – Banjo, – dice Trey, avvicinandosi. – Bravo. Hai fatto
un bel lavoro. Ora vieni qui.
   L'ululato del cane scende fino a diventare un guaito.
Stavolta, quando Trey fischia, corre da lei e le preme il naso sulla mano. Trey lo accarezza e gli parla con voce dolce,
guardando il morto. La parte posteriore della sua testa ha
qualcosa che non va: le ombre curvano in modo strano sopra di essa.
   La sua prima idea, data subito per scontata, è che si tratti di suo padre. Il fisico snello, la camicia bianca stirata.
È solo il fatto che sembri più alto a toglierle sicurezza. Le
ombre a macchie e la luce inclinata dell'alba rendono tutto
più difficile, ma anche i capelli sembrano troppo biondi.
   – Bravo, – dice di nuovo al cane, con un'ultima carez-
za. – Ora seduto. A cuccia –. Lo lascia lí e descrive un arco intorno al morto.
   È Rushborough. Ha gli occhi semiaperti e il labbro di
sopra arricciato, come in un ringhio verso qualcosa alle
spalle di Trey. La pettorina della camicia è scura e rigida.

Lei non aveva mai visto un morto prima d'ora. Ha visto tanti animali morti, ma mai un essere umano. Fin da quando ha saputo quello che è successo a Brendan, aveva un bisogno profondo e feroce di vederne uno. Ma non Brendan. Vuole scoprire dov'è sepolto, ma non per vederlo, solo per poterci andare e segnare il posto, come una sfida verso chi l'ha messo lí. E aveva bisogno di vedere un morto per lo stesso motivo: cosí potrà crearsi un'immagine chiara di Brendan e toccarlo, almeno con la sua mente.

Resta a lungo seduta sui talloni accanto al cadavere, a guardarlo. Le sembra che tutto faccia parte dello scambio intercorso tra lei e quella forza che ha portato ad Ardnakelty prima Cal e poi Rushborough. Lei non aveva voltato le spalle, e la forza aveva messo quelle persone sulla sua strada.

I cinguettii degli uccelli e la luce aumentano con l'avanzare del giorno. Le sembra che la cosa ai suoi piedi non vada piú considerata come una persona. Altrimenti Rushborough diventa un qualcosa di incomprensibile, di sbagliato, in modi che la sua mente non può affrontare senza rischiare di spezzarsi. Se invece lo considera come una cosa tra le altre sulla montagna, diventa semplice. Dopo un po' di tempo la montagna lo assorbirà, come fa con le foglie cadute, i gusci d'uovo, le ossa dei conigli, e lo trasmuterà in qualcosa di diverso. Se lo guarda in questo modo, ha senso, in modo chiaro e non complicato.

Resta lí ferma finché il cadavere diventa una cosa naturale, e può guardarlo senza che la sua mente si ribelli. Sul bordo del sentiero, in alto, compaiono altre pecore di Malachy, che brucano erbacce con ritmo costante.

Lo squillo di un telefono esplode come una sirena d'allarme. Trey e Banjo fanno un salto. Il suono viene da una tasca di Rushborough.

Trey lo interpreta come un avvertimento. La giornata sta iniziando a prendere velocità; prima o poi qualcuno passerà di lí, e sa benissimo che gli altri non considereranno il cadavere come qualcosa da lasciare ai lenti processi di assorbimento della montagna, e non lo farà nemmeno lei, una volta allontanatasi da quel punto. Quello non le crea problemi: proprio come la montagna, è capace di trasformare quel corpo in qualcosa di utile.

Sta cominciando a comprendere la liberazione che quell'evento porta con sé. Nel cambiamento che ha creato, lei non ha piú bisogno di dipendere da suo padre. Non deve programmare le sue azioni in base a quello che lui fa e pensa e vuole. Suo padre non ha piú senso; presto andrà via, e per quanto riguarda gli scopi di Trey, è come se se ne fosse già andato. Lei adesso è da sola, e farà a modo suo.

Si alza in piedi e schiocca le dita per chiamare Banjo, dopodiché riprende a scendere lungo la strada. Non corre, ma tiene un passo veloce che può mantenere a lungo. Alle sue spalle, il telefono di Rushborough squilla di nuovo.

Cal si sveglia presto e non riesce a riaddormentarsi. Non gli piace il fatto che ieri non sia successo nulla. Era rimasto in casa in attesa di Lena, che però non era passata, e di Mart, che nemmeno si era fatto vedere, e di Trey, che sapeva non sarebbe venuta. Era sceso al negozio, dove Noreen gli aveva venduto un nuovo tipo di formaggio cheddar e la moglie di Senan aveva propinato a entrambi un racconto momento per momento dell'estrazione del dente del giudizio del suo primo figlio. Aveva annaffiato i pomodori. Nessuno aveva fatto pasticci con lo spaventapasseri. Cal sa benissimo che altrove stanno succedendo delle cose, ma non gli piace non saperne nulla.

Ed è lunedí mattina. È la scadenza che ha dato a Johnny

per lasciare il villaggio. Indipendentemente da ciò che
sta succedendo fuori dalla sua vista, entro oggi dovrà salire sulla montagna e vedere se Johnny è ancora a casa
(e di sicuro ci sarà), dopodiché dovrà decidere cosa fare al riguardo. Cal non ha mai ucciso nessuno, e non ha
intenzione di cominciare con il padre di Trey, ma non
può nemmeno non fare nulla. La cosa che è piú incline
a fare è trascinare Johnny in macchina, accompagnarlo
all'aeroporto, comprargli un biglietto per un luogo che
sia disposto a prenderselo e aspettare che abbia superato
i cancelli di sicurezza, usando qualunque mezzo necessario per assicurarsi la sua collaborazione. È anche possibile
che Johnny, essendo il pagliaccio senza spina dorsale che
è, si senta sollevato dal fatto che qualcun altro si assuma
la responsabilità al posto suo, soprattutto se Cal gli darà
anche un po' di denaro extra. In un modo o nell'altro,
sarà una lunga giornata.

Alla fine smette di cercare di riaddormentarsi e comincia a preparare uova e pancetta, con l'altoparlante
dell'iPod che trasmette gli Highwaymen a tutto volume, per tentare di distrarsi. La colazione è quasi pronta
quando Rip salta in piedi e corre alla porta. Anche Trey
e Banjo si sono alzati presto.

– Ciao, – dice Cal, cercando di non far notare quanto è
stupito e contento. Non si aspettava di rivederla se non,
forse, dopo che suo padre fosse andato via. – Sei arrivata
giusto in tempo. Ti prendo un piatto.

Trey non si muove dalla porta. – Rushborough è morto, – dice. – Su in montagna.

Cal sente che tutto dentro di lui si ferma. Si volta dalla
stufa. – Morto come?

– Qualcuno l'ha ucciso.

– Sei sicura?

– Sí. Gli hanno spaccato la testa, e credo sia stato anche accoltellato.

– Capisco –. Cal va a spegnere l'iPod. Tra le cose che si agitano nella sua mente non c'è la sorpresa; è come se una parte di sé avesse dato per scontato che quel momento sarebbe arrivato. – Dove?

– Sotto casa nostra, dove c'è il bivio. È steso sulla strada.

– Le guardie sono già sul posto?

– No. Lo so solo io. Appena l'ho trovato sono venuta subito qui.

– Brava, hai fatto bene –. Cal spegne la stufa. È sollevato e felice che lei abbia scelto di rivolgersi a lui, ma dalla sua faccia non capisce quello che non gli sta dicendo: se è venuta lí a cercare rifugio dallo shock o per difendersi da qualcosa di molto piú grande. In ogni modo ha avuto uno shock, ma è una cosa che dovrà aspettare. Prova un moto di rabbia al pensiero che, nella vita di Trey, ogni gentilezza verso di lei deve sempre aspettare che ci si occupi prima di qualcos'altro.

– Va bene, – dice. Getta uova e pancetta nella ciotola di Rip, e i due cani ci si tuffano subito sopra con gioia. – Lasciamo qui questi due –. Apre lo stipo sotto il lavandino e prende un paio di guanti di lattice, del tipo che a volte usa per il giardinaggio o per qualche lavoro di falegnameria. – Andiamo a vedere di cosa si tratta.

A bordo del Pajero rosso e ammaccato di Cal, Trey tira fuori un involto dalla tasca dei jeans, lo apre rivelando alcune fette schiacciate di pane e burro e si mette a mangiare. Sembra sorprendentemente tranquilla: non trema, non è pallida, e mangia con appetito. Cal non si fida del tutto di questo, ma ne è contento in ogni modo.

– Come ti senti? – chiede.

– Benissimo –. Trey gli offre una fetta di pane e burro.

– No, grazie –. Sembra che il loro rapporto sia tornato normale, e che tutte le complicazioni siano sparite come se non fossero mai esistite, o come se non avessero piú importanza.

– Vedere un cadavere è sempre uno shock, – dice. – Soprattutto quando non te l'aspetti. A me è capitato un sacco di volte e ancora non mi ci abituo.

Trey ci pensa su, masticando metodicamente la crosta del pane e lasciando per ultima la mollica morbida al centro. – È stato strano, è vero, – dice alla fine. – Non me l'aspettavo affatto.

– Strano in che modo?

Trey riflette a lungo. Alcuni contadini sono già nei campi, ma la strada è ancora deserta; hanno incrociato solo un'auto, con un tizio vestito da ufficio che iniziava il suo lungo viaggio da pendolare. Ci sono buone possibilità che nessuno abbia ancora trovato Rushborough.

Quando Cal ormai non si aspetta piú una risposta, Trey dice: – Pensavo che sarebbe stato peggio. Non voglio fare la dura e dire «Ah, non è poi chissà cosa». È una cosa grossa, ma non brutta, almeno per me.

– Be', meglio cosí, – dice Cal. Finalmente gli sembra di riuscire a valutare come gli sembra la ragazza: calma. È piú calma di quanto sia stata dal giorno in cui è tornato suo padre. Cal non riesce a interpretare questo fatto.

– Tanto era solo una testa di cazzo, – commenta Trey.

Cal svolta sulla pista che sale sulla montagna. Non è asfaltata, è stretta e difficile; le ginestre frustano i finestrini e le gomme sollevano nuvole di polvere. Rallenta.

– Senti, devo chiederti una cosa senza che tu ti scaldi troppo.

Trey lo guarda, continuando a masticare, e le sue sopracciglia si abbassano.

– Se hai qualcosa a che fare con questo, anche se l'hai solo tenuto d'occhio per conto di qualcuno senza sapere cosa sarebbe successo, devo saperlo subito.

Il viso di Trey si chiude all'istante. La sua diffidenza gli causa un nodo allo stomaco. – Perché?

– Perché a seconda della tua risposta faremo cose diverse.

– Diverse come?

Cal pensa che forse dovrebbe raccontarle una bugia, ma non vuole. – Se tu non hai nulla a che fare con la morte di Rushborough, – dice, – chiameremo le guardie. In caso contrario, carichiamo il cadavere in macchina, lo portiamo su in montagna, lo gettiamo in un burrone e continuiamo la nostra giornata.

Resta molto sorpreso quando si volta a guardarla e le vede in faccia un gran sorriso.

– Sei proprio un bel poliziotto.

– Sí, be', – dice Cal. Strati di sollievo lo inondano con tanta forza che riesce appena a guidare. – Sono in pensione; non sono piú obbligato a comportarmi da poliziotto. Ora fammelo sentire: hai avuto qualcosa a che fare con questo?

– No. L'ho solo trovato.

– Bene –. Il sollievo gli dà quasi le vertigini. – Questo complica tutto. Sarebbe stato molto piú facile gettarlo in un burrone.

– Posso dire che sono stata io, se vuoi.

– Grazie, no. Mi resta ancora una piccola scorta di buon comportamento. Ora gli do un'occhiata, poi lo lasciamo alla polizia.

Trey annuisce. La cosa non sembra darle alcun fastidio.

– Dovrai dire loro come l'hai trovato.

– Non c'è problema. Glielo dirò.

La prontezza e la certezza con cui lo dice spingono Cal a fissarla, ma lei è tornata a mangiare. – So che non vuoi che ficchi il naso, ma quando parli con la polizia, ti consiglio di non dire nulla dell'oro. Lo verranno a sapere, prima o poi, ma non c'è bisogno che sappiano del tuo coinvolgimento, almeno non direttamente da te. Non so di preciso quali cose illegali siano successe, con tutti che cercavano di fregare tutti gli altri, ma vorrei che tu non lo scoprissi nel modo peggiore. Non ti sto dicendo di mentire alla polizia, – aggiunge, vedendo allargarsi il sorriso di Trey. – Dico solo che se non te lo chiedono loro per primi, tu non hai bisogno di tirarlo fuori.

Il consiglio è del tutto superfluo, visto che non tirare fuori le cose è il forte di Trey, ma Cal vuole esserne sicuro. Lei alza gli occhi al cielo in modo cosí teatrale da sollevare anche la testa, e questo lo rassicura.

Davanti a loro appare il bivio, con la forma non identificabile al centro. Cal ferma la macchina. La strada è una sterrata secca e ghiaiosa a due corsie, divise al centro da una striscia d'erba morente.

– Bene, – dice Cal, aprendo la portiera. – Resta sull'erba.

– Prima ho pestato la strada, – risponde Trey. – Quando mi sono avvicinata a lui. La polizia mi farà problemi per questo?

– No. Hai avuto una reazione naturale. E comunque su questa superficie non credo ci siano impronte che possiamo confondere camminandoci sopra. Voglio solo stare sul sicuro.

Si fermano a circa tre metri dal corpo, dove la strada si allarga a formare il bivio. Rushborough è cosí fuori posto, lí, da rasentare l'impossibile: è qualcosa che non c'entra nulla con quella montagna, come se fosse caduto da uno degli Ufo di Bobby. I suoi vestiti eleganti sono spiegazzati per via della sua posizione raggomitolata. L'aria è cosí ferma che non gli scompiglia nemmeno i capelli.

– Banjo l'ha trovato per primo, – spiega Trey. – E si è messo a ululare.

– È un bravo cane, sa quando deve avvertirti di una cosa importante. È cosí che l'avevi lasciato, il cadavere? C'è qualcosa di diverso?

– No. Solo piú mosche.

– Succede. Resta qui, io voglio dare un'occhiata piú da vicino.

Rushborough è morto, e Cal non mette in dubbio la conclusione di Trey che sia stato ucciso. Le mosche sono piú fitte sul petto, e quando le scaccia e si sollevano tutte in gruppo, vede la crosta di sangue rappreso che annerisce la camicia. Le mosche sono anche dietro la testa, dove si trova una profonda ammaccatura. Per un attimo Cal vede schegge d'osso e materia cerebrale, prima che le mosche tornino a posarsi.

Trey lo osserva, restando a distanza. C'è una macchia di sangue scuro sulla ghiaia sotto il corpo, ma non è abbastanza grande. La parte superiore del viso di Rushborough è bianca come il latte; quella inferiore, appoggiata a terra, è a chiazze violacee. È stato spostato dopo la morte, ma non molto tempo dopo.

Cal sa benissimo che non dovrebbe toccarlo, ma forse passeranno ore prima che arrivi il medico legale, e ci sono informazioni che tra un po' di tempo potrebbero scomparire. Tira fuori di tasca i guanti di lattice e li indossa. Trey continua a osservare senza dire nulla.

La pelle di Rushborough è fredda, piú fredda dell'aria, anche se Cal sa che è un'illusione. L'articolazione della mandibola è serrata e il gomito è rigido, ma le dita e le ginocchia si muovono ancora. Il medico legale terrà in conto le temperature e altri fattori per stimare l'ora approssimativa della morte. Le mosche, irritate per l'intrusione di Cal, gli piombano in faccia come bombardieri.

– Forse dobbiamo coprirlo, – dice Trey, – per ripararlo
da loro –. Indica le mosche con il mento. – Hai quel telo
in macchina.

– No. Se lo facciamo, trasferiamo sul cadavere fibre,
pelo di cane e chissà che altro. Lasciamolo cosí –. Si sorprende a cercare la radio per chiamare la centrale. Invece
estrae il telefono e compone il 999.

Il poliziotto che gli risponde evidentemente non ha ancora preso il caffè e si aspetta un contadino che si lamenta
dello spaventapasseri del vicino, ma il tono di Cal lo sveglia
subito, ancora prima che gli abbia spiegato la situazione.
Dopo che Cal è riuscito a spiegare dove si trovano, e ci
vuole un discreto tempo, l'altro promette di far arrivare
una squadra entro mezz'ora.

– Avevi proprio una voce da poliziotto, al telefono, –
osserva Trey, quando riattacca.

– Riesco ancora a trovarla, quando mi serve, – risponde
Cal, mettendo via il cellulare. – Comunque ho svegliato
la sua attenzione.

– Dobbiamo restare finché non arrivano?

– Sí. Se ci allontaniamo, passerà di qui qualcun altro e
confonderà le tracce e chiamerà di nuovo la polizia. Restiamo qui –. Non si offre di restare di guardia e lasciare
che Trey vada a casa. Non intende perderla di vista.

Il caldo sta aumentando. Cal vorrebbe tornare in macchina e accendere l'aria condizionata, ma sui rami alti
degli alberi sopra Rushborough si sono posati un paio di
corvi che osservano la situazione con interesse. Perciò si
appoggia al cofano dell'auto, da dove può tenerli d'occhio
e scacciarli se necessario. Trey salta sul cofano e si siede
accanto a lui. Sembra indifferente all'idea che le guardie
stiano per arrivare; si comporta come se non avesse altro
da fare, il che è rassicurante.

Nemmeno Cal ha problemi ad aspettare; anzi, è contento di avere l'occasione di starsene fermo e valutare la situazione. Non vede nulla di sfavorevole nella morte di Rushborough: l'inglese non aveva fatto altro che portare guai per tutti. Inoltre, senza piú il fiato di Rushborough sul collo, probabilmente Johnny taglierà la corda in fretta, verso luoghi che hanno di meglio da offrire a un tipo sofisticato come lui. Dal punto di vista di Cal, nella scomparsa di Rushborough ci sono solo vantaggi.

Naturalmente, la polizia non la vedrà nello stesso modo, il che fa emergere i potenziali svantaggi. A seconda di chi sia stato a uccidere l'inglese e quanto sarà difficile identificarlo, i problemi potrebbero anche essere considerevoli. In un mondo perfetto, il colpevole sarebbe Johnny, e i suoi tentativi di confondere le tracce sarebbero cosí incompetenti da condurre al suo arresto entro sera. Cal non osa sperare in una simile fortuna. Ci sono troppe altre possibilità, molto meno buone.

Per esempio, che l'assassino di Rushborough non consideri finito il lavoro. Sono tanti, nei dintorni, ad avere motivo di avercela con Rushborough, e forse anche con chi gli dava una mano. Mart ha detto che Trey non avrebbe ricevuto nessun contraccolpo, e la sua parola ha un peso, ad Ardnakelty, ma Mart non è Dio, anche se forse gli piace pensarlo, e le sue garanzie non sono a prova di bomba.

– Dove va questa strada, una volta superata casa tua? – chiede, indicandola. – Passa accanto ad alcuni pantani, entra nel bosco, e poi?

– Non c'è nulla per un bel pezzo, – risponde Trey. – Poi c'è la casa di Gimpy Duignan. Dopo c'era la casa dei fratelli Murtagh, ma Cristy è morto e Vincent è andato in una casa di riposo. Da lí in avanti, solo paludi.

– E da quella parte? – Cal indica con il mento l'altra strada del bivio, quella che sale. – Malachy Dwyer, e poi?

– Seán Pól Dwyer, sette, ottocento metri piú avanti. Dopo ci sono pascoli e foreste finché la strada scende di nuovo dall'altro lato della montagna, verso Knockfarraney. Lungo la discesa c'è la casa della vecchia Mary Frances Murtagh.

– Knockfarraney è dove alloggiava Rushborough, giusto?

Trey annuisce. Scivola giú dal cofano e gira intorno all'auto. – Ai piedi della montagna. In quel vecchio cottage che Rory Dunne affitta ai turisti.

– Lo conosco –. Cosí Rushborough forse andava o tornava da casa sua, dalla casa dei Reddy o da Ardnakelty. Era stato aggredito lungo la strada e poi scaricato in quel punto per allargare la rosa dei sospetti. Oppure era stato ucciso in qualche altro posto e lasciato lí per seminare una falsa pista. – Ieri vi siete visti?

Trey sta frugando nel comparto portaoggetti, probabilmente in cerca dell'acqua che Cal tiene sempre lí con questo tempo. – No. Sono rimasta a casa tutto il giorno e lui non è passato. Ora sembri di nuovo un poliziotto.

– No, sembro solo uno qualunque che vuol sapere cos'è successo. Tu non vuoi saperlo?

Trey ha trovato la bottiglia d'acqua. Chiude lo sportello. – No. Non può fregarmene di meno.

Si appoggia contro la portiera, beve la metà dell'acqua e la passa a Cal. Da quando si sono messi ad aspettare non ha piú guardato il cadavere. Sarebbe naturale per lei evitare quella vista, ma Cal non crede sia quello il motivo. Trey sembra a suo agio, quasi come se il corpo di Rushborough non ci fosse, una presenza troppo debole per contaminare il suo territorio. Qualunque decisione lei avesse bisogno di prendere al riguardo, l'ha presa prima di venire a casa sua.

È ancora stupito dalla sua tranquillità, e quello stupore lo disturba. Negli ultimi due anni è diventato bravo a interpretare Trey, ma oggi lei è di nuovo un mistero, e non è né abbastanza grande, né abbastanza solida, per poter essere un mistero in una situazione come quella. Cal si domanda se lei abbia pensato a tutte le ramificazioni che la morte di Rushborough potrebbe portare.

Ci sono tre o quattro pecore dal muso nero che brucano le erbacce sulla strada e tra gli alberi. – Sai di chi sono quelle pecore? – le chiede.

– Di Malachy Dwyer. Ce n'erano altre davanti a casa nostra. Volevo andare da lui a dirgli che erano fuggite, ma poi... – Indica il cadavere con un cenno del capo.

– Quello non ti ha lasciato più il tempo per pensare alle pecore, è ovvio, – dice Cal, restituendole la bottiglia d'acqua. – Quindi le pecore di Malachy sono fuori da prima dell'alba, e avranno calpestato eventuali impronte di piedi o di ruote che l'assassino può aver lasciato, coprendo inoltre gli odori che un cane poliziotto potrebbe aver seguito. Le pecore scappano regolarmente, qui, visto che i campi sono divisi principalmente da vecchi muretti mezzi crollati; non importa molto a nessuno, e alla fine vengono riportate al proprietario. Ma questa fuga è sicuramente molto favorevole per qualcuno.

I corvi si sono trasferiti piano piano sui rami piú bassi, in attesa. Sono di un color grigio cenere opaco, con una lucentezza bluastra sulle ali nere. Le teste scattano qua e là mentre tengono d'occhio Cal e Trey e allo stesso tempo guardano in modo possessivo il corpo di Rushborough. Cal si china a raccogliere un sasso e glielo lancia contro. Loro si spostano alcuni rami piú in alto, senza fretta, disposti a pazientare.

– Quando parlerai con la polizia, – dice Cal, – ti permetteranno di essere accompagnata da un adulto. Posso essere io, se vuoi. O tua madre, o tuo padre.

– Tu, – risponde lei subito.

– Bene –. Cal considera che si è rivolta a lui, dopo aver trovato il cadavere, non a Johnny, anche se l'interesse di suo padre per quello sviluppo è molto piú grande del suo. Qualcosa in lei è cambiato, e Cal vorrebbe tanto sapere cosa, e se ha a che fare in qualche modo con il corpo sulla ghiaia macchiata di sangue. Le crede quando dice di non avere nulla a che fare con l'omicidio, ma la questione di quello che può sapere è piú complessa. – Quando arriva la polizia, ce ne andiamo a casa mia. Possono venire a parlare con te lí, quando avranno finito. Gli offriremo un tè.

Le pecore smettono di brucare e sollevano la testa, guardando lungo la strada in direzione della casa di Trey. Cal si stacca dalla macchina. Sente un crocchiare di pneumatici sulla ghiaia e vede un lampo bianco tra gli alberi.

È Johnny Reddy, sbarbato e pettinato, che scende a passo svelto come se avesse cose importanti da fare. Vede il Pajero rosso di Cal e si ferma.

Cal non dice nulla, e nemmeno Trey.

– Buongiorno a voi, – dice Johnny, con uno scatto della testa, ma Cal nota la diffidenza nei suoi occhi. – Cosa c'è? Stavate aspettando me?

– No, – risponde Cal. – Siamo qui insieme al tuo amico Rushborough, lí.

Johnny vede il cadavere. Tutto il suo corpo s'immobilizza e apre la bocca. Il suo shock sembra autentico, ma Cal per principio non crede a nulla che Johnny possa dire o fare. Anche se fosse davvero scioccato, forse è perché sapeva già della morte, ma non si aspettava di vedere il corpo in quel punto.

– Ma che cazzo… – dice Johnny alla fine, quando riprende fiato. Fa un movimento istintivo verso Rushborough.

– Devo chiederti di restare dove sei, Johnny, – lo avverte Cal, con il suo tono da poliziotto. – Non vogliamo inquinare la scena del crimine, no?

Johnny si blocca. – È morto?

– Oh, sí. Qualcuno se n'è assicurato per bene.

– Come?

– Ti sembro un medico?

Johnny fa uno sforzo per ricomporsi. Guarda Cal e pensa se provare a convincerlo a gettare Rushborough in una palude e dimenticare tutta la faccenda. Cal non ha voglia di aiutarlo a prendere una decisione. Lo fissa a sua volta con uno sguardo tranquillo.

Alla fine Johnny, da vero genio qual è, conclude che Cal non lo aiuterà. – Va' a casa, – ordina alla figlia. – Va' a casa da tua madre e restaci. Non dire nulla di questo a nessuno.

– Trey è la persona che ha trovato il corpo, – gli spiega Cal, in tono ragionevole. – Dovrà rilasciare una dichiarazione. Sta per arrivare la polizia.

Johnny lo fissa con odio puro. Cal, dopo settimane in cui provava la stessa cosa per Johnny senza poter fare nulla al riguardo, assapora la sensazione.

– Non dire nulla alle guardie sull'oro, – dice Johnny a Trey. La ragazza forse non ha ancora compreso tutte le implicazioni, ma suo padre sí; a Cal sembra quasi di vedere le sue cellule cerebrali che rimbalzano l'una contro l'altra. – Mi hai sentito? Nemmeno una cazzo di parola.

– Modera il linguaggio, – dice Cal.

Johnny scopre i denti in quello che vorrebbe essere un sorriso, ma è piú una smorfia. – A te non ho bisogno di dirlo, – dice a Cal. – Anche tu non vuoi storie per la questione dell'oro.

– Oh, caspita, non ci avevo pensato, – risponde Cal, grattandosi la barba. – Lo terrò a mente.

La smorfia di Johnny s'irrigidisce. – Devo andare in un posto. Posso andare, vero, signor poliziotto?

– Prego. Sono certo che la polizia ti troverà, quando avrà bisogno di te. E non preoccuparti per noi, qui stiamo benissimo.

Johnny gli lancia un'altra occhiata aggressiva, poi taglia tra gli alberi per non passare vicino al cadavere e prende la strada in alto, verso le case dei Dwyer e anche verso il cottage di Rushborough, quasi a passo di corsa. Cal si permette di sperare che inciampi e precipiti in un burrone.

– Scommetto che va a recuperare la tua macchina fotografica, – dice Trey. – Rushborough me l'aveva tolta. Io pensavo di rubargliela per riprendermela, ma non ne ho avuto la possibilità.

– Ah –. Cal aveva pensato alla sua macchina fotografica, e al fatto che nessuno ne parlava piú all'incirca da quando Trey era apparsa con quel labbro gonfio. Ma ne dava la colpa a Johnny. – Cosa c'è dentro che Rushborough voleva?

– Tu e i ragazzi che mettevate l'oro nel fiume.

Cade un silenzio.

– Sapevi che ero lí a guardarvi?

– No, – risponde Cal, attento. Trey non lo guarda, ha il viso puntato verso il sentiero imboccato da suo padre, gli occhi socchiusi contro il sole. – Avevo pensato a questa possibilità, ma no, non lo sapevo. Come mai hai filmato tutto?

– Per mostrare il video a Rushborough, cosí lui se ne sarebbe andato.

– Capisco –. Cal rimette in ordine le idee. Trey non aveva semplicemente girato quel video all'insaputa di Johnny; lo aveva girato, con preparazione e cura, per mandare in malora il piano del padre. Questo però lo lascia ancora piú perplesso riguardo al numero che Trey ha fatto nel pub con la sua piccola pepita d'oro.

– Non sapevo che ci saresti stato anche tu, – dice Trey, – al fiume. Non mi hai mai detto nulla.

Gira tra le ginocchia la bottiglia d'acqua e tiene la testa china. Cal non capisce se lo guarda con la coda dell'occhio oppure no.

– E tu credi che avrei dovuto parlartene.

– Sí.

– Pensavo di farlo. Il giorno prima, quando ti ho prestato la macchina fotografica. Solo che poi è arrivato tuo padre e ti ha portata a casa e non ne ho avuto la possibilità.

– Come mai sei andato con loro al fiume?

Cal è quasi commosso dalla domanda: lei lo conosce abbastanza da dare per scontato che non era lí per truffare un turista. – Volevo tenere d'occhio la faccenda da vicino, – risponde. – Rushborough mi è sempre sembrato losco, e le cose potevano mettersi male. Mi piace avere un'idea di cosa succede intorno a me.

– Avresti dovuto dirmelo dall'inizio. Non sono piú una bambina. Continuo a ripetertelo.

– Lo so –. Cal sceglie le parole con cura. Sa che non è il caso di mentirle, ma sa anche che è meglio non dirle che sente il bisogno di proteggerla. – Non pensavo che tu fossi troppo piccola per capire, – spiega. – Pensavo solo che Johnny è tuo padre.

– È una testa di cazzo.

– Non posso negarlo. Ma non volevo crearti problemi parlando male di tuo padre o della sua grande idea, e non volevo nemmeno usarti per avere informazioni. Cosí ho deciso di lasciarti prendere le tue decisioni. In quanto a me, volevo solo avere chiaro cosa stava succedendo.

Trey ci pensa su, continuando a girare la bottiglia. Cal
si domanda se, giacché sono in tema, sia il caso di dirle che
anche lei non gli ha detto molte cose. Ma decide di non
farlo. Conoscendola, sa che non è ancora pronta a smettere di tenersi per sé le sue cose. È ancora irraggiungibile.
Se tenta di raggiungerla ora e lei gli mente, si allontanerà
ancora di piú da lui. Quindi aspetta.

Alla fine Trey alza gli occhi a guardarlo e annuisce. – Mi
dispiace di essermi fatta fregare la tua macchina fotografica, – dice. – Te la ripagherò.

– Non preoccuparti –. Cal si rilassa leggermente. Magari non ha messo tutto a posto, ma almeno stavolta non ha
peggiorato le cose. – Forse tuo padre ti dirà di restituirmela. Una volta che avrà cancellato dalla memoria quello che
gli interessa.

Trey sbuffa da un lato della bocca. – È piú facile che la
getti in un pantano.

– Non credo. Non vuole che io faccia storie e attiri l'attenzione sulla mia macchina fotografica scomparsa. Can-
cellerà il tuo video e me la farà riavere. Andrà tutto bene.

Trey si volta sentendo il rumore di un'auto alle loro spalle. Tra gli alberi e le curve della strada vedono apparire un
veicolo tozzo bianco e blu: un'auto della polizia.

– Le guardie, – dice.

– Già. Hanno fatto in fretta.

Cal si volta a dare un'ultima occhiata al corpo immobile sotto strisce d'ombra. Ha un'aria striminzita e prov-
visoria, una cosa che si trova lí per adesso, ma che sarà
spazzata via dal primo colpo di vento. Comprende quello
che a Trey non è chiaro: la magnitudine dei cambiamenti
inarrestabili che quell'auto porterà.

15.

I due agenti in divisa potrebbero essere fratelli: giovani, robusti, in salute, con scottature sulla pelle e tagli di capelli identici. Tutti e due hanno l'aria di non essersi mai trovati in una situazione simile, e si comportano in modo molto formale per mostrarsi a vicenda che sanno gestire la situazione. Prendono le generalità di Cal e Trey, chiedono alla ragazza a che ora ha trovato il corpo (ricevendo come risposta un'alzata di spalle e: «Presto») e se l'ha toccato. Si fanno dire anche il nome di Rushborough (sulla cui autenticità Cal ha dei dubbi ma li tiene per sé) e il posto dove alloggiava. Cal immagina, con emozioni contrastanti, che quando arriveranno al cottage Johnny sarà già andato via da un pezzo.

Gli agenti delimitano la zona stendendo il nastro da scena del crimine tra gli alberi. Uno di loro scaccia un paio di pecore che si erano avvicinate, incuriosite.

– Va bene se noi torniamo a casa mia, agente? – chiede Cal all'altro. – Trey mi dà una mano con la falegnameria e abbiamo un lavoro da terminare.

– Fate pure, – risponde il poliziotto, con un cenno del capo. – I detective avranno bisogno di parlare con voi. La trovano al numero che ci ha lasciato, giusto?

– Sí. Saremo in casa per quasi tutto il giorno –. Guarda Trey per conferma e lei annuisce. I corvi, con una sola idea in testa e senza fretta, hanno ricominciato a spostarsi verso i rami piú bassi.

Lungo la strada Trey chiede: – Cosa faranno?

– Chi?

– I detective. Come faranno a scoprire chi l'ha ucciso?

– Ecco… – Cal scala la marcia e frena. Ha imparato a guidare tra le colline del North Carolina, ma la pendenza di quella montagna a volte lo mette alla prova. Quando era stata costruita la strada, nessuno aveva pensato alle automobili. – Chiameranno la Scientifica per raccogliere tutte le prove possibili: capelli e fibre sul cadavere, e cose di questo tipo. Poi tenteranno di trovare corrispondenze con un indiziato o con la sua auto o la sua casa. Prenderanno anche campioni di fibre e capelli di Rushborough, perché ne troveranno di sicuro altri nel punto in cui è stato ucciso. Raschieranno sotto le sue unghie, nel caso che abbia tentato di colpire il suo aggressore e gli sia restato addosso del Dna. Cercheranno tracce che spieghino come è arrivato lí e da quale direzione. E chiederanno ai tecnici di controllare il suo cellulare, per vedere con chi ha parlato e se aveva problemi con qualcuno.

– Ma i detective cosa faranno?

– Parleranno con le persone, principalmente. Chiederanno in giro per scoprire chi è stato l'ultimo a vederlo, dove era diretto, se aveva fatto incazzare qualcuno. Contatteranno famiglia, amici, conoscenti, per scoprire i suoi segreti: vita amorosa, denaro, affari, qualunque cosa. Se aveva dei nemici.

– Mi è sembrato uno che avesse dei nemici, – dice Trey.

– Non solo qui.

– Sí, anche a me –. Cal rallenta a un bivio, allungando il collo per controllare che nessuno arrivi in velocità. Vorrebbe tanto essere sicuro che l'interesse di Trey per

le procedure di polizia sia solo accademico. – È stato lui a
farti quel labbro gonfio, qualche giorno fa?

– Sí, – risponde Trey, distratta, come pensando ad altro. Poi s'immerge in un silenzio che dura fino all'arrivo
a casa di Cal.

Mentre frigge uova e pancetta e Trey apparecchia la
tavola, Cal manda un messaggio a Lena: «Rushborough è
stato ucciso. Su in montagna».

Vede che lei l'ha letto, ma ci mette un minuto buono
prima di rispondere. «Passo da te dopo il lavoro». Trey,
dopo aver apparecchiato si è seduta sul pavimento ad ac-
carezzare distrattamente i cani. Non reagisce ai bip del
telefono. Cal manda a Lena un'emoticon con il pollice alzato e torna alla sua frittura.

Mangiano in silenzio. Quando si spostano nel laboratorio
Cal ha preso la decisione di non dire ai detective dell'oro,
almeno per il momento. Vuole tenersi al di fuori di tutto
quel pasticcio, restando libero di interpretare qualunque
ruolo sia necessario per il bene di Trey. Dovrebbe essere
una cosa possibile. Le guardie scopriranno di sicuro almeno lo strato superficiale della storia dell'oro, ma quando
vorranno i particolari saranno guai. Cal conosce per esperienza l'impressionante capacità con cui Ardnakelty riesce
a generare confusione, quando vuole. I detective saranno
fortunati se capiranno di cosa si trattava, ma non sapranno mai chi era coinvolto. Cal, come straniero, ha tutto il
diritto di non essere al corrente delle faccende locali. Normalmente, avrebbe sentito solo una serie di vaghe bugie
su quell'oro, mescolate con la collina delle fate di Mossie
e chissà che altro, e non vi avrebbe prestato nessuna attenzione. Gli manca la vita normale di Ardnakelty.

È quasi ora di pranzo e stanno dando un'ultima lisciata

alle nuove gambe della sedia, quando Banjo drizza le orecchie, Rip lancia una furiosa serie di latrati e tutti e due i
cani vanno alla porta. – La polizia, – dice Trey, sollevando la testa di scatto come se aspettasse quel momento. Si
alza dal pavimento, fa un respiro profondo e scioglie rapidamente i muscoli, come un pugile che sale sul ring.

Cal prova la sensazione improvvisa di aver tralasciato
qualcosa. Vorrebbe fermarla, richiamarla indietro, ma è
troppo tardi. Può solo darsi una spazzolata e seguirla.

Quando aprono la porta, un'auto senza insegne sta par-
cheggiando dietro il Pajero. Dentro ci sono due uomini.

– Vorranno solo sapere come l'hai trovato, – dice Cal,
bloccando l'uscita ai cani con un piede. – Per adesso. Parla
in modo chiaro, prenditi il tempo che ti serve per ricordare. Se non ricordi qualcosa o non sei sicura, dillo. Questo
è quanto. Non c'è nulla di cui preoccuparsi.

– Non sono preoccupata, – replica Trey. – Va tutto bene.

Cal non sa se dirle, o come dirle, che non è necessaria-
mente cosí. – Il detective sarà della squadra Omicidi, o
come la chiamano qui. Non sarà uguale a quel poliziotto
che viene a parlarti quando marini la scuola troppo spesso.

– Meglio, – dice Trey, con sentimento. – Quello è proprio un coglione.

– Ehi, parla come si deve –. Ma è una risposta automatica, gli occhi di Cal seguono l'uomo che sta scendendo dall'auto. Ha piú o meno la sua stessa età, tarchiato e
con le gambe cosí corte che di sicuro deve farsi accorciare
l'orlo dei pantaloni del completo. Ha una camminata allegra e vivace. Si è portato dietro uno dei poliziotti gemelli,
probabilmente con il compito di prendere appunti e per-
mettergli di concentrarsi.

– Sarò beneducata, – gli assicura Trey. – Sta' a vedere –.
Cal non si sente molto rassicurato.

Il detective si chiama Nealon. Ha una zazzera grigia
e un viso pieno e allegro. Sembra piú il tipo che gestisce
un negozio di ferramenta insieme alla moglie, e Cal non
dubita che sappia servirsi del suo aspetto: non gli sembra
affatto uno stupido. Nealon accarezza Rip e Banjo finché
si calmano, poi accetta una tazza di tè cosí può sedersi al
tavolo della cucina e fare due chiacchiere rilassate mentre
loro lo preparano, in modo da farsi un'idea di dove piaz-
zarli nell'intricato arazzo di Ardnakelty. Cal si accorge
che nota i jeans troppo corti e i capelli trascurati di Trey
e deve reprimere l'impulso di dirgli che non si tratta di
una giovane delinquente cresciuta in un ambiente degra-
dato, ma di una brava ragazza sulla retta via, che ha alle
spalle persone rispettabili che si assicurano che nessuno
la faccia deviare.

Trey sta lavorando bene per accreditarsi come rispettabile, comportandosi in un modo che Cal considera di una
cortesia sospetta: chiede a Nealon e all'agente se preferiscono il tè con latte, porta in tavola un piatto di biscotti,
non dà risposte monosillabiche alle solite domande sulla
scuola e sul tempo. Cal vorrebbe proprio sapere a che gioco sta giocando.

Lui stesso non è facile da interpretare, lo sa bene, e i
lividi non aiutano. Nealon gli chiede di dov'è, se gli piace
l'Irlanda, e Cal dà le solite risposte piacevoli che dà a tutti. Preferisce non dire subito cosa faceva di mestiere, per
vedere come lavora il detective.

– Bene, – dice Nealon, dopo aver assaggiato il tè e i biscotti. – Avete avuto una giornata piena, e non è ancora
l'ora di pranzo. Cercherò di fare il piú in fretta possibile –.
Sorride a Trey, seduta di fronte a lui. L'agente in divisa si è
accomodato sul divano, con penna e taccuino. – Sai chi era
l'uomo che hai trovato?

– Il signor Rushborough, – risponde subito Trey. Sta persino seduta con la schiena dritta. – Cillian Rushborough. Mio padre l'aveva conosciuto a Londra.

– Quindi era qui per visitare tuo padre?

– Non esattamente. Non sono proprio amici. La famiglia del signor Rushborough era di queste parti. Credo fosse venuto soprattutto per quello.

– Ah, sí, uno di quelli, – dice Nealon, con aria tollerante. Cal non riconosce il suo accento. Parla in modo rapido e piatto, con uno scatto alla fine che dà a ogni frase una sfumatura di sfida. Sembra uno di città. – E com'era? Un tipo simpatico?

Trey scrolla le spalle. – L'ho incontrato solo un paio di volte. Non ci ho fatto caso. Comunque sembrava a posto. Un po' snob.

– Ora vediamo se riusciamo a capire a che ora l'hai trovato.

– Non ho un cellulare, – spiega Trey. – Né un orologio.

– Non importa, – dice Nealon, allegro. – Facciamo un po' di conti, allora. Vediamo se ho capito bene: tu hai trovato il cadavere, poi sei venuta subito qui dal signor Hooper e insieme siete tornati in macchina sulla scena del delitto. È giusto?

– Sí.

– Il signor Hooper ci ha chiamati alle sei e diciannove minuti. Da quanto tempo eravate sul posto?

– Da un paio di minuti.

– Diciamo dalle sei e un quarto, va bene? Tanto per semplificarci la vita. Quanto ci avete messo ad arrivare?

– Dieci minuti, forse quindici. La strada non è un granché.

– Hai capito cosa sto facendo? – Nealon le sorride come uno zio buono.

– Sí. Il calcolo dei tempi.

Trey sta giocando bene le sue carte: è attenta, seria, collaborativa ma non in modo esagerato. Cal ci ha messo un po' a capire cosa sta facendo e come mai lei gli sembra all'improvviso poco familiare. Non l'aveva mai vista prima interpretare un ruolo. Non sapeva che ne avesse la capacità. Si chiede se l'ha acquisita osservando Johnny o se era innata, e aspettava solo l'occasione giusta per venire fuori.

– Esatto, – risponde Nealon. – Perciò da qui siete partiti verso le sei. Quanto a lungo sei rimasta?

– Un minuto. L'ho detto a Cal e siamo partiti subito.

– Quindi siamo ancora intorno alle sei. E quanto credi di averci messo ad arrivare qui a piedi?

– Una mezz'oretta, forse un po' di piú. Camminavo in fretta. Quindi devo essere partita poco prima delle cinque e mezza.

Il bisogno di Cal di sapere a che gioco sta giocando si è fatto piú intenso. In circostanze normali, la possibilità che Trey dica una parola piú dello stretto necessario a un poliziotto è la stessa che si strappi un dito a morsi.

– Molto bene! – commenta Nealon, con approvazione. – E quanto tempo sei rimasta vicino al corpo, prima di dirigerti qui?

Trey scrolla le spalle e prende la tazza. Per la prima volta c'è un'interruzione nel suo ritmo. – Non lo so. Un po'.

– Un po' lungo o corto?

– Forse quindici minuti. Magari venti. Non ho l'orologio.

– Non c'è problema, – dice il detective, gioviale. Cal sa che ha notato la riluttanza e tornerà su quel punto quando Trey penserà che se ne sia dimenticato. Cal ha interpretato quel ruolo cosí tante volte, nella sua vita, che gli sembra di vedere un suo doppio: da un lato nel ruolo di Nealon, calibrando e ricalibrando amabilità e insistenza fino a farsi un'idea piú precisa; dall'altro dal suo attuale punto di vista, in cui si trova in difesa e la posta in gioco è altissima e viscerale. Non gli piace affatto nessuna delle due posizioni.

– Bene, – dice Nealon. – A che ora siamo arrivati? Per capire quando l'hai trovato.

Trey riflette. Ora che ci si allontana dal tempo che ha passato accanto al corpo è di nuovo collaborativa. – Dev'essere stato appena dopo le cinque.

– Visto? – commenta il detective, compiaciuto. – Alla fine ci siamo arrivati. Te l'avevo detto.

– Sí, ci siamo arrivati.

– Appena dopo le cinque –. Nealon inclina la testa in modo amichevole, come un bravo cagnone. – È molto presto per andarsene in giro. Avevi dei progetti?

– No. È solo... – Trey scrolla una spalla sola. – Avevo sentito dei rumori, durante la notte, e volevo capire che cosa fosse successo.

Quel commento deve aver fatto drizzare le orecchie al detective, ma fa finta di nulla. Conosce il suo lavoro. – Davvero? Che tipo di rumori?

– Persone che parlavano. E una macchina.

– Appena prima di alzarti? O ancora prima, durante la notte?

– Prima. Non riuscivo a dormire per il caldo. Mi sono svegliata e ho sentito qualcosa fuori.

– Sapresti dirmi piú o meno che ora era?

Trey scuote la testa. – Era tardi, perché i miei genitori dormivano.

– Li hai svegliati?

– No, sapevo che non era sulla nostra terra, ma piú lontano, quindi non ero preoccupata. Sono arrivata fino al cancello, per scoprire di cosa si trattava. C'erano dei fari sulla strada e uomini che parlavano.

Nealon si mostra ancora tranquillo, ma irradia attenzione. – Sulla strada dove?

– Dalla parte dove poi ho trovato il cadavere, al bivio. Forse proprio lí, forse un po' piú vicino a casa mia.

– E non sei andata a controllare, giusto?

– Ho fatto qualche passo sulla strada, ma poi mi sono bloccata. Ho pensato che probabilmente non volevano essere visti.

È plausibile. Succedono molte cose sulla montagna: distillazione clandestina di liquori, abbandono di rifiuti, contrabbando di diesel e probabilmente anche reati piú gravi. Qualsiasi ragazzina che vive in montagna sa che è meglio farsi gli affari propri. Solo che Trey non aveva accennato nulla del genere a Cal.

– Sembra proprio che tu avessi ragione, – dice il detective. – Li hai visti?

– Non proprio. Ho visto qualcuno muoversi. Avevo i fari negli occhi e loro erano al buio. Non ho capito cosa facevano.

– Quanti erano?

– Un gruppetto; forse quattro o cinque.

– Hai riconosciuto qualcuno?

Trey ci pensa su un attimo. – No, direi di no.

– Va bene cosí, – dice Nealon, tranquillo. Ma Cal sente il «per adesso» non detto: se il detective troverà un indiziato, tornerà a chiedere. – Hai sentito qualcosa di ciò che dicevano?

Trey scrolla le spalle. – Solo poche parole. Uno ha detto: «Da quella parte». Un altro: «Gesú, fai con calma». E un altro ancora: «Forza, ma che cazzo», scusi la parola.

– Ho sentito di peggio, – replica Nealon con un sorriso. – Qualcos'altro?

– Qualche parola qua e là. Nulla che avesse un sen-

so. Si muovevano in giro, e questo rendeva piú difficile
ascoltare.

– Hai riconosciuto a chi appartenevano le voci? Prenditi il tempo necessario per rifletterci.

Trey ci pensa, o almeno dà l'impressione di farlo, ag-
grottando le sopracciglia mentre porta la tazza alle labbra.
– No, – dice alla fine. – Ma erano tutti uomini. Non della
mia età, voglio dire. Uomini adulti.

– E gli accenti? Irlandesi, magari del posto, c'è qualcosa che puoi dirmi?

– Irlandesi, – risponde Trey senza esitare. – Di qui –.
Il tono conclusivo di quell'affermazione, come una freccia
che colpisce con precisione il bersaglio, fa voltare la testa
a Cal. E allora capisce.

Nealon dice: – Di qui in che senso? Di questa contea,
di questo villaggio, dell'Irlanda occidentale?

– Di Ardnakelty. Sull'altro versante della montagna,
o sull'altra riva del fiume, parlano un po' diverso. Erano
di qui.

– Ne sei certa, vero?

– Certissima.

Tutta la storia è un cumulo di menzogne. Cal capisce, finalmente, che Trey non è mai stata un burattino
nelle mani di suo padre; sta giocando una sua partita fin
dall'inizio. Quando ne ha avuto l'opportunità, ha indirizzato Ardnakelty sulla via di un oro immaginario. E
ora che gli equilibri sono cambiati, sta indirizzando Nealon, con la precisione di un cecchino, verso gli uomini
che hanno ucciso suo fratello.

Aveva dato a Cal la sua parola di non fare nulla per
vendicare Brendan, ma quella faccenda è cosí distante
da Brendan che può convincersi che non conta come violazione della promessa. Ha capito che non avrebbe mai

piú avuto un'altra occasione come questa, e l'ha presa. Cal sente il cuore come una forza pesante e implacabile nel petto, che gli rende difficile respirare. Quando si preoccupava che l'infanzia di Trey le avesse lasciato dentro delle crepe, si sbagliava: non si tratta di crepe, ma di vere e proprie faglie tettoniche.

L'espressione di Nealon non è cambiata. – Quanto tempo sei rimasta lí?

Trey ci pensa su. – Cinque minuti, forse. Poi l'auto ha acceso il motore e io sono tornata in casa. Non volevo che mi vedessero, se fossero venuti da quella parte.

– E ci sono venuti?

– Direi di no. Prima che andassero via sono passati un altro paio di minuti, e a quel punto io ero in camera mia, sul retro della casa; non avrei potuto vedere la luce dei fari, se fossero passati di là. Ma dal rumore direi che sono andati dall'altra parte. Non ci giurerei, però. Gli echi a volte sono strani, lassú.

– È vero, – conviene Nealon. – E cos'hai fatto dopo?

– Sono tornata a letto. Qualunque cosa stessero facendo, non aveva a che fare con noi. E ormai era tornato il silenzio.

– Ma quando ti sei svegliata, sul presto, sei andata a dare un'occhiata.

– Sí. Non riuscivo a riaddormentarmi; faceva troppo caldo e mia sorella, che condivide la stanza con me, russava. E volevo vedere cosa avevano fatto.

Cal ora capisce perché dopo aver trovato il corpo sia venuta da lui, invece di rivolgersi a Johnny. Non c'era nessun motivo sentimentale, non è che si fidasse piú di lui che di suo padre, o che preferisse rivolgersi a lui in un momento di shock. Voleva avere la possibilità di raccontare quella storia. Johnny avrebbe gettato Rushborough in un burrone e non le avrebbe permesso di dire nulla, e meno che mai di avvicinarsi a un detective. Cal invece è un cittadino modello.

– E cosí l'hai trovato, – dice Nealon.

– L'ha trovato per primo il mio cane –. Trey indica Banjo, ansimante per il caldo e steso insieme a Rip nell'angolo in ombra accanto al camino. – È quello lí, il piú grosso dei due. Era davanti a me e si è messo a ululare. Io l'ho raggiunto e ho visto.

– È stato uno shock, – commenta Nealon, con la giusta dose di simpatia, senza strafare. È in gamba. – Gli sei andata vicino?

– Sí. Molto vicino. Volevo vedere chi era, qual era la storia.

– L'hai toccato? L'hai mosso? Hai controllato che fosse davvero morto?

Trey scuote la testa. – Non ce n'era bisogno. Si capiva che era morto stecchito.

– Sei rimasta sul posto una ventina di minuti, hai detto –. Glielo ricorda senza enfatizzare il punto. I suoi piccoli occhi azzurri sono dolci e interessati. – Cos'hai fatto per tutto quel tempo?

– Sono rimasta inginocchiata lí. Avevo la nausea, avevo bisogno di non muovermi per un po' di tempo.

Ha risposto in fretta, stavolta, perché ha avuto il tempo di pensarci in anticipo, ma Cal sa che è una bugia. L'ha vista devastata dalla sofferenza di un animale, ma mai davanti a una creatura morta. Qualunque cosa abbia fatto accanto al cadavere di Rushborough, non stava aspettando che si calmasse la nausea. Il pensiero che si fosse messa a inquinare le prove lo fa rabbrividire.

– Certo, è naturale, – dice Nealon con simpatia. – Succede a tutti, le prime volte. Conosco un poliziotto con vent'anni di servizio, un omone grande e grosso come il nostro signor Hooper, e ancora barcolla quando vede un cadavere. Alla fine hai vomitato?

– No alla fine sono stata bene.

– Ma non volevi allontanarti dal cadavere?

– Sí. Solo che se mi fossi alzata in piedi, temevo che avrei vomitato o mi sarebbero venute le vertigini. Perciò sono rimasta ferma, con gli occhi chiusi.

– Hai toccato il corpo?

L'ha già chiesto prima, ma se Trey si è accorta della domanda ripetuta non lo dà a vedere. – No, caz… mi scusi. Non l'avrei mai fatto.

– Non ti biasimo. Nemmeno io l'avrei toccato, al tuo posto –. Le rivolge un altro gran sorriso, che lei ricambia con un sorriso appena accennato. – Quindi ti sei presa un po' di tempo per ricomporti, dopodiché sei venuta subito qui.

– Sí.

Nealon prende un altro biscotto e ci pensa su. – Quel Rushborough, – dice poi, – si trovava a pochi minuti da casa tua. Perché non sei andata a chiamare i tuoi genitori?

– Lui era un detective, – risponde Trey, indicando Cal. – Ho pensato che avrebbe saputo meglio di loro cosa fare.

Nealon ci mette solo una frazione di secondo a superare la sorpresa, con un gran sorriso. – Gesú. Dicono che ci vuole un detective per riconoscerne un altro, ma non ne avevo la piú pallida idea. Un collega, eh?

– Polizia di Chicago, – risponde Cal. Il cuore gli batte ancora forte, ma parla in tono calmo. – In passato. Ora sono in pensione.

Nealon fa una risata. – Mio Dio, quante probabilità ci sono? Viene qui dall'altro lato del mondo per allontanarsi dal suo lavoro, e va a sbattere contro un omicidio –. Si volta a metà per guardare l'agente, che ha smesso di scrivere e li guarda a bocca aperta, senza sapere cosa pensare di quello sviluppo. – Siamo stati fortunati, oggi, eh? Un detective come testimone. Non potevamo chiedere di meglio.

– Qui non sono un detective –. Cal non capisce se sotto quelle parole si nasconde una frecciatina (non ha ancora scoperto quanto tempo devi vivere in Irlanda prima di riuscire a capire se la gente ti sta prendendo per il culo), ma ha visto abbastanza guerre di territorio per chiarire la situazione immediatamente. – E non ho mai lavorato alla Omicidi. Quasi tutto quello che so è che bisogna mettere in sicurezza la scena del crimine e aspettare gli esperti, perciò è quello che ho fatto.

– Lo apprezzo molto, – replica Nealon, di cuore. – Forza, ci dica esattamente cos'ha fatto. Si fa indietro sulla sedia per lasciare il palcoscenico a Cal e mordicchia il suo biscotto.

– Quando sono arrivato sulla scena ho visto che il morto era Cillian Rushborough, un uomo che avevo già incrociato un paio di volte. Ho indossato dei guanti, – li tira fuori di tasca e li posa sul tavolo, – e ho confermato che fosse morto. La guancia era fredda, la mandibola e il gomito erano in stato di rigor mortis, ma le dita si muovevano ancora, e anche il ginocchio. Non l'ho toccato in nessun altro punto. Mi sono tirato indietro e ho chiamato voi.

Pensa di essere riuscito a esprimersi come qualcosa a metà tra un subordinato e un borghese. Immagina che Nealon l'abbia notato e analizzato.

– Grande, – dice il detective, rivolgendogli un cenno del capo da collega. – E poi è rimasto sulla scena fino all'arrivo degli agenti?

– Esatto. A pochi metri di distanza, appoggiato alla mia auto.

– Ha visto qualcun altro, mentre era lí?

– È passato il padre di Trey. Johnny Reddy.

Nealon inarca le sopracciglia. – Caspita, che modo di scoprire che il tuo amico è morto. È rimasto tranquillo?

– Mi è sembrato piuttosto scioccato, – risponde Cal. Trey annuisce.

– E non è rimasto con voi?

– No, si è allontanato lungo la strada che sale sulla montagna.

– Avremo bisogno di parlare con lui, – dice Nealon. – Ha detto dove stava andando?

– No.

– Be', in un posto piccolo come questo, finiremo per incontrarlo, in un modo o nell'altro –. Nealon vuota la tazza di tè e allontana la sedia dal tavolo, segnalando all'agente con un'occhiata che hanno finito. – Bene. Piú avanti forse avremo altre domande da farvi, e dovrete venire alla stazione di polizia a firmare le vostre dichiarazioni, ma direi che per il momento abbiamo abbastanza per andare avanti. Grazie per il tè e per il tempo che ci avete dedicato –. Si tira su i pantaloni sotto il ventre, per mettersi comodo. – Vorrebbe accompagnarmi alla macchina, signor Hooper, nel caso mi venga in mente qualcos'altro da chiederle?

Cal non desidera un confronto a tu per tu con Nealon, senza aver avuto la possibilità di organizzare i pensieri. – Con piacere, – risponde, alzandosi in piedi. Trey toglie di mezzo tazze e piattini, rapida e abile come una cameriera.

Fuori, il caldo si è fatto piú forte. – Precedimi in macchina, – dice Nealon all'agente in divisa. – Ho una gran voglia di fumare una sigaretta –. L'uomo si allontana, con una camminata che rivela il suo imbarazzo.

Nealon tira fuori un pacchetto di Marlboro e lo offre a Cal, il quale scuote la testa. – Fa bene, – dice il detective.

– Io dovrei smettere, mia moglie me lo dice continuamente, ma è piú forte di me –. Accende la sigaretta, aspira una profonda boccata e rivolge un cenno del capo verso la casa e Trey. – Conosce bene quella ragazzina?

– Piuttosto bene. – Sono arrivato qui due anni fa in primavera, mi occupo di piccola falegnameria e lei mi dà una mano quasi fin dall'inizio. Ha un talento naturale, e pensa che forse si dedicherà a questo lavoro a tempo pieno, una volta finite le scuole.

– Secondo lei è affidabile?

– Ho sempre potuto comprovare che lo è. È una brava ragazza. Costante, lavoratrice, ha la testa sulle spalle.

Gli piacerebbe dire che Trey è anche un'esperta mentitrice, ma non può. Indipendentemente da quello che Nealon scoprirà o non scoprirà, ora ha una persona che ha ammesso di essere sulla montagna quando il corpo di Rushborough è stato abbandonato. Se venisse a sapere che la storia di Trey è inventata, penserebbe (visto che ha la fortuna di non aver mai sentito nominare Brendan Reddy) che Trey vuole coprire qualcuno oppure sé stessa. Cal non sa se la ragazza abbia considerato le implicazioni di ciò che sta facendo, oppure se le comprende perfettamente e non gliene frega nulla.

– Potrebbe essere il tipo che s'immagina delle cose? – chiede Nealon. – O che inventa una storia per il gusto di raccontarla? O che magari non la inventa del tutto ma l'abbellisce qua e là?

Cal non deve fingere la risata. – No, no. Non ha tempo per queste cose. La storia piú eccitante che ho sentito da lei riguardava un professore di matematica che aveva lanciato un libro contro uno studente. E l'ha raccontata cosí: «Il professore ha lanciato un libro a quel ragazzo perché lo faceva ammattire, ma l'ha mancato». Il gusto di raccontare non è uno dei suoi talenti.

– Benissimo, allora, – risponde Nealon, sorridendogli.
– È proprio la testimone perfetta, eh? Sono felice di averla trovata. In posti come questo, lontani dal mondo, la
gente non parla con la polizia neppure per salvarsi la vita.

– Trey ha familiarità con me, – spiega Cal. – Questo
forse c'entra qualcosa.

Il detective annuisce, apparentemente soddisfatto. – E
mi dica una cosa: continuerà a sostenere la sua versione o
si tirerà indietro, se dovrà salire sul banco dei testimoni?

– Sosterrà la sua versione.

– Anche se scopriremo che il colpevole è un suo vicino di casa?

– Sí, – risponde Cal. – Anche in quel caso.

Nealon inarca le sopracciglia. – Fantastico –. Inclina la
testa per soffiare il fumo verso l'alto, lontano da Cal. – E
cosa può dirmi degli accenti? Crede che la ragazza sia in grado di distinguere quelli del suo villaggio dagli altri?

– Cosí mi dicono tutti. Io non sento nessuna differenza,
ma il mio vicino dice che quelli dall'altro lato del fiume parlano come un branco di asini, quindi vuol dire che lui la sente.

– Succede, in posti come questo. Almeno tra gli anziani.
Da dove vengo io, i ragazzi parlano come se fossero appena
scesi da un aereo proveniente da Los Angeles. Per fortuna
la sua ragazzina parla da irlandese –. Indica con la testa la
casa e Trey. – Suo padre… Johnny? Di lui cosa può dirmi?

– L'ho incontrato due o tre volte, – risponde Cal. – Quando sono arrivato qui lui era a Londra ed è tornato solo un
paio di settimane fa. Di lui potranno dirle di piú quelli del
posto, che lo conoscevano da prima.

– Ah, certo, glielo chiederò. Ma mi piacerebbe avere la
sua opinione personale. Johnny è l'unico associato al nostro uomo ucciso, devo interessarmi a lui per forza. Che
tipo di persona è?

Nealon sembra aver deciso che Cal interpreta il ruolo del poliziotto locale, che dà una mano nelle indagini con la sua conoscenza del posto. Cal è felice di assecondarlo.
– È molto amichevole, – dice, con una scrollata di spalle.
– Ma mi sembra un perdigiorno. Tante parole, tanti sorrisi e nessun lavoro.
– Conosco bene il tipo, – replica il detective, con sentimento. Quando parlerò con lui farò in modo di avere una sedia comoda. Quei tipi parlano di sé stessi per ore. E quel Rushborough? Era dello stesso tipo?
– Anche lui l'ho incontrato solo un paio di volte. Ma non mi ha trasmesso l'idea del buono a nulla; ho sentito che era un ricco uomo d'affari, ma non so se è vero. Sembrava tutto eccitato di trovarsi qui. Sua nonna gli aveva raccontato tantissime storie, e voleva visitare i posti di cui lei gli aveva parlato. Non stava piú nella pelle quando ha scoperto che uno del posto era suo cugino di quarto grado.
– Conosco anche quel tipo di persona, – Nealon, sogghigna. – Di solito sono americani come lei; qui non arrivano molti inglesi con idee romantiche sull'Isola di Smeraldo, ma ci sono sempre le eccezioni. Anche la sua famiglia era di queste parti, signor Hooper?
– No. È solo che da quello che ho visto l'Irlanda mi è piaciuta e ho trovato un posto che potevo permettermi.
– E come la trattano, qui? Non hanno la reputazione di essere persone accoglienti.
– Ah, con me si sono dimostrati dei buoni vicini, – risponde Cal. – Non sono amici miei né nulla del genere, ma finora siamo andati d'accordo.
– Mi fa piacere sentirlo. Non vorrei che ci rovinassero la reputazione, come se ammazzare un turista non fosse abbastanza –. Nealon ha fumato la sua sigaretta fino al filtro. Osserva il mozzicone e poi lo spegne contro il tacco della scar-

pa. – Se lei fosse il detective incaricato di questo caso, – aggiunge, – c'è qualcuno in particolare che terrebbe d'occhio?

Cal si prende il suo tempo prima di rispondere. L'agente è seduto con la schiena dritta al posto di guida, con le mani sul volante. I corvi gli gridano contro e lanciano ghiande sul cofano, felici di avere un nuovo bersaglio, ma lui li ignora, risoluto.

– Io indagherei a fondo su Johnny Reddy, – dice alla fine. Non ha molta scelta: Johnny è la risposta giusta, e se si tratta di un test ha bisogno di superarlo.

– Sí? C'erano problemi tra lui e Rushborough?

– Non che io sappia. Ma come ha detto lei, Johnny è l'unico conoscente noto di Rushborough da queste parti. Non so che tipo di rapporto avessero a Londra. Voglio dire… – Scrolla le spalle. – È anche possibile che Rushborough avesse fatto incazzare molto qualcuno, nella settimana scarsa che ha trascorso qui. Non so, ha rubato la fidanzata di un altro, cose cosí. Anche se devo dire che non mi è sembrato il tipo. Come le ho detto, non ero alla Omicidi e in questo non ho esperienza. Ma se fossi in lei partirei da Johnny.

– Ah, sí, naturalmente, – dice Nealon, agitando il mozzicone che tiene in mano, come a voler dire che Cal può fare meglio di cosí. – Ma a parte lui. Qualcuno che sia un po' strano, diciamo, qualcuno che non vorrebbe incontrare in un vicolo buio. Il pazzo del villaggio, per dirla chiaramente. So che la ragazza ha detto di aver sentito quattro o cinque uomini, ma anche un pazzo può avere degli amici, o dei familiari, disposti ad aiutarlo in una situazione estrema.

– Qui non c'è una persona cosí. Molti sono un po' strani, per aver vissuto soli troppo a lungo, ma nessuno mi sembra il tipo da far fuori un turista solo perché non gli piace la sua faccia.

– Un turista *inglese*, – precisa Nealon, come se gli fosse appena venuto in mente. – Ci sono sempre quelli che odiano gli inglesi, specialmente qui, vicino al confine. Ce n'è qualcuno, da queste parti?

Cal ci pensa su. – No, – risponde. – Giú al pub i clienti di tanto in tanto cantano qualche canzone che non parla bene degli inglesi. Le canto anch'io, ora che ho imparato un po' i testi.

– Oh, lo facciamo tutti, – osserva Nealon, ridacchiando. – No, parlavo di qualcuno con passioni piú forti. Qualcuno che dà in escandescenze ogni volta che in tivú parlano dell'Irlanda del Nord, o che blatera su quello che bisognerebbe fare alla famiglia reale, cose di questo tipo.

Cal scuote la testa. – No.

– Va bene. Valeva la pena chiederlo –. Nealon guarda i corvi, che si sono messi a saltare su e giú sul tettuccio della macchina. Cal si sente in qualche modo lusingato. Quei corvi gli dànno il tormento, ma non permettono a nessun altro di prendersi delle libertà. L'agente batte contro il tettuccio e gli uccelli svolazzano via. – C'è qualcos'altro che debba sapere? Rushborough ha passato del tempo con qualcuno in particolare? Ha avuto problemi riguardo alla sua storia familiare, per esempio? Una vecchia faida, o un pezzo di terra finito nelle mani sbagliate?

– No. Non che io sappia –. Cal non aveva mai ostacolato un'indagine, prima d'ora. Ci sono stati tempi in cui nessuno si sforzava troppo di capire chi aveva fatto cosa a qualche stronzo che chiaramente se l'era andata a cercare, ma si trattava di un tacito accordo; questa è la prima volta che taglia la strada a un altro detective. Quel senso di doppia visione è svanito. Si domanda quanto ci metterà Nealon ad accorgersene.

– Tutto a posto, allora, – conclude il detective. – Se

le viene in mente dell'altro, me lo faccia sapere. Qualsiasi cosa, anche se non sembra avere nessuna relazione con l'accaduto. Ma naturalmente lei lo sa. Ecco il mio biglietto da visita. Cosa le è successo? – Lo chiede all'improvviso, in tono cordiale, indicando la fronte di Cal.

– Sono scivolato nella doccia –. Cal mette in tasca il biglietto. Sa che c'è una buona possibilità che Johnny spiegherà i propri lividi dipingendo lui come un pazzo furioso che probabilmente uccide turisti innocenti per divertimento, ma gli sembra che Nealon sia troppo esperto per prendere sul serio le parole di un perdigiorno su un altro poliziotto, anche se la storia del suddetto perdigiorno contiene una parte di verità.

Il detective annuisce come se gli credesse, e forse è cosí. – È in casi come questi che viene utile avere dei buoni vicini, – commenta. – Quando ci sono dei guai, e le cose si fanno difficili. Sarebbe potuto svenire e restare lí per giorni, in mancanza di vicini che passano a trovarla. È una bella cosa averne.

– È uno dei lati positivi del fare il falegname, – spiega Cal. – Presto o tardi, qualcuno viene a vedere che fine ha fatto la sua sedia o il suo mobile.

– Allora la lascio al suo lavoro, prima che arrivino i suoi vicini –. Nealon infila il mozzicone nel pacchetto e tende la mano. Cal non può fare altro che stringerla, e Nealon nota le sue nocche rovinate. – La terremo aggiornata. Grazie di nuovo.

Gli rivolge un cenno di saluto e si avvia verso l'auto. Un corvo atterra sul cofano, fissa l'agente negli occhi e lascia cadere una merda.

Trey ha lavato le tazze ed è tornata in laboratorio, dove siede a gambe incrociate sul pavimento tra i pezzi della sedia, mescolando vari tipi di mordente e provandoli su una traversina di legno. – È andato tutto benissimo, eh? – dice, alzando gli occhi a guardare Cal.

– Già. Te l'avevo detto.

– Ti ha fatto altre domande?

– Mi ha chiesto solo se tu sei affidabile. Ho risposto di sí.

Trey riprende a mescolare i mordenti. – Grazie, – dice, di malavoglia.

A volte, quando non sa piú a che santo votarsi con lei, Cal chiede consiglio ad Alyssa, che lavora con ragazzi a rischio. Lei lo ha indirizzato nella direzione giusta in parecchie occasioni. Ma stavolta non ha la piú pallida idea di come iniziare.

– Di dov'è quel tipo? – chiede. – Non sono riuscito a riconoscere il suo accento.

– Dublino. Sono convinti di essere i migliori.

– E lo sono?

– Non lo so. Mai conosciuto nessuno di Dublino. Lui non mi è sembrato chissà cosa.

– Non fare l'errore di sottovalutarlo, – dice Cal. – Sa cosa sta facendo.

Trey scrolla le spalle, lisciando con cura una macchia sulla traversina.

– Sta' a sentire, – prosegue Cal, e poi si blocca. Non ha idea di cosa dire. Quello che vorrebbe fare è sbattere la porta cosí forte da farla saltare in piedi, strapparle di mano il pennello e gridarle in faccia finché non le entra in testa quello che ha combinato al posto sicuro che lui si è dannato l'anima per costruirle.

Trey alza la testa e lo fissa. Cal interpreta lo sguardo e la posizione del mento e capisce che non arriverà da nessuna parte. Non vuole sentire altre menzogne da lei, non su quell'argomento.

– Ne ho già fatte diverse, – dice lei. – Guarda.

È davvero un bel lavoro: nove o dieci strisce perfette

di sfumature leggermente diverse tra loro. Cal respira a fondo. – Sí, molto bene. Questa e quest'altra sono quasi uguali. Le guarderemo meglio quando si saranno asciugate. Vuoi pranzare?

– Devo tornare a casa –. Trey preme il coperchio sul barattolo del mordente. – Mia madre sarà preoccupata. Ormai avrà saputo di Rushborough.

– Puoi telefonarle.

– Meglio di no.

Si è fatta di nuovo distante. La sua disinvoltura quando erano insieme su in montagna era solo una breve pausa che si era concessa, prima di dedicarsi al compito che si era scelta. O forse stava solo assicurandosi di poter restare con lui finché avesse potuto raccontare la sua storia a Nealon senza ostacoli. Cal non è piú sicuro di cosa lei sia capace. Quando aveva pensato che Trey non avesse artifici, a parte le solite cose da adolescente, si sbagliava. Lei stava solo risparmiando e affinando le proprie energie, per usarle al momento giusto.

– Va bene, – dice. Vorrebbe chiudere le porte, barricare le finestre e tenerla rinchiusa lí finché non riuscirà a metterle in testa un po' di buonsenso, o almeno finché quella faccenda sarà conclusa. – Diamo una ripulita qui, poi ti accompagno.

– Posso andare a piedi.

– No –. Cal è contento di aver trovato uno spazio in cui puntare i piedi. – Ti accompagno io. E sta' attenta, là fuori. Se succede qualcosa che ti preoccupa, o anche se hai semplicemente voglia di tornare qui, chiamami. Arrivo subito.

Si aspetta che lei alzi gli occhi al cielo, invece annuisce, pulendo il pennello con uno straccio. – Sí. Va bene.

– C'è dell'altra trementina sulla mensola, se ne hai bisogno.

– Ho scritto come ho mescolato i mordenti, – dice Trey, con un cenno del capo verso le traversine. – È tutto lí.

– Bene. Ci renderà la vita piú facile quando dovremo tornare a verniciarle.

Trey annuisce, senza rispondere. Il suo tono aveva una nota conclusiva, come se non si aspettasse di esserci, per quell'ultimo lavoro. Cal vorrebbe dire qualcosa, ma non trova la cosa giusta.

Seduta lí, tutta gambe magre e lacci sciolti delle scarpe da ginnastica, sembra di nuovo la ragazzina che aveva conosciuto due anni prima. Cal non sa come evitare che vada avanti sulla strada che si è prefissa, perciò non ha altra scelta che seguirla, nel caso avesse bisogno di lui. Adesso è lei a prendere le decisioni, che l'avesse previsto oppure no. Cal vorrebbe trovare il modo di dirglielo, e anche di chiederle di muoversi con prudenza.

16.

Sulla montagna fa un caldo appiccicoso; Banjo ha passato tutto il viaggio a lamentarsi, come per sottolineare che quel tempo è crudeltà verso gli animali. Cal li ha portati a casa facendo il giro lungo, dal lato opposto della montagna e poi scavalcando la cresta, per evitare di passare dalla scena del crimine.

Quando la sua auto scompare in una nuvola di polvere, Trey si ferma al cancello ad ascoltare, ignorando l'ansimare drammatico di Banjo. I suoni che salgono dal bivio sulla strada sembrano ordinari: cinguettii di uccelli e fruscii, niente voci o movimenti umani. Trey immagina che la polizia abbia finito e abbia portato via il cadavere, per raschiare sotto le sue unghie e cercare fibre sui suoi vestiti. Avrebbe voluto sapere quelle cose prima, quando aveva la possibilità di fare qualcosa al riguardo.

Si volta sentendo un crocchiare di passi sulla ghiaia. Suo padre appare da dietro gli alberi oltre il cortile e si dirige verso di lei, gesticolando come se si trattasse di una cosa urgente.

– Ecco la mia piccola, alla fine, – dice, con un'occhiata di rimprovero. – Era ora. Ti stavo aspettando.

Banjo lo ignora e s'incunea tra le sbarre del cancello, diretto verso la casa e la sua ciotola d'acqua. – È appena ora di pranzo, – protesta Trey.

– Lo so, ma non puoi sparire senza dire nulla a tua madre, soprattutto in una giornata come questa. Ci hai fatti preoccupare. Dove sei stata?

– Da Cal. Dovevo aspettare il detective –. Suo padre non dice cosa stava facendo tra gli alberi, ma Trey lo sa. Aspettava lei, perché vuol sapere tutto il possibile sul detective prima di affrontarlo. E quando ha sentito il motore dell'auto di Cal si è nascosto, come un ragazzino che avesse rotto una finestra.

– Ah, certo! – dice Johnny, dandosi una pacca sulla fronte. Trey non si illude che fosse davvero preoccupato per lei, ma comunque è preoccupato: danza sui piedi come un pugile. – Hooper mi aveva detto che avrebbero voluto parlare con te. Con tutte le cose a cui pensare, mi era passato di mente. Com'è andata? Ti hanno trattata come si deve?

È fortunato, perché anche Trey vuole parlare con lui.

– Sí. Era un solo detective, con un agente che prendeva appunti. Sono stati gentili.

– Bene. È la cosa da fare, con la mia piccola, – commenta Johnny, scuotendo un dito. – Altrimenti devono vedersela con me. Cosa ti hanno chiesto?

– Voleva solo sapere come ho trovato il cadavere. Che ora era quando l'ho visto, se l'avevo toccato, cos'avevo fatto, se avevo visto qualcuno.

– Gli hai detto che io sono passato di là?

– Gliel'ha detto Cal.

Alle spalle di suo padre c'è un movimento dietro la finestra del soggiorno. La luce sul vetro rende indistinta la figura, perciò Trey ci mette qualche secondo a identificare sua madre, che li osserva con le braccia incrociate in grembo.

Johnny si massaggia un angolo della bocca con le nocche. – Ovvio, – commenta. – Va bene, niente panico, è una cosa che posso gestire. E dell'oro hai detto nulla? Anche solo un accenno?

– No.

– Te l'hanno chiesto?

– No.

– E Hooper? Sai se ha detto qualcosa?

– No, gli hanno fatto le stesse domande che avevano fatto a me. Cos'aveva fatto con Rushborough, se l'aveva toccato, eccetera. Anche lui non ha detto nulla dell'oro –. Johnny getta indietro la testa, con una breve risata cattiva. – Lo immaginavo. Ecco quello che fanno i poliziotti del cazzo. Hooper spaccherebbe la faccia a chiunque provi a tenergli nascoste delle cose, e secondo me lo ha fatto piú di una volta. Ma non ha problemi a restare zitto quando è lui a rischiare.

– Pensavo che non volessi che venissero a saperlo.

Johnny torna a fissarla. – Cristo, no, hai fatto benissimo. E se tornano a farti domande in proposito, tu non hai mai sentito parlare di nessun oro, mi hai sentito?

– Sí –. Trey non ha ancora deciso cosa fare riguardo all'oro.

– Non intendevo lamentarmi perché Hooper non ne ha parlato. Sono contento che abbia tenuto la bocca chiusa. Sto solo dicendo che applicano una regola per sé stessi e un'altra per il prossimo. Non dimenticarlo.

Trey scrolla le spalle. Suo padre ha un aspetto di merda: invecchiato, pallido e i lividi stanno diventando verdastri: la fa pensare allo spaventapasseri di Cal.

– Cos'hai detto su di me e Rushborough? Hai detto che eravamo amici?

– Ho detto che lo avevi conosciuto a Londra, ma che non era venuto qui a trovare te. Era venuto perché la sua famiglia era di queste parti.

– Bene –. Johnny lascia andare un lungo sospiro. Sposta gli occhi verso ogni fruscio tra gli alberi. – Molto, molto bene. È quello che volevo sentire. Sei stata brava.

– Ho detto al detective che ho sentito delle persone parlare sulla strada, ieri notte tardi. Cosí sono uscita e c'era qualcuno al bivio, dove poi ho trovato Rushborough. Non sono arrivata abbastanza vicina da vederli, ma li ho sentiti e avevano un accento locale.

– Ed è vero?

Trey scrolla le spalle.

Un secondo dopo Johnny dà una manata sulla traversa piú alta del cancello, getta indietro la testa e ride forte. – Santo Dio onnipotente, – esclama. – Ma dove ti ho trovata? Sei proprio in gamba, tale padre, tale figlia. Che testa che hai. Se il cervello fosse denaro, non dovremmo preoccuparci di nessun oro del cazzo, saremmo miliardari –. Apre il cancello di colpo e fa per abbracciarla, ma Trey si tira indietro. Johnny non se ne accorge o non gliene importa. – Avevi già capito dove volevano andare a parare quei poliziotti del cazzo, eh? Eri un passo avanti a loro. E non volevi che accusassero di omicidio il tuo povero papà. Brava ragazza.

– Dovresti ripetergli anche tu la stessa cosa, – dice Trey. – Cosí non penseranno che ho inventato tutto solo per farmi notare.

Johnny smette di ridere e ci pensa su. – È una buona idea, ma è meglio di no, – spiega, dopo due secondi. – Se lo faccio penseranno che ti ho messo io le parole in bocca. No, ecco cosa faremo: dirò che ti ho sentita uscire, a un certo punto durante la notte. Forse avrei dovuto seguirti, – si è messo a camminare a zigzag mentre pensa, – ma ero mezzo addormentato. E mi è sembrato di sentire delle voci in lontananza, cosí ho pensato che fossi uscita per vedere i tuoi amici; magari qualcuno aveva portato una bottiglia, e non volevo rovinarti il divertimento. Non sono cose che abbiamo fatto tutti, da ragazzi?

Perciò sono rimasto a letto. Ma non ti ho sentita tornare, perciò, quando stamattina mi sono svegliato e tu non
eri in casa, mi sono preoccupato e sono uscito a cercarti.
Ecco perché ero in giro cosí presto –. Allarga le braccia,
sorridendo a sua figlia. – Non ti sembra che cosí tutto
s'incastri perfettamente?

– Sí.

– Benissimo, allora. Siamo pronti per i detective; ora
possono venire quando vogliono. Sei stata bravissima a
tornare per mettermi al corrente.

– Probabilmente –. Trey sa che suo padre saprà come
parlare alla polizia. Non è affatto stupido ed è capace di
fare un buon lavoro, se qualcuno con piú determinazione
lo dirige sulla strada giusta.

A lei la determinazione non manca.

– Un'ultima cosa, – dice Johnny. – Giacché ci siamo.
Ricordi che ieri sera dopo cena sono uscito a fare una passeggiata? Per chiarirmi le idee?

– Sí.

Suo padre le punta contro un dito. – Invece non sono
uscito. Non sappiamo a che ora sia morto il signor Rushborough, giusto? Per quanto ne sappiamo può essere stato
mentre io ero fuori, e c'erano solo gli uccelli come testimoni. Non vogliamo che quel detective si metta in testa
idee strane, sprecando il suo tempo e lasciando che l'assassino resti impunito. Perciò, sono restato in casa tutta
la sera, ho dato una mano a sparecchiare dopo cena e ho
guardato la tele. Hai capito bene?

– Sí –. Trey approva l'idea. Se suo padre fosse sospettato, sarebbe un problema per il suo piano. – L'hai detto
anche alla mamma e ai piccoli?

– Sí. Siamo tutti pronti. E non ci saranno problemi, voi
siete tutti acuti come puntine da disegno nuove, dico bene?

– Alanna potrebbe confondersi. Le dirò di non parlare
con il detective e di comportarsi come se avesse paura di lui.
Suo padre le strizza l'occhio. – Ottimo. Può nascondersi
dietro le gonne della mamma e non dire una parola. Molto
piú facile che doversi ricordare questo e quello. Ah, e prima che mi passi di mente, – Johnny schiocca le dita. – Ho
la macchina fotografica del tuo amico Hooper da darti; l'ho
messa in camera tua. È lí che sono andato stamattina, dopo
che ci siamo visti. Sapevo che non avresti voluto vederlo
immischiato in questa storia, cosí sono andato a prendere
la macchina fotografica prima che la trovassero le guardie.
Tienila per qualche giorno e poi restituiscigliela, in modo
casuale, dicendo che hai terminato il tuo compito scolastico. Non preoccuparti, ho già cancellato il video del fiume.
    – Bene, – dice Trey. – Grazie.
    – Allora è tutto a posto, – conclude Johnny, allegro.
– Non per il povero Rushborough, ovviamente, pace
all'anima sua. Ma per noi. Il detective verrà a fare due
chiacchiere, non sentirà nulla d'interessante e se ne andrà
a infastidire qualche altro poveraccio. Anche i ragazzi che
sono venuti qui ieri notte non ci daranno piú fastidio. E
cosí vivremo per sempre felici e contenti.
    Il suo piano di far vivere la famiglia nel lusso è conve-
nientemente scomparso dai suoi pensieri, sovrascritto dalle nuove circostanze e dalle loro esigenze. Trey aveva dato per scontato che sarebbe successo, ma è impressionata
dalla totalità della cancellazione. Anche lei ha cambiato i
suoi obiettivi diverse volte, nelle scorse settimane, ma ricorda ancora l'esistenza di quelli vecchi.
    Quel pensiero le riporta alla mente una cosa: – Ora devi
ancora pagare i soldi che gli dovevi? – chiede.
    – Il denaro di Rushborough? – Johnny ride. – Non piú.
Polvere nel vento. Ora sono libero come un uccello.

– I suoi amici non verranno a cercarti?

– Gesú, no. Avranno già abbastanza da fare. Piú che abbastanza –. Le rivolge un sorriso rassicurante. – Non preoccuparti di questo.

– Allora te ne andrai di nuovo?

Johnny la fissa con disapprovazione. – Cosa intendi dire?

– Non devi piú restituire del denaro a Rushborough. E nessuno investirà piú nell'oro, ora che lui non c'è piú.

Johnny si avvicina e si china, per essere faccia a faccia con lei. Le posa le mani sulle spalle. – Ah, piccola. Credi che lascerei te e la mamma ad affrontare da sole la polizia? Dio, no. Resterò finché avrete bisogno di me.

Trey traduce quella dichiarazione senza sforzo: se Johnny dovesse tagliare la corda ora, solleverebbe dei sospetti. Perciò le toccherà sopportarlo fino alla fine delle indagini. Questo alcuni giorni fa le avrebbe dato molto fastidio, ma ora non la disturba piú di tanto. Almeno adesso, per una volta nella sua vita, suo padre potrà rendersi utile. – Bene, – risponde. – Ottimo.

Suo padre la guarda come se la conversazione non fosse finita. Evidentemente si aspetta che lei gli chieda se è stato lui a uccidere Rushborough. È una possibilità, vista la paura che aveva di lui, ma comunque se Trey glielo chiedesse la risposta sarebbe una menzogna, e a lei non importa saperlo. Spera solo che, se è stato lui, abbia almeno avuto il buonsenso di non lasciare in giro nulla di compromettente. Alza gli occhi a fissarlo.

– Ah, tesoro, hai un'aria distrutta, – dice Johnny, inclinando la testa con simpatia. – Devi aver avuto un forte shock, a trovarlo cosí. Sai di cosa hai bisogno? Di un buon sonno.

All'improvviso Trey si sente depressa fino alle ossa. Dovrebbe essere contentissima, tutto sta andando nel migliore dei modi, ma detesta suo padre e sente la mancanza di Cal e la sensazione è cosí forte che vorrebbe gettare indietro la testa e ululare come Banjo. È una stupidaggine, visto che ha trascorso tutta la mattina con lui, ma Cal in quel momento le sembra lontano un milione di chilometri. Ormai è abituata a pensare che a lui può dire tutto. Ma quello che sta facendo ora non potrà mai confessarglielo. Trey è sicura che il codice di comportamento di Cal non permetta di mentire ai detective su un omicidio con lo scopo di far finire nella merda degli uomini innocenti. Per quanto riguarda il suo codice, Cal è inflessibile. E lo è anche sul mantenere la parola data; è una cosa che prende molto seriamente, proprio come lei, ed è possibile che consideri quello che lei sta facendo ora come una violazione della promessa che gli aveva fatto riguardo al non cercare vendetta per Brendan. Cal le perdonerebbe tante cose, ma non quello.

Trey non ricorda come mai ha pensato che ne valesse la pena. In termini pratici non fa differenza: non lo sta facendo perché ne vale la pena, ma perché è necessario. Tuttavia quel pensiero la deprime ancora di piú.

Tutto ciò che vuole davvero è andare a dormire, solo che in quel momento disprezza troppo suo padre per restargli vicino, ora che ha finito quello che doveva fare con lui. – Vado a trovare i miei amici, – dice. – Sono tornata solo per lasciare Banjo. Per lui è troppo caldo.

Potrebbe anche essere vero; può salire in montagna e trovare un paio di amici e cominciare a far circolare la sua storia. Quando avrà messo radici si diffonderà, cambierà forma, e troverà il modo di arrivare di nuovo a Nealon.

– Non dimenticare di parlare con Alanna, – le ricorda Johnny. – Sei molto brava con lei, farà tutto quello che le dici.

– Lo farò al ritorno, – risponde, voltandosi a metà. Sheila li osserva ancora da dietro la finestra.

Non appena Cal affonda le mani nel terreno per raccogliere le carote, appare Mart, che attraversa l'erba morente con il suo passo zoppicante e la tesa del cappello ondeggiante. Rip salta su e cerca di coinvolgere Kojak in una corsa, ma il cane di Mart non ne vuol sapere; si accuccia all'ombra delle piante di pomodori e comincia ad ansimare. L'aria calda è densa come brodo. Cal ha già inzuppato di sudore la schiena della camicia.

– Che carote enormi, – commenta Mart, frugando nel cesto con la punta del bastone. – Se qualcuno ne ruba una potrà dotare il tuo spaventapasseri di un bell'uccello grosso.

– Ne ho in abbondanza, – risponde Cal. – Serviti pure.

– Potrei prenderti in parola. Ho trovato su internet la ricetta di uno stufato d'agnello marocchino, e un po' di carote lo renderebbero piú vivace. Le hanno le carote, in Marocco?

– Non lo so –. Cal sa perché Mart è venuto, ma non ha voglia di facilitargli le cose. – Puoi provare a fargliele conoscere.

– Niente da fare. Non ci sono molti marocchini da queste parti –. Cal tira fuori un'altra carota e spazzola via la terra. – Allora, abbiamo Paddy l'Inglese, Paddy l'Irlandese e Paddy l'Americano che iniziano una corsa all'oro ma Paddy l'Inglese non riesce ad arrivare in fondo. È vero che è stata la tua Theresa a trovarlo?

– Sí. Ha portato fuori il cane e lui era lí –. Non sa come faccia Mart a conoscere quell'informazione. Forse uno degli uomini della montagna ha osservato lui e Trey per tutto il tempo in cui sono stati vicini al cadavere.

Mart tira fuori la borsa del tabacco e si mette a rollare

una sigaretta. – Ho visto le guardie passare da te, prima, – dice. – Per fare il loro lavoro di *investindagare*. Quella macchina non resterà lucida a lungo, su queste strade. Che tipo di persone erano?

– L'agente in divisa non ha detto quasi nulla, – risponde Cal, tirando fuori dal terreno un'altra carota. – Il detective mi è sembrato in gamba.

– E tu sei la persona giusta per dirlo. Guarda un po', Sunny Jim: dopo tutto questo tempo, finalmente la tua esperienza diventa utile –. Mart lecca la cartina in un colpo solo. – Non vedo l'ora che vengano a parlare con me. Non ho mai parlato con un detective in tutta la vita, e tu hai appena detto che ce n'è toccato uno in gamba. È un connazionale?

– Di Dublino, secondo Trey.

– Oh, cazzo –. Mart sembra disgustato. – Non potrò divertirmi, se devo stare a sentire tutto quel rumore. Piuttosto mi farei trapanare un dente –. Il suo accendino non funziona. Lo fissa, irritato, lo scuote e prova di nuovo, con maggior successo. – Ti sei fatto un'idea di cosa pensa?

– Cosí presto, probabilmente non pensa ancora nulla. E comunque non me lo direbbe.

Mart inarca le sopracciglia. – Sul serio? Ma siete colleghi.

– Io non sono un suo collega, ma uno dei possibili indiziati. E di sicuro non mi tratterà come un collega, non appena verrà a sapere quello che abbiamo fatto nel fiume.

Mart gli lancia un'occhiata divertita. – Sei davvero preoccupato per quella sciocchezza? Che Dio ti benedica.

– Mart, – dice Cal, sedendosi sui talloni. – Verranno a saperlo.

– Gliel'hai detto tu?

– Non ce n'è stato bisogno. Ma qualcuno glielo dirà, prima o poi.

– Credi?

– Per favore. Tutto il circondario sa che Rushborough era qui per cercare l'oro. E la metà di loro saprà che noi abbiamo seminato oro nel fiume. Qualcuno dirà per forza qualcosa.

Mart sorride. – Sai, ti sei adattato cosí bene qui che a volte dimentico che sei un nuovo arrivato. Mi sembra che tu ci sia sempre stato –. Espelle un filo di fumo tra i denti. L'aria è cosí ferma che il fumo resta davanti a lui, dissipandosi lentamente. – Nessuno dirà una parola sull'oro, Sunny Jim. Non alla polizia. E se qualcuno lo facesse… – Scrolla le spalle. – Questo villaggio è tremendo per i pettegolezzi. Tutti raccontano quello che ha detto la zia della moglie di un cugino, aggiungendo particolari qua e là per renderlo interessante, e le storie cosí diventano irriconoscibili. Qualcuno avrà capito male.

– E se loro andassero a controllare se nelle ultime due settimane qualcuno ha comprato oro online e se l'è fatto consegnare qui? Verrebbe subito fuori il tuo nome.

– Io non mi fido delle banche nella grande città, – spiega Mart. – Con la Brexit e tutto il resto potrebbero fallire da un giorno all'altro. Un uomo sensato si sente piú sicuro tenendo almeno una parte dei suoi risparmi dove può vederli e toccarli. E raccomando anche a te questa strategia. È il valore di riferimento: non puoi sbagliare.

– Esamineranno il telefono di Rushborough. E quello di Johnny.

– Dio, è ottimo avere queste informazioni riservate –. Mart ha un tono ammirato. – Sapevo che c'era un motivo per la tua presenza qui. Ti dico perché non mi preoccupa quello che può esserci sui due cellulari. È perché quei due begli esempi di mascolinità non erano solo un paio di fessi che provavano a fare i furbi, come me e i ragazzi. Erano professionisti e facevano le cose nel modo giusto. Con precisione.

– Johnny non ha mai fatto una sola cosa con precisione in tutta la sua vita.

– Forse no, ma Rushborough lo teneva in riga. E Johnny non si sarebbe azzardato a sgarrare. Su quei telefoni non ci sarà nulla.

Il suo tono è gentile ma conclusivo. – Va bene, – dice Cal. – Forse la polizia non riuscirà a provare nulla riguardo all'oro. Ma lo verrà a sapere. Forse non della truffa che Johnny e Rushborough stavano mettendo in piedi, ma di quello che avete fatto tu e i ragazzi sí.

– E anche tu, – gli ricorda Mart. – Bisogna riconoscerti la tua parte di merito.

– Come vuoi. Il punto è che questo è un movente valido per l'omicidio. Rushborough ha scoperto quello che abbiamo fatto nel fiume, voleva rivolgersi alla polizia, qualcuno si è spaventato e gli ha chiuso la bocca. Oppure qualcuno ha scoperto che voleva truffarli e non gli è piaciuto.

– È quello che è successo, secondo te?

– Non ho detto questo. Dico solo che Nealon, il detective, controllerà questa possibilità.

– Può controllare quello che vuole, – concede Mart, con un gesto magnanimo della sigaretta. – Auguri. Ma io non vorrei essere nei suoi panni. Può avere in mano il miglior movente del mondo, ma se non c'è una persona a cui attribuirlo non se ne farà nulla. Diciamo, per amor di discussione, che qualcuno si fa scappare la storia dell'oro. Tizio dice che l'ha sentita da Caio, e Caio dice che gliel'ha raccontata Sempronio. Sempronio dice di averla sentita da qualcun altro e quel qualcun altro dice che l'ha sentita da Mike, il quale però aveva bevuto sei pinte di birra quel giorno, quindi non giurerebbe che sia vero. E alla fine

Mike racconta di averla sentita da Tizio. Ti dico una cosa sicura: assolutamente nessuno dirà di essere stato al fiume quel giorno, né accuserà qualcun altro di esserci stato. Se si verrà a sapere qualcosa dell'oro, sarà giusto uno di quei pettegolezzi assurdi che nascono nelle piccole comunità arretrate come questa. Sarà come una nebbia mattutina, se vogliamo dirlo in modo poetico: non appena cerchi di afferrarla, si trasforma in nulla.

Fa il gesto di afferrare l'aria e poi mostra la mano vuota.

– Qualcuno avrà di sicuro un movente, ma di chi si tratta? Continuiamo a menare il can per l'aia.

Cal torna alle sue carote. – Forse.

– Non stare a preoccuparti. Non di questo, almeno –. Getta la sigaretta e la schiaccia con la punta del bastone. – Dimmi una cosa, Sunny Jim, solo per soddisfare la mia curiosità. Sei stato tu?

– No –. Cal lotta con una carota particolarmente testarda. – Se avessi voluto uccidere qualcuno, sarebbe stato Johnny.

– Capisco. Per la verità, non so come mai non l'abbia fatto nessuno già molto tempo fa. Per lui è una fortuna, ma può ancora succedere. Allora è stata la ragazzina?

– No. Non parlarne nemmeno.

– Ammetto che non vedo alcun motivo per cui si sarebbe dovuta prendere il disturbo, – dice Mart, ignorando il suo tono minaccioso. – Ma con le persone non si sa mai. Prenderò per buona la tua parola.

– Anch'io dovrei chiederti la stessa cosa. Hai detto che avresti fatto qualcosa riguardo a Rushborough e Johnny e alla loro truffa. L'hai fatto?

Mart scuote la testa. – Dovresti conoscermi meglio di così, ormai. Non sarebbe proprio il mio stile. Io sono per la diplomazia. La comunicazione. Non c'è quasi mai bisogno di azioni estreme, se hai la capacità di far arrivare il tuo messaggio.

– Avresti dovuto fare il politico –. Cal voleva solo chiarire il punto, ma in realtà non sospetta di Mart. Lo ritiene capace di uccidere, ma solo dopo aver esaurito tutte le alternative piú facili.

– Sai, – risponde Mart, compiaciuto. – L'ho pensato spesso anch'io. Se non fosse per la fattoria, mi piacerebbe andare in parlamento, a Leinster House, a dare prova di me. Farei il culo a quello scemo dei Verdi con il suo atteggiamento da madre superiora pignola. Quel coglione non ha capito una mazza.

Si china un po' alla volta, per via del dolore all'anca, e si mette a scegliere delle carote dal cesto. – Sarei felice se fosse stato Johnny. Sarebbe perfetto, liberarci di tutti e due in un colpo solo. Se potessi scegliere, voterei di sicuro per Johnny –. Si raddrizza, con le carote in mano. – Purtroppo però quello che pensiamo io e te non conta nulla. Conta solo cosa pensa quel tizio di Dublino, e per saperlo dobbiamo aspettare e vedere –. Agita le carote verso Cal. – Grazie di queste. Se vedi qualche marocchino, invitalo a cena a casa mia.

Dopo averci riflettuto per tutto il giorno, Lena ancora non sa cosa pensare del fatto che Rushborough è stato ucciso. Spera che Cal, con la sua esperienza in quel campo, possa aiutarla a chiarirsi le idee. Quando arriva a casa sua, lo trova intento a pelare e tagliare una quantità di carote sul tavolo della cucina, mettendole via in sacchetti da congelare. Lena non immagina quando loro tre potranno mangiare tante carote, e conoscendo Cal non lo prende come un buon segno. Sembra che si stia preparando a fronteggiare un inverno difficile, o un assedio.

Ha portato una bottiglia nuova di bourbon. Mentre Cal le racconta quello che è successo al mattino, versa una buona dose per entrambi, ci mette molto ghiaccio e poi si siede al tavolo di fronte a lui, per occuparsi di tagliare a pezzi le carote. Cal le pela con furia, come se avessero minacciato la sua famiglia.

– Il detective Nealon mi è sembrato in gamba, – dice Cal. – Sa fare il suo lavoro, ha la mano leggera, sa prendere tempo, ma si capisce che è in grado di fare anche il duro, quando è il momento. Se fosse stato il mio partner sul lavoro, non mi sarei lamentato.

– Pensi che prenderà il colpevole? – domanda Lena, tagliando un pezzo di carota e mordendolo.

Cal scrolla le spalle. – È troppo presto per dirlo. È il tipo in grado di riuscirci, per il momento dico solo questo.

– Be', prima lo prende, prima si toglierà dai piedi.

Cal annuisce. Nel silenzio, si sentono solo il rumore monotono del pelaverdure e del coltello, i cani che sospirano nel sonno e il rumore di un trattore lontano.

Lena sa che Cal si aspetta che gli chieda se è stato lui a uccidere Rushborough, ma non intende farlo. Invece beve un sorso di bourbon e dice: – Io non l'ho mai toccato con un dito. Tanto perché tu lo sappia.

La faccia sorpresa di Cal la fa ridere, e un attimo dopo ride anche lui. – Be', sarebbe stato indelicato chiedere, ma buono a sapersi.

– Non volevo che andassi a dormire preoccupato, stanotte, rigirandoti nel letto e chiedendoti se non hai una relazione con una maniaca omicida.

– Vale anche per te, – risponde Cal. – Non piangerò la sua morte, ma nemmeno io l'ho toccato.

Lena lo sapeva già. Non ritiene che Cal sia incapace di uccidere, ma non crede che avrebbe scelto Rushborough come vittima, né che l'avrebbe ucciso in quel modo. Inoltre Cal sa che Trey ha bisogno di lui, e questo gli lega le mani. – Allora chi è stato, secondo te?

Cal scuote la testa, tornando a pelare carote. – Me l'ha chiesto anche Nealon, e ho risposto Johnny. Non so se lo penso davvero, ma è il colpevole piú probabile.

– Lui è passato da casa mia, ieri sera.

– Johnny?

– Proprio lui.

– Cosa voleva?

– Essere salvato dalla sua idiozia, ecco cosa. Dopo che si è sparsa la voce che la storia dell'oro è una stronzata.

– Sí, – dice Cal. – L'ho detto a Mart.

Dal momento in cui si era allontanata lasciando Mart al cancello di Cal, Lena sospettava che sarebbe successo. Sentirlo ora le fa irrigidire le spalle. Lei è stata definita fredda una quantità di volte e pensa che ci sia della verità in questo; ma riconosce che sotto le chiacchiere e l'ironia, Mart è freddo come una pietra. Comprende perché Cal ha fatto ciò che ha fatto, e spera solo che alla fine abbia ragione.

– Be', dice. – Mart ti è stato a sentire. Johnny aveva ricevuto un avvertimento, mi ha detto. Non sapeva da chi, ma era molto chiaro: vattene o ti togliamo di mezzo noi.

– Cosa? Ma che cazzo? – Cal posa la carota che ha in mano.

– Cosa ti aspettavi?

– Che Mart dicesse a Johnny che la sua grande idea era fallita e non aveva senso restare ancora. Forse un gruppetto dei ragazzi gli avrebbe dato un sacco di botte, e fine. Stavo solo cercando di togliere Trey da questo casino, non di ficcarcela in mezzo.

Sembra pronto a correre in montagna per strappare Trey

da quella casa, anche con la forza, se necessario. – Ai Reddy non succederà nulla, – sentenzia Lena. – Non mentre sono in casa, almeno. I ragazzi ci staranno attenti.

– Gesú Cristo, – dice Cal. – Ma che ci faccio io in questo cazzo di posto?

– Johnny era nel panico, ieri sera. Questo è tutto. Non aveva pensato bene a tutta la storia, si è trovato coinvolto piú di quanto si aspettasse e ha perso la testa. Riesce a gestire le cose solo quando vanno a modo suo.

– È vero –. Cal si scuote di dosso la fitta di paura e si costringe a tornare a occuparsi delle carote. – Cosa ti ha chiesto di fare?

– Di parlare con la gente. Con te, con Noreen. Per convincere i ragazzi a non slegare i cani.

– E perché l'ha chiesto proprio a te?

Lena inarca un sopracciglio. – Non credi che abbia la diplomazia necessaria?

Ma non riesce a farlo sorridere. – Tu non ti immischi nelle storie del posto, e Johnny lo sa, non è stupido. Perché è venuto a chiederlo a te?

Lena alza le spalle. – Credo sia proprio per questo. Ha pensato che a me non sarebbe importato quello che stava facendo. Ha cominciato parlando dei vecchi tempi: «Tu sai che non merito questo, non sono un angelo ma non sono cattivo come mi dipingono, tu sei l'unica ad avermi mai dato una possibilità» e tutto il resto. Johnny è affascinante, quando vuole, e ieri sera voleva esserlo. Era davvero spaventato.

– Sí, molto affascinante: «Senti, mi sono messo nei guai perché sono una testa di cazzo e nemmeno tanto intelligente, potresti per favore tirarmi fuori?»

– È piú o meno quello che gli ho detto io: il fatto che fosse un incompreso non era un problema mio. Allora ha

cambiato tattica e ha detto che se non volevo aiutarlo per
amor suo, potevo almeno farlo per amore di Trey.

– Che sorpresa –. Se Lena non lo conoscesse cosí bene, non avrebbe notato il lampo di rabbia sul viso di Cal.

– Già. Ha detto che doveva dei soldi a Rushborough.
Lo sapevi?

– Sí.

– E doveva fare in modo che la storia dell'oro funzio-
nasse, altrimenti Trey sarebbe stata picchiata o peggio, e
mi ha chiesto se io volessi vederlo succedere. A quel punto
mi sono stufata. Gli ho detto che se gli importava almeno un po' di sua figlia, doveva tornarsene a Londra e portarsi via tutti i suoi casini. Non ci siamo lasciati da amici.

Cal si è un po' calmato. – Ti ha molestata oltre?

Lena sbuffa con disprezzo. – No. Ha fatto un po' di capricci ma non so bene cos'ha detto, perché a quel punto gli
avevo già sbattuto la porta in faccia. Alla fine è andato via.

Cal resta in silenzio, e lei lo osserva mentre riflette. Il
nodo tra le sue sopracciglia si appiana ma il suo viso rimane chiuso. – A che ora è passato da te?

– Alle otto, forse un po' piú tardi.

– È rimasto a lungo?

– Una mezz'oretta. Ci ha messo un po' prima di arrivare
al punto; prima ha parlato del panorama, e di due agnellini
che aveva incontrato lungo la strada. È proprio incapace
di affrontare qualcosa in modo diretto.

Lena si era chiesta se Cal avrebbe reagito da poliziotto
a quelle informazioni. L'aveva fatto, ma solo dopo un po'.

– Ha fatto i capricci, hai detto. Di che tipo? Ha pianto
e supplicato, o ha urlato e sbattuto porte?

– Qualcosa a metà. Sono andata in cucina e ho messo
un po' di musica, perciò non l'ho sentito bene, ma è stato
melodrammatico. Ha urlato che sarebbe stata colpa mia

se gli avessero incendiato la casa e loro fossero morti tutti, e come avrei potuto superarlo. Non gli ho prestato nessuna attenzione.

– Hai notato in che direzione si è allontanato?

– Non ho guardato dalla finestra. Non volevo proprio vederlo.

– Può essere andato da qualcun altro, a chiedere di non slegare i cani?

Lena ci pensa su e scuote la testa. – Non mi viene in mente nessuno. Quasi nessuno lo teneva in considerazione, prima d'ora. Poi tutti si sono emozionati per l'oro; se avessero scoperto che era tutto un mucchio di balle, avrebbero pensato che meritava di essere bruciato vivo. Forse c'è una donna da qualche parte che ha un debole per lui, ma in quel caso sarebbe andato da lei, prima di venire da me.

– Forse ha davvero ucciso lui Rushborough, – dice Cal. – Hai detto che era spaventato. Quando si è reso conto che non gli avresti dato una mano a uscire dai guai, forse è caduto nella disperazione. Ha bevuto qualche bicchiere per consolarsi, magari si è ubriacato, e alla fine ha chiamato Rushborough chiedendogli un incontro con una scusa.

Lena lo osserva, vede il detective al lavoro, che prova diverse spiegazioni, le esamina e le scuote per vedere se tengono.

– Ne sarebbe capace? – chiede Cal. – La tua opinione.

Lena pensa a Johnny. Ricorda quando era un ragazzino sfacciato che regalava caramelle rubate. I ricordi nascondono l'uomo di adesso, ma Johnny non è cambiato, non nel modo in cui avrebbe dovuto. Per un attimo nota com'è strano trovarsi lí seduta con uno straniero a pensare se Johnny potrebbe essere un omicida.

– Da ubriaco e disperato, sí, – risponde. – Non ha inibizioni morali. Non mi è mai sembrato violento, ma non l'avevo mai visto prima con le spalle al muro in quel modo. In passato aveva sempre una via di fuga pronta.

– È quello che pensavo. Stavolta non ha visto nessun'altra via d'uscita. È il colpevole ideale, eccetto per una cosa: l'assassino ha spostato il corpo di Rushborough dopo averlo ucciso. Avrebbe potuto lasciarlo ovunque, ma è andato a scaricarlo in mezzo a una strada dove sarebbe stato trovato nel giro di poche ore. Johnny non aveva nessun motivo per farlo. Lo avrebbe gettato in un pantano, avrebbe detto a tutti che Rushborough se n'era tornato a Londra e che lui andava a riprenderlo, e non si sarebbe mai piú fatto vedere da queste parti.

– È vero, – conviene Lena. – Johnny non ha mai affrontato nessun problema che potesse evitare.

– Mi piacerebbe che fosse lui l'assassino, – dice Cal. – Ma non riesco a trovare una spiegazione per questo fatto –. Le passa un'altra carota sbucciata da tagliare a pezzi.

Lena sa vedere quando lui tace qualcosa: ha le spalle troppo ingobbite e la guarda troppo poco negli occhi. Qualcosa lo tormenta, a parte l'ovvio.

– Hai parlato a Nealon dell'oro? – chiede.

– No. E ho detto anche a Trey di tenere la bocca chiusa al riguardo.

Lena nasconde la sorpresa bevendo un sorso dal suo bicchiere. Sa che Cal voleva prendere le distanze dal suo lavoro, ma non credeva che avesse pensato a una tale distanza, finché non si è trovato a dover proteggere Trey. La sua espressione non tradisce quanto gli sia costata quella decisione.

– Bene, – dice. – Lei in questo è brava.

– Secondo Mart tutti gli abitanti di Ardnakelty e dintorni faranno lo stesso.

– Probabilmente ha ragione. E se nessuno parla, Nealon

non avrà molto su cui basarsi. Dobbiamo aspettare e vedere da che parte tira il vento.

– Ma lui non me lo dirà.

– Non Nealon. Intendevo la gente di qui.

La sorpresa sul viso di Cal le fa capire che quel pensiero non gli era venuto. Solo perché ha visto quello che Ardnakelty è disposta a fare, credeva di conoscerne i limiti. Per un attimo teme per lui, un timore cosí grande che non riesce a muoversi. Dopo due anni in quel posto, è ancora innocente come i turisti che arrivano aspettandosi folletti e ragazze dai capelli rossi avvolte in scialli; innocente come Rushborough, che era calato come un rapace per truffare i selvaggi creduloni, e guarda com'era finito.

– Cosa dicono? – chiede Cal.

– Sono venuta qui direttamente dal lavoro, nel caso non l'avessi capito. Non ho ancora sentito niente, a parte quello che mi hai detto tu. Domani vado da Noreen a sentire –. Il suo impulso sarebbe di andarci subito, ma non ha senso. Tutti ora staranno andando al negozio, a riversare informazioni e congetture in quella macchina formidabile che è sua sorella, per vedere cosa lei darà loro in cambio. Domani, quando Noreen avrà avuto il tempo di smistare il raccolto, Lena troverà il modo di parlarle da sola.

– Trey sta facendo in modo che Nealon sospetti del villaggio, – dice Cal.

Lena smette di tagliare carote, piú per il tono che per le parole. – In che senso?

– Gli ha raccontato che ha sentito degli uomini muoversi e parlare, la notte scorsa, proprio nel punto dove poi ha trovato il cadavere. Uomini con accenti locali.

Lena assorbe l'informazione. – Ed è vero?

– No.

Un'emozione che è in parte orgoglio, in parte stupore, le toglie il fiato. Quando era un'adolescente e odiava Ardnakelty, riusciva solo a pensare di fuggire il piú lontano possibile. Non le era mai venuto in mente di restare e far saltare in aria tutto il resto.

– Il detective le ha creduto?

– Finora sí. Non aveva motivo di non farlo. Trey è stata molto convincente.

– E cosa farà?

– Un sacco di domande. Quando avrà in mano qualcosa di solido, deciderà come andare avanti.

Lena ha ripreso fiato. Trey può anche essere in gambissima, ma sta facendo una cosa pericolosa. Non è ingenua ed è nata e cresciuta lí ma, proprio come lei, si è sempre tenuta a distanza dalla vita del posto. Solo ora Lena pensa che a causa di questo, entrambe possono aver mancato di notare parecchie cose.

– Avrei dovuto prevederlo, – commenta.

– Come?

– Non lo so. In qualche modo –. Ripensa a quando Trey le ha chiesto chi era stato a uccidere Brendan. È contenta di non aver ipotizzato nessun nome.

– Sí –. Cal smette di pelare carote e si passa una mano sul viso. – Forse avrei dovuto prevederlo anch'io. Non mi è venuto in mente perché lei mi aveva dato la sua parola di non cercare vendetta per Brendan, ma credo che in questo caso pensi di aver trovato una scappatoia.

La sua voce è piena di troppe emozioni: rabbia e paura e dolore. Lena non l'aveva mai sentito cosí. – Fino a che punto sarà disposta a spingersi?

– Non lo so. Domani stesso Nealon potrebbe prendere metà degli abitanti dei dintorni e chiederle di identificare le voci che ha sentito, e non ho idea di cosa farebbe lei, se identificherà qualcuno oppure no. In questo periodo non so mai cosa le passa per la mente. Ogni volta che penso di esserci arrivato, tira fuori qualcosa di nuovo e scopro che avevo capito tutto a rovescio.

– Dobbiamo fare qualcosa, secondo te?

– Cosa, per esempio? Se le dico che so cosa sta facendo e che è pericolosissimo, un piano del cazzo in cui rischia di finire pestata a sangue o bruciata in casa o qualsiasi cosa facciano da queste parti, credi che mi ascolterà? L'unico risultato sarà che diventerà ancora piú brava a nascondermi le cose. Che diavolo posso fare?

Lena non dice nulla. Normalmente, Cal non è il tipo da riversare le proprie emozioni sugli altri. Non è sconvolta dal suo sfogo, ma dalle implicazioni. Sente che non riesce piú a capire cosa potrebbe fare Cal, se arrivasse al punto di rottura.

Lui prosegue, in tono piú calmo: – Se le parlassi tu, ti ascolterebbe?

– Probabilmente no. Ormai ha preso una decisione.

– Lo penso anch'io –. Cal crolla a sedere e prende il bicchiere di bourbon. – Per quanto ne so, – conclude, – non c'è nemmeno una singola cosa che possiamo fare. Non adesso, almeno.

– Stasera viene qui a cena?

– Chi lo sa –. Cal si sfrega gli occhi. – Ne dubito. Meglio cosí, perché ho una gran voglia di darle un ceffone e dirle di comportarsi in modo piú intelligente.

Lena decide di cambiare discorso. – Qualsiasi cosa cuciniamo, – dice, – bisogna che sia con le carote.

Cal abbassa le mani e guarda il tavolo come se avesse dimenticato cosa stavano facendo. – Sí, giusto. Sai, non sapevo se avrebbero attecchito, non le avevo mai coltivate. E forse ne ho piantate troppe.

Lena inarca un sopracciglio. – Ti sembra?

– Queste sono solo metà. Le altre sono ancora là fuori.

– Gesú, Giuseppe e Maria. Ecco cosa succede quando un cittadino decide di tornare alla natura. Ora mangerai carote fino a diventare arancione. Zuppa di carote a pranzo, omelette alle carote per cena...

Cal sogghigna. – Perché non m'insegni a fare la marmellata di carote? Per colazione.

– Forza, – replica Lena, vuotando il bicchiere e alzandosi. Quella le sembra la sera giusta per fare un'eccezione alla sua politica di non cucinare. – Facciamo delle carote in fricassea.

Alla fine decidono di preparare manzo saltato in padella, con molte carote di contorno. Mentre cucinano Cal mette su Steve Earle. I cani si svegliano sentendo l'odore e si avvicinano per chiedere gli scarti. Attraverso la musica e le chiacchiere e lo sfrigolio della padella, a Lena sembra quasi di sentire, tutto intorno a loro nella sera dorata, il rumore del villaggio in movimento e la pulsazione costante di Nealon in mezzo a tutto il resto.

17

Tre quarti d'ora prima dell'orario di apertura, Lena trova Noreen in cima alla scala a pioli, con le maniche rimboccate, intenta a controllare le date di scadenza delle merci sugli scaffali, una cosa che di solito fa il venerdí. – Buongiorno, – dice, affacciandosi dal piccolo retrobottega dove Noreen tiene i suoi file, i suoi problemi e il bollitore per il tè.

– Se sei venuta anche tu a dirmi chi ha ucciso quell'inglese, – scatta Noreen, puntandole contro una scatoletta di tonno, meglio che fai dietrofront e te ne vai. Ho la testa che mi scoppia a furia di sentire idee e teorie. Come ha detto Bobby Feeney? Ipotizzare. Ma che cazzo significa?

– Io una volta ho avuto un'ipotesi, – dice Lena. – L'ho indossata a un matrimonio. Faccio un tè?

– Perché sei venuta? Al matrimonio di chi?

– Ti sto solo prendendo in giro. Non ho idea di cosa possa aver detto Bobby. C'entravano gli alieni?

– Secondo te? Rushborough era un investigatore inviato dal governo, ecco cosa si è messo in testa Bobby. La sua missione qui era catturare un alieno e portarlo a Dublino. E tutta la storia dell'oro serviva solo a dargli un pretesto per esplorare le montagne. Hai mai sentito una scemenza simile?

– Non è piú assurda di altre idee che circolano. Lo vuoi quel tè?

Noreen scende con difficoltà dalla scala e si siede su un

gradino basso. – Non ce la faccio a bere un tè. Pensavi che un giorno avrei detto una cosa simile? Guarda in che stato sono, inzuppata di sudore come se fossi andata a nuotare. E non sono nemmeno le otto e mezza del mattino. Tira il collo della camicetta per far entrare un po' d'aria sul petto. – Sono stufa marcia di questo caldo. Te lo dico, chiudo questo negozio e me ne vado in Spagna. Almeno, lí hanno l'aria condizionata.

Lena si tira a sedere sul bancone. – Cal fa un buon tè freddo. Avrei dovuto portartene un po'.

– Quella roba fa male all'intestino, senza latte dentro. E non appoggiare il culo sul mio bancone.

– Scendo quando andrai ad aprire. Vuoi una mano?

Noreen rivolge uno sguardo disgustato alla scatoletta di tonno che ha ancora in mano. – Sai una cosa? Mi sono rotta. Lo farò un altro giorno. Se qualche idiota si porta a casa una marmellata scaduta, cosí impara a venire qui in cerca di pettegolezzi.

Lena non aveva mai sentito prima la sorella lamentarsi della gente che veniva in cerca di pettegolezzi. – È venuto tutto il villaggio, ieri?

– Ogni uomo, donna e bambino per chilometri. Crona Nagle, te la ricordi? Ha novantadue anni e non usciva di casa da quando Dio era ancora piccolo, ma ieri ha chiesto al nipote di portarla qui in macchina. E naturalmente aveva una sua ipotesi. Pensa che sia stato Johnny Reddy, perché una volta Melanie O'Halloran era uscita di casa di nascosto per incontrarsi con lui, ed era tornata che puzzava di alcol e dopobarba. Non ricordavo nemmeno che Crona fosse la nonna di Melanie. Non che gliene faccia una colpa per non aver sparso la voce. A Melanie, voglio dire.

– Crona non è l'unica a scommettere su Johnny, – re-

plica Lena, allungandosi per prendere una mela dallo scaffale della frutta.

Noreen le lancia un'occhiata di traverso. – Sono in molti, è vero. Ma perché Johnny avrebbe dovuto volerlo morto? Quell'inglese era la sua... come si dice? La sua gallina dalle uova d'oro. Ora che è morto, Johnny non vedrà
un quattrino e non è piú il pezzo grosso del villaggio; ora
nessuno gli offrirà da bere e riderà alle sue battute; è ridi-
ventato lo stesso stronzetto a cui non affideresti nemmeno dieci centesimi. Inoltre... – fissa la scatoletta di tonno
come se ne avesse dimenticato l'esistenza, poi la mette su
uno scaffale a caso, tra le spugnette per i piatti. – Dessie
dice che non vorrebbe vedere Johnny arrestato. Johnny è
debole come l'acqua; se quel detective lo mette sotto pressione rivelerà tutta la storia dell'oro, gettando sospetti sui
ragazzi per togliersi dai guai. Non gli importerebbe di mettere nei guai anche Sheila e i suoi figli, ma solo di salvare
sé stesso. E Dessie non è l'unico a pensarla cosí. La gente
non vuole che sia stato Johnny.

Lena trova degli spiccioli in tasca, le mostra cinquanta
centesimi e li lascia sul bancone per pagare la mela. – Allora su chi scommettono?

Noreen sbuffa con forza. – Fa' un'ipotesi e io ho avuto
qui qualcuno che la sostiene. E poi le loro idee si mescolano finché non riesci piú a capire chi ha detto cosa. Ciaran Maloney è venuto a dire che dev'essere stato un vagabondo ubriaco, ma poi ha parlato con Bobby, e anche
se non è tanto stupido da credere alle scemenze di Bobby
ha finito per chiedersi se Rushborough non fosse davvero
un qualche ispettore del governo mandato a indagare su
persone che ricevono finanziamenti a cui non avrebbero
diritto –. Scuote la testa, esasperata. – Alcuni pensano che
si trattasse di una questione di terreni. La storia dell'oro

era solo una... come si dice... una copertura, e in realtà Rushborough aveva delle pretese su un pezzo di terra, attraverso sua nonna. E a qualcuno questo non è piaciuto. So che i Feeney sono tipi remissivi, ma non cederebbero la loro terra a un nuovo arrivato senza lottare. Passami una di quelle mele, magari mi rinfresca un po'.

Lena gliene lancia una e posa altri cinquanta centesimi sul bancone. Noreen la pulisce su una gamba dei pantaloni. – Clodagh Moynihan è praticamente certa che Rushborough si sia imbattuto in un gruppo di giovani che consumavano droga e loro l'hanno tolto di mezzo. Non so che idea abbia Clodagh delle droghe, ma le ho chiesto come mai dei giovani si sarebbero trovati in quel bivio su una strada di montagna nel cuore della notte, e se non fosse piú probabile che, sentendo avvicinarsi qualcuno, si fossero dati alla fuga, ma non c'è stato verso. Se non fosse stata una tale suorina a scuola, oggi capirebbe qualcosa di piú.

Lena pensa che apparentemente lei è l'unica a non avere un'ipotesi su chi ha ucciso Rushborough. Ma non le importa molto. Dal suo punto di vista, ci sono diverse altre questioni piú urgenti.

– Be', per fortuna non siamo noi a dover risolvere l'omicidio, – dice, dando un morso alla mela. – È compito di quel detective; si chiama Nealon, me l'ha detto Cal. L'hai già conosciuto?

– Sí. È venuto verso l'ora di pranzo e voleva un panino. Per poco non gli ho chiesto se questo negozio gli sembrava una paninoteca, ma poi l'ho mandato qui accanto da Barty a prendere un toast.

In realtà, Noreen di tanto in tanto prepara dei panini, per le persone che le sono simpatiche. Nealon evidentemente non rientra nella categoria, il che è strano, secondo Lena: si sarebbe aspettata che Noreen afferrasse al volo l'occasione di fare due chiacchiere con un professionista del crimine. – Che tipo è?

– Sorrisi a tutto campo, – risponde Noreen, cupa. – Entra qui, saluta tutti, fa commenti sul tempo, si sarebbe anche tolto il cappello davanti a Tom Pat Malone, se ne avesse avuto uno. Doireann Cunniffe si è bagnata le mutande per lui. Io invece non mi fido di quei tipi che vogliono fare gli incantatori –. Stacca un pezzo di mela con un morso vendicativo.

– Cal dice che Nealon sa quello che fa.

Noreen le rivolge di nuovo quella strana occhiata di traverso.

– Cosa c'è?

– Nulla. Chi è il colpevole, secondo Cal?

– È in pensione. Dice che non è un problema suo.

– Be', speriamo che abbia ragione.

– Forza, – dice Lena. – Sputa il rospo.

Noreen sospira e si asciuga la fronte con il dorso della mano. – Ti ricordi quando ti ho detto di smettere di cincischiare e sposarlo? Tu sei andata su tutte le furie e volevo darti una botta in testa. Ma ora penso che hai fatto bene a ignorare il mio consiglio, almeno questa volta.

Lena sa che non le piacerà la conclusione. Non le piace il modo in cui sua sorella ci gira intorno, guarda i suoi capelli con la permanente e deve reprimere l'impulso di lanciarle la mela in testa.

– Posso sapere perché?

Noreen gira il picciolo della sua mela. Ha una faccia stanca, seduta sulla scala a pioli con i gomiti sulle ginocchia. Tutti quelli che Lena ha visto negli ultimi giorni sembrano stanchi. Johnny li ha esauriti.

– Il tuo Cal piace a tutti, – dice Noreen. – Lo sai. È un brav'uomo, un gentleman, e tutti lo sanno. Ma se quel Nealon si mette a infastidire la gente…

Lena capisce cosa vuol dire. – Se i lupi si avvicinano, bisogna spingere qualcuno giú dal carro.

– Ah, per l'amor di Dio, non essere cosí drammatica. Nessuno vuol spingerlo da nessuna parte. È solo che... non vogliono vedere un cugino o un cognato finire in galera per omicidio.

– Mentre se ci finisce un nuovo arrivato non è cosí grave.

– Non lo faresti anche tu? Se non si trattasse di Cal?

– Ci sono molte persone, qui, che vorrei vedere in galera, – risponde Lena. – Ma c'è davvero qualcuno cosí scemo da pensare che sia stato lui, o lo dicono solo per convenienza?

– Cosa importa? Il punto è che lo dicono.

– In quanti?

Noreen non alza gli occhi. – Abbastanza.

– E se Nealon si rende sufficientemente sgradito, lo diranno anche a lui.

– Non direttamente. Nessuno intende accusare Cal. Solo... lo sai.

Lena lo sa. – Dimmi una cosa, per curiosità. Perché l'avrebbe fatto? Per farsi due risate? O perché temeva che il fascino cittadino di Rushborough mi avrebbe portata via?

– Ah, Helena, Cristo, non fare cosí! Non sono io che l'ho detto. A loro ho chiesto se fossero impazziti, ho detto che Cal non è colpevole piú di quanto lo sia io. Te lo sto dicendo perché tu sappia cosa potrai trovarti davanti.

– E io ti sto solo chiedendo perché Cal avrebbe ucciso Rushborough.

– Non ho mai detto che l'abbia fatto. Ma tutti sanno che farebbe qualunque cosa per Trey. Se Rushborough fosse un pervertito e l'avesse molestata...

– Non l'ha fatto. Era un criminale, ma non di quel tipo.

La gente qui non ha abbastanza drammi, senza bisogno di aggiungerne altri?

– Forse tu sai che Rushborough non le ha fatto nulla. Ma il detective non lo sa.

Senza doverci riflettere, Lena sa esattamente come si svilupperà la cosa. Le voci cominceranno a circolare in modo graduale, non specifico; nessuno dirà che sarebbe tutto piú semplice se Rushborough fosse stato ucciso dall'americano che vive nella vecchia casa degli O'Shea, ma piano piano il pensiero si farà piú denso e prenderà forma. E prima o poi qualcuno dirà a Nealon che non gli è piaciuto il modo in cui Rushborough guardava la sua nipotina adolescente; qualcun altro loderà il fatto che Cal è come un padre per Theresa Reddy, un padre fortemente protettivo; altri ancora diranno che Rushborough, in quanto amico di Johnny, deve aver trascorso del tempo in casa dei Reddy; e infine, qualcuno dirà che Sheila, senza offesa, non tira su Theresa nel modo in cui dovrebbe. A differenza di Johnny, Cal si può consegnare alla polizia con tranquillità, perché ha vissuto abbastanza qui da sapere che, se dovesse parlare a Nealon dell'oro, Trey finirebbe sul libro nero della comunità insieme a lui.

– So che non ti piace essere coinvolta in queste storie, – continua Noreen. – Credi che io sia cieca, o stupida o non so cosa, ma non lo sono. Perché pensi che abbia fatto tanto per farti conoscere Cal? Mi dispiaceva vederti sola e sapevo che non ti saresti mai avvicinata a uno del posto, per paura di finire coinvolta in tutte le faccende del paese. E ora, se la gente comincia a parlare... sai come sarà. Ci sarai trascinata in mezzo anche tu e non ti piacerà.

– Be', ormai è troppo tardi per fare marcia indietro, – ribatte Lena. – Io e Cal abbiamo deciso di seguire il tuo consiglio; come tutti sanno tu hai sempre ragione. Ci sposeremo.

Noreen alza la testa di scatto e la fissa. – Dici sul serio?

– Sí. È proprio quello che ero venuta a dirti. Secondo te starei meglio in blu o in verde?

– Non puoi sposarti in verde, porta sfortuna. Santa madre di Dio, Helena! Non so se farti le congratulazioni o… Quando sarà?

– Non abbiamo ancora deciso una data –. Lena getta il torsolo della mela nel cestino e scivola giú dal bancone. Deve andare subito da Cal a informarlo della notizia, prima che qualcuno vada a trovarlo per fargli le congratulazioni. – Ma puoi dire a tutti quei pettegoli del cazzo, che ora non è piú un estraneo. Se vogliono gettarlo in pasto ai lupi dovranno gettare anche me con lui, e io non sono una vittima facile. Diglielo e assicurati che abbiano capito.

Cal è in laboratorio. Sta passando una mano di mordente su un pezzo di legno tornito. Lena non è abituata a trovarlo lí da solo. Non ha messo su della musica, è seduto al tavolo da lavoro con la testa china, e muove il pennello con gesti lenti e costanti. Per la prima volta quel laboratorio, pulito e pieno di attrezzi ben ordinati, le sembra il tentativo di un pensionato di tenersi occupato.

– Ciao, – la saluta lui, alzando gli occhi quando l'ombra di Lena passa davanti alla finestra. – Tutto bene?

– Benissimo. Sono solo venuta ad avvertirti: ho detto a Noreen che ci siamo fidanzati ufficialmente, e ho pensato che dovessi saperlo.

L'espressione di Cal la fa scoppiare a ridere. – Respira con la testa tra le ginocchia, – gli dice, – cosí eviterai di svenire. Non preoccuparti, non ho intenzione di sposare nessuno.

– Ma allora che… – Sta per dire «che cazzo ti è saltato in mente», ma gli sembra scortese e s'interrompe.

Lena sente che ridere le ha fatto bene. – Ci sono cinquanta sfumature di merda in giro riguardo a Rushborough, – spiega. – E una di esse coinvolge te. Ho pensato di schiacciarla sul nascere, prima che prenda piede. Ora la gente ci penserà due volte, prima di sparare cazzate su un uomo che sta per diventare il cognato di Noreen.

– Va bene, – dice Cal, ancora con quella faccia sbigottita che continua a far sorridere Lena. – Va bene. Se tu… non ho obiezioni. E cosa dice la gente?

– Non molto –. Lena scrolla le spalle. – Per ora mettono solo in giro delle voci, per vedere se attecchiscono; sai come funziona. Semplicemente non voglio che pensino che quella che riguarda te sia una buona idea.

Cal la guarda ma non fa altre domande. Sa bene cosa Ardnakelty sia capace di tessergli intorno, se dovesse decidere di farlo.

Era venuto lí chiedendo solo campi verdi e pace. Lena sa che c'è stato un periodo in cui aveva pensato di fare marcia indietro. Una parte di sé vorrebbe che l'avesse fatto. Per lui sarebbe stato meglio.

– Merda, – esclama Cal all'improvviso. – Quel cazzo di pub. La prossima volta che ci metto piede mi arrostiranno come un tacchino nel giorno del Ringraziamento. In cosa mi stai mettendo?

– Stammi a sentire, – ribatte lei, severa. – Non hai idea delle stronzate che ho dovuto sopportare, perché ho una relazione con un nuovo arrivato, che per di piú è un poliziotto e pure barbuto. Perciò ora fatti piacere la notizia e basta.

– Anch'io ho già dovuto sopportare abbastanza stronzate sul fatto che sono arrivato dal nulla a portare via le loro donne. Quando sapranno del fidanzamento, come minimo mi faranno ubriacare di *poteen* e mi scaricheranno davanti alla tua porta vestito da sposa.

– Sarai fantastico. Ricorda loro di non dimenticare il velo.

Sa che lui si sta chiedendo cosa ne penserà Trey. Sta quasi per dirgli che possono metterla al corrente di tutta la storia, tanto la ragazzina è piú che capace di tenere la bocca chiusa, ma non lo fa. Tra Cal e Trey sta succedendo qualcosa di strano; le cose stanno cambiando e tutto è molto fragile. Se ci si mette anche lei, riuscirà a fare piú danni che altro.

– Vieni qui, – dice, tendendo le mani. – Se dovessi davvero fidanzarmi con qualcuno, tu saresti la scelta migliore –. Quando lui la raggiunge davanti alla finestra, lo bacia per fargli dimenticare tutti gli altri abitanti di Ardnakelty, almeno per un paio di minuti.

Ardnakelty, come Cal si aspettava, afferra al volo l'occasione di rompergli i coglioni. Mart passa dopo cena, con i capelli grigi ben pettinati e il nuovo cappello inclinato con eleganza. – Metti la tua camicia migliore, – gli ordina. – Devo offrirti una pinta.

– Oh, l'hai saputo, eh?

– Certo. Bisogna festeggiare.

– Dài, Mart, per favore. Non è chissà cosa. Ho solo pensato che stiamo insieme già da un pezzo, e…

– È una grande notizia, che ti piaccia o no. I tuoi amici vorranno congratularsi con te e abbiamo bisogno di qualcosa da festeggiare, dopo le ultime settimane. Non abbiamo vinto la partita di hurling, perciò, cosa c'è di meglio di un nuovo amore? Non puoi farcene una colpa. Togliti quegli stracci sporchi di segatura, mettiti un vestito decente e usciamo –. Agita le mani, come per instradare una pecora ribelle. – Non farmi aspettare troppo, non vedo l'ora di dare il via libera alle chiacchiere.

Cal cede all'inevitabile e va a indossare una camicia. Sa che, fidanzamento o no, ha bisogno di una serata al *Seán Óg*. Deve scoprire com'è stata recepita la storia di Trey e quali effetti ha avuto.

Per fortuna, Mart si è trattenuto e non ha invitato l'intero villaggio. L'alcova del pub è occupata dai ragazzi che Cal vede piú spesso, Senan, Bobby, P. J. e Francie, e anche Malachy Dwyer, che per fortuna non sembra aver portato bottiglie di *poteen*, ma nel resto del pub c'è la solita scarsa clientela dei giorni feriali. Ci sono quattro vecchi allampanati che giocano a carte in un angolo, e altri due al bancone; alzano gli occhi e salutano vedendo entrare Cal e Mart, ma non sembrano inclini a fare conversazione. Quando Rushborough era vivo, tutti volevano parlare di lui. Ora che è morto, è un argomento di cui discutere in privato o di cui tacere.

Cal viene accolto con un coro di urla che vanno da: «Ecco la sposa!» e: «Arriva il condannato a morte», fino a: «Barty, dàgli una pinta per annegare i suoi dolori!»

– Gesú, ragazzi, – commenta Cal, imbarazzato, sedendosi sulla panca il piú in fretta possibile.

– Siamo solo contenti di vederti, – gli spiega Bobby. – Non sappiamo quando avremo un'altra possibilità del genere.

– Questa, – dice Malachy, battendo sul tavolo, – è una veglia funebre. Per la tua vita sociale, che riposi in pace. Lena non ti lascerà piú uscire con dei reprobi come noi.

– Secondo me lo farà, – dice Francie. – Tu vorresti vedere quel faccione barbuto tutte le sere?

– Io non vorrei vederlo nessuna sera, – dice Senan, accomodandosi meglio sulla panca. – Ma cosa combina Lena? La credevo piú sensata.

– Sembra abbia preso un colpo di sole, – interviene P. J. – Deve farsi vedere da qualcuno.

– Oppure è incinta, – dice Malachy. – È cosí?

– Non ha piú l'età per quello, – lo zittisce Senan. – E anche questo qui. Hai ancora un po' di magia nello yo-yo, amico mio?

– Un po' di che? – Cal inizia a ridere.

– Un po' di scintille nel razzo, di panna nel sifone. Cazzo, non devo mica farti un disegno, no? Lo fai ancora il tuo dovere?

– Non è un pulcino implume, – lo difende Mart, guardandolo con interesse. – È anche vero che è americano. Con tutti gli ormoni e i prodotti chimici che mangiano, forse hanno un super sperma. Tu ce l'hai, Sunny Jim?

– Che differenza fa? – chiede Malachy. – Dopo sposati, lei non gliela darà piú. Goditela finché puoi, amico –. Alza il bicchiere verso Cal.

– Andate tutti affanculo, – dice Cal, ridendo, rosso in faccia. Malgrado tutto, si sta divertendo.

– E io che ho appena chiesto una pinta per te, – commenta Mart, in tono di rimprovero. – Che gratitudine. Meglio se la bevo io.

– Dimmi una cosa, giovanotto, – dice di nuovo Senan. – Risolvi il mistero. Che diavolo stavi pensando? Voi due stavate andando alla grande. Perché vuoi rovinare una bella cosa?

– Secondo me è per la religione, – strilla Bobby. – Gli americani sono fissati con la religione. E non possono fare quelle cose se non sono sposati.

– Dove la troverebbe la sua religione, da queste parti? – protesta Senan. – Qui siamo tutti cattolici. Non è una cosa che puoi cambiare. O ci sei nato, o niente da fare.

– Non è per la religione, ma per l'incertezza dei tempi, – sentenzia Mart. – Alcune persone diventano molto nervose per questo e cercano qualcosa che le tranquillizzi.

Aspettate e vedrete: ci sarà un'epidemia di matrimoni, da queste parti. Matrimoni e nuovi nati. Perciò state attenti.

Arrivano le birre e i ragazzi fanno un brindisi al matrimonio di Cal, cosí forte da provocare grida anche nella sala principale. – Tanti anni felici, – dice Francie, pulendosi la spuma dalla bocca. – E che possiate non litigare mai –. Francie si era lasciato scappare la donna che amava, tanti anni prima, e si commuove facilmente quando vede del romanticismo.

– Giacché ci siamo, – dice Mart, sollevando la sua pinta, – un brindisi anche per noi. Ora sei uno di noi, Sunny Jim. Mi sa che non ci hai pensato, prima di inginocchiarti davanti a lei. A proposito, ti sei inginocchiato?

– Certo, – risponde Cal. – Quando faccio una cosa, la faccio bene.

– Bravo, – dice Malachy. – Fallo prima che ti cedano le articolazioni e che lei sia costretta a tirarti su.

– Finché morte non ci separi, – dice Mart, facendo cincin con Cal. – Ora non andrai piú da nessuna parte.

– Non pensavo di andare da nessuna parte nemmeno prima.

– Lo so. Ma avresti potuto farlo, se avessi voluto. Eri libero. Ora la situazione è diversa, da un punto di vista psicologico.

– C'è anche il divorzio, eh? – interviene Senan. – Se si stufa di tutte le nostre stronzate può divorziare da Lena e da noi e cavalcare verso il tramonto.

– Ah, no, – dice Mart, sorridendo e posando su Cal uno sguardo pensoso. – Sunny Jim, qui, non è il tipo che divorzia. Una volta data la sua parola, la mantiene a qualunque costo.

– Ho già un divorzio alle spalle, e questo ti smentisce, – ribatte Cal.

– Lo so, ma scommetto che ti ha lasciato lei, e non il

contrario. Se non ti avesse sbattuto fuori, tu saresti ancora lí. È vero o no?

– Cosa sei, il mio psicologo? – Cal sa che il suo fidanzamento non è l'unico motivo per la serata, e nemmeno il principale. Tutti hanno cose da dirgli e da chiedergli, e cose che vogliono dirsi l'un l'altro riguardo a lui. Nessuna di tali cose sarà detta in modo esplicito; la mancanza di chiarezza è una caratteristica del posto, una specie di strumento multiuso che include armi offensive e difensive, oltre a misure precauzionali a largo spettro. Cal comprende i principi generali di quel sistema, tuttavia, se sarà fortunato, comprenderà solo la metà di quello che gli verrà comunicato. L'unica cosa intelligente che può fare è tenere il piú possibile la bocca chiusa e prestare attenzione. In questo l'alcol non aiuta. Se Malachy ha una bottiglia di *poteen* sotto il tavolo, è fregato.

– Sarei un ottimo psicologo, – risponde Mart, considerando questa nuova possibilità. – Niente stronzate del tipo «Parlami della tua infanzia», che servono solo a farti proseguire la terapia finché non hai piú un centesimo in banca. Soluzioni pratiche, ecco cosa offrirei.

– Saresti un disastro, – lo ammonisce Senan. – Qualche povero bastardo verrebbe da te a cercare aiuto contro la depressione, e tu gli diresti di trovarsi un hobby, comprarsi un cappello con i paraorecchie, o con i lustrini, o roba del genere. Mezzo villaggio si suiciderebbe prima della fine dell'anno. Le colline risuonerebbero di colpi di fucile a canne mozze.

– Niente affatto, – ribatte Mart, con dignità. – Risuonerebbero della gioia di uomini felici, con cappelli eleganti, che imparano a suonare il trombone, o leggono libri su Galileo. Tu verrai da me quando tu e Lena avrete dei disaccordi, vero, Sunny Jim?

– Certo, – risponde Cal. – E potrai comprarmi un cappello a cilindro.

– Staresti meglio con uno di quei cappelli di pelo di procione, con coda e tutto.

– Ora dovrai fare il Miglio del Matrimonio, – gli dice Malachy, accomodandosi meglio sulla panca.

– Che cos'è? – chiede Cal. Beve ancora un po' della sua pinta. Ciascuno dei ragazzi gliene offrirà una per congratularsi, e poi lui offrirà un ultimo giro per ringraziare; e anche se lí dentro è il piú alto e grosso, gli altri sono piú allenati. Per cena si è fatto un hamburger grande come la sua testa, per assorbire l'alcol, come dice Mart, ma ha lo stesso davanti una serata dura.

– Non l'hai mai visto fare?

– E come avrebbe potuto? – chiede Senan. – Negli ultimi due anni non ci sono stati matrimoni, e inoltre gli uomini erano tutti di altre parrocchie. Negli altri villaggi non fanno il Miglio, – spiega a Cal.

– No, infatti, – conviene Malachy. – È una vecchia tradizione di Ardnakelty. Secondo mio nonno, era già vecchia quando suo nonno era giovane; non si sa a quando risale. Forse migliaia di anni.

– Cosa devo fare? – chiede Cal.

– Devi prendere una torcia, e accenderla dal focolare di casa tua. Ce l'hai un camino?

– Che importa? – dice Senan. – Io la mia l'ho accesa con lo Zippo e a nessuno è importato.

– Ho un camino, – risponde Cal. – Preferirei non accenderlo con questo caldo, però.

– Ti presto il mio Zippo, – si offre Senan. Poi guarda Malachy: – Va' avanti.

– Devi attraversare il villaggio di corsa con la torcia, arrivare a casa della tua donna, girarci intorno e poi tornare a casa tua. Per mostrare che vuoi unire i due focolari.

– E devi farlo in mutande, – aggiunge Francie. – Per

provare che sei in buona salute e adatto a formare una famiglia. Ho sentito che in passato i ragazzi correvano nudi, ma i preti lo hanno proibito.

– Allora farò meglio a comprarmi un bel paio di boxer nuovi, – dice Cal.

– Questo è il vero motivo per cui i ragazzi qui si sposano giovani, – spiega Malachy. – Finché possono ancora dare un bello spettacolo. Nessuno vuol vedere un anziano che ansima lungo la strada.

– Io quando l'ho fatto sembravo Jason Momoa ai tempi di *Baywatch*, – gli dice Senan.

– Sí, nei tuoi sogni, – lo rimbrotta Francie. – Con quelle gambe ciccione che brillavano di sudore nel buio come...

– Con quelle gambe *muscolose*. Ai tempi ero un gran bel ragazzo.

– Merda, – dice Cal, guardandosi la pancia. – Sarà meglio che inizi ad allenarmi.

– Almeno ti sei fidanzato in estate, – lo consola Francie. – Senan si è fidanzato l'ultimo dell'anno e si è congelato le palle, tanto che temeva di dover annullare il matrimonio.

– Caspita, avrò molto da fare, – riflette Cal. – Abbiamo delle tradizioni anche da dove vengo io e devo rispettare pure quelle.

– Devi sventolare una bandiera? Gli americani sventolano bandiere in ogni occasione. Noi qui siamo diversi: pensiamo che quasi tutti abbiano già notato che siamo irlandesi.

– Niente bandiere, ma dovrei portare al padre di Lena un animale ucciso da me, per mostrare che posso mantenere una famiglia. Il padre di Lena è morto, quindi forse devo portarlo a suo fratello maggiore.

– Oh, Mike un coniglio se lo mangia volentieri, – interviene P. J. – Gli piace molto la carne.

– Be', è un sollievo. Non so cos'avrei fatto se fosse stato vegetariano.

– Gli avresti portato un po' delle tue carote, – gli consiglia Mart. – Erano molto saporite, sai?

– Le posso aggiungere comunque al coniglio, – dice Cal. – E devo costruire un letto matrimoniale. Al giorno d'oggi molti se lo fanno fare da un falegname, ma in questo sono fortunato.

– Gesú, non scherzavi quando hai detto che avrai molto da fare, – osserva Malachy.

– No, – conviene Cal, sorridendo. – E in mezzo a tutto questo dovrò anche rispettare l'antica tradizione di guardare un uomo negli occhi e dirgli che ha detto un mucchio di stronzate.

Si scatena uno scoppio di risa collettivo e Malachy si prende anche un paio di pugni su un braccio. – Ve l'avevo detto, – argomenta Mart, tutto felice. – Questo qui non è uno stupido turista che cade nei vostri scherzi. Avrei dovuto accettare scommesse.

– Ma smettila, – dice Malachy, sogghignando. – Valeva la pena tentare. Sarebbe stato bello vederlo correre per la strada in boxer.

– Avrei comprato dei boxer con la faccia di Jason Momoa, – scherza Cal. – In onore di Senan.

– Ma lui ti ha fregato con il coniglio, – ribatte Mart, dando un altro pugno sulla spalla a Malachy. – Ci avevi creduto, eh?

– No. Volevo solo...

– Davvero devi portare un coniglio a Mike? – chiede P. J. a Cal, per chiarire le cose.

– No. Ma probabilmente gli offrirò una birra, per cercare di diventargli simpatico.

– Questo giro tocca a me! – esclama Senan, alla menzione della birra. – Barty! Un altro uguale!

Cal finisce la sua pinta per prepararsi alla prossima. Dopo tutto quel tempo, i ragazzi riescono ancora a impressionarlo per il modo in cui sono capaci di unirsi per una causa comune. Per fortuna ha superato il test, ma non s'illude che sia l'ultimo.

Mart tormenta ancora ridendo Malachy e Senan, i quali si difendono con veemenza. – Una volta io ho chiesto a Lena di sposarmi, – confida Bobby a Cal, a bassa voce, coperto dal chiasso della discussione. – Pensavo che avrebbe detto di no, ma dovevo provarci. Tanto sapevo che non mi avrebbe creato problemi, in un modo o nell'altro. Alcune donne, qui, se tu dovessi chiedere loro di sposarti, andrebbero in giro a raccontarlo per tutta la vita.

– Be', – replica Cal, – devo ammettere che sono contento che ti abbia detto di no.

– È vero, – riconosce Bobby, colpito. – Non tutto il male viene per nuocere, come si dice. Solo che ora non resta piú nessuna a cui posso chiederlo –. Sospira, guardando il bicchiere. – Era questo che mi piaceva di piú di quella faccenda dell'oro: pensavo che avrei avuto una possibilità.

– Ti piaceva soprattutto il fatto di avere un cugino snob, – lo accusa Senan.

– No, – dice Bobby, cupo. – Mi piaceva avere una possibilità. Ma non l'ho avuta, e ora lui si è fatto ammazzare, e anche se potevo averla non lo saprò mai.

Bobby comincia ad accusare l'alcol. – Non mi aspettavo minimamente che sarebbe stato ucciso, – dice a Cal. – Non è il tipo di cosa che si può prevedere. E adesso i detective bussano alle porte, rovinando la cena alla gente. Mia madre ha avuto mal di pancia per tutta la notte.

Alla menzione dei detective, tutte le altre conversazioni tacciono. Gli uomini spostano i piedi sotto il tavolo e restano immobili.

– A me quel tipo non piace, – annuncia Francie. – Nealon, il detective.

– È furbo, – dice P. J., – astuto, ma fa finta di non esserlo.

– Io per poco non l'ho preso a pugni, – interviene Senan. – Seduto nella mia cucina, faceva i complimenti a mia moglie per il tè, allegro come Babbo Natale, come se fosse un vecchio amico, e all'improvviso dice: «Sto compilando una lista di tutti quelli che avevano problemi con Rushborough. C'è qualcun altro che le viene in mente?» Ora, non mi dà fastidio che faccia domande, è il suo cazzo di lavoro. Ma non sopporto che mi giudichi cosí scemo da cadere nelle sue trappole.

– È un dublinese, – Malachy solleva con sarcasmo un angolo della bocca. – Loro ci credono dei semplicioni.

– A me ha detto, – dice Bobby a Cal, – «Non c'è ancora bisogno di venire alla stazione di polizia, per il momento parliamo qui». Che diavolo voleva dire? «Per il momento?» – Stringe il bicchiere con entrambe le mani.

– Se non fossi cosí scarso a carte, – dice Senan, – riconosceresti un bluff quando lo vedi. Stava tentando di scuoterti per convincerti a rivelare qualcosa. È cosí che lavorano. O no? – chiede a Cal.

– A volte, – risponde Cal –. L'atmosfera nell'alcova si è fatta tesa. Si avvicina il tema principale della serata.

– Io non l'ho ancora incontrato, – spiega Mart, deluso. – È passato, ma non ero in casa. Quando sono tornato ho trovato un biglietto sotto la porta, diceva che sarebbe passato di nuovo. Io non vedo l'ora di conoscerlo, e lui se ne va in giro a disturbare voi che non lo apprezzate.

– Dicci una cosa, – chiede Senan a Cal. – Qual è l'idea che si è fatto Nealon?

– Perché lo chiedi a lui? – protesta Mart. – Come farebbe a saperlo?

– È un detective, no? Tra loro parlano di lavoro, come tutti.

– Non è un detective, per Nealon. È un sospettato, come te e me.

– Sul serio sei un sospettato? – chiede Senan a Cal.

– Se lo fossi non me lo direbbe di certo. Ma sí, credo di sí, come tutti voi. Conoscevo Rushborough, perciò non posso essere escluso.

– Ah, tu non faresti del male a una mosca, – dice Mart.

– Almeno, non senza un buon motivo. Lo dirò al detective Nealon.

– Come ci si sente a essere dalla parte sbagliata, per una volta? – chiede Malachy, con una sfumatura di malizia nella voce.

– Non mi sento in nessun modo particolare, – risponde Cal, scrollando le spalle e prendendo il bicchiere. – È solo la situazione in cui mi trovo. In realtà, è tutto molto strano. Sembra come quando suona la sirena che avverte di un tornado: può succedere di tutto.

– Nealon ti ha interrogato?

– Voleva sapere com'era stato trovato il corpo. Nient'altro.

– Santo Dio –. Bobby sembra colpito. – Non avevo pensato a chiedertelo. Sei rimasto molto scosso?

– È un *detective*, ha già visto dei cadaveri, – lo rimbrotta Senan. – E tu sei un *amadán*.

– Non sono scosso, – risponde Cal a Bobby. – Grazie.

– Era in condizioni terribili? Rushborough, voglio dire, non Nealon.

– Era morto, – commenta Francie. – Non è una situazione che può peggiorare.

– Ho sentito che aveva le budella di fuori, – dice Bobby, gli occhi spalancati. Cal sa che Bobby si preoccupa davvero per lui, ma allo stesso tempo cerca informazioni che possono risultare utili.

– Le sue budella erano a posto, – risponde.

– So dove l'hai sentito, – dice Mart a Bobby. – Clodagh Moynihan l'ha detto a tua madre. Lo so perché a Clodagh l'ho detto io. Non la sopporto, quella stronza; volevo che uscisse dal negozio di Noreen e sapevo che una cosa simile sarebbe corsa a raccontarla a tutti, prima che Noreen potesse precederla.

– Qual è l'idea che si è fatto Nealon? – chiede di nuovo Senan a Cal.

– Dimmelo tu. Probabilmente ne sai piú di me. Cosa pensa Nealon?

– Pensa che sia stato uno di qui, ecco cosa pensa, – sbotta Francie.

Dopo quella frase scende un breve silenzio. P. J. gratta qualcosa sul tavolo. Mart ripesca un moscerino caduto nella sua pinta.

– Tu come lo sai? – chiede Cal.

– Perché ha mandato i suoi uomini a chiedere a tutti chi era su in montagna, l'altroieri sera. – E non vanno a chiederlo a quelli di Knockfarraney, o di Lisnacarragh o dall'altro lato del fiume. Lo chiedono solo qui.

– Il modo che ha usato era molto confuso, – osserva P. J. – Non chiedeva: «Eri in montagna? Sai se c'era qualcuno che conosci?» A questo avrei saputo rispondere. Ma il suo modo era: «Perché ti saresti potuto trovare lí nel cuore della notte? Avresti avuto un buon motivo? E i tuoi vicini di casa, che motivi avrebbero avuto?» A questo non avevo idea di come rispondere.

– Voleva confonderti, – gli spiega Francie. – È proprio un bastardo, quel tipo.

– Io sono in montagna sempre, – dice Malachy. – Non c'è bisogno di trovare motivi. Sono venuti a chiedermi quali auto erano passate vicino a casa mia quella notte, che provenivano o tornavano indietro da questo lato. Non gli interessa l'altro lato. Da quella parte potevano anche fare un rally su e giú dal pendio, a Nealon non gliene frega niente. Ha gli occhi puntati su Ardnakelty.

Tutti guardano Cal. Lui ricambia gli sguardi e tiene la bocca chiusa. La versione di Trey ha messo radici che si stanno estendendo sottoterra.

– Ora, vedrete –. Mart si china all'indietro osservando le macchie di umidità sul soffitto. – Questa è la parte che mi sorprende. Il detective Nealon è molto specifico, e non capisco il perché. Non ha accennato alla storia dell'oro, che io sappia; se qualcuno gliene ha parlato, lo sta tenendo segreto. Perciò, come mai ha ristretto il campo al nostro piccolo villaggio nel bosco? – Guarda Cal in modo inquisitivo.

– Ci sono tante possibilità, – risponde Cal. – Forse ha controllato il cellulare di Rushborough e ha scoperto che è rimasto tutta la notte da queste parti. O forse è solo perché lui frequentava soprattutto questo villaggio.

– O magari ha trovato un testimone, – dice Mart, in tono riflessivo, come se fosse un'interessante parola straniera. – Cosa vorrebbe dire, Sunny Jim? Cosa avrebbe potuto vedere un testimone?

Cal ha bevuto troppo in fretta, per mostrare il suo apprezzamento. E nonostante l'hamburger, l'alcol si fa sentire. Avverte in modo acuto e improvviso la solitudine della sua posizione, come senza dubbio volevano i ragazzi. Nealon lo guarda di traverso perché lo considera uno del posto, e loro lo guardano di traverso perché lo considerano un poliziotto, quando la verità è che non è né l'uno, né l'altro, e non può rifugiarsi né di qua, né di là. È fuori dal cerchio dei carri, al buio, alla mercé dei predatori. La cosa non lo spaventa (ha sempre avuto un atteggiamento pratico verso la paura:

la risparmia per quando il pericolo è reale e vicino), ma la solitudine che prova è profonda proprio come la paura. Sa che le campagne che vede dalla finestra sono piccole e affollate di persone e delle loro faccende; oggi però qualcosa, nella luce calda del tramonto che entra dai vetri, implica un vuoto vasto e senza forma, come se uscendo dalla porta potesse camminare fino a morire senza vedere una faccia umana o un posto dove trovare riparo.

– Non ne ho idea, – risponde. – Non so leggere la mente. Se qualcuno ha detto che Nealon ha un testimone, chiedetelo a lui.

– Ci sono un sacco di possibilità, – considera Mart, con un sospiro, – quando hai a che fare con tipi come Paddy l'Inglese. Persino morto, non riesci a tenerlo d'occhio. A me lui è sembrato fin dall'inizio cosí equivoco che non sapevi dove guardare prima –. Lancia un'occhiata a Cal. – Sunny Jim, cosa pensava di lui la tua Theresa? Lei lo ha visto molto piú di noi, perché era un amico di suo padre. Ha detto che era equivoco?

– Certo che no, – lo apostrofa Malachy. – Se lei si fosse sentita a disagio davanti a lui, Cal non l'avrebbe lasciato avvicinarsi. Dico bene?

Cal sente il pericolo sollevarsi nell'aria come un'ondata di calore dall'asfalto. – Che quel tipo era losco non c'era bisogno che me lo dicesse una ragazzina. Ci sono arrivato da solo.

– È vero, – conviene Mart. – Mi hai detto, proprio davanti a quel bancone, che non ti piaceva affatto.

– Io sono stufo marcio di Rushborough, – dichiara P. J. all'improvviso, con forza. – Ne avevo abbastanza di lui ancora prima che fosse ucciso e ora la situazione è peggiorata. Sono stufo anche di questa siccità: mangio le cose che avevo messo via per l'inverno e dovrò vendere delle bestie, se continua cosí. Non posso permettermi di pensare ad altro. Lui è arrivato qui a distrarmi, a darmi delle speranze. Ora è morto e ancora mi distrae. Voglio che sparisca.

Di solito, quando P. J. parla non lo ascolta nessuno, ma stavolta raccoglie cenni del capo e grugniti affermativi. – Stessa cosa per noi, – dice Senan, alzando il bicchiere. – Avremmo dovuto cacciarlo dal villaggio il giorno in cui è venuto.

– Il giovane Con McHugh è distrutto, – dice P. J. a Cal, il viso lungo pieno di preoccupazione. – Con questo clima, gli ci vorrebbe un miracolo per arrivare alla fine dell'anno senza grossi danni. E pensava che Rushborough fosse quel miracolo.

– Peggio per lui, – sentenzia Senan, vuotando il bicchiere.

– L'avevamo pensato tutti, – dice Bobby, a bassa voce. – Non puoi biasimare Con.

– Allora peggio per tutti.

– Con starà bene, – dice Francie. – Darà qualche bacetto e una ripassata a sua moglie e supererà la crisi. È Sonny che mi preoccupa. Lui parla molto, ma si deprime forte.

– È per questo che non è qui per congratularsi con te, – spiega P. J. a Cal. – Sarebbe venuto, ma si sentiva troppo scoraggiato.

– Sonny vorrebbe essere stato lui a uccidere Rushborough, – li rassicura Francie. – Non l'ha nemmeno toccato, ovviamente, ma dice che vorrebbe aver preso il suo fucile a canne mozze e avergli fatto un bel buco in testa.

– Lo vorremmo tutti, – commenta Senan. – È venuto qui a pavoneggiarsi e a farci credere di essere la nostra salvezza. E nel frattempo ci stava inculando tutti.

Mart, che osserva la scena in disparte dal suo angolino, si sposta. – Paddy l'Inglese non era nessuno, – dice. – Dimenticatevi di lui. Era solo una carogna, è venuto sulle nostre terre e si è fatto sparare. Meglio cosí.

– Non era mio cugino, – dice Bobby, un po' dispiaciuto. – Avrei dovuto saperlo, e in realtà dentro di me lo sapevo, ma non volevo ammetterlo. Come quando ho chiesto a Lena di sposarmi. Tutte le cose che mi deludono, le sapevo fin dall'inizio.

– Non era cugino o conoscente di nessuno di noi, – sentenzia Mart. – Per questo non c'era motivo che non tentasse di fregarci dei soldi, come avrebbe fatto con chiunque altro. È quello che fanno le carogne: prendono quello che trovano. Johnny Reddy è una cosa diversa.

– Johnny ha venduto la sua stessa gente –. La voce lenta e profonda di Francie sembra far vibrare persino il pavimento, le panche e il tavolo. – Questa è una cosa sporca. Davvero sporca.

– Ci ha venduti a un inglese, nientemeno, – rincara Malachy. A quella parola, tutti si agitano. Cal sente qualcosa nell'aria, la presenza di storie di un passato troppo lontano per poterle raccontare, ma integrate nelle ossa di quegli uomini. – Ci ha radunati e consegnati a lui come una mandria di bestie.

– E non ha consegnato solo noi, – aggiunge Mart. – Ma anche i nostri genitori, i nostri nonni, e tutti gli altri. Ha raccontato a Paddy l'Inglese tutte le loro storie, finché lui è stato in grado di raccontarle come se avesse davvero sangue di Ardnakelty nelle vene. Ha fatto un buon lavoro, il piccolo Johnny, glielo riconosco. Quando Rushborough ha cantato per noi *Black Velvet Band*, io ho ingoiato amo, lenza e galleggiante.

– Sapeva di quando mio bisnonno era caduto nel pozzo, – dice Francie. – Quella storia non doveva saperla. Il mio bisnonno per poco non è morto, quel giorno; tutto il

villaggio si è fatto un culo cosí per tirarlo fuori. E non perché un sassone del cazzo venisse qui a cercare di rubarmi
quello che è mio.

– Sai che altro di nostro Johnny ha venduto a Rushborough? – dice Mart a Cal. – La nostra sfortuna. È stato un
anno duro per tutti noi, e diventa piú difficile ogni giorno che passa senza pioggia. In altri anni, a uno come lui
avremmo riso in faccia, ma quest'estate eravamo maturi
per un truffatore che venisse a offrirci un po' di speranza.
Johnny lo sapeva e gli ha messo in mano tutto.

Gli uomini si muovono ancora, lentamente, girano il collo,
ruotano le spalle, come preparandosi a un combattimento.

– Conoscete la parola «fuorilegge»? – prosegue Mart.
– Sapete da dove viene? In un lontano passato, un uomo
che faceva qualcosa di male alla sua gente veniva posto al
di fuori della legge. Se lo prendevi, potevi fargli quello che
volevi. Legarlo mani e piedi e consegnarlo alla polizia. O
pestarlo a sangue, o impiccarlo a un albero. La legge non
lo proteggeva piú.

– Tu sei la legge, – dice Francie a Cal. – Saresti favorevole a questo? Sarebbe molto conveniente. Uno stronzetto
che comunque non ti è mai piaciuto, non sarebbe piú una
tua responsabilità.

– Non lo sarebbe comunque. Non sono la legge, qui.

– Esatto, – chiarisce Mart a Francie. – È proprio quello
che sto dicendo. Chiudi la bocca e ascolta, magari impari
qualcosa. L'unica cosa sensata che un fuorilegge poteva
fare era tagliare la corda. Salire sulle colline, andare lontano e ricominciare da capo dove nessuno lo conosceva.
E secondo me negli ultimi due giorni Johnny ha riflettuto
a fondo su questa opzione.

– Se fossi nei suoi panni, altro che rifletterci, – interviene Malachy, sollevando un angolo della bocca in un sorri-

so. – Me la sarei data a gambe come un coniglio. Johnny deve essere piú coraggioso di me.

– Non è piú coraggioso, – risponde Mart, scuotendo l'indice. – Piú saggio, forse. Dicci una cosa, Sunny Jim: diciamo che Johnny scappi. Cosa ne penserebbe il detective Nealon?

– L'ho incontrato solo una volta, – ribatte Cal. – Le tue ipotesi valgono come le mie.

– Non nasconderti come una larva, – lo rimprovera Mart. – Sai cosa voglio dire. Se fossi tu il detective incaricato di questa indagine, penseresti che la fuga di Johnny fosse dovuta al fatto che Rushborough l'aveva ucciso lui. Sí o no?

– Me lo domanderei, sí.

– E andresti a cercarlo. Non da solo: lo cercherebbero anche altri poliziotti, qui e in Inghilterra. Il suo nome farebbe scattare bandierine rosse su tutti i computer.

– Vorrei trovarlo, – ammette Cal.

– E Johnny lo sa. Per questo è ancora qui. Tiene un basso profilo, non va da Noreen a cercare di affascinare ogni povera anima che entra, ma è qui –. Fa un cenno del capo verso la finestra. Fuori la luce sta diminuendo e si riflette sui vetri colorati. Cal pensa a Johnny, intrappolato lí, vibrante di tensione, da qualche parte sulla montagna, mentre Trey metodicamente segue la storia che ha messo in moto.

– E resterà qui, come un punto nero nel paesaggio, – continua Mart, – finché succederà una di queste tre cose –. Solleva un dito. – Nealon lo porta via in manette, e Johnny canterà come un uccellino –. Solleva un altro dito. – Oppure per la paura taglia la corda a tutta velocità –. Terzo dito. – O Nealon arresta qualcun altro e Johnny si sentirà tranquillo e se ne andrà con calma.

– Se Nealon gli tiene il fiato sul collo, – riflette Francie, – Johnny scappa di sicuro.

– La vita è una questione di equilibrio, Sunny Jim, – dice Mart a Cal. – Non facciamo altro che pesare le cose di cui abbiamo paura e cercare di capire quale pesa di piú. Questo sta facendo Johnny Reddy ora. E mi piacerebbe vedere il suo equilibrio personale spostarsi dalla parte giusta. A te no?

Cal ha in mente altre cose che gli piacerebbero di piú che sguinzagliare Nealon sulla pista di Johnny. Non dubita che i ragazzi abbiano messo in piedi una strategia eccellente, e che la sua collaborazione al progetto aiuterebbe nel presentarlo a Nealon. Scopre che non avrebbe problemi a mentire a un detective, se servisse a liberarsi di quello stronzo di Johnny una volta per tutte, chiudere la faccenda di Rushborough prima che sfugga al controllo, e togliere di mano a Trey il suo piano prima che esploda.

Lei gli ha detto chiaro e tondo che non sono affari suoi e non deve immischiarsi. Si tratta della sua famiglia, di una sua vendetta. E indipendentemente dal livello di merda che rischia di sollevare, Cal non se la sente di mettersi contro Trey. Non è piú una bambina, e lui non ha il diritto di prendere decisioni al suo posto per il suo bene. Lei ha un suo piano, e Cal può solo starle dietro, nella speranza di trovarsi abbastanza vicino da poterle dare una mano, se le cose si mettono male.

– Uno dei motivi per cui mi sono messo in pensione, – spiega, – è stato perché volevo smettere di avere a che fare con gente che non mi piaceva. Johnny Reddy è una testa di cazzo e non mi piace. Questo significa che non voglio piú avere a che fare con lui. Finché ci riesco, farò in modo di ignorare che sia mai tornato in questo villaggio.

Nessuno dei presenti reagisce. Bevono e lo osservano. Le macchie di colore dalla finestra si spostano sulle loro facce e sulle maniche delle camicie.

Mart beve un sorso della sua pinta e lo guarda, pensoso. – Lo sai, c'è una cosa che mi sta sullo stomaco. Ormai
sei qui da quanto, due anni?

– Quasi due e mezzo, – risponde Cal.

– E ancora ti rifiuti di giocare a Cinquantacinque. Ho
avuto pazienza mentre ti stavi ambientando, ma ormai
stai solo occupando spazio in abbondanza. È ora che cominci a guadagnarti il tuo posto –. Si sposta sulla panca e
tira fuori di tasca un vecchio mazzo di carte. – Adesso, –
dice, sbattendolo sul tavolo, – preparati a perdere i soldi
che ti ha lasciato Johnny.

– Sapete cosa si accompagna bene con il Cinquantacinque? – chiede Malachy, allungando una mano sotto il tavolo.

– Oh, merda, – dice Cal.

– Smetti di piagnucolare, – ribatte Malachy, sollevando un bottiglione di Lucozade da due litri, mezzo pieno
di un liquido trasparente dall'aria innocente. – Questa
roba è ottima per affinare la mente; imparerai al doppio
della velocità.

– E non puoi fidanzarti senza *poteen*, – dice Mart. – Non
sarebbe legale. Barty! Portaci dei bicchierini.

Cal si rassegna a veder andare in rovina tutti i suoi progetti per l'indomani, che per fortuna non erano molti. Le
cose da discutere erano cosí serie che Malachy aveva lasciato il *poteen* alla fine, perché tutti si mantenessero re-
lativamente sobri. Ma ora la discussione è finita, almeno
per il momento. Mart sta mescolando le carte con maggiore agilità di quanto ci si aspetterebbe dalle sue dita gonfie;
Senan osserva alla luce la bottiglia di *poteen*, per valutarne
la qualità. – Hai chiesto a Lena di sposarti? – chiede P. J.
a Bobby, ripensando alla conversazione di prima. – Lena
Dunne? – Tutti cominciano a punzecchiare Bobby per la
proposta di matrimonio, e P. J. per la sua lentezza nel ca-

pire le cose, aggiungendo qualche presa in giro anche per Cal, giusto per completezza. Il calore tra loro è tornato, piú forte che mai. Cal comprende che quel calore, come tutto ciò che è successo durante la serata, è reale.

18

Johnny non si spinge oltre il cortile. Di giorno dorme a periodi di due ore e al risveglio chiede una tazza di caffè o un panino, a cui di solito dà solo un paio di morsi, cammina lungo il perimetro del cortile, fuma, sbircia tra gli alberi e si agita al frinire delle cavallette. A volte guarda la tivú seduto sul divano con i figli piú piccoli, e fa imitazioni di Peppa Pig per far ridere Alanna. Una volta è uscito a dare due calci a un pallone con Liam, ma i fruscii tra gli alberi lo innervosivano ed è rientrato in casa.

Di notte è sveglio: Trey sente il debole mormorio del televisore, il cigolio del pavimento di legno quando suo padre cammina, la porta d'ingresso che si apre e poi viene richiusa dopo un'occhiata fuori. Non capisce di chi abbia paura, se di Cal o degli uomini del villaggio. Secondo lei farebbe bene ad aver paura di entrambi.

Ha ancora paura di Nealon, anche se i colloqui con il detective sono andati lisci come la seta. Sheila aveva tirato fuori la sua energia di riserva e si era mostrata ordinaria come Trey non l'aveva mai vista. Aveva offerto tè e bicchieri d'acqua, ridendo alle battute di Nealon sul tempo e sullo stato delle strade. Maeve e Liam, che considerano le guardie come il nemico dalla prima volta che Noreen li ha minacciati di denunciarli per aver rubato dei dolciumi, avevano spiegato a Nealon senza battere ciglio che il loro papà domenica non era mai uscito di casa; Alanna si spor-

geva a guardare da sotto un braccio di Trey e poi tornava
a nascondersi non appena Nealon la fissava. Erano stati
tutti perfetti, sembravano nati per quello. Quando il rumore dell'auto del detective era svanito lungo la strada,
Johnny era felice come una Pasqua, abbracciava chiunque
gli capitasse a tiro e lodava la loro intelligenza e il loro co-
raggio, assicurando che ormai erano fuori pericolo e non
avevano nulla di cui preoccuparsi. Ma ogni volta che sente un rumore ha un soprassalto.

Trey non rimane entro i confini del cortile. È inquieta
come suo padre, non per la paura, ma per l'attesa. Non ha
modo di sapere se il detective le ha creduto o se ha igno-
rato del tutto la versione che gli ha raccontato. Non sa
quanto ci vorrà perché la storia funzioni, sempre se il suo
piano avrà successo. Cal potrebbe dirglielo, ma non è lí.

Esce. Non va al villaggio e non va da Cal, ma si vede
con i suoi amici, la sera. Scavalcano il muro di cinta per
entrare in un cottage in rovina e fumano sigarette rubate
e bevono sidro che il fratello di Aidan si presta a comprare
per loro. In basso, il sole è al livello dell'orizzonte, e tinge
di un rosso rabbioso il cielo a ovest.

I suoi amici, nessuno dei quali è di Ardnakelty, non hanno sentito nulla di utile. A loro non frega un cazzo del detective; vogliono parlare solo del fantasma di Rushborough,
che sembra infesti già la montagna. Callum Bailey dice che
un uomo grigio trasparente si è lanciato contro di lui da
dietro un albero, strappando rami e cercando di morderlo. Lo dice solo per spaventare Chelsea Moylan e poterla
accompagnare a casa e magari baciarla, ma naturalmente,
dopo il suo racconto Lauren O' Farrell dice che anche lei
ha visto il fantasma. Lauren crede a tutto e deve sempre
partecipare a tutto, perciò Trey le racconta che c'erano
degli uomini in giro sulla montagna, la notte in cui Ru-

shborough è stato ucciso. Basta questo perché Lauren a
sua volta ripeta che quella notte era affacciata alla finestra
e aveva visto fari d'auto che salivano sulla montagna e poi
venivano spenti, circa a metà della salita. Ora lo raccon-
terà a chiunque sia disposto ad ascoltarla, e prima o poi
qualcuno lo riferirà al detective.

Stare fuori con gli amici non è piú la stessa cosa. Trey
si sente piú grande e separata da loro. I suoi amici si divertono come sempre, lei osserva e misura tutto ciò che
dice; sente il peso e la portata di ogni parola, mentre loro
parlano a ruota libera. Prima che il sidro finisca, decide di
tornare a casa. Non si ubriaca mai, ma è abbastanza brilla
da far fatica sul pendio, come se gli spazi nel suo campo
visivo potessero chiudersi sopra di lei, o espandersi all'improvviso. Quando entra in casa, suo padre le annusa il fiato e ride, dandole uno scapaccione giocoso.

Anche Maeve esce. Ha degli amici al villaggio, o almeno ce li ha ogni tanto; il resto del tempo litigano e non si
parlano tra loro. – Dove vai? – le chiede Trey quando la
vede acconciarsi i capelli in modo stupido e controllarli da
angoli diversi nello specchio del bagno.

– Non sono affari tuoi –. Maeve cerca di chiudere la
porta, ma Trey la blocca.

– Sta' zitta, capito? – le dice. – Su tutto.

– Tu non mi dài ordini.

Trey non ha l'energia per litigare con lei. A volte, in quei
giorni, si sente come sua madre, cosí vuota che potrebbe
piegarsi a metà. – Tieni la bocca chiusa e basta, – insiste.

– Sei solo invidiosa, – ribatte Maeve, – perché prima
eri tu ad aiutare papà e ora lui manda me a scoprire le cose. Le rivolge un sorriso sarcastico nello specchio, sistema
una ciocca di capelli e controlla di nuovo il suo profilo.

– Quali cose?

– Non vengo certo a dirlo a *te*.

– Fuori da quel bagno, – intima Johnny, comparendo alle spalle di Trey in boxer e maglietta.

– Sto uscendo, papà, – lo asseconda Maeve, con un gran sorriso.

– Brava, – risponde lui, meccanicamente. – Sei un grande aiuto per papà –. Le dà un colpetto sulla schiena quando lei lo abbraccia e la spinge in corridoio.

– Cosa deve scoprire per te? – gli chiede Trey.

– Ah, tesoro, – replica Johnny, grattandosi le costole con una risata scema. Non si è fatto la barba e i capelli spettinati gli pendono sulla fronte. Ha un aspetto di merda. – Tu sei sempre il mio braccio destro. Ma anche la nostra Maeveen ha bisogno di qualcosa da fare, no? Altrimenti si sente esclusa.

– Ma cosa deve scoprire? – insiste Trey.

– Ah, – risponde Johnny, con un gesto vago. – Voglio sapere da che parte tira il vento, questo è tutto. Cosa dicono al villaggio, che domande fa il detective, chi sa che cosa. Voglio solo tenermi informato, da persona sensata. L'informazione è potere, questo…

Quando chiude la porta del bagno, Trey già non lo ascolta piú.

Quella sera Maeve torna con un'espressione compiaciuta. – Papà, – dice, abbracciandolo sul divano, dove lui sta guardando la tele. – Indovina.

Johnny assume un'aria attenta e le sorride. – Ecco la piccola agente segreta di papà. Dimmi tutto. Com'è andata?

Trey è seduta in poltrona. Ha sopportato il fumo e il continuo cambio di canali di suo padre, per poter essere presente al ritorno di Maeve. Prende il telecomando e spegne la tivú.

– È tutto a posto, – esclama Maeve, trionfante. – Tutti dicono che i loro padri stanno impazzendo, perché i poliziotti vanno a casa loro e li trattano come se fossero loro ad aver ucciso Rushborough. Bernard O'Boyle ha dato un pugno in faccia a Baggy McGrath perché il detective ha detto che Baggy gli aveva riferito che Bernard era qui in montagna, quella notte. Inoltre, Sarah-Kate non può piú uscire con Emma perché il detective ha chiesto a suo padre se odia gli inglesi, e sua madre crede che sia stata Emma a dirglielo. Capisci? Il detective non pensa che sia stato tu.

Trey avverte una sensazione di vittoria, come whisky nelle vene, e non si muove per evitare che suo padre e Maeve se ne accorgano. Nealon sta facendo quello che lei lo ha spinto a fare, percorre la strada che lei gli ha preparato. Ai piedi della montagna, tra i campi ben curati e i bungalow ordinati, Ardnakelty sta cadendo a pezzi.

– Be', Dio onnipotente, guarda un po', – dice Johnny, accarezzando distrattamente la schiena di Maeve. Fissa nel vuoto e batte rapidamente le palpebre: sta pensando. – Ottime notizie, direi.

– Cosí imparano a trattarti male, quei bastardi, – commenta Maeve.

– Esatto, – conviene Johnny. – Hai fatto un ottimo lavoro, tesoro, papà è orgoglioso di te.

– Non devi piú preoccuparti, è tutto a posto –. Maeve fa un sorriso ironico a Trey e le mostra il dito, tenendolo contro il petto in modo che il padre non lo veda.

Dopo quell'episodio, Johnny non esce piú di casa. Quando Maeve gli si stringe contro o Liam tenta di convincerlo a giocare a pallone con lui, dà loro delle carezze distratte e si sposta come se non li vedesse. Puzza di whisky e di sudore.

Trey riprende la sua attesa. Fa quello che le dicono di fare, cioè dare una mano in casa e preparare panini per suo padre, e quando non ha nulla di cui occuparsi esce. Cammina in montagna per ore, fermandosi ogni tanto all'ombra di un albero quando l'ansimare di Banjo diventa troppo melodrammatico. Cal le ha raccomandato di essere prudente quando va in giro, ma Trey non lo sta a sentire. Pensa che probabilmente è stato suo padre a uccidere Rushborough e non farà certo del male a lei. E anche se dovesse sbagliarsi, nessun altro si arrischierà ad agire, con Nealon sempre tra i piedi.

La siccità ha seccato i cespugli e l'erica sul pendio, rivelando avvallamenti e strane formazioni qua e là tra i campi e i pantani. Trey pensa per la prima volta che potrebbe scoprire il punto in cui è sepolto Brendan. La montagna spoglia le sembra un segnale. Quando qualcosa aveva messo il cadavere di Rushborough sulla sua strada, l'aveva accettato: e quella è la risposta. Comincia a lasciare a casa Banjo, cosí è libera di camminare fino all'esaurimento senza doversi preoccupare di lui. Trova ossa di pecora, attrezzi per il taglio della torba rotti, resti di canali d'irrigazione e fondamenta di case, ma nulla che riguardi Brendan. Evidentemente c'è qualcos'altro che deve fare.

Si sente separata dalla propria vita, una separazione iniziata la mattina in cui suo padre è tornato, e ora l'ultimo ancoraggio si è staccato e si sta allontanando del tutto da sé stessa. Le sue mani, quando taglia le patate o piega i vestiti, sembrano le mani di un'altra persona.

Non pensa a quanto le manca Cal; calpesta quel sentimento per tutto il giorno, è come camminare su una caviglia rotta, e se lo porta a letto la sera. È una sensazione familiare, e dopo un paio di giorni ricorda che si sentiva cosí quando Brendan era andato via.

All'epoca era una cosa che non riusciva a superare, che invadeva tutta la sua mente, senza lasciare spazio per nient'altro. Ora è piú grande ed è una cosa che ha scelto lei. Non ha il diritto di lamentarsi.

Cal aspetta che Trey si faccia vedere. Ha il frigo pieno di cose da mettere sulla pizza e un barattolo del miglior mordente, già mescolato e pronto all'uso, come se lei potesse sentirne l'odore ed esserne attratta. Pensa che ormai deve aver saputo di lui e Lena, ma non sa come l'abbia presa. Vuole dirle la verità, ma per poterlo fare deve vederla.

Invece a casa sua si presenta Nealon. Percorre il vialetto con la giacca su un braccio e le maniche della camicia arrotolate, sbuffando e ansimando. Cal è già stato avvertito da Rip e lo aspetta sulla soglia.

– Buonasera, – lo saluta. Non riesce a non avercela con lui per l'impeto di speranza che ha provato quando Rip è saltato in piedi ed è corso alla porta. – Va a piedi con questo caldo?

– Gesú, no, – risponde il detective, asciugandosi la fronte. – Mi scioglierei. Ho lasciato l'auto sulla strada, dove i suoi uccelli non ci cagheranno sopra di nuovo. Lei ha piú pazienza di me: io a quei corvi gli avrei sparato da un pezzo.

– Erano qui prima di me, – ribatte Cal. – Cerco solo di non irritarli. Vuole un bicchiere d'acqua? Un tè freddo? Una birra?

– Sa una cosa? – Nealon si dondola sui talloni, con un ghigno malizioso. – Sarei disposto a uccidere per una lattina di birra. I ragazzi possono farcela senza di me per un po' di tempo. Non si accorgeranno nemmeno della differenza.

Cal lo fa accomodare sotto il portico, sulla sedia a dondolo di Lena, entra in casa e torna con due lattine di Budweiser. Sa benissimo che Nealon non si sta prendendo del tempo libero dall'indagine per bersi una birra fredda e chiacchierare con lui, e Nealon deve sapere che lui lo sa. È venuto perché vuole qualcosa.

– Salute, – dice il detective, toccando il bicchiere di Cal

con il suo. Lo solleva verso il panorama, dove le rondini svolazzano qua e là tra campi dorati e cielo azzurro. – Ah, nonostante tutto, questo posto è fantastico. So che lei ci è abituato, ma io mi sento in vacanza.

– È un bel posto.

Nealon si asciuga la spuma dalle labbra e si rilassa sulla sedia a dondolo. Dall'ultima volta si è lasciato crescere un accenno di barba sale e pepe, tanto per sembrare trascurato e non minaccioso. – Caspita, questa sedia è comodissima. Se non sto attento rischio di addormentarmi.

– Lo prendo come un complimento, visto che l'ho fatta io.

Nealon inarca le sopracciglia. – Sí, mi aveva detto qualcosa sulla falegnameria. Be', complimenti davvero –. Dà un colpetto alla sedia, come per dire che è carina ma non ha importanza. – Senta, io non sono cosí pigro come posso sembrare. Sono qui per lavoro. Ho pensato che non le sarebbe dispiaciuto avere un aggiornamento dell'indagine. E sarò sincero, non mi dispiacerebbe sentire l'opinione di qualcuno che ha uno sguardo dall'interno. Una specie di consulente locale, diciamo.

– Sono felice di dare una mano –. Cal accarezza la testa di Rip e cerca di spingerlo giú, ma il cane è ancora eccitato perché è arrivata una visita, quindi attraversa il cortile di corsa e sparisce oltre il cancello, a caccia di rondini. – Ma non so quanto potrò esserle utile.

Nealon scuote una mano come per dirgli di non fare il modesto e beve un altro sorso di birra. – Il nome della vittima non è Rushborough, – esordisce. – L'aveva già immaginato?

– Avevo i miei dubbi.

Nealon sorride. – Lo so. Ha riconosciuto il suo odore, eh?

– Ma non ne ero sicuro. Chi era?

– Si chiamava Terence Blake. Non era una brava persona. Era di Londra, come diceva di essere; il Met, la polizia di Londra, lo teneva d'occhio da un pezzo. Aveva le mani in pasta nel riciclaggio di denaro, nello spaccio di droga e un po' anche nella prostituzione. Gli piaceva diversificare i suoi interessi. Non era un pezzo grosso, ma aveva costruito un'organizzazione sua, piccola e solida.

– Ah –. Cal diventa piú diffidente ogni minuto che passa. Nealon non dovrebbe dirgli quelle cose. – E Johnny Reddy era uno dei suoi uomini?

Il detective alza le spalle. – Johnny non è sul radar del Met, ma non vuol dire; forse era ai margini dell'organizzazione e la polizia non lo ha rilevato. Johnny sostiene di non sapere nulla delle attività di Blake. Per quanto riguarda lui, era un uomo piacevole di nome Cillian Rushborough, che era venuto a parlargli in un pub e aveva un gran desiderio di vedere Ardnakelty. È rimasto scioccato, cosí mi ha detto, quando ha saputo la verità. Scioccato.

Cal non gli chiede se crede alle parole di Johnny. Comprende i parametri di quella conversazione: ha il permesso di chiedere informazioni sui fatti, anche se forse non riceverà risposte sincere. Ma domandare cosa pensa Nealon vorrebbe dire superare i limiti.

– Blake aveva dei contatti qui?

– Le grandi menti pensano in modo simile, – replica Nealon, con approvazione. – Ho avuto lo stesso pensiero. Ma non ho scoperto nessun contatto. Le storie riguardo a sua nonna erano tutte balle: era un inglese purosangue. E non aveva mai messo piede in Irlanda prima d'ora, a quanto ne sappiamo.

L'accento di Nealon lo distrae, e Cal deve fare uno sforzo per ascoltare parola per parola. Ovviamente doveva aspettarsi che un detective irlandese avesse un accento diverso da quelli che conosceva. E non si tratta solo dell'accento, ma anche della sintassi e dell'uso dello slang. Tuttavia il ritmo sottostante è lo stesso a cui era abituato.

– Forse è stato questo a portarlo qui, – sta dicendo il detective, inclinando la testa per fissare il bicchiere. – Queste piccole organizzazioni hanno sempre qualche problema. Si servono di dilettanti, ragazzi giovani e stupidi, i quali combinano pasticci oppure litigano tra loro, e a un tratto ti trovi con una faida tra le mani. Blake forse aveva bisogno di scomparire per un po' di tempo. Ha conosciuto Johnny, proprio come Johnny ha raccontato, e ha pensato che Ardnakelty poteva essere un buon posto dove andare. Da quello che mi hanno detto, la cosa rientrava nel suo stile. Era un uomo imprevedibile, faceva molte cose a capriccio. E non era un modo sbagliato di vivere, nel suo ambiente: se in quello che fai non c'è una logica, nessuno può portarsi in vantaggio su di te.

– Quindi qualcuno potrebbe averlo seguito qui, – osserva Cal. Se Nealon segue quella linea di pensiero, significa che non ha preso come verità assoluta la storia di Trey. Cal sarebbe felice di sentirgli dire che l'ha scartata come irrilevante, ma non può permettersi di fargli notare che ha dei sentimenti per la ragazza. Per quanto riguarda Nealon, la storia di Trey deve restare una cosa pratica e diretta.

– Può darsi, – conviene Nealon. – Non ho scartato l'idea. Voglio solo dire che se qualcuno l'ha seguito da Londra e poi si è saputo orientare su quella montagna nel cuore della notte, deve essere un tipo molto in gamba.

– È vero, – dice Cal. – C'era qualcosa sul suo telefono? – È un tipo di conversazione che ha avuto tantissime volte, e gli viene senza sforzo, come una memoria muscolare. Che gli piaccia o no, si sente bene mentre fa qualcosa che gli viene facile. È per questo che il detective gli sta dicendo tante cose: vuole riportarlo a essere un poliziotto, o ricordargli che non ha mai smesso di esserlo. Anche Nealon, come i ragazzi del pub, vuole servirsi di lui.

– Non molto, – risponde Nealon. – Blake non usava gli sms, né WhatsApp; era troppo furbo per lasciare tracce scritte. Ci sono una serie di telefonate fatte e ricevute con i suoi uomini a Londra, e tante chiamate tra lui e Johnny Reddy, di cui due piuttosto lunghe il giorno prima che morisse; Johnny dice che hanno parlato di quali posti dei dintorni andare a visitare –. La smorfia della bocca mostra che è poco convinto di quella spiegazione. – E due chiamate senza risposta da Johnny la mattina in cui voi l'avete trovato. Quando era già morto.

– Johnny non è stupido, – osserva Cal. – Se l'avesse ucciso lui, avrebbe avuto la presenza di spirito di fargli un paio di chiamate senza risposta.

Nealon inarca un sopracciglio. – Lei scommette ancora su Johnny?

– Non faccio scommesse, in questa faccenda. Sto solo dicendo che quelle chiamate secondo me non sono abbastanza per eliminare Johnny dalla lista dei sospetti.

– Ah, certo che no. Lui c'entra di sicuro. Ma questo vale anche per molti altri.

Cal non ha intenzione di chiedere. Restano seduti a guardare Rip che corre a zigzag nei campi, saltando e cercando di acchiappare le rondini. Nealon fa dondolare la sedia senza fretta.

– Ne ha mai presa una? – chiede.

– Ha preso dei topi, – risponde Cal. – Gli piacerebbe tanto catturare un corvo, con tutti i dispetti che gli fanno, ma non scommetterei sulle sue possibilità.

– Non si sa mai, – commenta Nealon, agitando un dito. – Non perda la fiducia. Vedo che il suo cane è persistente, e io credo molto nella persistenza.

Le rondini, niente affatto preoccupate della persistenza di Rip, gli svolazzano sopra la testa come se fosse stato
messo lí per il loro divertimento. Cal è sicuro che Nealon
vorrebbe fumarsi una sigaretta con la birra, ma non ha chiesto il permesso di fumare, si comporta da perfetto ospite,
senza prendersi delle libertà. Cal invece non mira a essere
il perfetto anfitrione e non si preoccupa di chiedergli se
desidera fumare.

– Abbiamo ricevuto i risultati dell'autopsia, – dice
Nealon. – Blake è morto tra mezzanotte e le due del
mattino, grosso modo. Ha ricevuto un forte colpo dietro la testa, con un martello o altro oggetto simile. Sarebbe morto comunque entro un'ora o due, ma il suo
assassino non gli ha lasciato quel tempo e lo ha pugnalato tre volte al petto. Colpito al cuore, Blake è morto
in meno di un minuto.

– Ci sarà voluta una bella forza.

Nealon fa spallucce. – Sí. Un ragazzino non ci sarebbe
riuscito. Ma ricordi che a quel punto Blake era già a terra
svenuto. L'omicida ha avuto tutto il tempo di scegliere il
punto e anche di appoggiare il peso sul coltello, per farlo
penetrare nei muscoli. Per questo non c'è bisogno di essere
un culturista –. Beve un altro sorso di birra e sogghigna.
– È buffo che un bastardo cattivo come Blake sia stato
fatto fuori da qualche stronzetto magrolino, nel buco di
culo del mondo. Mi viene da arrossire per lui.

– Scommetto che non se l'aspettava affatto, – considera Cal. Ripensa a Blake nel pub, al modo arrogante in
cui osservava l'alcova, divertito dagli stupidi contadini
convinti di avere in mano le redini. Lo colpisce l'idea che
non ha pensato a lui nemmeno una volta, da quando lo ha
lasciato nelle mani della polizia dopo aver trovato il corpo. Da vivo, si era infiltrato nel territorio come un vele-

no nell'acqua. Ora sembra quasi che non sia mai esistito, e tutto quello che resta di lui sono fastidi.

– Questo purtroppo non serve a un cazzo per restringere la lista dei sospetti, – dice Nealon. – Ma c'è una cosa che ci può aiutare: il cadavere era tutto insanguinato e coperto di frammenti di terra, fibre, pezzi di piante e di insetti, ragnatele, tracce di ruggine e polvere di carbone. E non tutte queste cose vengono dal posto in cui lei l'ha trovato.

– Avevo pensato che fosse stato spostato, – afferma Cal, annuendo. – Non mi sembrava che ci fosse abbastanza sangue.

– Un poliziotto resta tale per sempre, – sentenzia Nealon. – Aveva perfettamente ragione.

– Be', quadra con quello che ha detto la ragazzina.

Nealon non abbocca. – E lei sa cosa significano tutte quelle tracce, no? Quando troveremo il punto in cui è stato ucciso, o l'auto in cui è stato spostato, non avremo problemi a stabilire una corrispondenza –. I suoi occhi esplorano senza fretta il cortile, fermandosi un secondo sul capanno degli attrezzi. – Il problema è trovarli. Come sa, non posso farmi dare un mandato per perquisire ogni edificio e ogni automobile dei dintorni. Ho bisogno di fondati motivi.

– Merda, – dice Cal. – Era un sacco di tempo che non sentivo quelle due parole, e non ne ho mai avvertito la mancanza.

Il detective ride. Allunga le gambe ed emette un verso tra un gemito e un sospiro. – Gesú, è fantastico. Avevo proprio bisogno di una pausa. Questo posto mi sta uccidendo il cervello.

– Ci vuole tempo per abituarsi.

– Non sto parlando delle persone. Sono avvezzo ai mostri delle paludi. Se questo tizio fosse stato ammazzato in una città, o anche in un villaggio decente, avrei potuto ricostruire ogni sua mossa, e anche le sue e quelle di tutti gli altri, attraverso i telefoni cellulari. L'avrà fatto anche lei, di sicuro. Al giorno d'oggi è facile come guardare una partita a *Pac-Man* –. Mima il movimento con le dita. – *Bip, bip, bip*, ecco che arriva Blake, *bip, bip, bip*, ecco che arrivo io con le manette per portare via il suo fantasma. Ma in questo posto... – Alza gli occhi al cielo. – Non c'è campo da nessuna parte, Cristo onnipotente. Non ci sono wi-fi. Il Gps funziona benissimo finché non ti avvicini troppo alle montagne, o ti trovi tra gli alberi: lí perde del tutto l'orientamento. So che Blake era grosso modo dalle parti del suo cottage verso mezzanotte, dopodiché, un cazzo. È a metà del fianco della montagna, un minuto dopo è dall'altro lato, poi è a mezza strada da Boyle... E tutto questo va avanti per tutta la notte, cazzo.

Scuote la testa e si consola con un altro sorso di birra. – Quando avrò un vero sospettato, potrò tentare di ricostruire le sue mosse, ma andrà nello stesso modo. E questo solo se il tizio ha portato con sé il telefono. Oggi, con tutte le serie tivú tipo *CSI*, la gente ne sa piú di me sulla raccolta delle prove.

– Una volta io ho fermato un tizio che si era introdotto in una casa scassinando la serratura, – racconta Cal. – Aveva visto troppi polizieschi in televisione e ha cominciato a blaterare di Dna, fibre, e non so che altro. Io gli ho mostrato il video a circuito chiuso dove si vedeva lui che tagliava la corda, e ha ribattuto che era di spalle, non potevo provare che si trattasse di lui. Gli ho detto: «Vedi quel passante che ti ha visto correre via? C'è il tuo riflesso sulla sua cornea. Abbiamo ingrandito l'immagine e corrisponde ai dati biometrici della tua foto segnaletica. A quel punto il coglione si è ripiegato su sé stesso come un origami del cazzo.

Il racconto fa fare una grassa risata a Nealon. – Gesú, è bellissimo. Sarebbe fantastico se il nostro assassino si rivelasse cosí scemo, ma… – Smette di ridere. – Se lo fosse, avrei già degli indizi su di lui. Invece ho parlato con tutti gli abitanti di questo territorio e nemmeno uno mi è sembrato un probabile colpevole.

Cal dice, sapendo di star abboccando all'amo: – Continua a pensare che il colpevole sia uno di qui?

Nealon lo fissa per un secondo, valutandolo con interesse. – La storia di Theresa Reddy sembra confermata, – dice. – Almeno per quello che posso controllare. Suo padre dice di aver sentito delle voci, e poi di aver sentito la ragazza uscire, quella notte, ma ha pensato che fosse andata dai suoi amici e l'ha lasciata in pace. La madre dice di non aver sentito nulla, ma ricorda di aver visto Johnny seduto sul letto, come se stesse ascoltando qualcosa, e poi è tornato a stendersi. E i miei uomini hanno trovato un'altra ragazza, dalle parti di Kilhone, che dice di aver visto dei fari salire sulla montagna e spegnersi circa a metà strada.

– Be', questo dovrebbe contribuire a restringere il campo.

– Lei potrebbe ancora aver ragione su Johnny, – lo rassicura Nealon. – Può avere degli amici disposti ad aiutarlo a spostare un cadavere, in una situazione difficile. E lui e sua moglie possono aver mentito. Theresa ha detto di non aver controllato che suo padre fosse a letto, prima di uscire.

– Avete trovato impronte di pneumatici? O di scarpe?

– Ah, sí, tutte e due, intorno al punto in cui è stato rinvenuto il cadavere. E poche altre qua e là, ma non abbastanza da stabilire una corrispondenza. Quelle pecore del cazzo hanno cancellato il resto. E con questo tempo, non riusciamo a capire quali impronte sono fresche e quali risalgono a giorni o settimane prima dell'omicidio. Dublino forse non è una bella città, ma almeno lí non mi devo preoccupare che delle pecore cancellino le tracce.

Ride, e Cal gli fa eco.

– Quindi finora la storia di Theresa tiene, – prosegue Nealon. – Ed è un bene poter restringere il campo ad Ardnakelty. Ma non c'è un solo uomo disposto ad ammettere di essere salito su quella montagna.

– Sarei sorpreso se lo facessero, – commenta Cal. – Colpevoli o innocenti che siano.

Nealon reprime una risata. – È vero. Ed è anche vero che siamo solo all'inizio. Ho appena finito i preliminari, non ho ancora interrogato nessuno con forza; è stato tutto un muoversi in punta di piedi e con il tocco leggero –. Sorride a Cal. – Adesso è arrivato il momento di cominciare a scuotere le gabbie.

Cal è sicuro che lo farà nel modo giusto, senza lasciare nulla di intentato. Non riesce a capire se il detective gli piace o no, non riesce a valutarlo bene, con tutta la quantità di cose che ci sono tra loro due, ma sa che gli sarebbe piaciuto lavorare con lui.

– Sarebbe grande se Theresa potesse pensarci meglio e magari dare un nome a qualcuna di quelle voci, – dice Nealon. Forse potrebbe chiederglielo lei. Ho la sensazione che la starebbe a sentire.

– Glielo chiedo la prossima volta che la vedo –. L'ultima cosa che Cal desidera è che Trey sia piú precisa. – Ma non so dirle quando sarà. Non ci vediamo in modo regolare.

– E lei? – chiede Nealon, guardandolo con un occhio solo da sopra il bicchiere. – Ha avuto qualche nuova idea? O ha sentito qualcosa in giro?

– Senta, – replica Cal, con un'occhiata incredula. – Crede davvero che mi direbbero qualcosa di simile?

Nealon ride. – So cosa vuol dire. In posti come questo

non ti darebbero nemmeno il vapore che si alza dalla piscia, per paura che possa essere usato contro di loro. Ma lei può aver sentito qualcosa. È probabile che loro la sottovalutino, e questo sarebbe un errore.

– In realtà, – risponde Cal, – vogliono tutti sapere qualsiasi cosa io possa aver sentito da lei. Ma non offrono quasi niente in cambio.

– Potrebbe chiedere, però.

Si guardano. Nel campo, si sentono i cinguettii delle rondini nell'aria calda.

– Potrei chiedere, – conviene Cal. – Ma non credo che avrei delle risposte.

– Non può saperlo se non ci prova.

– Qui tutti pensano che io sia culo e camicia con lei. Se inizio a ficcare il naso e a fare domande, riceverò solo disinformazione.

– È vero, ma non importa. Sa come funziona, no? Certo, avere delle risposte sarebbe ottimo, ma anche solo porre le domande giuste potrebbe mettere in moto parecchie cose.

– Io qui ci vivo. È il mio posto, adesso. E quando lei avrà fatto i bagagli e sarà tornato a Dublino, dovrò ancora vivere qui.

Non aveva mai pensato di fare nulla di diverso, ma dirlo ad alta voce lo colpisce in un modo che non si aspettava. Non è che rivorrebbe indietro la sua vita da poliziotto; quella ormai è finita e non la rimpiange. Ma in qualche modo sembra aver trascorso gli ultimi tempi isolandosi da tutti gli altri. Se continua cosí, finirà a fare l'eremita, rinchiuso in quella casa senza nessuno con cui parlare, a parte Rip e i corvi.

– Non c'è problema, – replica Nealon, cordiale. Ha troppa esperienza per continuare a spingere sapendo che non arriverà da nessuna parte. – Valeva la pena provarci –.

Si accomoda meglio sulla sedia a dondolo, spostandola in modo da rivolgere l'altra guancia al sole. – Gesú, che caldo. Se non sto attento, tornerò a casa rosso come un'aragosta e mia moglie non mi riconoscerà.

– È un caldo pazzesco, – conviene Cal. Non crede alla storia della moglie di Nealon. – Avevo pensato di tagliarmi la barba, ma mi hanno fatto notare che poi avrei la faccia bicolore.

– È vero. – Il detective lo esamina in viso, osserva i lividi, che ormai sono diventati di un lieve giallo verdastro. – Perché ha fatto a botte con Johnny Reddy?

Cal riconosce il cambio di registro. Lo ha provato tantissime volte in passato, ma era lui quello che manovrava i controlli. Nealon vuole chiarire un punto: Cal può essere un poliziotto oppure un indiziato. Sta scuotendo le gabbie, proprio come aveva detto.

– Non ho fatto a botte con nessuno. Sono un ospite in questo paese, e mi comporto come si deve.

– Johnny sostiene una cosa diversa. E la sua faccia ne è la conferma.

Cal ha usato quel trucco troppe volte per caderci. – Allora, – dice, inarcando un sopracciglio, – il motivo lo chieda a lui.

Nealon sogghigna, senza vergogna. – No, Johnny dice di essere caduto in montagna mentre era ubriaco.

– Allora probabilmente è cosí.

– Ho notato le sue nocche, l'altro giorno. Ora sono guarite.

Cal si guarda le nocche con aria riflessiva. – Forse le ho raschiate contro qualcosa. Mi succede spesso, con il mio lavoro.

– Certo, – ammette il detective. – Johnny come tratta Theresa?

– La tratta bene –. Cal si aspettava la domanda e ormai
non è preoccupato. Resta in guardia, però. – Non vincerà
mai il premio come padre dell'anno, ma ho visto di peggio.

Nealon annuisce, come se ci stesse riflettendo sopra.
– E Blake? – chiede. – Lui come la trattava?

Cal scrolla le spalle. – Per quanto ne so, non le ha mai
rivolto la parola.

– Per quanto ne sa.

– Se avesse avuto da dire con lui, me ne avrebbe parlato.

– Forse sí e forse no. Con gli adolescenti non si sa mai.
Blake le è sembrato il tipo interessato alle ragazzine?

– Non andava in giro con la scritta «pervertito» in fronte. E questo è tutto quello che so. L'ho visto pochissimo.

– Ma abbastanza da capire che era losco, – gli fa notare Nealon.

– Sí, quello non era difficile.

– Davvero? Qualcun altro se n'era accorto?

– Nessuno ha detto nulla, – risponde Cal. – Ma dubito
di essere stato l'unico. Quando mi sono trasferito qui non
ho mai detto che lavoro facevo, ma nel giro di una settimana tutti sapevano che ero un poliziotto. Sarei pronto
a scommettere che almeno alcuni di loro avessero capito
che tipo era Blake.

Nealon ci pensa su. – È possibile, – dice poi. – Nessuno
ha parlato male di lui, ma come abbiamo detto sono sfuggenti, da queste parti, o prudenti, se preferisce. Anche se
avevano capito che tipo era, comunque, perché avrebbero
voluto ucciderlo? Si sarebbero limitati a evitarlo.

Nealon forse sta pescando nel buio, ma Cal non ha questa impressione. Proprio come aveva previsto Mart, nessuno ha detto una parola sull'oro. – Lo credo anch'io, –
ammette. – Personalmente, è quello che ho fatto.

Nealon gli fa un sorriso. – Il Gps funziona bene qui sul

terreno pianeggiante, lontano dagli alberi. Se dovrò controllare il suo telefono, non avrà nulla di cui preoccuparsi, a patto che quella notte sia restato in casa.

. – Sono stato qui. Tutta la sera e tutta la notte, finché la mattina non è venuta Trey. Ma se fossi uscito per uccidere qualcuno, avrei lasciato il cellulare a casa.

– Certo, naturalmente –. Nealon sposta le gambe in una posizione piú comoda e beve un altro sorso di birra. – Le dirò una cosa interessante che ho ricavato dalla localizzazione dei telefoni. Sono riuscito ad avere un mandato per i tabulati di Johnny, visto che lui era la persona piú vicina alla vittima. Johnny sostiene di essere rimasto in casa tutto il giorno e tutta la notte, prima che Blake fosse trovato. E tutta la famiglia sostiene la stessa cosa. Ma il suo telefono racconta una storia diversa. Durante il giorno, ha fatto quello che fanno i cellulari su quella montagna: è rimbalzato da un lato, poi dall'altro, fino al circolo polare artico. Ma in serata il contapassi Fitbit ha lavorato parecchio: Johnny è sceso dalla montagna, ed è passato di qui. Lei l'ha visto?

– No. Non siamo amici che si scambiano visite.

– Sí, l'avevo capito –. Nealon dà un'altra occhiata ai suoi lividi. – Johnny ha trascorso un certo tempo a casa della signora Lena Dunne. È la sua fidanzata, dico bene?

– Sí. A meno che non si faccia furba.

Nealon ride. – Non ha nulla di cui preoccuparsi. Ho conosciuto le altre opzioni della signora Dunne. Le ha detto se quella sera ha visto Johnny?

– Con me non ne ha parlato, – risponde Cal. – Lo chieda a lei.

– Lo farò. Mi lasci un po' di tempo e arriverò anche a lei.

– Da quello che ha detto, Blake non è morto in serata.

– No. E Johnny non si è nemmeno avvicinato a casa

sua. Ma quando qualcuno mi racconta una bugia stimola il mio interesse. E... – punta Cal con il bicchiere. – Lei mi ha detto che Johnny è passato nel punto in cui è stato trovato il cadavere, mentre lei era lí ad aspettare gli agenti. Indovini dov'è andato dopo?

Cal scuote la testa.

– Dice di essere andato a fare una passeggiata per riprendersi dal terribile shock, che Dio lo benedica. Invece è andato al cottage affittato da Blake. Ha trascorso lí un quarto d'ora circa, poi il suo telefono ha ricominciato a fare il ballo della montagna, quindi suppongo sia tornato a casa. A quanto ne sappiamo non aveva la chiave della casa di Blake, ma c'è una chiave di riserva sotto un sasso vicino alla porta, dove chiunque penserebbe di cercarla. Perciò, abbiamo un'altra menzogna –. Gli lancia un'occhiata significativa.

– Non vuol dire che sia il colpevole, però, – commenta Cal, rifiutandosi di abboccare. Non è cosí stupido da cercare di indirizzare i sospetti di Nealon su Johnny, anche se questa fosse la sua intenzione. – Blake poteva avere qualcosa che Johnny non voleva che voi trovaste. Un altro telefono, per esempio.

Nealon inclina la testa di lato, curioso. – Credevo che lei votasse per Johnny.

– Non voto per nessuno.

– Comunque, – aggiunge il detective, dondolando tranquillo, – anche se non è il colpevole sa qualcosa. Forse ha visto qualcuno mentre era in giro, o forse Blake gli aveva detto che doveva incontrare qualcuno, o che aveva litigato con qualcuno. Johnny con me ha negato tutto, non ha visto nulla, non ha sentito nulla. Ma c'è qualcosa che non ha detto, e cercherò di fargliela dire. Dovrebbe essere facile scuoterlo, anche perché deve sapere che lo tengo sotto tiro.

Cal annuisce, cordiale. Nealon ha cambiato tattica. Se
non può convincerlo a fare da talpa, né farlo preoccupare trasformandolo in un indiziato, può ancora servirsi di
lui in qualche modo. Ora gli sta dando le esche che vuol
spargere in giro, per cominciare a scuotere quelle gabbie.
Vuole che la gente sappia che lui riuscirà a trovare il punto
in cui è stato ucciso Rushborough e l'auto usata per spostare il corpo, che sta localizzando i cellulari, che Johnny
sa qualcosa e che lui gliela farà dire.

– Johnny ama parlare, – commenta Cal. – Perciò, buona fortuna.

– Ne ho bisogno. Bene, – conclude Nealon, dandosi
una pacca su una gamba. – Non mi pagano per stare qui
a godermi la vita. È ora di andare a smuovere le acque –.
Vuota il bicchiere e si alza in piedi. – Ho bisogno che lei
e la ragazza veniate alla stazione di polizia per firmare le
vostre deposizioni sul ritrovamento del cadavere. Quando
vi fa piú comodo, naturalmente.

– Certo. Le chiederò quando è libera nei prossimi due
giorni e lo faremo.

– Le spieghi bene che una volta che le sue parole saranno scritte e firmate, il gioco cambia, e non si può piú
tornare indietro.

– Lei non è stupida.

– Sí, l'avevo capito –. Nealon tende la camicia sulla
pancia. – Se per caso avesse mentito, – chiede, – per coprire il padre o qualcun altro, per esempio, lei cosa farebbe al mio posto?

– Gesú, – esclama Cal ridendo, come se fosse una battuta. – Devo far venire un avvocato?

– Dipende –. Nealon ricambia il sorriso e dice, come
Cal ha detto migliaia di volte ai suoi indiziati: – C'è un
motivo per cui ne avrebbe bisogno?

– Sono americano, – risponde Cal, continuando a sorridere. – È il nostro motto nazionale: quando sei in dubbio, chiama un avvocato.

– Grazie della birra –. Nealon rimette la giacca sul braccio e lo guarda. – Sarei pronto a scommettere che lei era un buon detective. Mi sarebbe piaciuto lavorare con lei.

– Anche a me, – ribatte Cal.

– Forse ne avremo la possibilità. Non si può mai sapere –. Nealon stringe gli occhi e guarda il campo, dove Rip corre in cerchi e continua a saltare cercando di prendere le rondini. – Guardi là, – dice. – Quella è persistenza. Prima o poi ne acchiapperà una.

– Dimmi una cosa, Sunny Jim, – esordisce Mart il giorno dopo, presentandosi alla porta con della lattuga in cambio delle carote dell'altro giorno. Prima non si era mai mostrato incline a ripagarlo di nulla. – Cosa voleva da te lo sceriffo?

– Voleva agitare le acque –. Cal si è stancato di misurare le parole. Il livello di sottigliezza di Ardnakelty lo sta facendo impazzire. E in fondo è uno straniero, quindi ha il diritto di comportarsi come tale. – E desiderava che io gli dessi una mano. Ma non penso di farlo.

– Se la caverà benissimo senza di te, – lo informa Mart. – Sta agitando parecchio le acque da solo e non se ne preoccupa affatto. Sai cos'ha fatto? Stamattina ha passato tre ore a tormentare il povero Bobby Feeney. È una cosa indegna, ecco cos'è. Una guerra sporca. Una cosa è prendersela con uno come me, che magari si diverte a darle e prenderle, ma è tutta un'altra lasciare un grosso babbeo come Bobby praticamente in lacrime, convinto che lo arresteranno per omicidio e non rimarrà nessuno a prendersi cura di sua madre.

– Nealon sta solo facendo il suo lavoro, – spiega Cal. – E questo comprende anche cercare di spezzare l'anello debole.

– Anello debole un cazzo. Non c'è nulla di sbagliato in Bobby, se lo lasci in pace e non gli incasini la testa. Anche noi lo sfottiamo parecchio, ma questo non significa che uno sbirro possa venire dalla fumosa Dublino a incasinargli la vita. Senan è incazzato nero.

– Farà meglio ad abituarsi. Nealon continuerà a molestare chi vuole.

– Non si tratta solo di Senan, – replica Mart, fissandolo negli occhi. – Sono in molti a essere alquanto scontenti.

– Allora faranno meglio ad abituarsi tutti –. Cal comprende cosa Mart gli sta dicendo. Gli ha spiegato che nessuno se la prenderà con Trey per quella faccenda, ma era prima che venisse trovato un cadavere e ci fosse un detective con cui fare i conti. Cal conosce meglio di lui il modo inesorabile in cui si muove un'indagine per omicidio, spostando qualunque cosa si metta di mezzo. – Bisogna ringraziare chi ha ucciso Rushborough.

– È stata una vera cazzata, – sentenzia Mart, con profonda disapprovazione. – Capisco perché qualcuno abbia voluto spaccagli la testa, e non ne faccio una colpa a nessuno: volevo farlo anch'io. Ma è stata una stupidaggine.

La sua indignazione si è calmata e ora ha preso un'aria riflessiva. – Questa faccenda mi ha deluso parecchio, – dice poi. – Mi aspettavo un po' di divertimento per passare l'estate, ma guarda dove siamo finiti.

– Avevi detto che sarebbero arrivati tempi interessanti, – gli ricorda Cal.

– Ma non intendevo *così* interessanti. È come ordinare un curry e ricevere uno di quei piatti al peperoncino che ti fanno uscire il fumo dalle orecchie –. Rimugina, guardando i corvi che, radunati sull'albero, si lamentano rumorosamente del caldo. – E sembra che Nealon non abbia ancora sollevato abbastanza merda, se cerca di prendere a bordo anche te. Cosa significa, Sunny Jim? Che la sua indagine non sta andando da nessuna parte? Oppure che ha annusato una pista e sta cercando conferme?

– Non ne ho idea, – risponde Cal. – Di solito capisco solo la metà di quello che volete dire voi ragazzi, e questo mi stanca cosí tanto che non mi resta energia da dedicare al detective.

Mart ridacchia come se avesse fatto una battuta. – Dimmi almeno questo, – insiste. – Quel tizio non mi sembra il tipo che si arrende facilmente. Se non dovesse trovare nulla, non credo che se ne tornerebbe a Dublino con la coda tra le gambe. Ho ragione, sí o sí?

– Non andrà da nessuna parte. Non prima di aver ottenuto quello che vuole.

– Allora, – sorride Mart, – dovremo dargli una mano. Non possiamo tenercelo qui per sempre a infastidire anelli deboli a destra e a manca.

– Io non darò una mano a nessuno su niente, – dichiara Cal. – Mi chiamo fuori.

– Piacerebbe farlo a tutti noi, Sunny Jim. Spero ti piacerà la mia lattuga. Io la condisco con un'emulsione di senape e aceto, ma a molti non piace.

Johnny ha finito le sigarette e manda Trey da Noreen a comprarne altre. Stavolta lei non protesta. Maeve tende a esagerare e a dire qualsiasi cosa faccia piacere a suo padre. Lei vuole farsi un'idea di prima mano su ciò che succede al villaggio.

Fuori dal negozio sente la voce di Long John Sharkey dire, in tono bellicoso: – In casa mia, cazzo... – Quando apre la porta, Long John è al bancone con Noreen e la signora Cunniffe. Al suono del campanello si girano tutti e tre.

– Buongiorno, – dice Trey, rivolta alle loro facce inespressive.

Long John si raddrizza e si sposta, bloccandole il passo.
– Qui non c'è niente per te, – esclama.

Non è affatto lungo, ha ricevuto quel soprannome a
causa di un ginocchio rigido dovuto al calcio di una vacca, ma ha un fisico taurino, e la fissa con gli occhi sporgenti. La gente ha paura di lui e Long John lo sa. Anche
Trey ne aveva paura. Ora prende il suo atteggiamento come un buon segno.

– Devo comprare del latte, – dice.

– Va' a comprarlo altrove.

Trey non si muove.

– Decido io chi può venire nel mio negozio, – interviene Noreen, brusca.

Long John non distoglie lo sguardo da Trey. – Tuo padre ha bisogno di un bel po' di scapaccioni.

– Il padre non se l'è scelto lei, – replica Noreen. – Va'
a casa, prima che il burro ti si sciolga in mano.

Long John sbuffa, ma poi spinge Trey da parte ed esce
sbattendo la porta, con un lungo squillo del campanello.

– Che gli è preso? – chiede Trey, indicando con il mento la direzione in cui è andato.

La signora Cunniffe stringe la bocca dai denti grandi e
lancia un'occhiata a Noreen. Noreen si mette a cambiare
il rotolo di carta del registratore di cassa con gesti concita-
ti, e non sembra intenzionata a rispondere. Trey aspetta.

Noreen non sa resistere alla possibilità di condividere
informazioni. – I detective gli stanno dando il tormento, –
dice, in tono secco. – E non solo a lui. Hanno fatto saltare
i nervi a tutti. Sono riusciti a innervosire Long John fino
al punto che lui si è lasciato scappare che una volta Lennie O'Connor ha picchiato un tizio di Kilcarrow per aver

fatto lo scemo con la sua signora, e ora i poliziotti stanno rompendo le scatole a Lennie per sapere se Rushborough ha detto qualcosa di sconveniente a Sinéad, e Lennie dice che non affitterà piú a Long John il campo dietro casa sua, quindi Long John non saprà piú dove tenere i vitelli –. Chiude la cassa con uno scatto, facendo fare un salto e un urletto alla signora Cunniffe. – E se tuo padre non avesse portato qui quell'inglese del cavolo, nulla di tutto questo sarebbe successo. È questo che gli è preso a Long John.

Trey prova un impeto selvaggio di trionfo in tutto il corpo. Si volta verso gli scaffali, prendendo pane e biscotti a caso, perché le due donne non se ne accorgano. La sensazione di potere è tale che sente di essere in grado di rovesciare il bancone con un calcio, e dar fuoco ai muri con la pressione delle mani.

Ora, tutto quello che le resta da fare è restringere il campo. Lena ha detto che potrebbe avere un'idea di chi ha ucciso Brendan, e Trey si fida delle ipotesi di Lena. Deve soltanto fare in modo che le dica di chi si tratta.

– E due pacchetti da venti di Marlboro, – dice, posando i suoi acquisti sul bancone.

– Non hai ancora diciotto anni, – ribatte Noreen, cominciando a battere i prezzi senza guardarla.

– Non sono per me.

Noreen stringe le labbra e preme sui tasti con piú forza.

– Dài, dàlle quello che ha chiesto, – la esorta la signora Cunniffe, agitando una mano. – Devi prenderti cura di lei, ora che siete praticamente parenti acquisiti –. Scoppia in una risatina acuta che dura finché esce dalla porta.

Trey guarda Noreen in cerca di una spiegazione, ma Noreen stringe ancora di piú le labbra e fruga tra le sigarette che tiene sotto il bancone.

– Cosa voleva dire?

– Parlava di Cal e Lena –. Noreen getta le Marlboro sul bancone e batte il prezzo con uno squillo del registratore. – Sono quarantotto e sessanta.

– Cal e Lena cosa? – chiede Trey.

Noreen la fissa quasi con sospetto. – Si sposano.

Trey la fissa.

– Non lo sapevi?

Trey estrae di tasca una banconota da cinquanta e gliela passa.

– Credevo che Lena ti avrebbe chiesto il permesso, – butta lí Noreen, con voce sgarbata, ma si vede che vuole saperlo.

– Non sono affari miei. – Le cadono gli spiccioli del resto e deve raccoglierli dal pavimento. Gli occhi attenti di Noreen la seguono mentre esce.

I tre anziani seduti sul muretto della grotta della Vergine Maria la guardano passare senza cambiare espressione.

– Di' a tuo padre che ho chiesto di lui, – dice uno di loro.

19

Lena è davanti alla corda del bucato quando vede Mart Lavin avvicinarsi zoppicando, attraverso quello che era il suo campo e ora è di Ciaran Maloney. Il suo primo impulso è di scacciarlo dalla sua proprietà. Invece ricambia il suo gesto di saluto e si ripromette di comprare un'asciugatrice, visto che ora non può nemmeno piú stendere il bucato in pace. Kojak, che precede Mart, viene a scambiare un'annusata con Nellie attraverso il recinto; Lena li lascia fare per qualche secondo, poi schiocca le dita e Nellie corre da lei.

– Sarà asciutto prima che tu finisca di stenderlo, – dice Mart, quando arriva abbastanza vicino. – Fa un caldo pazzesco.

– Non mi dici nulla di nuovo –. Lena si china a prendere un'altra bracciata di panni. Mart Lavin non era mai passato prima, nemmeno quando Sean era vivo.

– Senti, – Mart si appoggia al suo bastone, sorridendo. Kojak si accuccia ai suoi piedi e si mette a mordersi il pelo per togliere i ricci. – Cos'è questa storia che ho sentito su te che ti sei fidanzata con il signor Hooper, l'unico e solo?

– Ormai è una notizia vecchia. Credevo l'avessi saputo.

– Oh, sí, certo. E ho già fatto le mie congratulazioni al tuo fidanzato. Ma poiché noi due non ci siamo visti oggi ho pensato che fosse il caso di passare a congratularmi anche con te. Ora saremo vicini di casa.

– Forse sí, forse no. Cal e io non abbiamo ancora deciso dove vivremo.

Mart fa una faccia scioccata. – Di certo non puoi chiedergli di allontanarsi da quella casa, dopo tutto il lavoro che ha
fatto per sistemarla come voleva. Per non parlare di tutto il
lavoro che ho fatto io per sistemare lui come volevo, grosso
modo. Non sopporterei di dover ricominciare da capo con
un nuovo vicino. Visti i prezzi delle case in città, mi toccherebbe qualche hipster bevitore di birra bianca, che fa il pendolare da Galway tutti i giorni. No, dovrai fare buon viso
e trasferirti tu da lui. Io e P. J. siamo dei vicini di casa fan-
tastici, chiedilo pure al tuo fidanzato; lui garantirà per noi.

– Potremmo anche tenere entrambe le case, – replica
Lena. – Una per l'inverno e una come casa di vacanza.
Non preoccuparti, ti terremo informato.

Mart ridacchia, mostrando di apprezzare la battuta.
– Certo, certo, non c'è fretta. E immagino non abbiate
fretta neppure di convolare a nozze, dico bene?

– Quando avremo stabilito una data, riceverai il tuo invito. In caratteri eleganti e tutto.

– Dài, fammi vedere l'anello. Voglio ruotarlo intorno a
un dito perché mi porti fortuna in amore.

– È dal gioielliere che deve restringerlo, – risponde Lena. Ha avuto quella conversazione con tutte le donne del
villaggio, e ha deciso che se mai le verrà di nuovo la voglia
di prendere una decisione impulsiva, si farà ricoverare.
Estrae dalla borsa del bucato delle altre mollette.

Mart la osserva. – È stata una bella mossa, quella del
fidanzamento, – osserva. – Una mossa saggia.

– È curioso, – commenta Lena. – È proprio la stessa cosa
che mi ha detto Noreen. Voi due avete molto in comune.

Mart inarca un sopracciglio. – Sul serio? Non avrei creduto che fosse favorevole. Non in questo momento, alme-

no –. Sposta il peso per prendere di tasca la borsa del tabacco. – Posso fumare?

– L'aria non è mia.

– Personalmente, – prosegue Mart, lisciando la cartina su un palo del recinto, – io sono del tutto favorevole al matrimonio. Come ho detto, ho faticato molto a smussare i suoi spigoli, ma resta ancora qualcosa da fare, e a volte non mi sta a sentire come dovrebbe. Nell'ultimo periodo mi sono preoccupato per lui. Ora che è diventato una tua responsabilità, magari possiamo parlare insieme del problema.

Lena scuote una camicia per stirare le pieghe. – Su Cal non ho nulla da dire a nessuno.

Mart ride. – Dio onnipotente, sei sempre la stessa. Ricordo una mattina, tu eri una cosina alta cosí. Sei passata davanti al mio cancello con il tuo vestito da prima comunione, velo e tutto, e stivali di gomma ai piedi. Ti ho chiesto dove andavi, e tu hai alzato il mento, proprio come ora, e hai risposto: «Si tratta di informazioni segrete». Dove stavi andando, a proposito?

– Non ne ho idea. Si tratta di quarant'anni fa.

– Be', oggi sei uguale, solo che non sei piú una bambina. Sei la donna di casa, in qualunque casa deciderai di stabilirti. Se ci saranno problemi con il tuo uomo o con la ragazzina, la gente verrà da te. E io sono venuto da te.

Lena non è affatto sorpresa, è proprio quello che si aspettava che sarebbe successo. Ma ciò nonostante le vengono dei ripensamenti.

– Per mia fortuna, – risponde, – nessuno dei due è il tipo da creare problemi. A meno che non abbiano altra scelta.

Mart non risponde a quell'affermazione. – A me Cal piace. Non sono un sentimentale, perciò forse non direi che mi sono affezionato a lui, ma lo rispetto. E non vorrei che gli capitasse nulla di male.

– Sí, hai trovato un ottimo fidanzato. Sarebbe un peccato se gli succedesse qualcosa.

Mart inclina la testa per leccare la cartina e la guarda. – So che non ti piace l'idea che io e te siamo dalla stessa parte, ma è cosí, perciò cerca di fartelo piacere.

Lena è stufa dei suoi modi obliqui. Lascia stare il bucato e si gira a fissarlo. – Cos'hai in mente?

– Il detective Nealon va in giro a interrogare tutti, anche se lui non lo definisce un interrogatorio. «Ha tempo per fare due chiacchiere?» chiede, quando si presenta alla porta. Molto educato. Come se tu potessi rispondere: «No, guardi, ho la cena sul fuoco» e lui se ne andrebbe senza problemi. Da te è passato?

– Non ancora. O forse non ero in casa.

– Ho l'impressione che abbia iniziato dagli uomini. E penso di sapere perché. A me ha detto, circa a metà della nostra chiacchierata, in tono molto casuale: «Per caso lei era sulla montagna, domenica notte?» Gli ho risposto che io arrivo al massimo fino all'orto dietro casa, quando il mio cane Kojak ha problemi con le volpi. E Nealon mi ha spiegato che qualcuno gli ha detto che c'era un gruppo di ragazzi su in montagna, proprio nella finestra temporale in cui è morto Rushborough e nel posto in cui è stato trovato. E ha bisogno di parlare con loro, perché potrebbero aver visto o sentito qualcosa di utile per l'indagine. Potrebbe chiedere al suo testimone di fare una identificazione vocale, ovviamente, ma sarebbe piú facile per tutti se i ragazzi smettessero di nascondersi e venissero a parlare con lui –. Mart esamina la sigaretta e strappa via un filo di tabacco. – Questo è ciò che io chiamo un problema.

– Cal non ha detto nulla del genere a Nealon, – ribatte Lena.

– Certo che no. Non lo penso io e non lo pensa nessun altro.

– Allora lui cosa c'entra?

– Nulla. È proprio quello che ti sto dicendo: vorrei che le cose restassero cosí. Se devo avere un nuovo arrivato come vicino di casa, preferisco che sia lui. Con un altro potrebbe andarmi peggio.

– Ora non è piú un nuovo arrivato. È il mio uomo.

Gli occhi di Mart si soffermano su di lei, non nel modo spensierato in cui un uomo guarda una donna, ma nel modo in cui valuterebbe un cane pastore, cercando di indovinarne le capacità e il temperamento, se si dimostrerà ubbidiente o aggressivo.

– Il fidanzamento è stato una buona mossa, – dice di nuovo. – Non ho sentito nemmeno un sussurro su di lui, dopo l'annuncio. Ma se il detective Nealon continua a irritare tutti, li sentirò. Sarò sincero con te: tu non hai lo stesso peso di Noreen o di Angela Maguire, o di altre donne che allenano la squadra di camogie e dànno una mano con le raccolte fondi della parrocchia e con la diffusione dei pettegolezzi davanti a una tazza di tè e pasticcini. Se Hooper fosse l'uomo di Noreen o di Angela, nessuno lo toccherebbe nemmeno con un bastone di tre metri. Per adesso, tutti preferiscono lasciarlo stare, per rispetto a te, oltre che a lui. Ma se saranno costretti, lo consegneranno in un pacco regalo al detective Nealon. Se sarò costretto, lo farò anch'io.

Lena sapeva già tutto questo, ma sentirlo enunciato da Mart, e in quei termini, la colpisce in un modo nuovo. Cal è uno straniero e lei ha trascorso gli ultimi trent'anni a diventare una straniera per la propria gente. Alla fine è riuscita solo a mettere un piede fuori dal cerchio, ma quando il nemico si avvicina anche quello è abbastanza.

– Potete consegnare a Nealon quello che volete. Nemmeno lui può gettare un uomo in galera senza prove.

Mart non si scompone. Si toglie il cappello di paglia e lo usa per sventolarsi il viso. – Sai una cosa che mi dà un fastidio tremendo? La miopia. E ora c'è un'epidemia di miopi. Credo che un uomo, una donna, una ragazzina, abbiano del buonsenso, e all'improvviso dicono qualcosa di assurdo che dimostra che non ci hanno riflettuto sopra nemmeno due minuti. E cosí ho perso un altro pezzetto della mia fiducia nell'umanità. E non me ne resta molta, perciò non posso permettermi di perderne altra. Lo dico davanti a Dio, sono pronto a pregare le persone in ginocchio di prendersi due minuti per riflettere, prima di fare qualcosa.

Soffia una boccata di fumo e lo osserva salire nell'aria immobile. – Non so chi abbia detto a Nealon quelle sciocchezze sui ragazzi che si trovavano su in montagna. Può essere stato Johnny, ovviamente, ma non penso che farebbe uno sforzo per mettersi contro tutto il paese, a meno che non abbia altra scelta. Se Nealon dovesse arrestarlo, sarebbe una storia diversa, ma per ora Johnny si sta dimostrando sensato e tiene la bocca chiusa e le orecchie aperte. Perciò supponiamo, per amore di discussione, che sia stata la giovane Theresa Reddy a dichiarare quelle cose. Stammi solo a sentire per un minuto.

Lena non dice nulla.

– Ora, immaginiamo che tu abbia ragione e che non ci sia nulla che indichi Hooper come colpevole dell'omicidio. Diciamo anche che Nealon non lo considera un sospettato, anche per la nota tendenza dei poliziotti di tutto il mondo ad aiutarsi a vicenda. E inoltre non ci sono prove per dire che sulla montagna quella notte ci fosse qualcun altro. E cosí il povero detective Nealon resta a mani vuote. Ma ha ancora una persona nel mirino.

Prima di capire perché, Lena avverte una debolezza nelle mani. Resta immobile a guardarlo.

– C'è una persona che ha ammesso di trovarsi sulla scena del crimine. Ha detto che c'erano anche alcuni uomini, ma non ha prove di quanto afferma. E questa persona potrebbe avere un buon motivo per volere morto Paddy l'Inglese. Tutti sappiamo che Rushborough teneva in pugno Johnny e sappiamo che Johnny Reddy venderebbe anche sua madre per salvarsi la pelle, senza nemmeno un rimorso.

Osserva Lena da sotto le sopracciglia cespugliose, continuando a sventolarsi. Da qualche parte si alza il belato di una pecora, un suono familiare, lontano nei campi.

– Pensaci, – continua Mart. – Questo non è il momento di fare i miopi. Cosa succederà dopo? E cosa succederà ancora dopo?

– Cosa vuoi da me, esattamente? – chiede Lena.

– È stato Johnny Reddy a uccidere Rushborough, – afferma Mart, in tono gentile ma conclusivo. – È triste dover dire questo di un uomo che tutti conoscevamo fin dalla nascita, ma siamo onesti: Johnny è sempre stato un incantatore, ma mai un uomo di coscienza. Qualcuno dirà che Johnny non l'avrebbe mai fatto, perché Rushborough gli serviva piú da vivo che da morto; ma il fatto è che loro due si sono portati dietro da Londra qualche affare in sospeso. Johnny doveva una bella somma a Rushborough, il quale non era il tipo da prendere con filosofia un debito non pagato. Per questo Johnny è tornato a casa: sperava che la gente qui avrebbe dimostrato abbastanza affetto per un compaesano da tirare fuori i risparmi ed evitargli di finire con le gambe spezzate o peggio. E per questo Rushborough poi gli è saltato addosso, per fare in modo che Johnny non gli rifilasse una fregatura. Magari qualcuno dirà di aver sentito parlare di oro, ma probabilmente è solo una storia messa in giro da Johnny per spiegare cosa ci facevano loro due qui.

Usa il cappello per allontanare il fumo da Lena. La guarda con un occhio solo. – Mi segui, finora?

– Ti seguo.

– Bene. Diciamo che Johnny abbia avuto un certo successo. Molti saranno disposti a testimoniare, se devono, che Johnny aveva chiesto loro del denaro in prestito. Qualcuno gliene ha anche dato un po', per amore dei vecchi tempi. Io per esempio gli ho prestato duecento euro. Sapevo che non li avrei mai piú rivisti, ma ho il cuore tenero. Forse anche Cal ha fatto la stessa cosa, per amore di Theresa. E forse il suo estratto conto bancario dimostrerà che ha ritirato qualche centinaio di euro, pochi giorni dopo il ritorno a casa di Johnny.

Lena continua a guardarlo.

– Tuttavia, – continua Mart, – Johnny non è riuscito a mettere insieme l'intera somma, e Rushborough non è disposto a fargli sconti. Qualcuno dirà che Johnny è tornato a chiedere soldi, un paio di giorni prima della morte di Rushborough, dicendo che si trattava di una questione di vita o di morte. Forse è venuto anche da te, è per questo che è passato, la sera prima dell'omicidio, a battere sulla tua porta e a urlare.

Solleva un sopracciglio in modo interrogativo. Lena non apre bocca.

– Johnny era spaventato, – prosegue Mart, – e con ragione. Io non sono mai stato un fan di Rushborough; sotto la camicia elegante e i paroloni, mi sembrava un duro. La polizia deve aver già indagato su di lui; non so cos'abbiano trovato, ma scommetto che si tratta di cose capaci di spaventare chiunque, figuriamoci uno stronzetto come Johnny. Non poteva fuggire: se Rushborough lo aveva seguito una volta, poteva farlo di nuovo. E di certo non si sarebbe rifugiato in montagna, lasciando moglie e figlia alla mercé di quel tipo. Nessun uomo decente l'avrebbe fatto.

Lena non si prende il fastidio di nascondere la sua espressione scettica.

– Mi sento caritatevole, – spiega Mart. – È sempre una buona cosa pensare il meglio delle persone. In un modo o nell'altro, Johnny non vedeva una via d'uscita. Si è accordato con Rushborough per vedersi sulla montagna. Forse gli ha detto che finalmente aveva trovato i soldi che gli doveva. Rushborough si è comportato da perfetto idiota per andare a un appuntamento in un luogo solitario, ma chiunque di noi qualche volta può essere troppo sicuro di sé, specialmente se ha a che fare con un tipo come Johnny Reddy. E cosí, invece di pagare il suo debito, Johnny l'ha ammazzato. Ho sentito dire che l'ha colpito in testa con un grosso martello, ma qualcuno dice anche che l'ha pugnalato con un cacciavite, o al cuore o in un occhio. Tu sai qualcosa di preciso su questo?

– Non piú di te. A Noreen hanno detto che è stato colpito con un sasso. Ma poi è stato pugnalato, o gli hanno tagliato la gola. È tutto quello che so.

Prova un fastidio tremendo a dargli anche quelle poche informazioni. È come una resa.

– Il detective Nealon non ha detto nulla al tuo fidanzato?

Lena scuote la testa.

– Non importa, – dice Mart, pacifico, gettando a terra la sigaretta e schiacciandola con la scarpa. – Sarebbe stato utile saperlo, ma possiamo fare senza. Qualunque cosa l'abbia colpito, è stata la fine del vecchio signor Rushborough. È una storia tragica, non diventerà popolare nell'associazione per la promozione del turismo, ma non è possibile accontentare tutti. E molti dei turisti che vengono qui sono di passaggio, diretti in qualche altro posto, oppure si sono persi, quindi non farà troppi danni.

Gli uccelli sfrecciano nel cielo azzurro sopra la sua testa. Le montagne sono una striscia d'ombra che Lena vede con la coda dell'occhio.

– Tutto quadra perfettamente, – finisce Mart. – C'è
solo una piccola cosa da sistemare: la storia di un gruppo
di uomini del posto intenti a fare qualcosa di brutto sulla
montagna, quella notte. Finché Nealon avrà quella storia
da considerare, sarà difficile che si senta a suo agio con
Johnny, o almeno con Johnny come unico colpevole. E io
vorrei proprio che il detective Nealon si sentisse a suo agio.

Si rimette in testa il cappello. – Non c'era nessuno sulla montagna quella notte, – spiega. – Solo Rushborough
e Johnny. Chiunque abbia raccontato una storia diversa
deve tornare dal detective Nealon e correggere la sua dichiarazione. Non sto dicendo che deve anche aver visto
Johnny uscire a notte fonda, ma di sicuro sarebbe utile.

Ai suoi piedi, Kojak si volta dall'altro lato e sospira,
contento. Mart si china, a fatica, per accarezzargli il collo.

– Se quella storia assurda viene dalla giovane Theresa, –
dice, – nessuno gliene farà una colpa: ha inventato di aver
visto delle cose per difendere suo padre. È naturale. Nemmeno il detective potrebbe trovare qualcosa da ridire su
questo. Sempre se lei capisce che è il momento di ritrat-
tare e raccontare la verità.

Si rialza in piedi e si tasta le tasche, assicurandosi che
ogni cosa sia al suo posto. – Se ci pensi, – aggiunge, – è
solo giustizia. Non importa chi ha ucciso davvero Rushborough, tutto questo è opera di Johnny Reddy.

Su questo Lena è d'accordo con lui. Mart glielo legge in
faccia e capisce che rifiuta di ammetterlo. Sorride, divertito.

– Johnny non affonderà facilmente, – riflette Lena. –
Se sarà arrestato, parlerà alla polizia dell'oro. E cercherà
di mettere tutti voi nella merda.

– A Johnny ci penso io, – risponde Mart. – Non preoccuparti di lui –. Schiocca le dita per segnalare a Kojak che stanno andando via, e sorride di nuovo a Lena. – Metti in ordine la tua casa, signora Hooper. Ho fiducia in te. Cal non poteva trovare una donna migliore.

Uno dei maggiori piaceri, nella vita di Lena, è camminare. Ha una macchina, ma va a piedi ogni volta che può, e lo considera uno dei maggiori compensi per la sua decisione di restare. Non si crede un'esperta su molte cose, ma prova una soddisfazione da esperta sapendo che può distinguere marzo da aprile anche bendata, dall'umidità della terra e dal suo odore, o dire come sono andate le ultime stagioni osservando il movimento delle pecore nei campi. Nessun altro posto, per quanto familiare, può offrirle una mappa che è sua fino alle ossa, e non si basa solo sui sensi.

Oggi però prende l'auto per salire in montagna. Non le piace doverlo fare, non solo perché cosí perde la sua passeggiata, ma anche perché se fosse a piedi sul pendio sarebbe in grado di godersi ogni sfumatura. L'auto la isola, e potrebbe sfuggirle qualcosa. Ma spera che, dopo aver parlato con Trey, avranno bisogno della macchina. Ha lasciato a casa i cani.

Viene Johnny ad aprirle la porta. Per la prima volta da quando è tornato ad Ardnakelty, ha la faccia che si merita: vecchia, emaciata, con la barba non fatta e lo sguardo un po' sfocato per via del whisky. Anche la sua vanità è scomparsa. Non sembra nemmeno accorgersi della breve espressione sciocca di Lena.

– Dio onnipotente, – dice, con un sorriso che sembra un tic. – Lena Dunne. Cosa ti porta qui? Hai notizie per me?

Lena vede la sua mente oscillare tra speranza e diffidenza. – Niente notizie. Vorrei fare due chiacchiere con Theresa, se c'è.

– Con Theresa? Cosa vuoi da lei?

– Parlare di alcune cose.

– È dentro, – dice Sheïla, nel corridoio buio alle spalle di Johnny. – Vado a chiamarla –. Poi scompare di nuovo.

– Grazie! – le grida dietro Lena. Poi si rivolge a Johnny: – Condoglianze.

– Cosa? – Ci mette un paio di secondi a capire a cosa si riferisce. – Ah, Dio, certo. Lui. No, sto bene. Mi mancherà, certo, ma non eravamo amici. Lo conoscevo appena, ci avevo solo parlato al pub. Perciò, tutto bene, grazie.

Lena non dice nulla. Johnny tenta di restare lí sulla porta con fare rilassato, ma ha i muscoli troppo tesi e riesce solo a dare l'impressione di avere qualcosa che non va. – Allora, – esordisce. – Cosa si dice giú a valle?

– Dovresti scendere a vedere, uno di questi giorni. Per ammirare il tuo lavoro.

– Ah, per favore, – protesta Johnny. – Non ho nulla a che fare con questa storia. Non ho fatto nulla a Rushborough. Quassú mi faccio gli affari miei, non parlo con nessuno, e non ho detto nulla nemmeno a Nealon e ai suoi uomini. Lo sanno tutti, no?

– Non ne ho idea. Va' in paese a chiederglielo –. Non lo biasima per aver paura. Johnny è tra l'incudine e almeno un paio di martelli. Se Nealon crede alla storia di Trey, il villaggio se la prenderà con lui; se non le crede, Johnny è in cima alla sua lista dei possibili colpevoli. Se scappa, Nealon lo ritroverà. Per una volta nella sua vita, Johnny non ha una facile via d'uscita. Tuttavia, Lena non prova alcuna simpatia per lui.

Trey appare in corridoio, con Banjo al fianco. A Lena

basta un'occhiata al suo viso per capire che il suo compito non sarà facile.

– Vieni a fare una passeggiata con me, – le dice. – E lascia qui Banjo.

– Buona idea, – commenta Johnny. – Prendi un po' di sole, fatti una chiacchierata. Non tardare molto, tua madre avrà bisogno di aiuto per la cena, comunque Maeve può…

Trey fissa Lena con diffidenza, ma non discute. Esce e chiude la porta in faccia a Banjo e Johnny.

Si avviano in salita sulla montagna, allontanandosi da casa. Trey non parla e Lena si prende il suo tempo. Come Cal, è diventata brava a capire gli umori di Trey, ma oggi non ci riesce. La ragazza ha un'espressione intransigente e quasi ostile. Cammina a passi rapidi, dall'altro lato della strada rispetto a lei.

Gimpy Duignan sta lavando l'auto a petto nudo davanti casa. Si volta al suono dei loro passi sulla ghiaia e alza una mano in un gesto di saluto. Loro rispondono con cenni del capo, senza rallentare. Il calore è cambiato, si è fatto più denso e pesante. Tra gli abeti spuntano pezzi di cielo blu che sembrano dipinti.

– Pensavo anch'io di passare da te, – dice Trey a un tratto, senza guardarla. – Ho una cosa da chiederti.

– Chiedila, allora.

– Brendan. Hai detto che avevi un'idea di chi poteva avergli fatto quello che gli hanno fatto.

Lena è sorpresa dalla forza dell'impulso che la spinge a dirle tutto quello che sa. Per generazioni il villaggio ha pregato per l'arrivo di qualcuno disposto a sfidarlo in blocco, qualcuno che rompesse tutte le sue regole infinite, tacite e ferree, e lasciasse tutti a soffocare nella polvere. Se Trey ha la forza e la volontà di farlo, merita di avere una chance. Lena avrebbe voluto essere come lei, quando era abbastanza giovane e sconsiderata da poter gettare via ogni cosa.

Ora è troppo vecchia. I rischi che è disposta a correre sono quelli della mezza età, misurati con cura per ottenere il massimo risultato con il minor numero di danni. E oltre a questo, ci sono Cal e Trey a impedirle di fare pazzie. Lena potrebbe ancora decidere di rischiare sé stessa, ma non metterebbe in pericolo loro due.

– È vero, – risponde. – Ma ti ho detto che è solo un'ipotesi.

– Non m'importa. Tu conosci bene tutti, qua intorno. Una tua ipotesi è probabilmente giusta. E io ho bisogno di saperlo.

Lena sa bene cosa Trey ha intenzione di fare. E in teoria l'approva. Trey avrebbe anche potuto decidere di mitragliare a tappeto un posto che l'ha sempre trattata male. Invece sta prendendo la mira con cura, e Lena conviene con lei che una faccenda cosí seria ha bisogno di accuratezza. Però non sa come comunicarle che c'è un abisso tra teoria e realtà.

– So che cosa stai facendo, – le dice. – Tanto perché tu lo sappia.

Trey le lancia un'occhiata rapida, poi annuisce, niente affatto sorpresa. – Voglio solo arrivare a quelli che hanno fatto del male a Brendan, – risponde. – Solo loro. Gli altri li lascerò fuori.

Superano la casa abbandonata dei Murtagh, con le tegole rotte e le piante di ambrosia dai fiori gialli alte fino alla vita davanti alla porta. Un uccello esce dagli alberi, spaventato da qualcosa. Lena non si volta. Se qualcuno le sta osservando, il fatto che lei parli con Trey può essere solo positivo. Ormai Mart avrà sparso la voce che ha parlato con lei e l'ha riportata all'ordine.

– Per questo voglio saperlo ora, – prosegue Trey, – prima che Nealon finisca per concentrarsi sulle persone sbagliate.

– Capisco. Diciamo che ti dico di chi sospetto, anche se l'unica motivazione è che si tratta di un tizio che non mi piace, e che all'epoca dei fatti aveva un'aria strana. Tu testimonierai in tribunale che hai sentito lui e i suoi amici lasciare sulla strada il cadavere di Rushborough?

– Sí. Se sarà necessario.

– E se io mi sbagliassi?

Trey fa spallucce. – È il meglio che posso fare.

– E se qualcuno di loro è in grado di provare che non si trovava lí?

– Allora avrò solo quelli che non possono provarlo. Meglio che niente. Ho già pensato a tutto.

– E poi cosa farai? Tornerai ad aggiustare mobili con Cal, come se non fosse successo nulla?

Alla menzione di Cal Trey prende un'aria ostinata. – Ci penserò quando sarà il momento. Quello che ti sto chiedendo sono nomi, non consigli.

Lena aveva riflettuto per tutto il viaggio in macchina sul modo giusto di affrontare l'argomento, ma ora si sente solo un pesce fuor d'acqua. Dovrebbe pensarci qualcun altro, Noreen, Cal o qualcuno che ha qualche idea di come parlare con gli adolescenti; chiunque altro eccetto lei. I piedi di Trey schiacciano la ghiaia con un'urgenza controllata a stento.

– Stammi a sentire, – replica Lena. Il sole la investe con una forza fisica, schiacciandola giú. Sta facendo quello che si era giurata di non fare mai: piegare una ragazza alla volontà del villaggio. – Non ti piacerà, ma almeno ascoltami. Non ti darò nessun nome, perché non è affatto una buona idea. Bisogna essere scemi, per mandare in galera qualcuno solo sulla base di ipotesi fatte da qualcun altro, e tu non sei scema.

Sente il corpo di Trey irrigidirsi nel rifiuto delle sue

parole. – E ora mi odi, lo so, – prosegue. – Io ho bisogno
che tu faccia una cosa: devi andare in città e dire a quel
Nealon che non hai visto nessuno sulla montagna, la scorsa domenica notte.

Trey si blocca, testarda come un mulo. – Niente da fare, – risponde, secca.

– Ti ho detto che non ti sarebbe piaciuto. Non te lo
chiederei, se non fosse necessario.

– Non me ne frega un cazzo. Non puoi costringermi.

– Ascoltami solo un minuto. Nealon ha trasformato tutto il villaggio in un nido di calabroni; la gente si sta infu-
riando. Se continuerai con la tua storia…

– Continuerò. Cosí imparano.

– Hai detto di aver pensato a tutto, ma io ti dico che
non è cosí. Credi davvero che tutti se ne staranno con le
mani in mano mentre tu vai avanti indisturbata?

– Questi sono affari miei, non tuoi.

– Stai facendo la bambina. «Non puoi costringermi,
non puoi fermarmi, fatti gli affari tuoi…»

Trey si volta e le grida in faccia: – Non sono una bambina, cazzo!

– Allora non parlare come se lo fossi.

Sono l'una di fronte all'altra, sulla strada. Trey ha una
postura come se si preparasse a una rissa. – Non puoi dirmi cosa devo fare. Dimmi chi ha fatto del male a Brendan
e poi lasciami in pace, porca miseria.

Per la prima volta da molto tempo, all'improvviso Lena
prova una collera cosí forte che rischia di perdere il controllo. Tra tutte le possibilità al mondo, l'ultimo modo in
cui avrebbe scelto di passare l'estate è questo, immersa fino al collo nei drammi di Ardnakelty, con Dymphna Duggan che ficca il naso nei suoi ricordi segreti e Mart Lavin
che si presenta a casa sua per parlare delle sue relazioni

romantiche. Non avrebbe fatto quello che sta facendo per nessuno al mondo, a parte Trey e forse Cal, e ora quella bastian contraria del cazzo si permette di mandarla al diavolo. - Mi piacerebbe *tanto* lasciarti in pace. Non ho voglia di avere nulla a che fare con tutto questo...

– Allora fallo! Va' a casa. Vaffanculo, se non vuoi aiutarmi.

– Cosa credi che stia facendo ora? Sto proprio cercando di aiutarti, anche se sei troppo...

– Non lo voglio, questo aiuto. Va' da Cal e aiutatevi a vicenda. Non ti voglio qui.

– Chiudi quella cazzo di bocca e sta' a sentire. Se continui con quello che stai facendo, tutto il villaggio dirà a Nealon che è stato Cal a uccidere Rushborough –. Lena ha alzato la voce. Non gliene frega nulla se la sentono su tutta la montagna. Anzi, gli farà bene sentire le cose dette ad alta voce, per una volta.

– Che vadano tutti a cagare! – grida Trey, a voce altrettanto alta. – Anche Cal. Proprio come te, mi tratta come una bambina, non mi dice un cazzo...

– Cercava solo di proteggerti. Se...

– Non gli ho mai chiesto di proteggermi! Non ho mai chiesto nulla a nessuno di voi due, l'unica...

– Ma che cazzo dici? Che differenza fa?

– L'*unica* cosa che ti ho chiesto è chi ha ucciso Brendan, e mi hai mandata al diavolo. Non ti devo nulla.

Lena prova l'impulso di scuoterla finché non le sarà entrato in testa un po' di buonsenso. – Quindi ti va bene se Cal finisce in prigione.

– Non andrà in nessuna cazzo di prigione. Nealon non può fargli nulla, senza...

– Invece può. Se Cal dovesse confessare.

Trey spalanca la bocca, ma Lena non le dà la possibilità

di parlare. – Se Nealon non troverà prove contro Cal o contro nessun altro, si concentrerà sull'unica persona che era in montagna quando Rushborough è stato ucciso. E questo posto appoggerà l'idea. Tutti sanno che sei tu quella che li sta mettendo nella merda; hanno già i coltelli in mano. Daranno a Nealon un movente per incolpare te, gli diranno che Rushborough ha molestato te o i tuoi fratellini...

– Non ho paura di loro. Possono dire quello che cazzo gli...

– Zitta e ascoltami per un *secondo*, cazzo! Se Nealon dovesse provare a incriminarti, cosa credi che farebbe Cal?

Trey chiude la bocca.

Lena le lascia del tempo per pensare, poi aggiunge: – Dirà che l'ha ucciso lui.

Trey le tira un pugno in faccia. Lena se lo aspettava, ma ciò nonostante riesce appena a bloccarlo. Si fissano, ansimando e in guardia, pronte alla lotta.

– È roba da ragazzini, – replica Lena. – Provaci ancora, se vuoi. Non cambierà nulla.

Trey si volta di scatto e riparte in salita a passo svelto e a testa bassa. Lena le sta al fianco.

– Puoi fare tutti i capricci che vuoi, ma è questo che lui farà. Glielo lascerai fare?

Trey accelera, ma Lena ha le gambe più lunghe. Non ha più nulla da dire, ma non vuol lasciare che la ragazza si allontani da sola.

Sono in alto sulla montagna, fuori dalle macchie di abeti e nella vasta distesa di pantani ricoperti di erica. Se prima forse le ha viste qualcuno, ora sono del tutto sole. Un lieve vento caldo scende dalla cima, agitando l'erica come un bambino distruttivo; in cielo, a ovest, c'è foschia.

Trey a un tratto dice, sempre guardando a terra: – Tu e Cal vi sposerete?

Lena non se l'aspettava, ma è una domanda logica. – Ti

credevo piú intelligente. Ti ho già detto che con il matrimonio ho chiuso.

Trey si è fermata di nuovo. La fissa, poco convinta. – Allora perché tutti parlano delle vostre nozze?

– Perché è quello che gli ho detto io. Volevo solo che evitassero di creare problemi a Cal. E avrebbe funzionato, se tu non avessi sguinzagliato Nealon contro di loro, facendoli agitare.

Trey chiude la bocca. Ora cammina piú piano, a occhi bassi. Sta riflettendo. Sopra l'erica che le circonda ronzano e sfrecciano insetti.

– Se avessimo deciso di sposarci davvero, – prosegue Lena, – non credi che tu l'avresti saputo prima di Noreen?

Trey alza lo sguardo di scatto. Poi riprende a camminare, sollevando polvere con le sue scarpe da tennis. Il suo silenzio ora non è piú quello di una resistenza testarda, è solo concentrazione nel tentativo di risolvere la cosa.

– Sono stata una scema, – dice alla fine. – A pensare che vi sposaste, non per il resto.

– Non c'è problema, tutti noi facciamo qualche idiozia, di tanto in tanto. Ma ora non è proprio il momento.

Trey s'immerge di nuovo nel suo silenzio. Lena le lascia tutto il tempo che le serve. Nella mente di Trey si stanno spostando delle cose, placche tettoniche che sfregano l'una contro l'altra, schiacciando vecchie idee e portandone in superficie di nuove. Lena non può farci nulla; è un'esigenza delle circostanze e del posto, e nessuno dei due ha una riserva di misericordia. Può solo lasciare a Trey qualche minuto per orientarsi nel nuovo paesaggio.

Alla fine Trey chiede: – Come sai che sono stata io a dirlo a Nealon? Degli uomini in montagna quella notte, voglio dire.

– Me l'ha detto Cal. E ha aggiunto che erano tutte bugie.

– Sapeva che l'avevo inventato?

– Sí.

– E perché non me l'ha detto? O non l'ha detto a Nealon?

– Pensava, che Dio ci aiuti, che dovessi essere tu a scegliere di farlo. Non lui.

Trey riflette su questo per un altro minuto. – Sa che sei venuta qui?

– No. Forse avrebbe cercato di convincermi a non farlo. Ma sarei venuta lo stesso. Hai il diritto di sapere in cosa ti sei messa.

Trey annuisce. Almeno su questo è d'accordo.

– Non ti biasimo perché vuoi vendicarti, – dice Lena. – Ma devi tenere conto di cosa succederà, che ti piaccia o no. Questo è ciò che intendo quando ti esorto a non fare la bambina. I bambini non pensano alle conseguenze. Gli adulti non hanno altra scelta.

– Mio padre non pensa mai alle conseguenze di quello che fa.

– Infatti. Tuo padre non è quello che definirei un adulto.

Trey alza il viso. A quell'altezza, intorno a loro c'è soprattutto il cielo, e un ampio bordo d'erica che addolcisce l'aria con il suo profumo. Un falco che plana sfruttando le correnti d'aria è solo una macchiolina nera nel blu.

– Ne avevo tutto il diritto, – dice alla fine, con una nota di tristezza nella voce. – Di vendicarmi di loro come potevo.

– Sí, – risponde Lena. Comprende di aver vinto. – È vero.

– Stava andando tutto benissimo. Avevo fatto tutto per bene. Poi qualche stronzo ha ucciso Rushborough e ha rovinato tutto.

Dal modo in cui inclina la testa all'indietro e guarda il cielo, Lena capisce che è esausta: ci ha provato troppo a lungo, ha fatto un arduo percorso, e ora deve rinunciare a troppe cose. Lena non è pentita di averglielo chiesto, ma vorrebbe con tutto il cuore portarla a casa di Cal e mandarli a catturare un coniglio per cena, invece di accompagnarla in città a parlare con un detective. Per la millesima volta, si trova a desiderare che Johnny Reddy non fosse mai tornato.

– Lo so, – dice. – Credo che cosí sia meglio per te, ma capisco che tu sia incazzata nera.

– Sí, – risponde Trey. – Va bene.

Lena sorride.

– Cosa c'è? – chiede Trey, drizzando il pelo all'istante.

– Niente. Solo che sembravi Cal.

– Ah, – reagisce Trey, nel modo esatto in cui lo dice Cal, e tutte e due scoppiano a ridere.

Nell'ufficio della piccola stazione di polizia, seduta davanti a una vecchia scrivania in Mdf con un registratore in un angolo, con una Coca-Cola e un pacchetto di patatine, Trey gioca con la veneziana. Lena, su una sedia sbilenca accanto a uno schedario, la osserva pronta a cambiare posizione per avvertirla di eventuali passi falsi, ma non ce n'è bisogno, come del resto si aspettava. Quando le aveva chiesto di farlo, sapeva che un simile compito avrebbe spaventato molti adulti. E sa che Cal non avrebbe mai chiesto a Trey di farlo, perché considera che la ragazza abbia già avuto abbastanza difficoltà, nella sua vita. Se scoprirà che Lena ha preso quell'iniziativa probabilmente si arrabbierà. Lena, da parte sua, ha un'opinione diversa. Secondo lei, proprio per via della sua infanzia difficile, Trey è piú capace di tanti ragazzi della sua età. Se può usare quelle capacità quando ce n'è bisogno, quello che ha passato almeno ha un senso.

Nealon le rende tutto facile. Si muove per l'ufficio, mettendo su il bollitore e parlando a getto continuo. Si

lamenta allegramente dei lati negativi del lavoro, che lo
costringe a prendere stanze in bed & breakfast e a lasciare sola la moglie a occuparsi dei figli, e a passare il tempo
a irritare persone che hanno di meglio da fare che parlare con lui. Guardandolo, Lena pensa a Cal, che deve aver
fatto cose del genere migliaia di volte, e sicuramente le ha
fatte bene. Le sembra di vederlo.

– Non è come in televisione, – le informa Nealon, versando il tè per sé e per Lena, – dove fai una chiacchierata con qualcuno e hai finito. Nella vita reale, devi parlare
con tutti, e dopo uno dei testimoni magari torna, dicendo
che deve rettificare alcune cose. Solo che tu hai già parlato
con tutti gli altri sulla base delle sue dichiarazioni, quindi
ti tocca ricominciare da capo. Latte? Zucchero?

– Solo un po' di latte, grazie. Le succede spesso? Che
un testimone cambi la propria versione?

– Ah, lasciamo perdere, – dice il detective, passandole
una grossa tazza macchiata con la scritta «Papà è campione
di battute». – Non sa quanto spesso. Le persone in genere si sentono piú sicure di sé, la prima volta che parliamo.
Pensano di essere in vantaggio e tacciono delle cose, oppure ne inventano altre. Poi tornano a casa e riflettono, pensando: «Ma che diavolo ho fatto?» E impiegano un sacco
di tempo prima di decidersi a tornare e a mettere tutto a
posto, perché temono di passare dei guai.

Trey alza gli occhi a guardarlo, nervosa, ma li abbassa
subito. – E li passano, i guai?

Nealon fa una faccia sorpresa. – No, certo che no. Perché dovrebbero?

– Per averle fatto perdere tempo.

Il detective tira indietro la sedia della scrivania e ride.
– La maggior parte del mio lavoro consiste nel perdere
tempo. Riempire un modulo o l'altro, senza che nessuno

li legga mai, ma bisogna farlo lo stesso. Senti, posso prendere una delle tue patatine?

Trey gli tende il pacchetto sopra la scrivania. – Ottimo, – reagisce Nealon, scegliendone una. – Formaggio
e cipolla, le migliori. Mettiamola cosí: diciamo che una
persona mi racconta un mucchio di sciocchezze, ma poi
ha il buonsenso di tornare e sistemare tutto prima che io
faccia la figura dello stupido. Se io lo maltratto, si spar-
gerà la voce e la prossima persona che dovrà rettificare
alcune cose se le terrà per sé, non ti sembra? Se invece
io gli stringo la mano e lo ringrazio con cortesia, la prossima persona non avrà problemi a tornare da me. E cosí
tutti sono felici. Mi capisci?

– Sí.

– Quando tutti sono felici, – prosegue Nealon, accomodandosi meglio e posando la tazza sul ventre, – io sono felice.

Trey si volta a metà per guardare Lena, la quale le fa un
cenno d'incoraggiamento. Sta cercando di recitare la parte di una rispettabile colonna della comunità, ma è fuori
allenamento.

– Quello che le ho detto quel giorno, – comincia Trey,
e poi si zittisce. Ha il viso contratto dalla tensione. Nealon sorseggia il suo tè e aspetta.

– Sul fatto che avevo sentito degli uomini parlare. La
notte dell'omicidio.

Nealon inclina la testa di lato. – Sí?

– L'ho inventato, – confessa Trey, fissando la lattina
di Coca.

Nealon le dà un'occhiata indulgente, agitando un dito,
come se l'avesse sorpresa a marinare la scuola. – Lo sapevo.

– Sul serio?

– Ascolta, ragazzina. Faccio questo lavoro da quando tu

portavi ancora i pannolini. Se non riuscissi a capire quando
qualcuno mi sta raccontando delle balle, sarei nei guai seri.

– Mi scusi, – mormora Trey, a testa bassa, tormentan-
do la pellicina di un'unghia.

– È tutto a posto. Sai cosa facciamo? Tu paghi il mio
rimborso spese e siamo pari. Che ne pensi?

Trey sbotta in una breve risata.

– Ti è tornato il sorriso, meno male, – commenta Nealon, sorridendo a sua volta. – Ora dimmi: qualche parte
di quella storia era vera?

– Sí, tutta la parte del mattino dopo, il modo in cui ho
trovato il cadavere. Quello è successo cosí come l'ho detto.

– Ah, benissimo. Ci risparmierà dei fastidi. E la storia
della notte prima?

Trey scrolla una spalla.

– Non sei nemmeno uscita di casa?

– No.

– Non tormentarti le unghie, – la riprende Nealon.
Sembra essere giunto alla conclusione, dopo aver conosciuto Johnny, che Trey deve avere un gran bisogno di
una figura paterna. – Ti verrà un'infezione. Hai sentito
delle voci fuori?

Trey, obbediente, posa le mani sulle cosce. – No. Quella parte l'ho inventata.

– Fari? Il rumore di un motore?

– No.

– Allora, ricominciamo da zero. La notte hai semplicemente dormito, giusto? Poi ti sei svegliata presto e hai
portato il tuo cane a fare una passeggiata?

Trey scuote la testa.

– Dillo ad alta voce, – le ricorda Nealon, battendo con
un dito sul registratore. – Per questo affare qui.

Trey getta un'altra occhiata al registratore, ma fa un

respiro e riprende: – La notte mi sono svegliata davvero.
Perché avevo caldo. Sono rimasta stesa a letto, pensando
di alzarmi a guardare la tele, ma non c'era un caz... Insomma, dopo un po' di tempo...

Tace e guarda Lena. – Stai andando benissimo, – la rassicura Lena. – Digli solo la verità.

– Ho sentito del movimento, – continua Trey, con la
voce a scatti. – In casa. Qualcuno si muoveva in silenzio.
Poi ho sentito la porta d'ingresso aprirsi e chiudersi. Allora sono andata in soggiorno per vedere di chi si trattava –.
Guarda il detective. – Non è che sia una ficcanaso. È solo
che poteva essere il mio fratellino, è ancora piccolo e a volte è sonnambulo...

– Guarda che io non ho nessun problema con i ficcanaso. Piú ficcano il naso, meglio è. Hai visto qualcuno?

Trey fa un respiro teso. – Sí. Mio padre.

– Cosa faceva?

– Nulla. Era solo uscito dal cancello.

– Capisco, – chiede Nealon, cordiale. – Sei sicura che
fosse lui? Al buio?

– Sí. C'era la luna piena.

– Cos'hai pensato che stesse facendo?

– All'inizio... – Trey abbassa ancora di piú la testa, e gratta qualcosa sulla gamba dei jeans. – Ho pensato che stesse
partendo. Che ci lasciasse soli. Perché l'aveva già fatto in
passato. Stavo quasi per uscire e corrergli dietro per fer-
marlo, ma non ha preso la macchina, perciò... – Alza una
spalla. – Ho pensato che fosse tutto a posto. Doveva essere
uscito a camminare, perché nemmeno lui riusciva a dormire.

Solleva la testa e fissa il detective. – Sapevo che se
l'avessi detto a lei, avrebbe pensato che era stato mio
padre a uccidere Rushborough. E non è cosí. Andavano
d'accordo, non avevano litigato, nulla del genere. Quella

sera stessa mio padre aveva detto che l'avrebbe portato a vedere la vecchia abbazia di Boyle, perché a Rushborough interessava la storia, o almeno, cosí diceva, era solo un uomo che conosceva, non...

– Gesú, ragazzina, respira, – la blocca Nealon, alzando le mani. – Se no ti verrà un capogiro. Parola di boy-scout, non ho mai messo in prigione nessuno per essere uscito dal cancello di casa. Quanto tempo è stato via?

Trey lascia un secondo di silenzio prima di rispondere: – Non lo so. Sono tornata a letto.

– Dopo quanto tempo?

– Non lo so.

– Dài, fa' un'ipotesi. Dieci minuti? Mezz'ora? Un'ora?

– Forse mezz'ora, anzi meno. Mi è sembrato di piú perché... – Muove una spalla.

– Eri preoccupata che avesse tagliato la corda, – finisce la frase Nealon. – Sarebbe successo anche a me. E non l'hai seguito, tanto per essere sicura?

– No, non ero cosí preoccupata. Volevo aspettarlo finché fosse tornato, ma...

– Ma non è tornato.

– Deve essere rincasato, a un certo punto. Solo che io ero stanca e mi stavo addormentando, cosí sono tornata a letto. Mi sono svegliata presto, e la prima cosa che ho fatto è stata andare a controllare se era nella sua stanza.

– E c'era?

– Sí. Dormiva. Io invece ero sveglissima, e Banjo... il mio cane... voleva uscire, e non volevo che disturbasse tutti gli altri. Cosí l'ho portato fuori.

– Ed è stato allora che hai trovato Rushborough.

– Sí. Da lí in poi, tutto è andato come ho detto l'altra volta –. Fa un respiro rapido che è quasi un sospiro. Ha il viso piú rilassato: la parte difficile è finita.

Lena ha smesso di stare attenta a eventuali passi falsi. Se ne sta seduta con la tazza tra le mani e nota le nuove sottigliezze che Trey sta manifestando. Solo pochi mesi prima, non sarebbe nemmeno riuscita a pensare tutte quelle cose, figuriamoci metterle in pratica. Forse ora si sta piegando al volere del villaggio, ma ha i suoi scopi e i suoi motivi. Non è una creatura di Ardnakelty, e nemmeno di Lena o di Cal: si sta manifestando come sé stessa. Lena forse dovrebbe aver paura per lei, di dove possa farla finire la sua indomabilità (Cal ne avrebbe il timore), ma non ci riesce. Tutto quello che prova è un'esplosione di orgoglio, cosí forte che teme che Nealon se ne accorga e si volti a guardarla. Mantiene un viso impassibile.

– Dimmi una cosa, – prosegue il detective, spingendo la sedia sulle gambe posteriori e sorseggiando il suo tè. – Non fa differenza per l'indagine, è solo una curiosità: cosa ti ha fatto cambiare idea, oggi?

Trey scrolla le spalle, a disagio. Nealon aspetta.

– Ho capito che prima ero stata stupida e avevo combinato un casino.

– In che senso?

– Non volevo mettere nei guai nessuno. Volevo solo che lei lasciasse in pace mio padre. Pensavo che, se non avessi fatto nomi, lei non sarebbe andato a interrogare tutti. Invece...

– Invece è proprio quello che ho fatto, – finisce la frase Nealon, sorridendo. – Giusto?

– Sí. Il mio piano è andato a putt... è andato in pezzi. Non me lo aspettavo. Non ci avevo pensato.

– Be', hai quindici anni, – dice Nealon, tollerante. – Gli adolescenti non considerano mai le conseguenze, è tipico della loro età. La signora Dunne ti ha detto qualcosa che ti ha fatto cambiare idea?

– No. Cioè, sí, ma non proprio. Lena è venuta a casa a dire che mi avrebbe accompagnata a firmare la dichiarazione, perché mia madre non poteva, dovendo badare ai piccoli. Le ho raccontato quello che ho appena detto a lei, perché mi tormentava e pensavo che Lena avrebbe saputo cosa fare. Pensavo che forse dovevo semplicemente ammettere di aver inventato tutto, senza dire che mio padre era uscito. Ma lei... – Si volta di nuovo a guardarla, – mi ha consigliato di raccontare tutto senza tacere nulla. Mi ha spiegato che se avessi mentito lei se ne sarebbe accorto e non avrebbe creduto neppure al resto.

– La signora Dunne è molto saggia, e tu hai fatto la cosa giusta. Tuo padre può aver visto qualcosa, mentre era fuori, forse qualcosa che non gli è sembrato importante, o forse qualcosa che ha dimenticato dopo aver saputo che il suo amico era stato ucciso. Ma potrebbe trattarsi di cose che io ho bisogno di sapere.

– So che lui ha detto di non essere uscito, quella notte, – dice Trey. Ha di nuovo la faccia tesa. – Ma mio padre... ha paura delle guardie. Ero cosí anch'io, prima di conoscere Cal, cioè, il signor Hooper. Mio padre temeva, proprio come me, che se avesse detto di essere uscito...

– Stammi a sentire, ragazzina, – la interrompe Nealon. – Taci un momento e ascolta. Tu ora non hai creato problemi a nessuno, se non all'uomo che ha ucciso Rushborough. E come hai detto, tuo padre non aveva motivo di farlo.

La sua è la voce solida e calma che Lena usa per parlare ai cavalli. Nealon è pronto ad arrestare Johnny, e pazienza se Trey dovrà vivere sapendo di aver mandato in prigione suo padre. Lena è felice di aver lasciato Cal fuori da tutto questo.

– Sí, – risponde subito Trey. – Voglio dire, non è stato lui. Rushborough gli *piaceva*. Non ha mai detto una parola contro di lui, e se ci fossero stati dei problemi tra loro me l'avrebbe detto: io sono la figlia piú grande che vive ancora in casa, e lui si fida di me, mi racconta tutto...

– Va bene, non ricominciare, per favore, – dice Nealon. – Ci farai venire il mal di testa –. Guarda l'orologio sul muro. – Sai una cosa? È quasi ora di cena, e non so voi, ma io muoio di fame. Posso sempre parlarvi di nuovo se avrò bisogno di altri particolari, ma per oggi chiudiamola qui, va bene?

Lena sa cosa intende: vuole vedere la dichiarazione firmata, prima che Trey possa ripensarci.

– Sí, – dice Trey, tirando il fiato con difficoltà. – Buona idea.

– Ora sta' a sentire –. Nealon si è fatto serio. Picchia sulla scrivania per richiamare la sua attenzione. – Chiederò all'uomo qui fuori di battere al computer la tua dichiarazione, e poi tu dovrai firmarla. Come ho già detto, non appena la firmi, le cose cambiano. Diventerà un documento legale che fa parte di un'indagine per omicidio. Se in quello che hai detto c'è qualcosa che non è vero, questo è il momento di dirlo, altrimenti potresti trovarti in guai seri. Mi capisci?

Sembra un padre severo, e Trey risponde da ragazza ubbidiente, annuendo e guardandolo negli occhi. – Lo so, e ho capito. Giuro che è tutto vero.

– Non ci saranno altre sorprese?

– No. Lo prometto.

Il suo tono è fermo, conclusivo. Lena sente di nuovo la nota di dolore sotto tutto il resto. Nealon sente solo la certezza. – Benissimo, – dice. – Ottimo lavoro –. Spinge indietro la sedia. – Dopo che sarà stampata potrai rileggerla e assicurarti che tutto corrisponda. Va bene? Vuoi un'altra Coca, mentre aspetti?

– Sí. Cioè, sí, per favore. E mi scusi ancora.

– Non c'è problema. Meglio tardi che mai. Il colloquio
termina alle diciassette e tredici minuti –. Preme stop sul
registratore e si alza. Guarda Lena e inarca le sopracciglia. – Vado a fumare. Non seguire il mio esempio, ragazzina, è una pessima abitudine. Signora Dunne, le va
di prendere una boccata d'aria fresca?

– Volentieri, – risponde Lena, cogliendo lo spunto. Guarda Trey mentre si alza per assicurarsi che non le importi
di restare sola, ma Trey sta guardando altrove.

La stazione di polizia è un piccolo edificio squadrato dipinto di bianco, in mezzo a una fila di case di colori pastello. Un gruppo di ragazzini spinge dei monopattini lungo
la strada in salita, per poi scendere a rotta di collo; alcune
mamme in un giardino li tengono d'occhio, chiacchierano
e ridono e puliscono il naso ai piú piccoli impedendo che
mangino la terra, tutto allo stesso tempo.

Nealon offre il pacchetto a Lena e sogghigna quando
lei scuote la testa. – Credevo che, nel caso fumasse, non
volesse farlo sapere alla ragazzina. E ho pensato di stare
sul sicuro parlando solo di una boccata d'aria.

– Non proverei a nasconderglielo, – risponde Lena. – A
Trey non sfugge nulla.

– Me ne sono accorto, – Nealon inclina la testa all'indietro per guardarla, perché Lena è piú alta di lui. – Helena
Dunne, – dice. – Noreen Duggan è sua sorella e Cal Hooper è il suo compagno. Dico bene?

– Sí –. Lena si appoggia al muro per sembrare piú bassa. – È il castigo per i loro peccati.

– Ma guarda –. Nealon è compiaciuto. – Finalmente
comincio a orientarmi in quel posto. Sono passato da lei
un paio di giorni fa, ma non era in casa.

– Ero al lavoro, probabilmente.

– Certo –. Nealon prende una sigaretta e la tiene tra indice e pollice, esaminandola. – Il suo compagno, Hooper, era presente quando Theresa mi ha raccontato la sua prima versione. E mi ha detto che la ragazza era affidabile –. Solleva un sopracciglio in modo interrogativo.

– Lo è, – risponde Lena. – O almeno, lo è sempre stata. Ma in queste ultime settimane non sembra piú lei. Il ritorno a casa di suo padre l'ha scossa parecchio. Gli ha sempre voluto un gran bene.

– Ah, le ragazzine e i loro papà. Certo. Una delle mie è ancora piccola e pensa che il sole splenda nei miei occhi. Me la godo finché dura: l'altra ha tredici anni e pensa che qualsiasi cosa io dica sia il massimo dell'idiozia. Theresa non ce l'ha con suo padre per essere andato via?

Lena riflette un attimo prima di rispondere. – Non che io sappia. Mi è sembrata felicissima di averlo di nuovo a casa. E impaurita che potesse andarsene di nuovo.

Nealon annuisce. – La capisco. E lui se ne andrà?

Lena si volta, per assicurarsi che Trey non sia uscita, e abbassa la voce. – Credo di sí.

– Povera bambina. Non è stato facile, per lei, decidere di chiarire tutto. Complimenti per averla convinta, lo apprezzo molto –. Le sorride. – Sarò sincero. Nei villaggi come Ardnakelty, nessuno è disposto a fare uno sforzo per dare una mano alla polizia.

– Il mio fidanzato è un poliziotto, – puntualizza Lena. – O meglio, lo era. Per questo ho una visione un po' diversa dal resto dei miei compaesani.

– È logico, – conviene Nealon. – E come ha fatto a convincerla?

Quello è l'anello debole della storia, e Lena sa che non è il caso di fingere che non lo sia. Ci pensa su. Dopo la performance di Trey, non può deluderla.

– Lo sa, – dice. – In realtà non ho dovuto faticare tanto per convincerla. Era già mezza convinta, aveva solo bisogno di un incoraggiamento. Lei ha messo in agitazione
tutto il villaggio, non c'è bisogno che glielo dica –. Lancia
a Nealon un'occhiata a metà tra caustica e impressionata.
Nealon china la testa, modesto.

– Trey avrebbe dovuto pensarci prima, – prosegue Lena, – ma non l'ha fatto. Voleva proteggere suo padre, si
era convinta che lei avrebbe arrestato le persone sbagliate e sarebbe stata colpa sua. All'inizio non voleva parlare
del fatto che aveva visto uscire suo padre, ma le ho detto
che non aveva senso: lei sa che doveva esserci un motivo
per cui aveva inventato la prima versione, e avrebbe continuato a insistere finché non avesse confessato tutto. E
Trey l'ha capito. Ma soprattutto, penso che non ne potesse
più di dire bugie. Come le ho detto, non è una bugiarda.
Mentire è una cosa che la stressa.

– Ci sono persone così –. Nealon gira la sigaretta tra le
dita, senza accenderla. Lena capisce il messaggio: il motivo
di quell'uscita non era prendere una boccata d'aria. – Cosa
pensa del padre?

Lena scrolla le spalle e sbuffa. – Johnny è Johnny. È un
idiota, ma non l'ho mai considerato pericoloso. È anche
vero che non si può mai sapere.

– Già –. Nealon guarda i bambini con i monopattini. Uno
è caduto e piange forte. La mamma controlla che non sia ferito, lo abbraccia e lo rimanda a giocare. – Mi dica una cosa.
La sera prima della morte di Rushborough, Johnny è passato da lei e ci è restato per una buona mezz'ora. Come mai?

Lena fa un respiro ed esita. – Ah, – dice Nealon, in tono asciutto. – Non le ho detto che ho due figlie femmine?
So capire quando qualcuno cerca di decidere se dirmi la
verità oppure no.

Lena fa una risatina vergognosa, e il detective ride con lei. – Conosco Johnny da tutta la vita, – spiega, – e a Trey sono affezionata.

– Cristo, signora, non penso di trascinarlo via in catene se lei dice la cosa sbagliata. Non è come in televisione. Voglio solo capire cosa è successo. A meno che Johnny non le abbia detto che sarebbe andato a spaccare la testa a Rushborough, lei non lo farà finire in galera. E non le ha detto questo, giusto?

Lena ride di nuovo. – Certo che no.

– Allora non ha nulla di cui preoccuparsi. Adesso vuole dirmi di che si tratta, prima che mi si fonda il cervello?

Lei sospira. – Johnny voleva che gli prestassi dei soldi, – ammette. – Ha detto che si era indebitato.

– Ha detto con chi?

Lena aspetta un mezzo secondo, prima di scuotere la testa. Nealon inclina la sua da un lato. – Ma?

– Ma ha detto qualcosa del tipo: «Lui mi ha seguito fin qui, non smetterà ora». Perciò ho pensato…

– Che intendesse Rushborough.

– Sí.

– E probabilmente aveva ragione. Gli ha prestato quello che chiedeva?

– No, – risponde Lena, con forza. – Non avrei mai piú rivisto i miei soldi. Quello stronzo mi deve ancora il prezzo di un biglietto in discoteca quando avevamo diciassette anni.

– E lui come l'ha presa? Ci è restato male? Si è arrabbiato? L'ha minacciata?

– Johnny? Certo che no. Ha fatto un pianto greco sui vecchi tempi, ma quando ha visto che non riusciva a smuovermi se n'è andato.

– Dove?

Lena scrolla le spalle. – A quel punto gli avevo già sbattuto la porta in faccia.

– Non la biasimo, – sogghigna Nealon. – Mi farebbe un
favore? Non voglio che la ragazza debba cenare tardi per
colpa mia, perciò le dispiacerebbe tornare domani e rilasciare una dichiarazione formale su queste cose?

Lena ripensa a quello che le aveva detto Mart, sul modo
in cui il detective dà l'impressione che le cose che ti chiede
di fare siano opzionali. – Non c'è problema, – risponde.

– Ottimo –. Nealon rimette la sigaretta ancora spenta
nel pacchetto. Lena nota nei suoi occhi un lampo come
di lussuria, l'espressione trionfante di un uomo che sa di
poter conquistare una donna. – E non si preoccupi, – aggiunge, in tono rassicurante, – non ne parlerò con Johnny, né con nessun altro. Non m'interessa rendere la vita
difficile agli altri.

– Ah, meno male, – replica Lena, con un sorriso sollevato. – Grazie mille.

Una delle mamme, con un neonato in braccio, guarda verso di loro. Si avvicina alle altre per dire qualcosa,
e tutte si girano a guardare Nealon e Lena rientrare nella
stazione di polizia.

Non appena risalgono in macchina e Nealon agita un
braccio in un gesto di saluto, lo show di buon comportamento di Trey sparisce all'istante, e cade in un silenzio cosí
intenso che l'avvolge come una coltre di neve.

Lena non è cosí sfacciata da offrirle parole di conforto o
perle di saggezza, visto che è stata lei a portarla lí. La lascia
nel suo silenzio finché arrivano sulla statale, fuori città. A
quel punto le dice: – Hai fatto un buon lavoro, lí dentro.

Trey annuisce. – Mi ha creduto.

– Sí.

Lena si aspetta che le chieda cosa succederà ora, ma Trey non lo fa. Invece domanda: – Cosa dirai a Cal?

– Nulla. Secondo me dovresti raccontargli tutto, ma è una tua scelta.

– Si arrabbierà.

– Forse. E forse no.

Trey non risponde. Poggia la fronte sul vetro del finestrino e guarda scorrere la campagna. La strada è piena di pendolari che tornano dal lavoro. Nei campi, le vacche pascolano cercando macchie di verde tra l'erba ingiallita, non turbate affatto dal ritmo frenetico del traffico.

– Dove devo lasciarti? – chiede Lena.

Trey fa un sospiro, come se avesse dimenticato la sua presenza. – A casa, grazie.

– Va bene –. Lena mette la freccia. Ha preso la via lunga, le strade piene di curve sull'altro lato della montagna e oltre, per evitare che troppe persone del posto le vedano insieme. Quello che è successo in città sarà presto conoscenza comune, ma si meritano almeno una pausa per abituarsi all'idea, prima che tutto il villaggio lo venga a sapere.

Trey torna a guardare dal finestrino. Lena le lancia un'occhiata di tanto in tanto, e la osserva scrutare metodicamente il fianco della montagna, come cercando qualcosa che sa che non troverà.

20

Cal sta lavando i piatti della cena quando bussano alla porta. È Mart, con le chiavi della macchina appese a un dito.

– Sella il tuo pony, Sunny Jim, – dice. – Abbiamo un lavoro da fare.

– Che tipo di lavoro?

– Johnny Reddy non è piú il benvenuto, qui. E lascia a casa Rip.

Cal ne ha fin sopra i capelli di Mart che si comporta con lui come un cane da pastore con una pecora e che lo tormenta con i suoi piani e i suoi oscuri ammonimenti. – Altrimenti?

Mart batte le palpebre. – Altrimenti nulla, – risponde, con gentilezza. – Non ti sto dando ordini, è solo che la tua presenza ci farebbe comodo.

– Come ti ho già detto, Johnny Reddy non è un mio problema.

– Ah, porca miseria, – sbotta Mart, esasperato. – Stai per sposare una delle nostre donne. Stai crescendo una delle nostre ragazzine. Coltivi pomodori su un pezzo della nostra terra. Che altro ti serve?

Cal resta immobile sulla soglia, con lo straccio per asciugare i piatti in mano. Mart attende, paziente, senza fargli fretta. Alle sue spalle, i corvi piú giovani giocano nell'aria calda della sera, per abituarsi al volo.

– Prendo le chiavi, – dice alla fine. Si volta e va a mettere via lo straccio.

Dal soggiorno arriva il basso mormorio del televisore, ma a parte questo la casa è silenziosa, immobile. Trey capisce subito che suo padre è uscito, e non sa cosa pensare. Non metteva piede oltre il cortile dal giorno in cui è morto Rushborough.

Trova sua madre in cucina, seduta al tavolo senza pelare verdure o rammendare vestiti. È solo seduta lí e mangia una fetta di pane tostato con marmellata di mirtilli. Trey non ricorda l'ultima volta che l'ha vista senza far nulla.

– Avevo voglia di qualcosa di dolce, – le dice. Non chiede dove sia stata Trey con Lena per tutto quel tempo. – Ne vuoi un po'? Ormai abbiamo già cenato e non è rimasto nulla.

– Dov'è andato papà?

– Sono venuti a prenderlo. Senan Maguire e Bobby Feeney.

– Per portarlo dove?

Sheila scrolla le spalle. – Non lo uccideranno, non preoccuparti. A meno che non sia troppo ostinato.

Con tutti i suoi pensieri, Trey non ha osservato bene sua madre, negli ultimi giorni. All'inizio non capisce cos'abbia di strano, finché non nota che è la prima persona che vede, da settimane, con una faccia rilassata. Ha la testa inclinata all'indietro, per prendere sul viso l'ultima luce che entra dalla finestra. Per la prima volta, nei suoi zigomi alti e nella curva ampia della bocca, Trey vede in lei la bellezza di cui aveva parlato suo padre.

– Sono andata in città con Lena, – dice. – Alla polizia. Ho detto loro che quella notte non c'era nessuno sulla montagna, è uscito solo papà.

Sheila morde il suo pane e marmellata e sembra pensarci su. Poi annuisce. – Ti hanno creduto?

– Sí. Credo di sí.

– Quindi lo arresteranno.

– Non lo so. Ma di sicuro lo chiameranno lí e gli faranno delle domande.

– Verranno a perquisire casa nostra.

– È probabile.

Sheila annuisce di nuovo. – Troveranno quello che cercano. È nel capanno degli attrezzi –. Indica con il mento la sedia di fronte a lei. – Siediti.

Le gambe della sedia raschiano il linoleum quando Trey la tira fuori da sotto il tavolo. Si siede. La sua mente non si muove.

– Ho visto quello che stavi facendo, – dice sua madre. – All'inizio volevi solo che tuo padre se ne andasse, proprio come me. Non è cosí?

Trey annuisce. La casa le sembra un posto in un sogno; le tazze dai disegni sbiaditi appese a ganci sotto il pensile sembrano sospese nell'aria, lo smalto scrostato della stufa le sembra brillare in un modo assurdo. Non teme che entri all'improvviso uno dei piccoli, o che Nealon bussi alla porta. Tutto resterà immobile finché lei e sua madre avranno finito.

– Non sarebbe servito a niente, – continua Sheila. – L'ho capito subito. Johnny non se ne sarebbe andato finché Rushborough gli stava addosso. Riusciva a pensare solo a come procurarsi quei soldi.

– Lo so.

– So che lo sai. Quella notte che lui e Cal hanno fatto a botte sono stata io a pulirgli il sangue e tutto, e lui si comportava come se non ci fossi. Non mi vedeva nemmeno. Ma c'ero. Ho sentito quello che voleva fare. Voleva metterti a lavorare per lui.

– Non mi ha *messa* da nessuna parte. Ero io che volevo aiutarlo.

Sheila la fissa. – Questo posto è spietato. Se superi il limite consentito, ti divora viva. Tu saresti stata perduta, in un modo o nell'altro.

– Non me ne frega niente –. La mente di Trey si agita di nuovo. Si rende conto all'improvviso che sua madre per lei è un mistero. Non ricorda se ha mai pensato a lei prima. Potrebbe nascondere qualunque cosa nei suoi silenzi.

Sheila scuote brevemente la testa. – Io ho perso un figlio per colpa di questo posto, non perderò anche una figlia.

Brendan riappare tra loro in un lampo, come se fosse vivo.

– È per questo che volevo aiutare papà, – confessa Trey. – Per vendicarmi di loro. Non era lui che mi usava, ma io che usavo lui.

– Lo so. Tu sei come lui, pensi sempre che io non sappia nulla. Ma lo sapevo dall'inizio. E non volevo che succedesse.

– Avresti dovuto lasciare le cose come stavano, – replica Trey. Scopre che le tremano le mani, e solo dopo capisce che è per la rabbia.

Sheila la guarda. – Tu volevi vendicarti di loro.

– E ci ero *riuscita*. Era tutto già deciso. Li avevo in pugno.

– Parla piano, o arriveranno i piccoli.

Trey riesce appena a sentirla. – Erano caduti nella trappola. Dovevi solo lasciarmi fare. Perché cazzo hai dovuto metterti in mezzo? – Scatta in piedi, infuriata, ma poi non sa piú cosa fare. Da bambina avrebbe spaccato qualche oggetto sul pavimento. Vorrebbe poterlo fare ancora. – Hai rovinato tutto, cazzo!

Al sole, gli occhi di Sheila sono fiamme blu. Non batte le palpebre per proteggersi. – Tu sei la mia vendetta, – dice. – Non permetterò che nessuno ti rovini.

Trey smette di respirare. La vernice scrostata color panna sui muri irradia luce, e il linoleum macchiato è traslucido e sembra quasi bollire. Non riesce a sentire il pavimento sotto i piedi.

Un attimo dopo torna a sedersi. Le mani sul tavolo ora le trasmettono una sensazione diversa, una sensazione nuova e strana di potere.

– Anche Cal aveva capito cosa stavi facendo, – prosegue Sheila. – Per questo ha picchiato tuo padre: voleva che se ne andasse, proprio come me. Ma lui non voleva andarsene. Cal avrebbe dovuto ucciderlo. O uccidere Rushborough. L'uno o l'altro.

Guarda la sua fetta di pane e prende il coltello per aggiungere altra marmellata. Il sole obliquo sul barattolo la fa risplendere come un gioiello viola.

– E lo avrebbe fatto, – continua. – L'ho capito vedendo com'era impaurito tuo padre: Cal l'aveva quasi ammazzato, quella notte. La prossima volta, o la prossima ancora, l'avrebbe fatto sul serio.

Trey sa che è la verità. Tutti intorno a lei stanno cambiando, dentro di loro ci sono strati di cose tenute a fatica sotto controllo. Le venature graffiate del tavolo sembrano troppo evidenti per essere reali.

– Cal è la tua possibilità, – dice Sheila, – di avere qualcosa di piú di questo. Non potevo permettere che andasse in prigione. Tu puoi farcela senza di me, se devi –. Il suo tono è pratico, come se stesse dicendo qualcosa che entrambe sanno bene. – Perciò ho pensato che il lavoro avrei dovuto farlo io.

– Perché Rushborough? Perché non papà?

– Tuo padre l'ho sposato. Gli ho fatto delle promesse. Rushborough per me non era nessuno.

– Avresti dovuto uccidere lui. È stato lui a portare qui Rushborough.

Sheila scuote la testa. – Sarebbe stato un grave peccato. L'avrei fatto, se fosse stato necessario, ma non lo era. Rushborough andava bene. L'avrei fatto in modo diverso, se avessi pensato che tu avresti raccontato di aver visto degli uomini sulla montagna e tutte quelle altre stronzate. O forse no. Non lo so.

Ci riflette per qualche secondo, masticando, poi scrolla le spalle. – Quello che mi ha fermata, all'inizio, – spiega, – sono stati i piccoli. Cal ti prenderebbe a casa con lui, se io andassi in prigione, ma non potrebbe prendersi tutta la famiglia. E io non volevo che finissero in affidamento, e non volevo nemmeno costringere tua sorella a lasciare la vita che si è costruita a Dublino per tornare qui a occuparsi di voi. Perciò ero bloccata.

Trey ripensa alle ultime settimane. Sua madre pelava patate e stirava le camicie di Johnny e lavava i capelli ad Alanna, e tutto il tempo lavorava alla sua idea. La casa non era affatto come aveva pensato.

– Solo che a un certo punto, – continua Sheila, – è venuta qui Lena Dunne a dire che era disposta a ospitarci. Tutti. È l'ultima persona da cui mi aspettavo una cosa simile, ma Lena è una donna di parola. Se io fossi finita in prigione per questo, lei si sarebbe presa cura dei piccoli.

Trey rivede Cal seduto al tavolo della cucina, mentre lei raccontava menzogne al detective. Il pensiero è cosí forte che per un attimo sente anche il suo odore, trucioli e cera d'api. – Si sarebbe dovuta prendere anche me, – dice. – Cal non mi vorrebbe.

In tono tranquillo ma conclusivo, Sheila ribatte: – Cal farà quello che c'è da fare. Proprio come me –. Rivolge a Trey un sorriso e un cenno di approvazione. – Comunque ora non ce ne sarà bisogno. Non dopo quello che hai detto alle guardie. Arresteranno tuo padre, se torna qui. E se non torna lo cercheranno.

– Riusciranno a capire che sei stata tu, e non lui.

– Come?

– Cal mi ha detto che hanno persone specializzate che raccolgono prove e indizi e cercano corrispondenze.

Sheila recupera un po' di marmellata dal piatto e si lecca il dito. – Allora arresteranno me. Tanto me lo aspettavo.

La mente di Trey è di nuovo al lavoro e prende velocità, mentre pensa a tutto quello che ha detto Cal. Se ci sono capelli di Sheila o fibre dei suoi vestiti sul corpo di Rushborough, possono essere spiegate: le aveva addosso Johnny. In quanto alle impronte dei piedi, le hanno calpestate le pecore.

– Come l'hai fatto? – chiede.

– L'ho chiamato, e lui è venuto. Senza nessuna preoccupazione. Anche lui mi considerava invisibile.

– Cal dice che le guardie avranno controllato il telefono di Rushborough. Quando l'hai chiamato? Dal tuo telefono?

Sheila la osserva con uno sguardo strano, quasi di meraviglia. Per un attimo Trey pensa di vederla sorridere.

– La stessa notte in cui l'ho ucciso, – risponde. – Con il telefono di tuo padre, quando lui si è addormentato. Ho pensato che Rushborough forse non avrebbe risposto a un numero sconosciuto. Gli ho detto che avevo dei risparmi, ma non volevo dirlo a tuo padre, altrimenti me li avrebbe presi. Ma li avrei dati a lui, se solo se ne fosse andato, portandosi dietro Johnny –. Morde un pezzetto di crosta. – Lui ha riso di me. Ha detto che tuo padre gli doveva ventimila euro, io avevo risparmiato quella somma dal mio sussidio di disoccupazione? Gli ho detto che ne avevo quindicimila, che mi aveva lasciato mia nonna, e li tenevo da parte per mandarti all'università. A quel punto ha smesso di ridere. Ha detto che andava bene, era disposto a lasciar perdere gli altri cinquemila, pur di andarsene subito da questo buco di merda, e comunque li avrebbe avuti da mio padre, in un modo o nell'altro. E parlava in modo diverso, – aggiunge. – Con me non valeva la pena di fare il suo accento snob.

– Dove vi siete incontrati?

– Al cancello. L'ho portato nel capanno, dicendogli che il denaro era nascosto lí. Avevo il martello nella tasca della felpa. Gli ho detto che i soldi erano nella vecchia cassetta degli attrezzi, e quando si è chinato per prenderla l'ho colpito. Avevo deciso di farlo nel capanno nel caso che urlasse o cercasse di difendersi, ma è caduto come una pera dall'albero. Il grosso bastardo cattivo che terrorizzava tuo padre è morto senza un lamento.

Se Rushborough non ha lottato, non ci sarà il sangue di Sheila su di lui, né tracce di pelle sotto le unghie. Il suo corpo, rinchiuso da qualche parte a disposizione di Nealon, è innocuo.

– Avevo messo nel capanno il coltello da cucina, – continua Sheila, – quello affilato che usiamo per la carne. Dopo che è morto, l'ho caricato sulla carriola e l'ho portato giú lungo la strada –. Esamina l'ultima crosta di pane, ricordando. – Sentivo che c'era qualcuno che mi osservava, – dice. – Forse Malachy Dwyer o Seán Pól. Le loro pecore non si sono liberate da sole.

– Avresti potuto gettare il corpo nella scarpata, – interviene Trey.

– E a che sarebbe servito, allora? Avevo bisogno che tuo padre sapesse che era morto, cosí se ne sarebbe andato. L'avrei lasciato sulla porta di casa, solo che non volevo che voi lo vedeste.

Raccoglie un po' di marmellata dal piatto con la crosta. – E questo è tutto, – conclude. – Ti ho fatto del bene. Non l'avevo mai fatto prima, ma stavolta ho fatto quello di cui avevi bisogno.

– Hai indossato dei guanti? – chiede Trey.

Sua madre scuote la testa. – Non me ne sono preoccupata.

Trey immagina il capanno in fiamme, e la distruzione di tutte le prove: impronte digitali sul martello, sulla carriola, sulla porta e sugli scaffali, le tracce di sangue, le impronte sul pavimento. Il cadavere di Rushborough non è nulla, il pericolo è lí.

– Ricordi com'eri vestita?

Sheila la guarda, di nuovo con quell'espressione strana, che stavolta produce un mezzo sorriso. – Certo.

– Quei vestiti li hai ancora?

– Sí. Li ho lavati, ne avevano bisogno.

Trey vede le T-shirt e i jeans di sua madre in fiamme, mentre eventuali capelli di Rushborough, fibre di cotone della sua camicia, macchioline di sangue penetrate nel tessuto, diventano cenere incandescente. Dopo aver messo in moto tutto questo, Sheila non ha mai nemmeno tentato di fare qualcosa per salvarsi: ha solo aspettato, per vedere se l'avrebbero presa oppure no. Trey non capisce se l'ha fatto per stanchezza o per l'atteggiamento di sfida piú forte che lei abbia mai visto.

– Valli a prendere, – dice. – E anche le scarpe.

Sheila spinge indietro la sedia e si alza. Le fa un gran sorriso, che la fa sembrare una ragazza orgogliosa. – Ora, come ho detto, facciamo quello che va fatto.

Il sole cala verso l'orizzonte. Nei campi, la luce dà all'erba riflessi dorati, ma ai piedi delle montagne l'ombra è profonda come se fosse già il crepuscolo. Anche il caldo è diverso, non piú un fuoco che scende dal cielo, ma il calore accumulato nella giornata che sale dal terreno. Gli uomini aspettano, in piedi e in silenzio. Sonny e Con sono

spalla a spalla; P. J. si sposta da un piede all'altro, facendo
frusciare i cespugli secchi; Francie fuma; Dessie fischietta
tra i denti, ma poi smette. Mart è appoggiato a una vanga.
Francie ha una mazza da hurley sotto il braccio e P. J. fa
dondolare un manico di piccone. Cal li osserva di sottec-
chi, e tenta di capire cosa intendano fare e fin dove siano
disposti a spingersi.

Da dietro la curva arriva il rumore della station wagon
di Senan, che va a fermarsi accanto alle altre auto. Francie
schiaccia la sigaretta con la scarpa. Johnny scende dall'auto
e si dirige verso di loro tra le erbacce, con Senan e Bobby
dietro come gendarmi.

Quando è abbastanza vicino, li guarda uno dopo l'altro
e fa una mezza risata. – Di che si tratta, ragazzi? Avete
delle facce serissime.

Mart gli tende la vanga. – Scava.

Johnny la guarda incredulo, sempre sogghignando. Cal
vede la sua mente che cerca vie di fuga. – Ah, be', non
sono vestito per...

– Hai detto che qui c'era l'oro, – interviene Sonny.
– Vediamolo.

– Cristo, ragazzi, non ho mai detto che fosse in questo
punto preciso. Rushborough non ha mai identificato bene i posti. E come vi ho detto dall'inizio, può anche darsi
che tutta la faccenda sia...

– Scava qui, – insiste Francie.

– Sentite, se questo è il mio castigo per aver portato Rushborough in paese, io ho perso molto piú di voi, ma non...

– Scava, – dice Mart.

Dopo un attimo di esitazione, Johnny scuote la testa
come se avesse deciso di assecondarli, fa un passo avanti
e prende la vanga. Fissa rapidamente Cal, il quale ricambia lo sguardo.

Pianta la vanga nel terreno, con un rumore raschiante, e la spinge giú con un piede, ma affonda solo per una decina di centimetri, tanto la terra è dura e secca. – Ci metteremo tutta la notte, – si lamenta.

– Allora è meglio se ti dài una mossa, – commenta Con.

Johnny li guarda di nuovo in faccia uno alla volta. Le loro espressioni non cambiano. Poi si mette a scavare.

Nessuno vuole salire in macchina. Sembra che tutti abbiano annusato qualcosa nell'aria, qualcosa che non capiscono ma che non gli piace, e cosí si ribellano. Liam strilla, chiedendo di sapere dove stanno andando e dov'è papà, finché Sheila lo carica di peso sul sedile di dietro, mentre ancora grida e scalcia. Alanna si attacca a una gamba di Trey e bisogna staccarla a forza, poi Sheila deve andare a recuperare Liam in cortile e lo ficca di nuovo in macchina con un ceffone perché non ci riprovi. Persino Banjo si nasconde sotto il letto di Trey e lei deve trascinarlo fuori mentre guaisce in modo tragico e cerca di scavarsi una tana sul pavimento, e lo porta in braccio fino all'auto. La serratura del portabagagli è rotta e il portello continua ad aprirsi per via della troppa roba che hanno caricato, e ogni volta che si apre Banjo tenta la fuga scavalcando il sedile posteriore.

Maeve si rifugia a letto, si tira le lenzuola sopra la testa e si rifiuta di muoversi. Trey tenta di trascinarla e prova a colpirla, ma la sorella scalcia e resta dov'è. Sheila è occupata con gli altri e non può aiutarla. Trey non ha tempo per quelle stronzate. Nealon potrebbe arrivare da un momento all'altro.

Si inginocchia accanto al letto. Dalla forma sotto le lenzuola capisce che Maeve si è tappata le orecchie con le mani, perciò le dà un forte pizzicotto su un braccio. Maeve strilla e scalcia.

– Stammi a sentire, – dice Trey.

– Vaffanculo.

– Stammi a sentire o te ne do un altro.

Un secondo dopo Maeve toglie le mani da sopra le orecchie. – Non vado da nessuna parte, – dichiara.

– Quel detective sta venendo ad arrestare papà.

Questo mette fine ai capricci. Maeve tira fuori la testa dalle lenzuola e la fissa. – Perché? Ha ucciso lui quell'uomo?

– Rushborough era un brutto tipo, – risponde Trey. – Papà voleva solo proteggerci. E ora tocca a noi proteggere lui. Voglio impedire che il detective lo prenda.

– È impossibile. Come puoi fare?

Fuori, risuona un colpo di clacson. – Non ho tempo di spiegarti, – dice Trey. – Il detective sta arrivando. Devi aiutare mamma a portare via i piccoli, e subito.

Maeve la fissa, diffidente. Ha i capelli tutti spettinati per essere stata sotto le lenzuola. – Papà non è in casa. È uscito con dei tizi.

– Lo so. E loro lo denunceranno alla polizia, se non ci muoviamo in fretta.

Trey è stufa marcia di raccontare le balle che gli altri vogliono sentire. Tutto questo parlare le sembra assurdo e falso, come se fingesse di essere un'altra persona. Vuole che Maeve e gli altri se ne vadano in fretta, per poter fare con calma quello che deve fare. – Forza! – insiste.

Maeve esita ancora un momento, poi calcia via le lenzuola e si alza. – Meglio per te se non combini qualche casino, – minaccia mentre escono di casa.

Sheila ha già l'auto davanti al cancello, con il motore acceso. – Aspetta finché non vedi ricomparire la macchina, – dice a Trey dal finestrino. – Poi scappa via di corsa.

– Sí, mamma.

Maeve sbatte la portiera. Sheila allunga una mano dal

finestrino e afferra Trey per un braccio. – Non avevo mai pensato di poter fare affidamento su di te –. Il suo viso s'illumina di nuovo con quel sorriso. Poi innesta la marcia, esce dal cancello e scompare lungo la strada.

Trey resta a guardare la nuvola di polvere, dorata alla luce dell'ultimo sole che filtra tra i pini, finché non si dissipa. Gli uccelli, per nulla disturbati da tutte le grida e l'affaccendamento, si stanno preparando per la notte, svolazzano qua e là tra i rami e battibeccano tra loro. Nell'atmosfera del tramonto la casa, con le finestre chiuse e il riflesso degli alberi sui vetri, sembra vuota da settimane. Per la prima volta in tutta la sua vita, Trey la sente pacifica.

Immagina che dovrebbe rientrare e guardarla un'ultima volta, ma non si sente incline a farlo. Ha già preso l'orologio di Brendan dal nascondiglio dentro il materasso e se l'è messo al polso. Avrebbe voluto prendere anche il tavolino che aveva costruito da Cal, ma non ha nessun posto dove portarlo. A parte questo, in casa non c'è nient'altro che desideri avere.

Solleva la tanica di benzina che sua madre ha lasciato in cortile e si dirige verso il capanno degli attrezzi.

L'ombra della montagna si allunga sui campi e il cielo è diventato di un lilla opaco. La fossa diventa piú profonda, ma lentamente: Johnny è un deboluccio magro accanto ai corpi densi che lo circondano; ansima dalla fatica e gli intervalli tra i colpi di vanga si fanno sempre piú lunghi. Cal quasi non gli presta attenzione. Johnny, dopo settimane in cui era il centro dell'universo di Ardnakelty, ora non ha piú importanza; nessuna sua azione fa una differenza, ora. Cal osserva gli uomini che osservano Johnny.

– Per favore, ragazzi, – dice Johnny a un tratto, alzando la testa e togliendosi i capelli dagli occhi con un avambraccio. – Qui non troveremo un cazzo. Se è l'oro che volete, lasciate almeno che vi porti dove Rushborough diceva che doveva essere. Non vi garantisco nulla, come ho sempre detto, ma...

– Non hai scavato abbastanza a fondo, – lo interrompe Senan. – Continua.

Johnny si appoggia alla vanga. Il sudore gli brilla in faccia e macchia le ascelle della camicia. – Se rivolete i vostri soldi, ve li darò. Non c'è bisogno di tutto questo dramma...

– Non vogliamo i tuoi soldi, – replica Con.

– Ragazzi, state a sentire, – dice Johnny. – Datemi qualche settimana soltanto, e mi toglierò dai piedi per sempre. Lo giuro su Dio. Voglio restare ancora un po' per non insospettire quel Nealon. Poi andrò via.

– Stai aspettando che decida di arrestare uno di noi, invece di te, – interviene Bobby.

Di solito Bobby è un ometto divertente, ma la sua rabbia è profonda; oggi nessuno si azzarderebbe a prenderlo in giro. – Vaffanculo.

– Non vi conviene che Nealon arresti me. Non direi mai una parola su quello che è successo al fiume, lo sapete, ma ci sono delle cose sul mio telefono. Se lui si mette a indagare su di me, finiremo tutti nella merda. Se voi avrete pazienza solo per...

– Basta cosí, – lo blocca Francie, con voce dura. – Continua a scavare.

La montagna sembra diversa. Trey si tiene in equilibrio sopra il muro di pietra di fronte al cancello e guarda la strada in basso, per scorgere l'auto di sua madre. I campi dovrebbero avere l'atmosfera sognante della sera, ma invece brillano di una strana luce livida, sotto una foschia che si sta facendo piú densa. Intorno a Trey, le ombre si spostano silenziose nel sottobosco, e i rami si agitano nonostante non ci sia vento. L'aria sembra bollire; lei si sente osservata da tutte le direzioni, da centinaia di occhi fissi e nascosti. Ricorda come si muoveva sulla montagna in passato, quando era troppo piccola per essere notata, solo un'altra creatura selvatica che aveva carta bianca. Adesso invece vale la pena di tenerla d'occhio.

Un cespuglio di ginestre emette un fruscio che sembra di derisione, e Trey per poco non perde l'equilibrio. Comprende per la prima volta cosa ha spinto suo padre a starsene chiuso in casa negli ultimi giorni.

Riconosce che tutto questo è la reazione inevitabile a quello che ha detto a Nealon. Qualcosa le aveva portato la possibilità di vendicarsi, proprio come le aveva portato Cal; ma stavolta lei ha detto di no. Chi sta lassú, qualunque cosa sia, non è piú dalla sua parte.

Ripensa all'itinerario da seguire, tagliando per i campi e scavalcando muretti, il modo piú rapido di scendere a valle per chi conosce bene la montagna. Sta calando il buio, ma il crepuscolo estivo è ancora lungo; c'è ancora tempo. E farà tutto con attenzione.

La Hyundai grigio argento di sua madre riappare sulla strada, minuscola in lontananza ma riconoscibile. Sta andando veloce. Quando svolta nel vialetto di Lena manda un riflesso luminoso. Trey salta giú dal muro.

Lena è sul divano, con una tazza di tè e un libro, ma non legge. E non pensa nemmeno. Il viso di Trey e quello di Cal occupano la sua mente, stranamente simili nei lineamenti chiusi e determinati, ma li lascia stare, senza cercare di capire cosa fare con loro. L'aria spessa la rende inquieta, sembra pressarla da ogni lato. Alla finestra, la sera ha una luce verdastra e violacea, come qualcosa di marcio. Lena resta immobile, risparmiando le forze per quello che deve succedere.

I cani, nel loro angolo, si agitano e sbuffano, cercando di dormire ma riuscendo solo a irritarsi a vicenda. Lena beve il suo tè e mangia un paio di biscotti; non ha fame, ma vuol mandare giú qualcosa finché ne ha la possibilità. Quando sente l'auto entrare nel vialetto, anche se non si tratta di ciò che stava aspettando, si alza e va ad aprire la porta senza sentirsi realmente sorpresa.

L'auto è piena da scoppiare: Sheila e i bambini e Banjo scendono, sacchi neri della spazzatura pieni di vestiti spuntano dal bagagliaio mezzo aperto. – Hai promesso che ci avresti presi a casa tua se necessario, – dice Sheila. – È un'offerta ancora valida?

– Certo, – risponde Lena. – Cosa è successo?

Banjo s'infila tra le sue gambe per andare dai suoi cani, ma non c'è traccia di Trey. Il cuore di Lena rallenta di colpo. Trey può benissimo aver detto a Johnny come ha passato il pomeriggio. Dopo piú di due anni, ancora non riesce a prevedere i suoi comportamenti. Avrebbe dovuto trovare il modo di chiedere a Cal. Lui l'avrebbe saputo.

– È scoppiato un incendio davanti casa nostra, – spiega Sheila. Sposta la borsa sul braccio, in modo da poter afferrare Liam e impedirgli di salire sul grosso vaso di gerani di Lena. – Vicino al capanno. Johnny deve aver gettato una sigaretta che non era spenta bene.

– Un grosso incendio? – chiede Lena. Non capisce bene cosa sta succedendo. Ha l'impressione che tutto abbia una coerenza che lei non riesce a vedere.

Sheila scrolla le spalle. – No, niente di che. Ma con questa siccità, chissà cosa può succedere.

– Quale incendio? – chiede Liam, tentando di divincolarsi dalla mano di Sheila. – Non c'è nessun incendio.

– È dietro il capanno, – gli spiega Maeve. – Per questo non l'hai visto. Sta' zitto.

– Hai chiamato i pompieri? – chiede Lena. Non riesce a capire come mai Sheila sia cosí calma. Non si tratta del solito distacco che usa come scudo; quella è la calma attenta di una persona che sta gestendo al volo una situazione complicata. Lena si volta verso la montagna, ma la casa le blocca la visuale.

– Lo faccio adesso, – risponde Sheila, frugandosi in tasca per prendere il cellulare. – Lassú non c'è campo.

– Come fai a saperlo? – chiede Alanna a Maeve.

– Me l'ha detto Trey. Zitta.

– Dov'è Trey? – chiede Lena.

Sheila, con il telefono su un orecchio e una mano sull'altro, la guarda. – Sta arrivando.

– È lassú? Johnny è con lei?

– Sta arrivando, – ripete Sheila. – Johnny non so dove sia –. Le volta le spalle. – Pronto? Devo segnalare un incendio.

La porta del capanno si apre, mostrando la quantità di cose ammucchiate sulla carriola; l'odore di benzina sale come un'onda densa. Trey prende la bottiglia di birra che aveva lasciato accanto alla porta e tira fuori di tasca l'accendino di ricambio di suo padre. Accende lo straccio inzuppato di benzina infilato nel collo della bottiglia, la getta dentro il capanno e corre via ancora prima di sentire il rumore del vetro rotto.

Alle sue spalle, il capanno prende fuoco di colpo, con un *whoof* forte ma gentile, e si leva un pericoloso crepitio. Al cancello, Trey si volta a guardare. Il capanno è una torre di fuoco, alta come una casa; le fiamme lambiscono già i rami degli abeti.

Comincia a correre. Mentre salta per salire sul muretto, sente un suono tra le pietre, come il raschiare di un osso contro un sasso. Atterra male e sente il piede piegarsi verso l'interno. Quando prova a rialzarsi, la caviglia non la sostiene.

Il ritmo della vanga ormai fa parte della mente di Cal, continuerà a sentirlo a lungo anche dopo aver lasciato quel posto. Johnny si piega di piú dopo ogni colpo. La fossa ormai gli arriva alle cosce, ed è abbastanza lunga e larga da accogliere un uomo di piccola corporatura. Sui bordi si accumula la terra di riporto.

Il cielo si è scurito, e non solo per la notte incipiente: è arrivata una nuvola grigia e violacea, trasportata da un vento che Cal non riesce a sentire. È passato tanto tempo da quando ha visto una nuvola dall'aspetto cosí alieno, che avvicina il cielo alla terra in modo innaturale. I campi hanno una strana luminosità, come se l'ultima luce del giorno fosse generata dall'aria stessa.

Johnny si ferma di nuovo, appoggiandosi alla vanga, esausto. – Hooper, – dice a Cal, con il respiro ansimante, – tu sei un uomo sensato. Vuoi essere coinvolto in una brutta storia come questa?

– Non sono coinvolto in nulla, – risponde Cal. – Non sono nemmeno qui.

– Nessuno di noi è qui, – dice Sonny. – Io sto bevendo qualche lattina di birra davanti alla tele.

– Io sto giocando a carte con questi due, – dice Mart, indicando P. J. e Cal. – E sto vincendo, come al solito.

– Hooper, – insiste Johnny, in tono piú urgente. – Non puoi lasciare Theresa senza padre.

– Tu non sei un padre per lei, – risponde Cal. – E nessuno sentirà la tua mancanza –. Dall'altro lato della fossa, nota il duro sorriso di approvazione di Mart.

Non riesce ancora a capire se loro vogliano solo scacciare Johnny dal villaggio, o abbiano intenzione di andare oltre. Johnny, che li conosce meglio di lui, pensa che vogliano andare oltre.

Cal potrebbe tentare di convincerli a lasciar perdere. E potrebbe anche riuscirci; non si tratta di assassini incalliti. Ma non sa se, arrivato il momento, ci proverà davvero. Il suo codice personale non permette che un uomo sia picchiato a morte, neppure uno stronzo come Johnny Reddy, ma Johnny è andato al di là del suo codice. A Cal interessa solo che Trey abbia quello di cui ha bisogno, che sia un padre assente o un padre morto.

– Ragazzi, – dice Johnny. Emana una forte puzza di paura e sudore. – Ascoltatemi. Qualunque cosa vogliate, la farò. Solo ditemi cosa devo fare. Sonny, io ti ho tolto dai pasticci prima...

Il telefono di Cal emette il segnale di un messaggio in arrivo. È Lena.

«Ho con me Sheila e i bambini. Trey è rimasta su in casa. Va' a prenderla».

Johnny sta ancora parlando. Cal alza gli occhi dal telefono e sente nell'aria un lieve odore di fumo.

Sembra metterci un sacco di tempo a voltarsi verso la montagna. In alto, sul pendio buio, si vede una piccola macchia arancione. Una colonna di fumo si alza nel cielo.

Gli altri seguono il suo sguardo. – Quella è casa mia, – dice Johnny, senza espressione. La vanga gli cade di mano. – È casa mia.

– Chiama i vigili del fuoco, – dice Cal a Mart. Poi corre verso la macchina, incurante dei rovi che gli mordono le gambe.

È a metà strada quando sente i passi e l'ansito alle sue spalle. – Vengo con te, – dice Johnny, cercando di prendere fiato.

Cal non risponde e non rallenta. Quando arriva alla macchina, lo vede ancora al suo fianco. E mentre prende le chiavi, con le dita indolenzite che rispondono a fatica, Johnny apre la portiera del passeggero e sale a bordo.

Trey si rialza appoggiandosi al muretto, sibilando tra i denti per il dolore, e zoppica fino all'albero più vicino. Il crepitio e l'ondeggiare delle fiamme si mescolano con strani schiocchi; quando si volta a guardare, vede che una parte della macchia di abeti ha preso fuoco, gli aghi incandescenti si distinguono uno per uno contro il crepuscolo.

L'albero è fragile per la siccità, ciò nonostante le ci vogliono quattro tentativi per spezzare un ramo appendendosi a esso con tutto il suo peso. Quando si spezza, Trey cade sulla caviglia lussata e per un attimo ha un capogiro dal dolore, ma si appoggia al muretto e respira a fondo finché tutto torna normale.

Sa che potrebbe morire, ma non prova emozioni al riguardo. Usa la felpa come imbottitura a un capo del ramo, se lo infila sotto un'ascella per creare una stampella di fortuna e riparte zoppicando sul sentiero, cercando di muoversi alla massima velocità possibile.

Gli uccelli gridano ovunque tra gli alberi e le ginestre, richiami rauchi di pericolo. L'aria odora di fumo e il calore causa mulinelli: fiocchi di cenere o particelle in fiamme danzano davanti agli occhi di Trey. Il sentiero è più ripido di quanto le sia mai sembrato. Se cerca di andare più veloce, cadrà. E non può permettersi né di perdere la stampella, né di farsi ancora più male.

Tiene un passo costante, gli occhi a terra per evitare sassi sporgenti. Dietro di lei, il mormorio dell'incendio sta diventando un ruggito. Non si volta a guardare.

– Dio onnipotente! – esclama Johnny, sbuffando in modo esagerato. – Sono contento di essermela cavata.

Cal, impegnato a evitare buche senza rallentare, lo sente appena. L'unica cosa a loro favore è l'aria senza vento. L'incendio si estenderà abbastanza in fretta da solo, nella campagna secca, ma in assenza di vento salirà verso l'alto. Mentre Trey di sicuro sta scendendo.

Johnny si volta verso di lui. – Non mi avrebbero ucciso, non mi avrebbero fatto nulla di assurdo, lo capisci, vero? Io e i ragazzi ci conosciamo da tutta la vita. Non mi farebbero mai del male, non sono degli psicopatici del cazzo. Volevano solo spaventarmi, per...

Cal fa una brusca svolta a sinistra. – Sta' zitto, o ti uccido io –. Quello che intende è «Ti uccido io se è successo qualcosa a Trey». Non sa esattamente in che modo l'incendio sia colpa di Johnny, ma non dubita che sia cosí.

L'incendio è davanti a loro, troppo vicino. Illumina gli alberi di una luce arancione spietata e pulsante. Cal vuole trovare Trey con tanta intensità che si aspetta di vederla sul sentiero dietro ogni curva, alla luce dei fari, ma non c'è traccia di nessuna creatura umana. Guida con una mano sola per controllare il telefono. Niente messaggi da Lena.

Al bivio dove hanno trovato Rushborough, frena. Non osa procedere oltre; non può rischiare che succeda qualcosa alla macchina, ne hanno bisogno per potersi allontanare, sempre se ci riusciranno. Prende la sua bottiglia d'acqua e inzuppa il vecchio asciugamano che usa per pulire i finestrini, poi lo strappa in due. – Tieni, – dice, – lanciandone una metà a Johnny. – Tu vieni con me. Dovremo essere in due per tirarla fuori. Se mi crei problemi ti getto là in mezzo –. Indica l'incendio con uno scatto del mento.

– Vaffanculo, – ribatte Johnny. – Tu mi hai solo dato un passaggio. Sarei qui anche senza di te –. Scende dall'auto e si avvia sul sentiero verso casa sua, con l'asciugamano avvolto intorno alla testa, aspettando che Cal lo raggiunga.

Cal non è mai stato prima in un incendio. Il suo vecchio lavoro l'aveva portato in posti dove c'erano stati incendi: una gran puzza acida, ceneri inzuppate, fili di fumo qua e là. Ma non aveva mai visto nulla del genere. Il rumore è quello di un tornado, un vasto ruggito punteggiato da schianti, stridii, gemiti, tutti suoni incomprensibili che fanno aumentare il terrore. Oltre le cime degli alberi, il fumo si alza in grosse spire contro il cielo.

Johnny dev'essere solo alcuni passi davanti a lui, ma si sta facendo buio, l'aria è offuscata, e il bagliore delle fiamme confonde ogni cosa. – Johnny! – grida. Teme che Johnny non riesca a sentirlo, ma un attimo dopo c'è un grido di risposta. Si dirige da quella parte, distingue una forma umana e afferra Johnny per un braccio. – Stammi vicino, – gli urla all'orecchio.

Si affrettano sul sentiero, tenendosi goffamente sottobraccio, le teste abbassate, come contro una tempesta. Il calore gli si avventa contro come un muro solido che cerca di respingerli. L'istinto di Cal gli grida di ubbidire, e deve costringere i muscoli a muoversi in avanti.

Sa che Trey può benissimo essere andata via da un pezzo, prendendo qualche scorciatoia, ma potrebbe anche trovarsi intrappolata dietro le fiamme, irraggiungibile. L'aria è piena di fumo e di pezzetti di legno infuocati che salgono spinti dalle correnti d'aria calda. Una lepre attraversa il sentiero di corsa, praticamente davanti ai loro piedi, senza nemmeno guardarli.

Il ruggito dell'incendio è cosí forte da essere quasi al di là del suono. Davanti a loro, il sentiero scompare in una

parete di fumo. Si bloccano di colpo, davanti a quell'im-
mensità.

La casa dei Reddy è dietro quel muro di fumo, e tutto
ciò che c'è là dietro ormai è bruciato. Cal stringe l'asciugamano bagnato intorno alla testa e fa un respiro profondo. Sente che Johnny lo imita.

Per una frazione di secondo, la forma che emerge zoppicando dal fumo non sembra umana. Annerita, storta, tremante, sembra uno dei morti nascosti sulla montagna, svegliato e rianimato dall'incendio. Cal sente rizzarsi i capelli
in testa. Accanto a lui, Johnny emette un suono strozzato.

Poi batte le palpebre e vede Trey, annerita dal fumo e
zoppicante, un braccio stretto su una stampella di fortuna. Prima che la sua mente riesca a decidere se è viva o
morta, sta già correndo verso di lei.

I sensi di Trey sono come separati da lei. Vede gli occhi di Cal e per qualche motivo anche quelli di suo padre,
sente voci che pronunciano parole, si sente toccare sulla
schiena e sotto le cosce, ma tutte quelle cose non si uni-
scono in un'informazione coerente. Il fumo s'insinua tra
di esse, tenendole separate. Le sembra di non essere in
nessun luogo, ma di muoversi troppo in fretta.

– Tienile il piede sollevato, – dice Cal. A un tratto sente un duro colpo e il suo sedere sbatte contro il terreno.

La botta rimette le cose al loro posto. È seduta per terra,
con la schiena appoggiata a una ruota dell'auto di Cal. Suo
padre, piegato in due con le mani sulle cosce, sta ansimando. Sottili spire di fumo si snodano senza fretta sul sentiero e tra gli alberi, verso valle. Sotto di loro, il crepuscolo
copre la strada e l'erica; in alto, la montagna è in fiamme.

– Ragazzina, – dice Cal, vicino alla sua faccia. Ha la testa coperta da qualcosa di rosso e bianco; le parti visibili

del viso sono macchiate e sudate. – Ascoltami. Puoi respirare bene? Hai dolore da qualche parte?

La caviglia le fa un male cane, ma in quel momento è irrilevante. – No, – risponde. – Posso respirare.

– Bene –. Cal si alza, si toglie l'asciugamano dalla testa e fa una smorfia di dolore ruotando una spalla. – Ora dobbiamo salire in macchina.

– Non contare su di me, – dice Johnny, alzando le mani, ancora ansimante. – Non corro il rischio di tornare indietro. Sono stato fortunato a uscire vivo da quella fossa.

– Come vuoi, – dice Cal. – Trey, in macchina. Ora.

– Aspetta –. Johnny si inginocchia a terra davanti a Trey. – Theresa, abbiamo solo un minuto. Stammi a sentire –. La prende per le braccia e la scuote appena, per convincerla a guardarlo negli occhi. Nella luce opaca del fuoco e del crepuscolo, il suo viso sembra antico e mutevole, estraneo. – So che pensi che io sia tornato solo per fare un po' di soldi a spese di questo posto. Ma non è vero. Volevo davvero tornare, è quello che ho sempre voluto. Solo che volevo arrivare in limousine, pieno di regali per tutti voi, sparare dolciumi dalla finestra, portare diamanti per tua madre. E fargliela vedere, a tutti loro. Non era cosí che volevo tornare. Non so come sia potuta andare a finire in questo modo.

Trey guarda il fumo dietro le sue spalle e non dice nulla. Non capisce perché le stia parlando cosí, visto che non fa nessuna differenza. Le viene in mente che Johnny vuole solo parlare, non perché sia sconvolto, ma perché è fatto cosí. Senza qualcuno che lo ascolti, lo lodi o lo compatisca, gli sembra di non esistere. Se non le dicesse a lei, quelle cose non sarebbero reali.

– Va bene, – interviene Cal. – Andiamo.

Johnny lo ignora e parla piú in fretta. – Hai mai fatto

uno di quei sogni dove cadi da un posto elevato, o dentro un buco? Per tutta la vita, io mi sono sentito in uno di quei sogni. Continuo a scivolare giú, pianto le unghie sulla parete ma non riesco a fermarmi. Non c'è mai stato un momento in cui ho potuto capire come riuscirci.

– Dobbiamo andare, – insiste Cal.

Johnny fa un respiro. – Non ho mai avuto una possibilità, capisci? È questo che voglio dirti. Se quest'uomo ti sta dando una possibilità, prendila.

Alza la testa, scrutando la montagna. L'incendio si sta allargando, ma principalmente verso l'alto. Sui pendii ci sono ancora parecchie zone buie: sono vie di fuga.

– Ti racconto cosa è successo, – dice Johnny. – Io e Hooper arrivando quassú ci siamo divisi: lui ha preso il sentiero e io ho tagliato per il bosco, verso il retro della casa, per controllare se tu fossi da quella parte. Quando Hooper ti ha trovata, mi avete chiamato, ma c'era troppo rumore e l'incendio era troppo vicino perché lui potesse venire a cercarmi. E quella è stata l'ultima volta che qualcuno mi ha visto. Hai capito?

Trey annuisce. L'abilità di suo padre nell'inventare storie sta finalmente servendo a qualcosa. Quella è una storia semplice e molto vicina alla verità, e sarà creduta, mentre lui sfuggirà alle trappole e riuscirà ad andare via. E alla fine, farà pure la figura dell'eroe.

Johnny è ancora concentrato su di lei, le stringe le braccia, come se volesse ancora qualcosa, ma Trey non è disposta a dargli nulla. – Ho capito, – risponde, e libera le braccia dalla sua stretta.

– Tieni, – dice Cal. Prende il portafoglio e gli allunga un fascio di banconote.

Johnny si rialza e ride. Ha ripreso fiato. Con la testa sollevata e il riflesso dell'incendio negli occhi, sembra di nuovo un giovane monello. – Be', Dio onnipotente, – esclama. – Quest'uomo pensa sempre a tutto. Voi due farete grandi cose, insieme.

Tira fuori il cellulare e lo lancia tra gli alberi, verso le fiamme. – Di' a tua madre che mi dispiace. Ti manderò una cartolina, un giorno o l'altro, dal posto dove andrò a finire.

Si volta e si mette a correre, agile come un ragazzo, verso l'altro bivio, quello che porta a casa di Malachy Dwyer e poi sull'altro versante della montagna. Pochi secondi dopo scompare tra gli alberi, nascosto dal crepuscolo e dal fumo.

In lontananza, sotto il ruggito dell'incendio, Trey sente un lamento che sale d'intensità: il suono delle sirene.

– Andiamo, – dice Cal.

21

Il fumo si è fatto piú denso. Cal solleva Trey prendendola sotto le ascelle e praticamente la getta dentro l'auto.

– Si può sapere che cazzo stavi pensando? – chiede, sbattendo la portiera. Deve reprimere l'impulso di darle un ceffone. – Potevi *morire*.

– Ma non sono morta.

– Cristo santo! – esclama Cal. – Allaccia la cintura.

Gira la macchina sulla ghiaia per scendere dalla montagna. Lente spirali di fumo dànno l'impressione che la strada si muova sotto i fari, alzandosi e abbassandosi come una massa d'acqua. Cal vorrebbe accelerare al massimo ma non può correre il rischio di piantarsi in una delle tante buche e restare intrappolato lassú. Tiene un'andatura lenta e costante, sforzandosi di ignorare il ruggito alle sue spalle. Da qualche parte cade un albero e produce uno schianto cosí forte da far sobbalzare la macchina.

Il suono della sirena, davanti a loro, si fa piú forte e si avvicina in fretta. – Merda, – dice Cal, tra i denti. La strada è troppo stretta per due auto e non c'è nessun posto per togliersi di mezzo; l'unica possibilità è tornare in retromarcia fino al luogo dell'incendio.

– Svolta a destra, – suggerisce Trey. – Adesso.

Senza sapere cosa sta facendo, Cal gira il volante con forza, vede i fari scivolare sui tronchi e sente le ruote sobbalzare, poi si trova su un sentiero. È stretto e ingombro di erbacce e per due anni non ne aveva mai sospettato l'esistenza, ma è reale. Dietro di loro, sulla strada, la sirena passa e poi svanisce in lontananza.

– Sta' attento, – lo ammonisce Trey. – È pieno di curve.

– La macchina ci passa?

– Sí. Tra un po' diventa piú largo.

Anche con i finestrini alzati, il fumo è entrato nell'abitacolo e dà fastidio alla gola. Cal si sforza di non accelerare e osserva dal parabrezza il sentiero poco marcato che si snoda tra gli alberi. È cosí stretto che i rami raschiano le fiancate dell'auto. – Dove porta?

– Giú dalla montagna. Incrocia la strada principale fuori dal villaggio.

Dal buio sfrecciano davanti ai fari uccelli e piccoli animali. Cal, con il cuore a martello, inchioda tutte le volte. Trey si tiene stretta per resistere ai sobbalzi. – A sinistra, – dice, quando i fari illuminano quella che sembra la fine della strada contro una macchia di alberi, e Cal svolta a sinistra. Non ha idea di dove si trovi, ha perso l'orientamento. – Sinistra, – ripete Trey.

Gradualmente, gli alberi si diradano e lasciano il posto a cespugli e ginestre. Il sentiero si allarga e diventa piú definito. Si sono lasciati alle spalle il fumo; dai campi si vedono finestre illuminate e l'orizzonte a ovest ha ancora una debole sfumatura turchese. Il mondo esiste ancora. Cal comincia a tranquillizzarsi.

– Lena mi ha portata in città, oggi, – racconta Trey, all'improvviso. – Da Nealon. Gli ho detto che quella notte non avevo visto nessuno, solo mio padre che usciva di casa.

– Va bene, – dice Cal, dopo un breve silenzio. Riesce a trovare abbastanza cellule cerebrali da capire cosa significa. – Ed è uscito davvero?

Trey scrolla le spalle.

Cal non ha la forza di approcciare il tema con delicatezza. – Come mai hai cambiato la tua versione?

– Volevo farlo –. Trey si blocca, come se quelle parole l'avessero colta di sorpresa. – Volevo farlo, – ripete.

– Come se niente fosse, – replica Cal. – Avrei dovuto immaginarlo. Dopo aver fatto passare a tutto il paese delle settimane di merda, stamattina ti sei svegliata e hai pensato: «Cazzo, mi annoio, mi sa che vado in città e cambio la mia versione».

– Sei incazzato con me?

Cal non ha idea di cosa rispondere. Per un attimo rischia di scoppiare a ridere come un pazzo. – Non lo so, – dice poi.

Trey gli lancia un'occhiata come se fosse impazzito. Cal fa un respiro profondo e riesce a riprendersi un po'. – Sono soprattutto contento che tutta questa merda stia per finire. E che tu non sia morta nell'incendio. Tutto il resto è basso sulla lista delle mie priorità.

Trey annuisce come se la risposta avesse un senso. – Credi che mio padre ce l'abbia fatta?

– Sí. L'incendio divampa in fretta, ma nella direzione che ha preso lui non ci saranno strade impraticabili, almeno per un po'. Se la caverà. Quelli come lui se la cavano sempre –. È stufo di parlare con delicatezza di Johnny Reddy. Gli sembra di aver fatto piú che abbastanza resistendo alla tentazione di gettarlo tra le fiamme.

Sono arrivati ai piedi della montagna. Cal svolta sulla strada del villaggio e si sforza di fare respiri profondi. Le mani gli tremano cosí forte che riesce a malapena a tenere il volante. Rallenta prima di finire nella cunetta.

– Dove andiamo? – chiede Trey.

– Da Lena. Tua madre e i tuoi fratelli sono già lí.

Trey resta un attimo in silenzio, poi chiede: – Io posso venire a casa tua?

All'improvviso, Cal sente le lacrime pungergli gli occhi. – Certo, – risponde, battendo le palpebre per vedere la strada. – Perché no?

Trey lascia andare un lungo sospiro. Si accomoda meglio sul sedile e si volta di lato per guardare l'incendio, con la classica espressione di una ragazzina che guarda il paesaggio scorrere dal finestrino di un'auto.

Lena prepara il letto degli ospiti per Sheila e i due piccoli, e sistema Maeve sul divano. Aiuta Sheila a portare dentro tutte le borse e a cercare pigiami e spazzolini da denti. Trova in cucina latte, tazze e biscotti per uno spuntino veloce prima di dormire. Non chiama Cal. Sa che la chiamerà lui, appena potrà. Tiene il telefono nella tasca dei jeans, dove lo sentirà vibrare anche se tutti stanno parlando allo stesso tempo. Dev'essere l'unico cellulare di Ardnakelty che non squilla, oltre a quello di Sheila. Lo sente vibrare e lo prende subito, ma si tratta di Noreen. Lascia rispondere la segreteria.

È notte, ma le nuvole sulla montagna brillano di un arancione pulsante. Anche lí in basso, l'aria sa di ginestra bruciata. Le sirene passano sulla strada e Lena e Sheila fingono di non sentirle. Lena conosce abbastanza bene Trey da sapere che tutto questo fa parte di un piano. E sa, dal silenzio preoccupato di Sheila man mano che passa il tempo e Trey non torna, che questo non era nei piani.

Liam è inquieto e capriccioso, dà calci alle cose, sale sui mobili, chiede ogni dieci secondi dov'è suo padre. Né Lena, né Sheila, gli prestano attenzione; Sheila ha già abbastanza da fare con Alanna, che si rifiuta di staccarsi dalla sua maglietta; Lena, anche se capisce il motivo del malumore di Liam, fa fatica a non gridargli di smetterla. Alla fine è Maeve che lo prende in carico: chiede a Lena dove sono le spazzole per i cani e lo porta con lei a spazzolargli il pelo. I cani non ne capiscono il motivo, ma sono pazienti, e un po' alla volta Liam si calma. Lena, passando con una bracciata di asciugamani, lo vede chiedere alla sorella qualcosa sottovoce, e Maeve lo zittisce.

Quando il telefono finalmente squilla, per poco non rovescia una sedia nella fretta di uscire dalla porta di servizio. – Cal, – dice, chiudendosi la porta alle spalle.

– Siamo a casa mia. Io e Trey.

Lena sente cedergli le ginocchia e si siede sul gradino. – Ottimo, – replica in tono calmo. – Sta bene?

– Una storta alla caviglia e qualche scottatura di poco conto. Niente di preoccupante.

Anche Cal mantiene un tono di calma forzata. Qualunque cosa sia successa lassú, è stata brutta.

– Starà bene, – risponde Lena. – Ha mangiato?

– Siamo appena entrati in casa. Ma sí, sta già dicendo che muore di fame. Le ho detto che avrei cucinato qualcosa dopo averti chiamata.

– Bene. Se ha fame, significa che sta bene, grosso modo.

Cal fa un lungo sospiro. – Mi ha chiesto di venire a casa mia, – le dice. – La terrò qui, se per Sheila va bene.

– Ma certo –. Lena fa a sua volta un lungo sospiro e appoggia la schiena al muro. – Anche perché non saprei dove metterla; dovrebbe dormire nella vasca da bagno.

– La loro casa è bruciata. A parte questo, non so altro.

– Sheila ha detto che Johnny deve aver gettato un mozzicone acceso.

C'è un breve silenzio. – Johnny era sotto la montagna, quando è scoppiato l'incendio.

Lena sente anche il non detto e ricorda che Mart Lavin le aveva comunicato che sarebbe andato a parlare con Johnny. – Probabilmente il fuoco ci ha messo tempo, prima di attecchire.

Un altro silenzio, ed è il turno di Cal di sentire le cose non dette. Lena, seduta al buio nell'odore di fumo, gli lascia tempo per riflettere.

– Probabilmente è cosí, – dice lui alla fine. – Quando lo avranno domato, non sarà possibile capire com'è scoppiato.

– Dov'è Johnny ora?

– Ha tagliato la corda. Gli ho dato un po' di denaro. Non posso giurare che sia riuscito a scendere indenne, e probabilmente è meglio se tutti pensano che non ce l'ha fatta. Ma a giudicare da quello che ho visto, Johnny sta benissimo.

Lena si sente sollevata, non per Johnny, ma per Trey, che non dovrà vivere con il pensiero di aver avuto una parte nella morte di suo padre. – Era ora che se ne andasse, – commenta.

– Appena in tempo, direi. Ormai era nella merda fino al collo.

– Sí, lo so.

– Ed era in arrivo altra merda. Trey mi ha detto che tu e lei siete andate da Nealon.

Lena non capisce cosa ne pensi Cal. – Speravo che te lo dicesse. Non ero sicura che lo avrebbe fatto. Temeva che tu ti arrabbiassi con lei.

– Adolescenti del cazzo, – ribatte Cal, con sentimento. – Ho cosí tante cose per cui arrabbiarmi, è meglio non iniziare neppure, altrimenti vado avanti fino alla fine dell'anno. Quello che mi dà fastidio è che non vuol dirmi cosa le ha fatto cambiare idea. Vorrei proprio saperlo.

– Non prendertela, ha solo avuto un po' di buonsenso –. Cal non fa altre domande, e Lena ne è felice. Le risposte potrebbero non piacergli e in quel momento non ha bisogno di complicazioni. Dopo un silenzio, Cal aggiunge: – Non credo che Johnny abbia ucciso Rushborough.

– Nemmeno io. Ma forse cosí si renderà utile, per una volta nella sua vita.

Si cercano a vicenda nei silenzi, a tentoni. Lena non vuole sentirlo al telefono. Lo vorrebbe accanto a lei, per poterlo toccare.

– È vero, – conviene Cal. – Ma comunque non è un problema mio. L'unica cosa di cui sono contento è che se ne sia andato.

Lena rivede l'espressione di selvaggio trionfo sul viso di Nealon. – Quando eri un detective, – dice, – ed eri sul punto di trovare il tuo uomo, come ti sentivi?

Scende un silenzio e lei pensa che Cal le chiederà il motivo della domanda. Invece risponde: – Sollevato. Come se avessi riparato qualcosa di guasto. Quando ho smesso di sentirmi cosí ho capito che era meglio andare in pensione.

Lena sorride al telefono. Pensa, anche se non lo dice, che a Cal non sarebbe piaciuto lavorare con Nealon, anche se lui crede di sí. – Ottima idea. Cosí ora Rushborough non è un problema tuo.

– Grazie a Dio. Ora vado a far da mangiare a Trey. Volevo solo avvisarti che stiamo bene.

– Passo da te tra un po', – aggiunge Lena. – Li metto tutti a letto, mostro a Sheila dove sono le cose, poi arrivo.

– Benissimo, – risponde Cal, dopo un altro sospiro profondo. – Non vedo l'ora.

– Fa' i complimenti a Trey da parte mia.

Riattacca e in quel momento Sheila esce e richiude la porta alle sue spalle. – Era Cal?

– Sí. Lui e Trey stanno bene. Sono a casa sua.

Sheila fa un respiro e lascia andare lentamente l'aria. Si siede sul gradino accanto a lei. – Bene. Questo è sistemato.

Tra loro scende un silenzio. Lena sa che Sheila intende lasciarle spazio per fare domande, a cui risponderà per sdebitarsi dell'ospitalità. Ma lei non ha domande da fare, o almeno, nessuna domanda alla quale vuole una risposta.

– Johnny ha tagliato la corda, – le dice. – Cal gli ha dato un po' di soldi. Se è fortunato, tutti penseranno che sia morto nell'incendio.

Sheila annuisce. – Un'altra cosa sistemata –. Si passa le mani sulle cosce.

Il cielo è buio, come i campi, e si fondono in una dimensione indistinta. In alto, sopra il buio, splende una macchia arancione, sopra la quale salgono nuvole di fumo, illuminate dal basso.

– Cal ha detto che la vostra casa non c'è piú, – le spiega Lena.

– Lo immaginavo. Sarà in cenere. Comunque, l'ho sempre detestata –. Alza la testa a guardare l'incendio, con un'espressione vuota. – Non ti daremo fastidio a lungo. Un paio di settimane al massimo. Se la vecchia casa dei Murtagh sopravvive all'incendio, potrei chiedere se me la lasciano avere. O potrei anche scendere dalla montagna, tanto per cambiare, e chiedere a Rory Dunne se affitta a noi quel cottage, invece di metterlo su Airbnb. Alanna deve iniziare la scuola il prossimo mese, e io potrei anche trovarmi un lavoretto.

– Qui potete restare quanto volete. Soprattutto se Maeve e Liam continuano a spazzolare i cani. Con il caldo di quest'estate hanno perso tanto pelo che potrei farci dei tappeti.

Sheila annuisce. – Vado a dire ai bambini di Johnny. Gli dispiacerà sapere che non c'è piú, o almeno dispiacerà a Maeve e Liam, ma gli dirò che almeno adesso è al sicuro. Questo gli farà piacere.

– Bene. Qualcuno deve pur essere contento.

Sheila sbotta in una breve risata e Lena si rende conto di

come può sembrare quello che ha appena detto. – Ah, smettila, – protesta. Ma ride anche lei. – Dico sul serio.

– Lo so, lo so. E hai ragione. È solo il tono in cui l'hai detto, come se... – Ridono entrambe in un modo un po' esagerato, tanto che Sheila si piega in due sul gradino. – Come se si trattasse di pulire un bagno sporco: «Qualcuno deve pur farlo...»

– Ma io non ci penso proprio...

– Oh, Dio...

– Mamma? – Sulla porta compare Alanna, con le gambe nude, coperta solo da una maglietta che Lena ha visto indossare a Trey e che le sta molto grande.

– Oh, Gesú, – esclama Sheila, riprendendo fiato e asciugandosi gli occhi con il dorso della mano. – Vieni qui –. Tende un braccio verso la figlia.

Alanna non si muove, perplessa e diffidente. – Cosa c'è da ridere?

– È stata una lunga giornata, – risponde sua madre. – Lunghissima. Dài, vieni qui.

Dopo una breve esitazione, Alanna si rannicchia sul gradino, sotto il braccio di Sheila. – Dov'è Trey?

– A casa di Cal.

– E resterà lí?

– Non lo so. Abbiamo un sacco di decisioni da prendere. Stiamo appena cominciando.

Alanna annuisce. Guarda in alto, verso la montagna, con un'espressione solenne e sognante.

– È ora di andare a nanna, – dice Sheila. Si alza e con sforzo la prende in braccio. Alanna le avvolge le gambe intorno al corpo, e continua a guardare l'incendio.

– Andiamo, – dice sua madre, e la porta dentro. Lena resta sul gradino ancora per un po', ad ascoltare i rumori della casa piena di persone che si preparano ad andare a dormire. Non ha nessuna intenzione di tenerli lí a lungo, ma per poche settimane le sembra bello avere di nuovo la casa piena.

Con tutto quello che è successo, Trey ha saltato la cena. È piú preoccupata per questo che per la caviglia, che è gonfia e violacea ma non sembra rotta, o per le vesciche sulle braccia dove si sono depositati fiocchi di cenere in fiamme. Cal, con le mani ancora tremanti, non ha l'energia per cucinare qualcosa di sostanzioso. Le mette una benda sulla caviglia e le fa un panino, poi un altro, e alla fine lascia in tavola il pane e vari tipi di farciture perché prenda quello che vuole.

La osserva in cerca dei segni di cui gli ha parlato Alyssa, che tradiscono traumi, reazioni ritardate, disturbi affettivi, ma non riesce a vedere nulla del genere. Trey gli sembra solo affamata, e notevolmente sporca. Vorrebbe tanto sapere cosa è stato piú importante per lei della sua vendetta, ma ha la sensazione che non glielo dirà mai.

Probabilmente dovrebbe parlarle (oltre a un mucchio di altre cose) dell'incendio: le persone che potrebbero perdere tutto, gli animali restati senza casa, i pompieri costretti a rischiare la vita… Ma non lo farà. Prima di tutto, al momento è ancora troppo sollevato dal fatto che lei sia sana e salva, per dare spazio ai problemi di coscienza. E poi, non avrebbe nessun impatto. Se Trey ha dato fuoco alla casa, lo ha fatto per far sparire delle prove. Cal riesce a vedere solo un motivo per quell'azione ed è qualcosa che niente potrebbe battere.

– Non te lo chiederò, – esclama all'improvviso.

Trey lo fissa, continuando a masticare.

– Parlo di tutto questo. Se c'è qualcosa che vuoi dirmi, fallo, in qualsiasi momento. Ci sono cose che vorrei sapere. Ma non farò domande.

Trey ci riflette sopra per un minuto. Poi annuisce e si ficca in bocca l'ultimo pezzo del panino. – Posso fare una doccia? – chiede. – Sono sporchissima.

Mentre si fa la doccia Cal esce, si appoggia al muro che dà verso la strada e guarda l'incendio. Qualche giorno prima sarebbe stato a disagio a lasciare Trey sola in casa, ma ormai lei non è più in pericolo. Non sa quale complicata rete di lealtà l'abbia portata alle decisioni che ha preso, e sospetta che sia un mistero anche per gli altri abitanti del posto, che se ne rendano conto o meno, ma non importa, almeno, non per il momento. Basta solo che quelle decisioni sembrino accettabili dall'esterno.

È ancora là fuori quando Mart arriva zoppicando lungo la strada. Anche con il bagliore dell'incendio che illumina il cielo, è così buio che Cal sente il rumore dei suoi passi sulla ghiaia prima di vedere la sua forma emergere da dietro le siepi. Lo riconosce dalla sua camminata, che è ancora più a scatti del normale; Mart si appoggia pesantemente al bastone: tutto quel tempo trascorso in piedi a guardar scavare Johnny gli ha irrigidito le articolazioni.

– Ciao, – lo saluta Cal quando è abbastanza vicino.

– Ah, – risponde Mart, con un sorriso. – Eccoti qui. Era quello che volevo sapere: sei riuscito a tornare a casa sano e salvo. Ora posso andare a fare il mio sonno di bellezza con la coscienza tranquilla.

– Sí. Grazie di essere passato a vedere –. L'alleanza forzata di Cal con Mart è terminata, ma qualcosa tra loro è cambiato, che gli piaccia o no.

Mart annusa l'aria. – Mio Dio, emani una puzza di fumo tremenda. Meglio se ti dài una buona lavata prima che arrivi la tua signora, altrimenti non si avvicinerà. Sei arrivato in prossimità dell'incendio?

– Solo per un minuto, – risponde Cal. – Ho caricato

Trey in macchina e sono schizzato a valle. Lei è qui. Sheila e gli altri bambini sono da Lena.

– Ah, ottimo, – commenta Mart, sorridendo. – Sono contento che siano tutti riusciti a salvarsi. E cosa mi dici di Johnny, Sunny Jim? L'hai spinto tra le fiamme? Dov'è?

– Johnny ha pensato che Trey fosse ancora dentro casa, – spiega Cal. – Ha fatto il giro dal retro per cercarla. Non so cosa gli sia successo.

– Interessante, – replica Mart, con approvazione. – Una notizia da scaldare il cuore: il perdigiorno buono a nulla che si sacrifica per la sua bambina. Credo che tutti ameranno questa storia; a tutti piace vedere un po' di redenzione, soprattutto se accoppiata con un giusto castigo. Ma insomma, l'hai spinto nell'incendio? Resta tra noi, ovviamente.

– Non ce n'è stato bisogno. È scappato.

Mart annuisce, senza sorpresa. – È la cosa che sa fare meglio. Ed è ottimo quando il talento di qualcuno viene utile. Ha detto per caso dove andava?

– No. E non gliel'ho chiesto, perché non importa. Quello che tutti devono sapere è che Johnny non è riuscito a scendere dalla montagna.

Mart lo guarda e comincia a ridere. – Ma guarda un po'. Finalmente ti sei adattato del tutto a questo posto. Ora hai capito come funzionano le cose, qui, e nulla piú può fermarti.

– Anche se Johnny ce l'ha fatta, – aggiunge Cal, – scapperà lontano e non tornerà piú. Ci siamo liberati di lui. E Nealon pensa che sia stato Johnny a far fuori Rushborough, perciò ci siamo liberati anche di lui.

Mart inarca le sopracciglia. – Bene, che bella notizia. Era ora.

– È una cosa a cui bisogna brindare –. Mart non gli ha chiesto cos'ha fatto cambiare idea a Nealon e Cal non si aspetta che glielo chieda.

– Bravo. Sai una cosa? – domanda Mart, in tono pensoso, voltandosi a guardare i progressi dell'incendio. – Alcuni erano favorevoli all'idea di dar fuoco alla casa di Johnny, invece di fare quella sceneggiata con la vanga e tutto il resto. Qualunque cosa uno faccia, alla fine il risultato non cambia.

– Hai sentito qualcosa sui danni dell'incendio? – chiede Cal.

– Gimpy Duignan e sua moglie sono stati fatti evacuare, e anche Malachy e Seán Pól e tutti quelli che vivono piú in alto di loro e anche qualcuno sull'altro versante. I vigili del fuoco sperano di avere l'incendio sotto controllo prima che scavalchi la montagna, ma tutto dipende dal vento –. Mart guarda il cielo. – Forse non solo dal vento. Non credevo che l'avrei mai piú detto, ma sai una cosa, Sunny Jim? Mi sembra che stia per piovere.

Cal alza gli occhi. Il cielo è senza stelle, e l'aria è pesante e agitata in un modo che non ha a che fare con l'incendio.

– Se ho ragione, – prosegue Mart, – i danni potrebbero non essere troppo gravi. Le pecore lassú sono piú sensate degli uomini e si saranno messe in salvo non appena hanno sentito odore di fumo. Perderemo un pezzo di foresta e una quantità di ginestre, ma non credo che importi a nessuno; ci sarà piú terra libera per i pascoli e Dio sa che ci serve tutto l'aiuto che possiamo avere. Se non bruciano altre case, si potrà persino dire che non tutto il male viene per nuocere –. Lancia un'occhiata a Cal. – Hai idea di come sia scoppiato?

– Sheila Reddy pensa che sia stato Johnny: ha gettato un mozzicone che non era spento.

Mart ci pensa su, continuando a guardare il cielo. – Sono d'accordo, mi sembra un'ottima idea. Detesto parlar male dei morti, ma Johnny non ha mai tenuto conto delle conseguenze delle sue azioni. Perciò la spiegazione funziona benissimo.

– Voi ragazzi volevate davvero ucciderlo? – chiede Cal.

Sul viso di Mart si allarga un ghigno. – Niente «voi ragazzi», amico mio.

– Va bene. Volevamo davvero ucciderlo?

– Dimmelo tu, Sunny Jim. C'eri anche tu. Cosa ne pensi? – Colpito da un pensiero improvviso, infila una mano nella tasca dei pantaloni. – Ho una cosa da farti vedere. Ero sulla via di casa e davanti ai miei fari è apparso quel cazzo di zombie che hai nell'orto. Sono un tipo osservatore e ho notato che aveva qualcosa di diverso. Perciò mi sono fermato e sono andato a vedere. E indovina cos'aveva in testa?

Tira fuori un oggetto con un gesto trionfante e lo tiene davanti al viso di Cal. Cal deve chinarsi un po' per identificarlo. È il cappello mimetico arancione di Mart.

– Lui non voleva che glielo togliessi, ma ho combattuto come Rocky Balboa. Nessuno deve mettersi tra me e il mio cappello.

– Che io sia dannato, – commenta Cal. Anche se non ha mai detto una parola sull'argomento, era convinto che Mart avesse ragione e dietro il furto del cappello ci fosse Senan. – Quindi Senan è innocente.

– Esatto, – risponde Mart, agitando il cappello. – Quando ho torto, non ho problemi ad ammetterlo. Senan era ai piedi della montagna, con me e te, quando questo cappello è stato lasciato sullo spaventapasseri, perciò gli devo delle scuse e una pinta di birra. Ma allora chi è stato a rubarmelo, eh? La prossima volta che avrai voglia di risolvere un mistero, Sunny Jim, metti alla prova le tue capacità di detective su questa faccenda.

Si calca il cappello in testa e lo aggiusta con un colpetto

soddisfatto. – Tutto è bene quel che finisce bene. Questo è il mio motto –. Punta il bastone verso Cal in un gesto di saluto e si avvia verso la strada nel buio, fischiettando un motivetto e tentando allo stesso tempo di non sforzare troppo le articolazioni.

La casa di Trey ha, anzi aveva, un solo bagno e mai abbastanza acqua calda, perciò approfitta del bagno di Cal per farsi la doccia piú lunga della sua vita, senza che nessuno batta i pugni contro la porta. Tiene il piede lussato appoggiato sullo sgabello che loro due avevano costruito quando lei era piú bassa, per permetterle di prendere oggetti sulle mensole alte. L'acqua calda punge sulle scottature, e anche in testa ci sono piccoli punti senza capelli.

La giornata le ritorna in mente in una serie di lampi sconnessi: Nealon che inclina all'indietro la sedia, gli alberi in fiamme, Lena che avanza sul sentiero, la benzina sulla carriola piena di cose, le mani di sua madre sul tavolo illuminate dal sole. Tutto, a parte l'incendio, sembra essere successo anni prima. Forse un giorno proverà qualcosa al riguardo, ma per il momento non ha spazio; la sua mente è troppo affollata da quei lampi. L'unica cosa che sente è il sollievo di essere a casa di Cal.

Quando esce dalla doccia, non lo vede da nessuna parte, ma Rip dorme pacifico sul letto, quindi non si preoccupa. Si siede sul divano, rifà il bendaggio alla caviglia e si guarda intorno. Le piace quella stanza, ordinata, con ogni cosa al suo posto. I libri sono impilati sotto il davanzale della finestra: a Cal servirebbe una libreria.

Ma Trey rifiuta l'idea. Ripagare Cal per la sua ospitalità sarebbe stupido, una cosa che farebbe una bambina. Ha già trovato, finalmente, una cosa da dargli in cambio: la sua vendetta. I suoi debiti con lui sono stati saldati, in un modo che non consente marce indietro verso cose da bambini come fette di prosciutto e librerie. Ormai il loro rapporto poggia su altre basi.

Trova Cal davanti casa, intento a guardare l'incendio, appoggiato al muro. – Ciao, – le dice, voltando la testa, quando sente i suoi passi sull'erba.

– Ciao.

– Non dovresti camminare su quel piede. Tienilo a riposo.

– Sí –. Trey si appoggia al muro accanto a lui, a braccia conserte. Sa che Cal non le parlerà, almeno, non di cose che richiedano riflessione. Lei ha già parlato e pensato tanto, nelle scorse settimane, da bastarle per tutta la vita.

L'incendio si è spento da solo sul fianco della montagna e si è esteso lungo la cresta; i contorni familiari sono tracciati in linee di fiamme contro il buio. Trey si chiede quante altre persone del posto siano davanti al cancello o dietro le finestre, a osservare. Spera che tutti, uomini e donne, riconoscano l'incendio per quello che è: la pira funeraria di Brendan.

– Tua madre ha salvato alcuni dei tuoi vestiti? – chiede Cal.

– Sí. Quasi tutti.

– Bene. Lena arriverà tra poco; le chiedo di portarti qualcosa per cambiarti. Le cose che hai addosso puzzano di fumo.

Trey avvicina al naso il colletto della T-shirt e lo annusa. L'odore è nero, forte e legnoso. Decide di lasciarla cosí. La userà per avvolgere l'orologio di Brendan. – Chiedile se può portare anche Banjo.

– E domani, – dice Cal, – andiamo in città e ti compro un paio di jeans che ti coprano le caviglie.

Trey sogghigna. – Cosí sarò decente, eh?

– Esatto –. Trey sente il sorriso anche nella voce di Cal.
– Non puoi andare in giro a mostrare le caviglie a tutti.
Qualche vecchia signora si farà venire un infarto.

– Non ho bisogno di nuovi jeans, – replica Trey, quasi
per riflesso. – Questi vanno benissimo.

– Se mi crei un problema qualsiasi, – ribatte Cal, – mentre siamo lí mi fermo dal barbiere e mi faccio radere completamente la barba. Cosí potrai conoscere le verruche che
ho sul mento.

– Va bene, – dice Trey. – Le voglio conoscere. Fa' pure.

– No, – risponde Cal. – È inutile. Il tempo sta cambiando. Si sente odore di pioggia.

Trey alza la testa e scopre che ha ragione. Il cielo è
troppo buio per vedere le nuvole, ma l'aria che le sfiora le
guance è fresca e umida, sotto la puzza di fumo. Qualcosa
sta arrivando da ovest, e sta prendendo forza.

– Dici che spegnerà l'incendio?

– È probabile, tra la pioggia e i pompieri. O almeno ba-
gnerà tanto ogni cosa da impedire che il fuoco avanzi ancora.

Trey guarda il pendio, dove giace Brendan e dove per
poco non è morta anche lei. Le possibilità di trovarlo, già
scarse in partenza, ora sono nulle: l'incendio avrà cancellato ogni segno che lei avrebbe potuto notare; se il suo
fantasma è mai stato lí, ora è una lingua di fiamma che sale verso l'alto tra il fumo e scompare nel cielo notturno.
Con sorpresa, Trey scopre che le va bene cosí. Brendan le
manca moltissimo, ma non piú con quel bisogno tagliente.
Anche con lui sono cambiati i rapporti.

Un qualcosa di leggero come un moscerino le colpisce una
guancia. Quando tocca il punto, lo trova bagnato.

– Piove, – dice.

– Già. Cosí i contadini possono tranquillizzarsi. Vuoi
andare dentro?

– No –. Trey dovrebbe essere esausta, ma non è cosí. L'aria fresca è piacevole. Ha l'impressione che potrebbe restare lí tutta la notte, finché l'incendio si spegnerà o finché sorgerà il sole.

Cal annuisce e sposta le braccia sul muro per stare piú comodo. Manda un messaggio a Lena per dirle di Banjo e del cambio di vestiti e lei risponde con l'emoticon del pollice alzato. La mostra a Trey. I corvi, attenti e nervosi sul loro albero, fanno rauchi commenti sulla situazione e cercano di zittirsi a vicenda.

La linea dell'incendio si è allargata sull'orizzonte, seguendo le ondulazioni della cresta. Il rumore arriva fino a loro, ma debole e gentile, come l'eco di un oceano distante. È tardi, ma in lontananza, in tutte le direzioni, i campi sono punteggiati dalle luci gialle dentro le case. Tutti sono svegli e attendono.

– È bello, – dice Trey.

– Sí, – risponde Cal. – Sono d'accordo.

Restano lí, appoggiati al muro, mentre la pioggia cade loro sulla pelle e il contorno fiammeggiante delle montagne risalta nel cielo notturno.

Ringraziamenti.

Devo un grazie enorme a Darley Anderson, il miglior alleato e campione che una scrittrice possa avere, e a tutto il team dell'agenzia, in particolare a Mary, Georgia, Rosanna, Rebeka e Kristina; grazie anche alle mie fantastiche editor, Andrea Schulz e Harriet Bourton, per la loro abilità quasi magica di vedere esattamente come aveva bisogno di essere questo libro e per avermelo mostrato. Grazie alla superstar Ben Petrone, a Nidhi Pugalia, Bel Banta, Rebecca Marsh e a tutto lo staff della Viking US; e anche a Olivia Mead, Anna Ridley, Georgia Taylor, Ellie Hudson, Emma Brown e a tutto lo staff della Viking UK. Desidero ringraziare Cliona Lewis, Victoria Moynes e tutti quelli della Penguin Irlanda; Susanne Halbleib e tutto lo staff della Fischer Verlage; Steve Fisher dell'APA; Ciara Considine, Clare Ferraro e Sue Fletcher, che hanno messo in moto tutto questo; Aja Pollock, per il suo occhio d'aquila nel copy editing; Darren Haggar, per una bellissima copertina; Peter Johnson, per i consigli su come cucinare il coniglio; Graham Murphy, per aver scoperto cosa non c'è in televisione di lunedì a luglio; Kristina Johansen, Alex French, Susan Collins, Noni Stapleton, Paul e Anna Nugent, Ann-Marie Hardiman, Oonagh Montague, Jessica Ryan, Jenny e Liam Duffy, Kathy e Chad Williams e Karen Gillece, per le risate, le chiacchierate, il sostegno, la creatività, le serate fuori, per esserci congelati i piedi su una spiaggia d'inverno e per tante altre cose essenziali; mia madre, Elena Lombardi; mio padre, David French; e sempre di più ogni volta mio marito, Anthony Breatnach.

Questo libro è stampato su carta contenente fibre certificate FSC®
e con fibre provenienti da altre fonti controllate.

Stampato per conto della Casa editrice Einaudi
presso ELCOGRAF S.p.A. – Stabilimento di Cles (Tn)
nel mese di agosto 2024

Edizione   C.L. 26444   Anno

1   2   3   4   5   6   2024 2025 2026 2027